CRIMES FALIMENTARES

*Teoria, Prática
e Questões de Concursos Comentadas*

ALEXANDRE DEMETRIUS PEREIRA

CRIMES FALIMENTARES

Teoria, Prática e Questões de Concursos Comentadas

MALHEIROS EDITORES

CRIMES FALIMENTARES
– Teoria, Prática e Questões de Concursos Comentadas
© Alexandre Demetrius Pereira

ISBN 978-85-392-0016-0

Direitos reservados desta edição por
MALHEIROS EDITORES LTDA.
Rua Paes de Araújo, 29, conjunto 171
CEP 04531-940 – São Paulo – SP
Tel.: (11) 3078-7205 – Fax: (11) 3168-5495
URL: www.malheiroseditores.com.br
e-mail: malheiroseditores@terra.com.br

Composição
PC Editorial Ltda.

Capa: Vânia Lúcia Amato
Arte: PC Editorial Ltda.

Impresso no Brasil
Printed in Brazil
03.2010

*Aos meus pais, José Osvaldo Pereira
e Maria Aparecida Marini Pereira,
pela dedicação à minha formação moral e intelectual.*

À Dirce Alves Benedito, pelo amor e afeto sempre presentes.

*À Rafaela D'Assumpção Cardoso Glioche,
pela colaboração e revisão deste trabalho.*

NOTA DO AUTOR

A criminalidade falimentar é matéria necessariamente multidisciplinar. Envolve conhecimentos de vários campos jurídicos, bem como de outras ciências, como a Economia e a Contabilidade. Examiná-la somente sob a ótica de um desses ramos do saber é necessariamente ter uma visão incompleta do problema.

Dentro dessa linha, a presente obra se destina a vários objetivos.

O primeiro deles, podemos dizer, é aliar conhecimentos. Trazer ao leitor a visão dos delitos falimentares não somente sob a ótica jurídico-penal, mas uni-la aos conceitos necessários das outras ciências antes mencionadas, com o fim de tornar mais abrangente a visão do operador do Direito. Nos dias de hoje, o bom jurista já não é um mero autômato aplicador estanque do Direito posto, devendo dominar conceitos de ciências correlatas àquela em que é especialista, para tornar seu trabalho socialmente mais útil.

Buscamos também chamar a atenção do leitor para o problema da criminalidade falimentar, espécie de delinqüência econômica cuja importância ainda não foi devidamente percebida no Brasil, mas que traz inúmeras conseqüências sociais.

Por fim, procuramos trazer ao leitor o máximo de completude de conteúdo que a matéria permitia – sem, obviamente, ter a pretensão de esgotá-la. Entendemos que não basta somente presentear o usuário desta obra com doutrinas ou teses. É necessário que verifiquemos qual vem sendo o posicionamento que o Poder Judiciário tem tomado com relação ao assunto nos casos concretos – motivo pelo qual procuramos inserir no texto a jurisprudência pertinente, fazendo, quando necessário, as respectivas críticas.

Sabemos que a matéria é árdua. Por isso, nosso intuito foi apresentá-la da forma mais didática e compreensível, de modo a se tornar uma leitura agradável e leve.

Esperamos que este trabalho esteja ao gosto do leitor, e desde já agradecemos o envio de idéias, críticas e sugestões, disponibilizando, para tanto, nosso *e-mail* pessoal (alexandredemetrius@uol.com.br).

O Autor

SUMÁRIO

Nota do Autor 7

1. **Empresa Moderna, Crise Empresarial e Previsibilidade** 17
2. **A Contribuição do Empresário para a Crise Empresarial e o Crime Falimentar** 23
3. **Uma Abordagem Econômica do Fenômeno Criminal e sua Aplicabilidade aos Crimes Falimentares** 29
4. **Custos Sociais e Crimes Falimentares** 37
5. **Repressão, Política Criminal e Crimes Falimentares** 43
6. **Crimes Falimentares, Soluções Judiciais e de Mercado para as Crises Empresariais** 47
7. **Crime Falimentar**
   - *7.1 Breve relato histórico e Direito Comparado* 53
   - *7.2 Evolução do instituto no Brasil* 57
   - *7.3 Posição topográfica da matéria e relacionamentos interdisciplinares* 58
   - *7.4 Conceito, natureza, objetividade jurídica e nomenclatura* .. 60
8. **Classificação dos Crimes Falimentares** 67
9. **Elementos Constitutivos do Crime Falimentar, Decisão de Falência e de Recuperação Judicial ou Extrajudicial** 73
10. **Dos Sujeitos Ativo e Passivo no Crime Falimentar e o Concurso de Pessoas** 87
11. **Do Elemento Subjetivo** 95
12. **Consumação e Tentativa nos Crimes Falimentares** 105
13. **A Lei 11.101/2005 e o Direito Intertemporal** 109
14. **Da Unidade ou Unicidade do Crime Falimentar e o Problema de sua Subsistência na Vigência da Lei 11.101/2005** 123
    - *14.1 Unidade e concurso de crimes falimentares e comuns* 128
15. **Dos Crimes em Espécie** 133
    - *15.1 Da fraude a credores* 134
       - 15.1.1 Sujeito ativo 135
       - 15.1.2 Sujeito passivo 136
       - 15.1.3 Objeto jurídico 136

	15.1.4	Tipo objetivo	136
	15.1.5	Tipo subjetivo	139
	15.1.6	Consumação e tentativa	141
	15.1.7	Classificação	141
	15.1.8	Causas de aumento de pena	142
		15.1.8.1 Inciso I – Inserção de dados inexatos em escrituração ou balanço	143
		15.1.8.2 Inciso II – Omissão de lançamento ou alteração de dados verdadeiros em escrituração ou balanço	146
		15.1.8.3 Inciso III – Destruição ou corrupção de dados contábeis ou negociais em sistema informatizado	147
		15.1.8.4 Inciso IV – Simulação de capital social	149
		15.1.8.5 Inciso V – Destruição, ocultação ou inutilização de documentos de escrituração obrigatórios	150
	15.1.9	Contabilidade paralela	153
	15.1.10	Redução ou substituição da pena	155
	15.1.11	Concurso com outros crimes	157
15.2	*Da violação de sigilo empresarial*		161
	15.2.1	Sujeito ativo	162
	15.2.2	Sujeito passivo	162
	15.2.3	Objeto jurídico	162
	15.2.4	Tipo objetivo	162
	15.2.5	Tipo subjetivo	164
	15.2.6	Consumação e tentativa	164
	15.2.7	Classificação	166
15.3	*Da divulgação de informações falsas*		166
	15.3.1	Sujeito ativo	167
	15.3.2	Sujeito passivo	167
	15.3.3	Objeto jurídico	167
	15.3.4	Tipo objetivo	167
	15.3.5	Tipo subjetivo	167
	15.3.6	Consumação e tentativa	167
	15.3.7	Classificação	168
15.4	*Da indução a erro*		168
	15.4.1	Sujeito ativo	169
	15.4.2	Sujeito passivo	169
	15.4.3	Objeto jurídico	169
	15.4.4	Tipo objetivo	169

SUMÁRIO   11

	15.4.5	Tipo subjetivo	170
	15.4.6	Consumação e tentativa	170
	15.4.7	Classificação	171
15.5	Do favorecimento de credores	171
	15.5.1	Sujeito ativo	172
	15.5.2	Sujeito passivo	172
	15.5.3	Objeto jurídico	172
	15.5.4	Tipo objetivo	173
	15.5.5	Tipo subjetivo	173
	15.5.6	Consumação e tentativa	173
	15.5.7	Classificação	174
15.6	Do desvio, ocultação ou apropriação de bens	174
	15.6.1	Sujeito ativo	175
	15.6.2	Sujeito passivo	175
	15.6.3	Objeto jurídico	175
	15.6.4	Tipo objetivo	175
	15.6.5	Tipo subjetivo	178
	15.6.6	Consumação e tentativa	179
	15.6.7	Classificação	179
15.7	Da aquisição, recebimento ou uso ilegal de bens	180
	15.7.1	Sujeito ativo	180
	15.7.2	Sujeito passivo	180
	15.7.3	Objeto jurídico	180
	15.7.4	Tipo objetivo	181
	15.7.5	Tipo subjetivo	181
	15.7.6	Consumação e tentativa	182
	15.7.7	Classificação	182
15.8	Da habilitação ilegal de crédito	183
	15.8.1	Sujeito ativo	183
	15.8.2	Sujeito passivo	184
	15.8.3	Objeto jurídico	184
	15.8.4	Tipo objetivo	184
	15.8.5	Tipo subjetivo	185
	15.8.6	Consumação e tentativa	186
	15.8.7	Classificação	186
15.9	Do exercício ilegal de atividade	186
	15.9.1	Sujeito ativo	186
	15.9.2	Sujeito passivo	187
	15.9.3	Objeto jurídico	187
	15.9.4	Tipo objetivo	187
	15.9.5	Tipo subjetivo	188
	15.9.6	Consumação e tentativa	188

	15.9.7	Classificação	188
15.10		Da violação de impedimento	189
	15.10.1	Sujeito ativo	190
	15.10.2	Sujeito passivo	191
	15.10.3	Objeto jurídico	191
	15.10.4	Tipo objetivo	191
	15.10.5	Tipo subjetivo	193
	15.10.6	Consumação e tentativa	193
	15.10.7	Classificação	193
15.11		Da omissão dos documentos contábeis obrigatórios	193
	15.11.1	Sujeito ativo	196
	15.11.2	Sujeito passivo	197
	15.11.3	Objeto jurídico	197
	15.11.4	Tipo objetivo	198
	15.11.5	Tipo subjetivo	203
	15.11.6	Consumação e tentativa	203
	15.11.7	Classificação	203

16. Da Cominação das Penas e sua Aplicação nos Crimes Falimentares

16.1	Considerações gerais	209
16.2	Aplicação da pena aos casos concretos	212

17. Da Prescrição do Crime Falimentar 219

17.1	Da prescrição na vigência do Decreto-lei 7.661/1945	219
17.2	Da prescrição na vigência da Lei 11.101/2005	222

18. Disposições Processuais Penais 229

18.1	Da competência jurisdicional para o processo e julgamento dos crimes falimentares	231
18.2	Da apuração do crime falimentar: inquérito judicial e inquérito policial	238
	18.2.1 Da apuração dos crimes falimentares na vigência do Decreto-lei 7.661/1945: o inquérito judicial	239
	18.2.2 Da apuração dos crimes falimentares na Lei 11.101/2005	242
18.3	A ação penal nos crimes falimentares	244
18.4	O rito processual nos crimes falimentares	250
18.5	A prisão cautelar (processual) em crimes falimentares	255
18.6	Medidas despenalizadoras previstas na Lei 9.099/1995 no processo penal falimentar: transação penal e suspensão condicional do processo	262
18.7	Efeitos da sentença condenatória penal e reabilitação	268

REFERÊNCIAS BIBLIOGRÁFICAS 277

ÍNDICE DE FIGURAS

Figura 1: Causas de insucesso de empreendimentos (*Business Falilure Record*), conforme estudo realizado pela Dun & Bradstreet Inc., citado por Brigham *et al.* 23

Figura 2: Ponderação de fatores internos e externos na situação de crise empresarial 25

Figura 3: Situações possíveis conforme a contribuição para a crise empresarial 27

Figura 4: Efeito da incerteza e da probabilidade de condenação na expectativa de punição (adaptado de Cooter e Ullen, *Law and Economics*) 34

Figura 5: Número médio de falências (linha inferior) em comparação com o passivo médio por falência (linha superior) nos EUA (*Business Falilure Record*), conforme estudo realizado pela Dun & Bradstreet Inc., citado por Brigham *et al.* 37

Figura 6: Dados do Banco Mundial (fonte: banco de dados *Doing Business* – 2004) relativos ao lapso temporal para concluir os processos de insolvência 48

Figura 7: Dados do Banco Mundial (fonte: banco de dados *Doing Business* – 2004) relativos aos custos de falência, em termos percentuais do total da massa falida 48

Figura 8: Possibilidades disponíveis ao devedor em dificuldades econômico-financeiras 50

Figura 9: Posições doutrinárias quanto ao bem jurídico protegido nos crimes falimentares e suas subespécies 63

Figura 10: Classificação dos crimes falimentares 70

Figura 11: Classificação dos crimes falimentares tipificados na Lei 11.101/2005 71

Figura 12: Ultratividade da lei penal anterior mais benigna 111

Figura 13: Retroatividade da lei penal posterior mais benigna 111

Figura 14: Hipóteses passíveis de ocorrência na legislação penal superveniente 112

Figura 15: Esquema gráfico da fixação da pena de multa 215

Figura 16: Esquema ilustrativo da operação de conversão de pena privativa de liberdade em multa e soma com a multa cominada no tipo penal falimentar 216

Figura 17: Fluxograma da contagem do prazo prescricional no Decreto-lei 7.661/1945. Veja-se que se a falência se encerrasse em menos de dois anos o prazo total de quatro anos seria menor, o que raramente ocorria na prática 221

Figura 18: Marcos interruptivos de prescrição nos crimes falimentares 222

Figura 19: Forma de contagem do prazo de prescrição nos crimes pré-falimentares ou pré-recuperação na vigência da Lei 11.101/2005 225

Figura 20: Contagem do prazo de prescrição nos crimes pós-falimentares ou pós-recuperação na vigência da Lei 11.101/2005 226

Figura 21: Trâmite do inquérito judicial na vigência do Decreto-lei 7.661/1945 240

Figura 22: Possibilidades e prazos no exercício da ação penal por parte do Ministério Público 248

Figura 23: Fluxograma do rito processual sumário 255

ÍNDICE DE TABELAS

Tabela 1: Vantagens e desvantagens dos modos de solução de crises empresariais 51

Tabela 2: Repercussões das hipóteses possíveis quanto ao tratamento da lei penal no tempo 112

Tabela 3: Casos de *abolitio criminis* 117

Tabela 4: Casos de *novatio legis* incriminadora 118

Tabela 5: Casos de *novatio legis in pejus* 119

Tabela 6: Quadro comparativo da fraude a credores na legislação anterior 135

Tabela 7: Principais casos de fraude, conforme as rubricas contábeis 142

Tabela 8: Quadro comparativo do favorecimento de credores na legislação anterior 172

Tabela 9: Quadro comparativo do crime de desvio, ocultação e apropriação de bens na legislação anterior 174

Tabela 10: Quadro comparativo da habilitação ilegal de crédito na legislação anterior 183

Tabela 11: Quadro comparativo do crime de violação de impedimento na legislação anterior 189

Tabela 12: Quadro comparativo do crime de omissão de documentos contábeis obrigatórios na legislação anterior 194

Tabela 13: Quadro-resumo dos crimes falimentares tipificados na Lei 11.101/2005 204

Tabela 14: Penas cominadas aos delitos falimentares no Decreto-lei 7.661/1945 209

Tabela 15: Penas cominadas aos delitos falimentares na Lei 11.101/2005 210

Tabela 16: Cabimento, em tese, das medidas despenalizadoras de suspensão condicional do processo e transação penal de acordo com as penas cominadas aos delitos falimentares na Lei 11.101/2005 . 265

APÊNDICES
1. ***Direito Estrangeiro*** 281
2. ***Direito Anterior*** 292

ANEXOS
1. ***Questões de Concursos*** 305
2. ***Modelos de Peças Processuais*** 339

1
EMPRESA MODERNA, CRISE EMPRESARIAL E PREVISIBILIDADE

No mundo moderno a atividade empresarial assume importância inegável. Embora sem prescindir da figura do Estado como regulador do sistema econômico e da intervenção deste em episódios de crises econômicas, verificamos nas últimas décadas que os empreendimentos particulares ingressaram cada vez mais em setores estratégicos da economia, influenciando definitivamente a vida dos indivíduos.

Com o aumento da competição global e com a conseqüente diminuição das barreiras ao livre comércio mundial, é cada vez maior a busca por eficiência, menores custos e vantagens competitivas por parte daqueles que desejam fornecer bens ou serviços a outrem.

Nesse ambiente, os sistemas de mercado e a atividade empresarial particular são os únicos aptos a enfrentar os desafios que se apresentam, substituindo com vantagens, em muitos casos, a atuação estatal, usualmente lenta, burocrática, demasiadamente custosa e de gerenciamento ineficiente.[1]

1. O esgotamento da ação estatal como mola propulsora do desenvolvimento econômico nacional é fenômeno que data principalmente das últimas décadas. Como historicamente se constata, em meados do século XX, ao contrário do que ocorre hoje, o desenvolvimento industrial brasileiro deu-se num modelo de substituição de importações, mediante proeminente intervenção do Estado, o qual atuou intensamente como agente econômico à frente de empresas estatais (*v.g.*, no setor siderúrgico, através da CSN, Usiminas, Cosipa etc.; no setor de mineração, por meio do controle da Cia. Vale do Rio Doce; além do monopólio dos setores de telecomunicações e energia). O fim desse modelo de atuação do Estado deriva principalmente da necessidade deste de manter restrições fiscais e orçamentárias, inflação baixa e carga tributária dentro de determinados parâmetros – fatos, estes, que impossibilitam

Assim, embora haja resistências de alguns a este novo modelo, é fato inevitável que cada vez mais a atividade empresarial retoma papel preponderante em assuntos antes reservados aos entes públicos, ficando estes restritos a um papel regulatório e não diretamente interveniente.

Ocorre que a atividade empresarial, ao contrário do que ocorre na intervenção estatal na economia, está sujeita a eventualidades diversas, em grande parte imprevisíveis ao longo do tempo, submetendo-se a riscos de insucesso em seu resultado.[2]

No risco, aliás, é que justamente reside toda a potencialidade do empreendimento, pois se, por um lado, ele traz consigo a ameaça de encerramento do negócio, aumenta também a expectativa de seu retorno.[3] A obtenção de resultados econômicos superiores à média, por um lado, ou a falência, por outro, são eventos inerentes a qualquer atividade que se submeta às regras de mercado.

Para os efeitos desta obra, não analisaremos os aspectos dos empreendimentos que obtêm resultados acima da média ou mesmo daqueles cujos resultados são suficientes para sua sobrevida no mercado. Ao contrário, devemos nos concentrar no empreendimento em crise, ou seja, naquele cujos resultados negativos, de alguma forma, ameaçam a própria existência do ente empresarial ou o colocam em situação de dificuldades econômico-financeiras.

---

políticas irresponsáveis de gastos estatais e financiamento de grandes projetos com recursos públicos. Nesse contexto é que se desenvolvem nos últimos anos as privatizações e as parcerias público-privadas estabelecidas na Lei 11.079/2004.

2. Em Administração Financeira é comum a doutrina classificar os riscos empresariais em duas espécies: (1) *risco sistêmico ou sistemático*, que é aquele inerente à atividade econômica como um todo – ou seja, o risco de a empresa ser afetada pela situação da economia em geral em que se encontra inserida; e (2) *risco não-sistemático*, que é o risco interno da empresa, ou seja, de que esta não consiga gerar resultados suficientes para manter-se em operação, derivado apenas de suas circunstâncias e decisões internas de seus gestores. A importância da classificação está no fato de que, enquanto para um investidor o risco não-sistemático pode ser minimizado pela diversificação de seu portfólio, o risco sistemático não pode ser evitado, pois afeta a totalidade da economia.

3. Essa é uma circunstância que não é inerente tão-só à atividade empresarial, mas a toda a conduta humana. Quanto maiores os riscos de perda, maior será a remuneração que se exigirá ao aplicar recursos em determinada atividade. Assim, aumentando os riscos, aumenta também a *expectativa* de retorno. Entenda-se que todo o problema do risco não está em sua eliminação (o que seria impossível), mas em seu gerenciamento, isto é, na ponderação da relação *risco/retorno* que melhor se adapte ao caso concreto.

Nesses termos, devemos primeiramente estabelecer o que se entende por "crise empresarial", para fixarmos com maior exatidão o objeto de estudo a ser desenvolvido. Usualmente conceitua-se na doutrina como configurador de *crise empresarial* o estado de um empreendimento que se enquadre em uma das seguintes hipóteses:

• *Crise financeira*: derivada da falta de liquidez dos ativos para pagamento imediato ou tempestivo dos passivos. Nessa situação, o ente empresarial possui bens e recursos suficientes para o pagamento de suas dívidas, mas não tem a capacidade de transformá-los em curto espaço de tempo em moeda ou outro meio de pagamento.

• *Crise patrimonial*: nesse caso, o empreendimento apresenta um desequilíbrio entre ativos (bens e direitos) e passivos (dívidas), sendo estes em montante superior àqueles, resultando em patrimônio líquido negativo (também denominado de "passivo a descoberto"). Trata-se, portanto, de estado patrimonial em que as dívidas se apresentam excessivas em cotejo com os bens e direitos existentes para saldá-las.

• *Crise econômica*: as dificuldades do empreendimento são derivadas da retração geral da economia ou do setor em que ele está inserido. A diferença primordial desta subespécie de crise em relação às anteriores é que sua origem é necessariamente exógena à atividade empresarial, enquanto as crises financeiras e patrimoniais podem ser ocasionadas por decisões internas do empreendedor.

Devemos, porém, ir um pouco além das definições supracitadas e questionar qual o grau de certeza que as situações mencionadas nos dão sobre a crise empresarial. Como saber ao certo, do ponto de vista externo à empresa, se há uma situação de crise? É possível prever tal situação pela análise de seus dados econômico-contábeis? Os sinais externos de crise (por exemplo, a cessação de pagamentos e comportamentos externos suspeitos) são confiáveis?

Trata-se, sem dúvida, de algumas das questões mais difíceis de serem respondidas e que, até agora, não obtiveram bom equacionamento nas diversas ciências que se debruçaram sobre a matéria.

Mirando os dados econômico-contábeis do ente empresarial, veiculados nas demonstrações deste, muitos apressadamente arriscam dizer com certeza que a empresa que não tem resultados positivos (lucros), mas negativos (prejuízos), ou mesmo aquela que se encontra em situação patrimonial negativa (patrimônio líquido negativo, ou seja, ativos inferiores aos passivos) está inegável e fatalmente em crise econômica.

Na mesma linha, e com os mesmos dados, costuma-se afirmar a inafastabilidade da crise empresarial financeira quando restam momentaneamente inviabilizados os pagamentos ou compromissos financeiros de curto prazo.[4]

Se tais argumentos não se apresentam incorretos, por outro lado, pouco nos dizem em termos de previsibilidade do evento de crise que enseje situação de reorganização empresarial ou mesmo falimentar.

Com efeito, a situação de resultados positivos (lucros) ou negativos (prejuízos), conforme o caso, pode pouco ou nada dizer sobre a situação da atividade. Por vezes os lucros evidenciados nas demonstrações contábeis são provenientes de atividades que somente ingressarão efetivamente no caixa do empreendimento muito tempo depois da data da demonstração, em nada auxiliando sua situação econômico-patrimonial.[5] Em outras ocasiões o lucro é oriundo de atividades não-operacionais ou descontinuadas, que, portanto, não se repetirão em exercícios seguintes.[6]

Os prejuízos contábeis, por seu turno, podem também não refletir exatamente uma situação de crise empresarial, por incluírem situações que não afetarão as disponibilidades financeiras ou o patrimônio.[7]

---

4. Parte da doutrina dá a esta situação o nome de *insolvabilidade*, ou seja, de momentânea incapacidade de pagamentos, em contraposição à *insolvência*, que caracterizaria a existência de patrimônio líquido (ativos menos passivos) negativo. Do ponto de vista contábil, *grosso modo*, a situação de insolvabilidade é caracterizada pela existência de passivo circulante (de curto prazo) superior ao ativo circulante (ou somente a uma parte deste que esteja disponível para honrar os pagamentos). A isso se denomina de *capital de giro líquido negativo*.

5. Pelo princípio contábil da competência, o evento econômico gerador de receitas (e de lucros, portanto) é registrado por ocasião de seu fato gerador, e não da entrada de numerário em caixa. Assim, imagine-se, por exemplo, que uma sociedade empresária realize vendas cujo recebimento se dará anos após o fechamento do contrato com seu(s) cliente(s). Apesar de já registrar o fato em sua contabilidade formal, os lucros obtidos por vendas a prazo em nada influenciarão o patrimônio ou a capacidade de pagamentos desta sociedade, uma vez que não refletirão entradas de numerário no curto prazo.

6. Tomemos como exemplo a venda de um imóvel de uma sociedade empresarial cuja atividade seja a prestação de serviços. O lucro proveniente de tal venda não vem de sua atividade-fim, e, portanto, usualmente não mais se repetirá nos exercícios seguintes. Por outro lado, o lucro pode refletir receitas de atividades que já cessaram na sociedade, ou seja, já foram descontinuadas, e que, do mesmo modo, não mais refletirão nos resultados futuros dessa entidade.

7. Veja-se o exemplo da depreciação, comumente constante nos balanços e demonstrações de resultado das sociedades empresárias. Apesar de refletir a deterioração de parte do ativo imobilizado, a depreciação não afeta, ao menos no curto

O patrimônio líquido negativo (passivos superiores aos ativos), demonstrado em balanço regular, também pouco nos diz sobre um estado definitivo de crise. Primeiramente por se tratar de mera "fotografia" tirada do patrimônio da empresa freqüentemente no dia do encerramento do exercício, o qual pode mudar radicalmente já no dia seguinte. Ao depois, por não evidenciar com segurança, em todos os casos, certeza de crise empresarial.[8]

O déficit financeiro de curto prazo (iliquidez do ativo) também, por si, não é bastante para prever a inviabilidade de um negócio, uma vez que depende do prazo de exigibilidade das obrigações do empreendimento, o qual poderá, conforme o caso, ter capacidade econômica para superá-lo mesmo em pequeno espaço de tempo.[9]

Assim, do ponto de vista externo ao ente empresarial, o máximo que podemos prever em relação a uma futura situação de crise empresarial, com a ajuda de modelos específicos,[10] são direcionamentos e tendências, nada se podendo afirmar de certo e exato.

prazo, o caixa da entidade, não representando desembolsos imediatos. Tal rubrica, entretanto, afeta o lucro e o valor dos ativos escriturados e demonstrados.

8. Um exemplo tornará a questão mais clara. Suponhamos uma sociedade empresária com patrimônio líquido negativo ao final do exercício, ou seja, com passivos (obrigações) maiores que os ativos (bens e direitos). Se esta sociedade não tiver qualquer compromisso financeiro de curto prazo ou se houver folga financeira no curto prazo (mas não no longo prazo), poderá claramente manter-se – pelo menos durante um bom período – em regular funcionamento, sem qualquer reclamo de seus credores. Se conseguir obter outros rendimentos até a data da exigibilidade de seus compromissos financeiros igualmente não terá qualquer problema nesse sentido, não podendo reputar-se sequer em situação de crise.

9. Tome-se como exemplo a entidade cujo lucro empresarial derivado de vendas à vista reverta imediatamente em numerário (caixa) e reponha, em pequeno espaço de tempo, o déficit de curto prazo em relação a suas obrigações, permitindo-lhe pagar com folga seus credores.

10. Na Ciência Contábil e em Administração Financeira alguns modelos de predição de falência foram desenvolvidos. A grande maioria deles (modelos de Kanitz, Altman, Elizabetsky etc.) se utiliza de técnicas de análise discriminante múltipla, operando através da separação de casos concretos envolvendo empresas que vieram a falir em comparação com aquelas que não vieram. Os fatores discriminantes, *grosso modo*, são índices retirados das demonstrações contábeis das sociedades empresárias analisadas (como liquidez, rentabilidade, margens de lucro etc.), a partir dos quais se montam algumas equações e números que permitem prever, com alguma margem de erro, a possibilidade de uma falência futura. Nada mais são, porém, que tendências probabilidades (para maiores informações recomendamos a leitura de Eugene F. Brigham *et al.*, *Administração Financeira: Teoria e Prática*, São Paulo, Atlas, 2001).

Não se nega, obviamente, que, quanto mais a crise se agrava, maiores serão os sinais de sua existência (por exemplo, a cessação de pagamentos aos credores ou a prática dos chamados "atos de falência"). No entanto, como é sabido, referidos sinais também carregam grande dose de incerteza,[11] operando como mera presunção legal.

Dessa forma, podemos concluir preliminarmente, ainda que de modo superficial, que a situação de crise que leva uma entidade empresarial à falência ou à recuperação é:

(1) *Um resultado possível a qualquer empreendimento exposto ao risco de mercado.*

(2) *Ocorrência usualmente pouco perceptível (ou perceptível sem relevante grau de certeza) por terceiros externos, seja pela observação das demonstrações contábeis ou pelo acompanhamento do comportamento externo do ente empresarial em relação àqueles com quem se relaciona.*

(3) *Fenômeno parcialmente imprevisível ao gestor em sua causa e desenvolvimento, dada a combinação de fatores fortuitos e voluntários em sua etiologia.*

Feita esta breve introdução, devemos passar à análise da conduta do empresário nesse processo, uma vez que o escopo desta obra vincula-se justamente ao grau de contribuição do empresário ou de terceiros ao estado de crise empresarial (âmbito em que se dão os crimes falimentares) – o que será visto com mais detalhes no tópico seguinte.

---

11. Veja-se que a cessação de pagamentos pode indicar uma de várias possibilidades incertas, dentre as quais citamos: (1) ativos ilíquidos, mas suficientes para o pagamento do passivo – há recursos para pagamento das dívidas (por exemplo, bens imóveis, máquinas, veículos etc.), no entanto eles não podem ser transformados em dinheiro em curto prazo; (2) insuficiência de ativo – não há recursos suficientes no ativo empresarial para pagamento das dívidas; (3) falta de capital de giro, pela ausência de transformação do lucro empresarial em caixa – o empreendimento tem, por exemplo, muitas vendas a prazo, não conseguindo suficiente capital de giro; (4) capitalização insuficiente – não houve ingresso de recursos dos sócios em nível adequado para a obtenção de lucros, formação do ativo e pagamento dos credores.

2
A CONTRIBUIÇÃO DO EMPRESÁRIO PARA A CRISE EMPRESARIAL E O CRIME FALIMENTAR

Muito embora se possa afirmar que a crise empresarial é em grande parte determinada pelo acaso e por fatores aleatórios, não se pode dizer que o empresário (individual ou coletivamente considerado) ou terceiras pessoas a ele vinculadas sejam inteiramente alheios ao problema ou para ele não contribuam.

A respeito do tema, Brigham *et al.*[1] citam importante estudo revelador dos dados relativos às causas de fracasso de um empreendimento, conforme os percentuais demonstrados no gráfico seguinte:

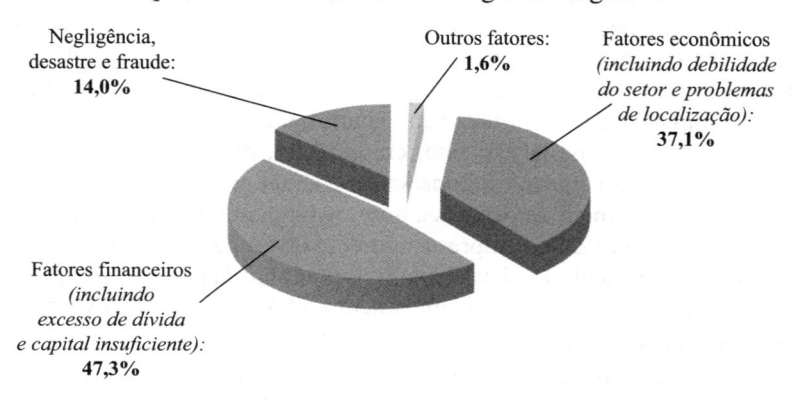

- Negligência, desastre e fraude: **14,0%**
- Outros fatores: **1,6%**
- Fatores econômicos *(incluindo debilidade do setor e problemas de localização)*: **37,1%**
- Fatores financeiros *(incluindo excesso de dívida e capital insuficiente)*: **47,3%**

Figura 1: Causas de insucesso de empreendimentos (*Business Falilure Record*), conforme estudo realizado pela Dun & Bradstreet Inc., citado por Brigham *et al.*

1. Eugene Brigham *et al.*, *Administração Financeira: Teoria e Prática*, São Paulo, Atlas, 2001.

Bem demonstra o gráfico acima que a participação do empresário na crise empresarial não é de todo irrelevante, respondendo em média por cerca de 14% dos eventos envolvendo fraude, desastre (ressalvando-se aqui os casos de força maior) e negligência, sem excluir sua participação em eventual problema financeiro (por decisão de contrair dívidas excessivas ou capitalizar insuficientemente o empreendimento) – o que já aumentaria a participação em cerca de 47,3%.

Também Lawrence J. Gittman chega a conclusões semelhantes às supracitadas no que tange à atuação do empresário, em combinação com fatores aleatórios e externos, no desencadeamento da crise (também chamada pelo autor de "inadimplência empresarial"): "A principal causa da inadimplência é a má administração, a qual é responsável por mais de 50% de todos os casos. Numerosos erros administrativos específicos podem levar a empresa ao fracasso. A expansão excessiva, medidas financeiras inadequadas, uma forma de vendas ineficiente e altos custos de produção podem, isoladamente ou em conjunto, causar o fracasso de uma empresa (...). A atividade econômica – especialmente em fases economicamente difíceis – pode contribuir para o fracasso de uma empresa. Se a economia entra numa recessão, as vendas podem cair abruptamente, deixando a empresa com um custo fixo alto e insuficientes receitas para cobri-lo. Adicionalmente, uma rápida elevação da taxa de juros, prévia à recessão, pode contribuir ainda mais para os problemas de fluxo de caixa e tornar mais difícil para a empresa a obtenção e manutenção do financiamento necessário. Se a recessão for prolongada, a probabilidade de sobrevivência decresce ainda mais (...). Uma causa final da falência de uma empresa é a maturidade corporativa. As empresas, como os indivíduos, não têm vidas infinitas. Semelhante a um produto, uma empresa passa pelas etapas de nascimento, crescimento, maturidade e eventual declínio. A administração da empresa deve tentar prolongar o estágio de crescimento por meio de pesquisa, desenvolvimento de novos produtos e fusões. Uma vez que a empresa se desenvolveu plenamente e iniciou seu processo de declínio, deve procurar ser adquirida por outra empresa ou liquidar antes de falir. O planejamento administrativo efetivo deve ajudar a empresa a adiar o declínio e a falência".[2]

Na esteira do exposto, constata-se que o empresário e as pessoas que com ele se relacionam em sua atividade estão inseridos em um sistema econômico maior (seja aqui considerada a economia em geral ou o setor em que atua) que, se, por um lado, restringe e condiciona a liberda-

---

2. Lawrence J. Gitman, *Princípios de Administração Financeira*, São Paulo, Harbra, 1997, p. 757.

de de ação e de obtenção de resultados, por outro, mantém uma margem para a atuação e tomada de decisões conforme seja estrategicamente mais conveniente.

Há, portanto, na atividade empresarial *fatores externos* à ação e influência do empresário, correspondentes à álea do negócio (tais como a demanda da economia como um todo, a concorrência, os custos do ramo de atividade, as preferências de seus clientes e consumidores, o poder de barganha de seus fornecedores, as políticas governamentais etc.), e *fatores internos*, sujeitos à decisão do empreendedor (finanças, *marketing*, orçamentos, produção, recursos humanos, estratégias, preços etc.). Esses fatores atuam em conjunto, conforme o caso, para determinar o estado de crise empresarial, como se representa na figura seguinte.[3]

Crise empresarial

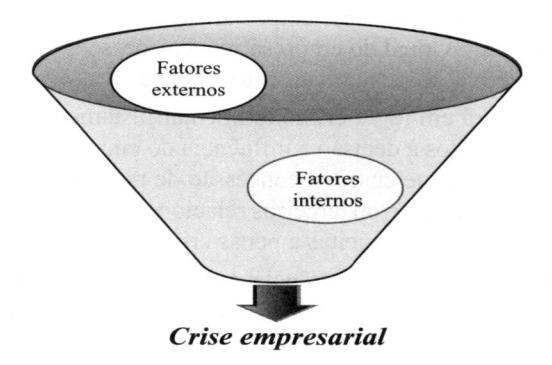

Figura 2: Ponderação de fatores internos e externos na situação de crise empresarial

É nesse âmbito – ou seja, nas matérias que se sujeitam à decisão empresarial (fatores internos) – que se situa a contribuição do empresário (ou de terceiros a ele ligados) à situação de crise empresarial e também o cometimento de eventual crime falimentar.

Não é por outra razão – como se verá melhor a seguir – que as legislações falimentares nacional e estrangeira historicamente classifi-

---

3. É interessante observar as mútuas influências dos fatores internos (decisões empresariais, recursos humanos, estratégias, finanças etc.) e externos (dados do setor, concorrência, demanda etc.) no resultado final do ente empresarial. Segundo Michael A. Hitt *et al.*, pesquisas demonstram que 20% dos resultados econômicos são devidos a fatores relacionados ao setor em que atuam e cerca de 36% a características e ações internas (*Administração Estratégica*, São Paulo, Atlas, 2003).

cavam a falência em *casual (fortuita), culposa* e *fraudulenta*,[4] conforme a quebra fosse acompanhada somente de fatores completamente alheios à ação do empresário ou estivesse ligada à inabilidade ou dolo deste último, punindo mais severamente a bancarrota nos casos em que houvesse a intencionalidade fraudulenta do empreendedor.

Saliente-se que não havia necessidade de a conduta culposa ou dolosa do empresário ou de terceiros a ele relacionados ter sido a *causa* das dificuldades econômico-financeiras, bastando que fosse concomitante a esse estado, de modo a tornar potencialmente prejudicada a posição dos credores e/ou da administração da justiça.

Se a classificação supracitada (falência fortuita, culposa ou dolosa) já está superada pela legislação e pela doutrina em muitos países, incluindo o Brasil,[5] ao menos teve o mérito de situar a matéria dos crimes falimentares na situação de crise empresarial, facultando o entendimento da contribuição individual do empresário e das pessoas com ele relacionadas para a efetivação ou agravamento da crise.

Assim, haverá em regra crime falimentar justamente quando, dentro dos fatores sujeitos à decisão e influência do empresário em situação de crise empresarial que enseje a concessão de recuperação ou abertura de falência, incorrer este e/ou terceiros relacionados em ações tipificadas por lei como delituosas e sujeitas a penas criminais.

Em outras palavras, a ocorrência dos crimes falimentares situa-se, em regra, no *grau de contribuição da conduta do empresário ou terceiros à situação de crise empresarial, a seu agravamento ou ao aumento dos riscos que lhe são inerentes*, podendo ocorrer, *grosso modo*, as seguintes hipóteses:

---

4. V., por exemplo, o art. 798 do CComercial de 1850 (revogado pelo Decreto-lei 7.661, de 21.6.1945): "A quebra ou falência pode ser casual, com culpa, ou fraudulenta". Nenhum segredo existe nos conceitos de falência culposa ou fraudulenta usados pela legislação de antanho e abandonados na atual. Como explica J. X. Carvalho de Mendonça: "Falência culposa ou fraudulenta são expressões elíticas, que significam a falência acompanhada de fatos que a lei presume tratar-se de um devedor não perfeitamente cônscio dos deveres da própria profissão, ou de um devedor capaz de fraudar os credores" (*Tratado de Direito Comercial*, vol. VIII, Rio de Janeiro, Freitas Bastos, 1955).

5. Como veremos mais adiante, grande parte da doutrina não mais admite a figura dos crimes falimentares culposos.

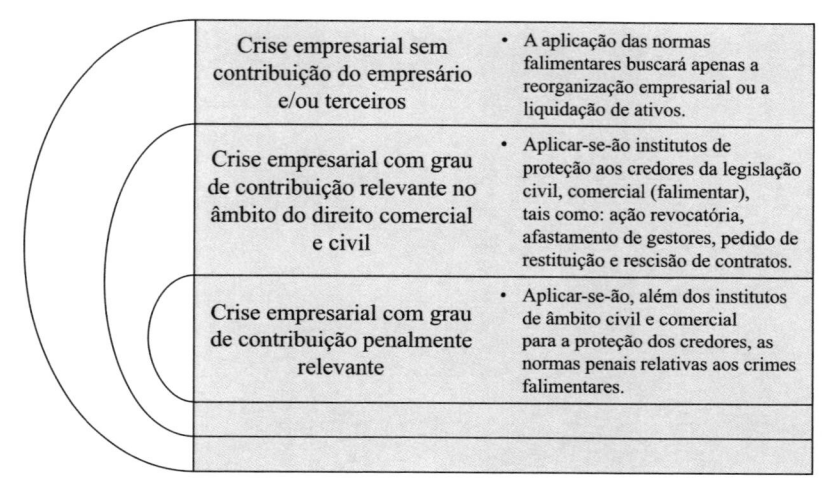

Crise empresarial sem contribuição do empresário e/ou terceiros	• A aplicação das normas falimentares buscará apenas a reorganização empresarial ou a liquidação de ativos.
Crise empresarial com grau de contribuição relevante no âmbito do direito comercial e civil	• Aplicar-se-ão institutos de proteção aos credores da legislação civil, comercial (falimentar), tais como: ação revocatória, afastamento de gestores, pedido de restituição e rescisão de contratos.
Crise empresarial com grau de contribuição penalmente relevante	• Aplicar-se-ão, além dos institutos de âmbito civil e comercial para a proteção dos credores, as normas penais relativas aos crimes falimentares.

Figura 3: Situações possíveis conforme a contribuição para a crise empresarial

3
UMA ABORDAGEM ECONÔMICA DO FENÔMENO CRIMINAL E SUA APLICABILIDADE AOS CRIMES FALIMENTARES

Para bem entender o fenômeno dos crimes falimentares é mister que abordemos esta espécie de delito sob o ponto de vista econômico. Essa abordagem mais se justifica ao verificarmos que o crime falimentar é uma subespécie incluída no que se pode denominar de "delinqüência econômica".

O tratamento que procuraremos dar à matéria segue a linha da Análise Econômica do Direito (*Law and Economics*) aplicada à teoria do crime e sua punição, capitaneada em grande parte por Robert Cooter e Thomas Ullen.[1] Para os objetivos desta obra, procuraremos adaptar as lições de referidos autores, que se destinam aos crimes em geral, aos delitos falimentares.

Buscaremos, nesse sentido, abordar:

(1) *A razão econômica da punição criminal dos delitos em geral e do crime falimentar.*

(2) *As questões inerentes à expectativa de punição do delito, em termos de severidade e certeza da aplicabilidade da sanção penal.*

(3) *As formas mais racionais para a punição do crime falimentar sob o ponto de vista econômico e suas limitações.*

Podemos dizer, em linhas gerais, que a legislação que regula a responsabilidade civil (*tort law*) procura, sempre que possível, recompor o patrimônio da vítima ao mesmo patamar financeiro em que se encon-

---

1. Robert Cooter e Thomas Ullen, *Law and Economics*, Nova York, Addison Wesley Longman, 2000.

trava antes que viesse a sofrer um dano (diminuição patrimonial, moral etc.) por um ofensor. Em outras palavras, busca-se, através da compensação financeira, tornar a conduta do agressor *economicamente indiferente* ao ofendido.

Analisando sob o ponto de vista econômico, nota-se que a legislação de responsabilidade civil busca fazer com que o autor do dano venha a *internalizar uma externalidade negativa*,[2] ou seja, que arque com um custo derivado de sua atividade prejudicial a terceiros que dela não tomaram parte.

No entanto, há casos em que a mera indenização ou internalização de custos não é suficiente. Isso ocorre principalmente: (1) quando o patrimônio da vítima não possa ser perfeitamente compensado pela ação danosa; (2) quando haja necessidade de que o ato ou a atividade não sejam praticados ou sejam impedidos (*deterrence*), ao invés da mera imposição de indenização *a posteriori* em relação à conduta praticada.

Para essas hipóteses a legislação de responsabilidade civil não é bastante, uma vez que a mera obrigação de indenizar não será suficiente, seja para repor o patrimônio violado, seja para impedir a prática do ato que se busca evitar.

Portanto, quando o objetivo da legislação é deter a prática de determinado ato (e não provocar sua compensação econômica posterior), a imposição de responsabilidade civil é claramente insuficiente para tanto, necessitando que o Estado a suplemente por meio da punição criminal da conduta. Clara é, nesse sentido, a lição de Cooter e Ullen:

"Por várias razões, entretanto, os processos civis não podem minimizar o custo dos crimes. Nós explicaremos essas razões para justificar a existência da lei penal. A primeira razão concerne a algumas limitações inerentes à compensação (...). A compensação perfeita internaliza o dano causado pelo ofensor (...), entretanto, a perfeita compensação é impossível para a maioria das pessoas que perdem uma perna ou um

---

2. Podemos conceituar "externalidade negativa" como os efeitos negativos, em termos de custo, derivados de atividades exercidas por um agente econômico que venham a atingir os demais agentes, os quais, sem participar da decisão causadora, não tenham oportunidade de impedir referidos efeitos, nem exista a obrigação ao agente causador de pagar pelos danos causados (internalizar o custo). É muito comum a citação de externalidades negativas, por exemplo, quando uma atividade poluidora causa danos a outrem sem que o poluidor esteja obrigado a ressarcir as vítimas. A lei, punindo o poluidor com sanções pecuniárias (multas), efetivamente faz com que este internalize o custo de sua atividade, que era repassado (externalizado) a terceiros.

filho. Nesses casos, os tribunais arbitram reparações para impedir riscos desarrazoados, não para compensar um dano (...).

"De modo similar, a punição criminal busca deter danos intencionais, não compensá-los. Imagine-se um experimento em relação a um crime. Quanto dinheiro seria necessário para que se permitisse que alguém assaltasse uma vítima munido de um martelo? Essa questão não faz sentido. O conceito de indiferença é difícil de se aplicar a crimes como um assalto. Conseqüentemente, a legislação não consegue atingir seu objetivo através da perfeita compensação das vítimas e internalização dos custos pelos ofensores. Ao invés de precificar os crimes, o objetivo da punição é detê-los. O Estado proíbe as pessoas de intencionalmente causarem danos a outras por meio da punição. Assim, a lei criminal é um necessário suplemento da legislação de responsabilidade civil quando a compensação é impossível.

"Há uma terceira razão para suplementar a responsabilidade civil com a punição criminal em algumas circunstâncias: a punição é necessária para impedir o ato (...). Em geral, roubadores não podem ser impedidos pela obrigação de que devolvam o que tenham subtraído toda vez que forem pegos. Com o fim de impedir os roubos, a lei precisa impor punição suficiente para que o benefício líquido do crime seja negativo."[3]

Em relação aos crimes falimentares a explicação acima referida é de aplicação indubitável. Com efeito, impossível seria responsabilizar o autor das condutas tipificadas como crime falimentar com mera indenização oriunda de responsabilidade civil, pelos seguintes motivos:

(1) *A indeterminação e a pluralidade das vítimas dos delitos falimentares tornam a perfeita compensação econômica impossível de ser realizada. A prática criminosa em situações de crise empresarial afeta não somente o montante devido aos credores, mas a própria instituição do crédito, além da credibilidade do sistema judicial.*

(2) *Os danos causados pelos crimes falimentares na maior parte das vezes são incalculáveis, impedindo a compensação perfeita dos prejuízos. Como precificar, por exemplo, o montante do dano causado pelo aumento do risco sistêmico*[4] *ao mercado em geral, causado pela fraude ocorrida na falência de uma instituição financeira?*

---

3. Robert Cooter e Thomas Ullen, *Law and Economics*, cit., tradução livre, pp. 433-434.

4. Entende-se por "risco sistêmico" o risco de inadimplência de uma instituição financeira (ou assemelhada) que venha, pela falta de cumprimento de suas obrigações, a afetar as demais instituições (financeiras ou não) que operam no mercado, podendo resultar em colapso do sistema financeiro como um todo.

(3) *Pelos mesmos motivos elencados no item anterior, seria impossível aplicar o conceito de "indiferença econômica" ao crime falimentar, de modo a sustentar que as vítimas, ao serem indenizadas, entendessem como economicamente similar sofrer ou não o dano causado pela conduta criminosa.*

(4) *A imposição de compensação econômica em crimes falimentares, de forma isolada, não teria o condão de impedir ou deter a prática desses delitos. Ao contrário, isso estimularia o criminoso a beneficiar-se com os lucros de sua empreitada restituindo os valores se e quando processado criminalmente, ou mesmo colocando-se fraudulentamente em situação de inviabilidade patrimonial para que não fosse possível fazê-lo juridicamente.*

Vista a necessidade da punição criminal em suplementação à responsabilidade civil em matéria de crime falimentar, passemos, agora, aos fundamentos econômicos inerentes à quantificação das penalidades a serem aplicadas para o fim de impedir ou deter a prática criminosa em situação de crise empresarial.

Economicamente, supondo o criminoso como um agente econômico racional, sem restrições morais à prática de crimes e neutro em relação ao risco, pode-se afirmar, nos termos em que o fazem Cooter e Ullen, que a conduta criminosa (ou a inexistência dela) estaria diretamente ligada à expectativa de punição (*expected punishment*).[5]

Referida expectativa, segundo os autores supracitados, decorre de dois fatores básicos: (1) a severidade da pena; (2) a probabilidade da imposição da pena.[6]

Para que seja efetiva no sentido de impedir o crime, a *expectativa de punição do criminoso* deve exceder, em termos de severidade, o benefício

---

5. Robert Cooter e Thomas Ullen, *Law and Economics*, cit., p. 437. É importante supor essa condição. Supondo um criminoso avesso ao risco ou com alto grau de limitações morais, pode-se considerar que teria maiores restrições ao cometimento do crime se mantida a mesma expectativa de punição. Do mesmo modo, se fosse inclinado ao risco, ou sua racionalidade estivesse prejudicada, poderia ocorrer situação em que mesmo uma maior expectativa de punição fosse ineficiente para deter a prática criminosa.

6. Falar em "probabilidade" pode parecer um conceito distante da prática, ou até mero academicismo. Isso não ocorre, entretanto. Obviamente, não se sustenta aqui que o criminoso faça complexos cálculos probabilísticos antes de ingressar em sua empreitada. No entanto, é inegável que antes de cometer um delito o agente tenha uma noção ou crença das chances de ser descoberto e punido pelas autoridades. Essa noção nada mais é que um raciocínio de probabilidades, ainda que bem impreciso, e freqüentemente influenciará na decisão de cometer, ou não, um crime.

líquido que o agente obteria com o crime. O exemplo a seguir, baseado na lição dos autores acima mencionados, esclarecerá melhor a questão.

Suponhamos que, cuidando-se de crimes patrimoniais cometidos mediante subtração de bens alheios, o criminoso tenha empreendido um conjunto de ações criminosas reiteradas, sendo o montante de cada subtração no valor de R$ 100.000,00. Supondo-se que o agente tenha praticado 10 crimes idênticos num determinado período de tempo, o total de seu ganho chegaria a R$ 1.000.000,00.

Já vimos que a imposição de sanção penal consistente em multa criminal de idêntico valor ao total subtraído (R$ 1.000.000,00), de modo semelhante ao que ocorreria com a aplicação da legislação de responsabilidade civil, não traria estímulo suficiente para deter o criminoso, pois este restaria incentivado a cometer o crime e devolver o valor obtido, caso a infração penal fosse descoberta.

Imaginemos, então, que para cada conduta a pena cominada seja uma multa criminal superior ao montante subtraído, na quantia de R$ 200.000,00, obrigando o delinqüente, se condenado, a pagar referida quantia pelas 10 condutas criminosas, o que totalizaria, se imposta a pena em todos os casos, o valor de R$ 2.000.000,00 de multa.

Suponhamos, entretanto, que a probabilidade genericamente observada de o criminoso ter contra si a pena imposta pelo Estado seja concretizada em apenas 70% dos casos. Nesses termos, a expectativa do criminoso não será, portanto, de pagar a multa total de R$ 2.000.000,00. Ao contrário, terá a esperança de que a pena seja imposta somente por sete de suas condutas (70% das 10 condutas) – o que resultará no pagamento de R$ 1.400.000,00[7] –, esperando perder o delinqüente R$ 400.000,00, resultante da diferença entre o montante total da multa, R$ 1.400.000,00, e o benefício obtido pelo crime, no valor de R$ 1.000.000,00.

---

7. Embora não seja a finalidade desta obra, não podemos deixar, aqui, de explicar os fundamentos estatísticos do que chamamos no texto de "expectativa de punição". Estatisticamente, ela corresponde ao que se chama de "valor esperado" (*expected value*), ou seja, o valor que, numa dada experiência, é igual à soma das probabilidades de cada evento (no caso, a probabilidade de condenação) multiplicada pelo valor da variável considerada (no caso, a quantidade de pena). Esse conceito representa o valor médio esperado para uma experiência caso ela seja realizada por reiteradas vezes. Matematicamente, o valor esperado (E) seria igual ao somatório do produto das quantidades de pena (q) multiplicadas pela probabilidade (P) de elas serem impostas, resultando na equação $E=\sum qP(q)$. Como a soma das penas do exemplo dado no texto é de R$ 2.000.000,00 e a probabilidade da condenação é de 70%, o valor esperado ou expectativa de punição resulta da multiplicação de ambos, totalizando R$ 1.400.000,00.

A situação é demonstrada no gráfico seguinte:

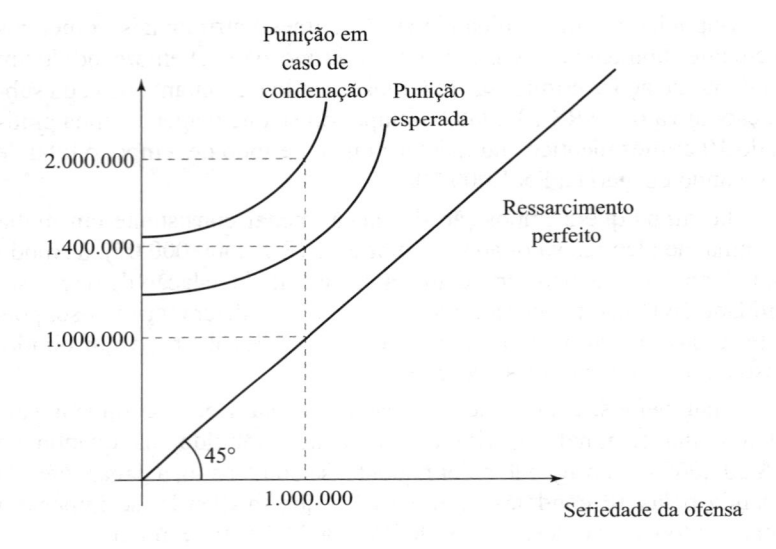

Figura 4: Efeito da incerteza e da probabilidade de condenação na expectativa de punição (adaptado de Cooter e Ullen, *Law and Economics*)

Verifica-se no gráfico anterior que a linha reta em ângulo de 45° (ressarcimento perfeito) representa a hipótese em que o criminoso tem uma pena criminal equivalente ao valor da subtração patrimonial que efetiva (subtrai R$ 1.000.000,00, paga multa de R$ 1.000.000,00). Nesse caso, verificamos que economicamente a lei penal não consegue atingir seu objetivo de deter o crime.

As duas linhas curvas representam o valor a que chegaria a pena de multa se o criminoso fosse condenado em todos os casos (R$ 2.000.000,00) e quanto este espera sofrer de punição, considerando a probabilidade de punição de 70% dos casos (R$ 1.400.000,00).

Constata-se que a severidade da pena de multa, combinada com a probabilidade de punição, tornou a expectativa de punição do criminoso (R$ 1.400.000,00) superior ao valor que este efetivamente subtraiu (R$ 1.000.000,00), tendo a lei penal, nesse caso, efeito econômico positivo em desestimular ou deter o crime.

Caso, entretanto, a expectativa de punição, pelo menor rigor da pena ou pela reduzida probabilidade de punição do criminoso, fosse inferior ao benefício obtido com o crime (R$ 1.000.000,00), a lei penal falharia em seu propósito de impedir a prática criminosa.

Aplicando o exposto aos crimes falimentares, temos:

(1) *Para desestimular a prática de crimes falimentares, a expectativa de punição, obtida pela combinação entre severidade de punição e probabilidade de imposição da pena, deve exceder o montante de benefício líquido obtido pelo criminoso com a prática do crime.*

(2) *Para isso, o investimento estatal em impedir os crimes falimentares pode concentrar-se na maior severidade da punição cominada em lei a tais delitos (aumento de pena em abstrato), na maior probabilidade de punição ou em ambos, uma vez que, seja com o maior rigor das penas ou com maior certeza da condenação, a expectativa de punição aumenta e tende a inibir o crime.*

(3) *A escolha estatal por cominação de maior pena ou por incremento na certeza de punição depende de uma opção política do legislador. Economicamente, recomenda-se que, de modo a manter uma elevada expectativa de punição, o legislador verifique os custos públicos vinculados a cada tipo de opção: (a) se a certeza da punição for mais custosa (por exemplo, aumento do investimento nos órgãos de persecução criminal etc.), deve-se investir mais na severidade da punição, deixando que este fator prepondere na expectativa final de punição; (b) se a severidade da punição for mais custosa (por exemplo, custos de manutenção de prisões etc.), recomenda-se investimento maior na certeza de punição. Na verdade, em cada tipo de sociedade haverá uma combinação ótima desses dois fatores que permita maior combate à criminalidade falimentar.*

Até aqui, entretanto, ilustramos os casos concretos com a aplicação de penas pecuniárias. No entanto, cabe indagar se economicamente será mais vantajosa a imposição única de penas de multa aos delitos falimentares ou se teremos maior eficácia econômica na cominação de penas privativas de liberdade (ou um misto de ambas) a essa espécie de delito.

Retomando as lições de Cooter e Ullen,[8] entende-se que, em termos de custo, as penas pecuniárias e outras não privativas de liberdade são mais eficientes, por imporem menores gastos ao Poder Público em sua efetivação. Em outras palavras, os custos de arrecadação de penas de multa e fiscalização do cumprimento de outras penas não privativas de liberdade são usualmente inferiores àqueles inerentes à manutenção do criminoso na prisão. No entanto, algumas observações são importantes:

---

8. Robert Cooter e Thomas Ullen, *Law and Economics*, cit., p. 451.

É impossível manter o ordenamento criminal somente com penas pecuniárias ou não privativas de liberdade. Isso pelos motivos seguintes:

a) As penas não privativas de liberdade muitas vezes não trazem ao agente uma diminuição de incentivos ao cometimento do crime, sendo ineficazes, em determinados casos, para impedir ou deter o crime.

b) Principalmente nos casos dos crimes falimentares, a multa enfrenta o problema da solvência do condenado, considerando-se as dificuldades econômicas que normalmente envolvem as crises empresariais, as quais não raras vezes repercutem na situação financeira do empresário individual ou sócio. Se solvente, podendo pagar a multa, o condenado não terá, muitas vezes, estímulo para não cometer o crime, uma vez que poderá se sentir integralmente capaz de arcar com tais custos. Se insolvente, por outro lado, também poderá ficar estimulado a cometer crimes falimentares, uma vez que não terá patrimônio suficiente para garantir o pagamento de pena.

Diante disso, deve o legislador, mediante prudente opção política, optar por um misto entre penas privativas e não privativas de liberdade, para criar a correta expectativa de punição que desestimule a prática de crimes falimentares.

4
CUSTOS SOCIAIS E CRIMES FALIMENTARES

Por si só, a situação de crise empresarial envolve inúmeros custos sociais.

Como se verifica no gráfico seguinte, pesquisou-se comparativamente nos Estados Unidos da América o número de fracassos empresariais e o passivo médio envolvendo cada qual dessas situações. O resultado claro é que os valores médios de passivo por falência apresentaram séria tendência de aumento, principalmente no início da década de 90 do século passado.

Número médio de falências por ano *vs.* passivos médios por falência (EUA)

- Valores médios de passivos por falência (em US$)
- Número médio de falências por ano

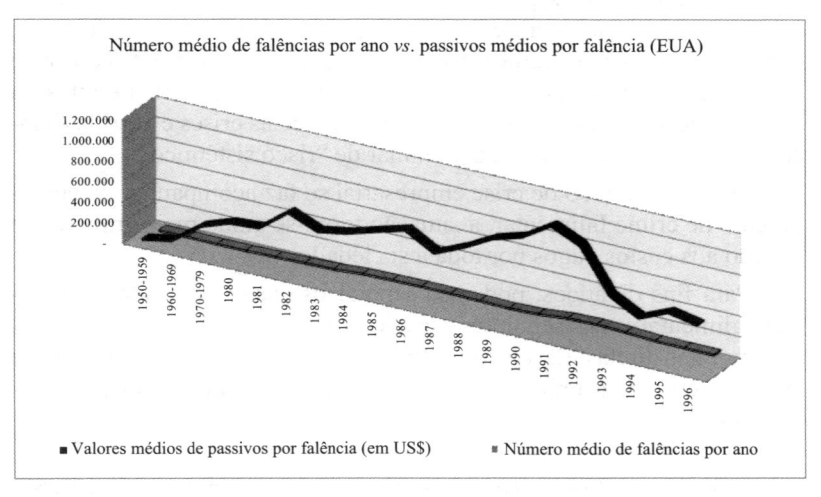

Figura 5: Número médio de falências (linha inferior) em comparação com o passivo médio por falência (linha superior) nos EUA (*Business Falilure Record*), conforme estudo realizado pela Dun & Bradstreet Inc., citado por Brigham *et al.*

A conclusão de tal estudo, mesmo descontando efeitos inflacionários e o fato de algumas grandes sociedades empresárias terem incorrido em estado falimentar, é que os danos sociais provocados pelas situações de crise empresarial têm sido maiores nos últimos anos, uma vez que envolvem montante mais elevado de dívidas e número superior de credores prejudicados.

Segundo Ross et al.,[1] estima-se que os *custos diretos* de dificuldades financeiras correspondem a aproximadamente 3% do valor de mercado de uma empresa.[2] Citam-se ainda diversos *custos indiretos* das dificuldades financeiras derivadas de crises empresariais, tais como: (1) perdas de vendas por temor de interrupção de serviço; (2) perdas de incentivos para investir no negócio, diante da iminente situação de falência; (3) distribuição de lucros ou dividendos extraordinariamente altos para beneficiar acionistas em detrimento de credores e "esvaziar" a propriedade destes.

Isso tudo, obviamente, sem falar na diminuição de postos de trabalho e do efeito sobre a economia como um todo, dependendo do porte do negócio.

Em determinados ramos empresariais os custos sociais de situações de crise são tão pronunciados que a coletividade como um todo, através de seus representantes governamentais, historicamente vem lançando mão de mecanismos para evitar ou impedir referidos acontecimentos, como ocorre com o segmento bancário, objeto de ampla fiscalização e proteção dos governos, com o fim de evitar os deletérios efeitos da contaminação de outros setores da economia pelas crises e corridas bancárias – fato que se costuma denominar de "risco sistêmico".

Quando o estado de crise empresarial se faz acompanhar do cometimento de crime falimentar, a situação torna-se ainda mais gravosa em relação aos custos pagos por toda a sociedade.

Para fins didáticos, podemos separar os custos derivados dos crimes falimentares nas seguintes espécies: (1) custos derivados de perdas patrimoniais diretas; (2) custos derivados da necessidade de a sociedade evitar e reprimir a prática criminal; (3) custos de transação e demais custos sociais.

---

1. Stephen A. Ross, *Administração Financeira – "Corporate Finance"*, São Paulo, Atlas, 1995.

2. Dentre esses custos incluem-se honorários de advogados, despesas negociais com credores, custos administrativos e contábeis, honorários de peritos (caso uma perícia seja necessária).

A primeira espécie de custo supracitada são os custos decorrentes das perdas diretas que os credores ou terceiros têm com a prática de crimes falimentares. Isso envolve o não recebimento dos créditos, o desvio de ativos garantidores de pagamentos, a inadimplência sistêmica ou derivada e outros custos diretamente envolvidos na relação estabelecida com o autor do delito falimentar.

Os custos derivados da necessidade social de evitar e reprimir o crime falimentar envolvem todos aqueles ligados à manutenção de órgãos estatais de repressão e à punição dos criminosos (custos com prisões, fiscalização de cumprimento de penas alternativas e cobranças de multa).

Além dos dispêndios mencionados, o custo social dos crimes falimentares apresenta-se de modo preponderante nos *custos de perda de confiança* da sociedade em suas instituições reguladoras, principalmente quando estas, já incapazes de prevenir o crime pelos meios usuais, não dão uma resposta repressiva adequada, de modo a desestimular condutas futuras.

Essa situação é refletida por especialistas internacionais no assunto de modo muito evidente. Na doutrina norte-americana, Stephanie Wickouski relata com muita propriedade a percepção do povo estadunidense sobre seu sistema legal e judiciário em matéria falimentar: "Grandes casos de falências destruíram a confiança do público no sistema falimentar. Em muitos casos, devedores foram liberados de grandes passivos e emergiram ricos. A percepção comum é que o sistema é seriamente falho, se não inteiramente corrupto. A fraude é vista não como a exceção, mas como a regra".[3]

Considerando que em um sistema capitalista a *confiabilidade social* no sistema legal-repressivo é um dos pilares sobre os quais se desenvolvem os negócios e investimentos, uma vez que dá às partes a garantia do cumprimento dos contratos assumidos, o resultado da quebra de confiança social no sistema reflete-se imediatamente na exigência de maiores ônus e garantias para contratar (por exemplo, custos de informações sobre a situação histórica, legal ou financeira das partes, exigências de salvaguardas, garantias bancárias etc.), visando a obstar a comportamentos oportunistas que não possam ser legalmente impedidos pelo ordenamento ou pelos órgãos repressivos.

---

3. Stephanie Wickouski, *Bankruptcy Crimes*, Washington, Beard Books, 2007 (tradução livre).

Economicamente, trata-se de uma condição geral em que, pela quebra de confiança no sistema, aumentam os *custos de transação*,[4] definidos estes como os custos em que as partes incorrem para que possam, ao negociar seus direitos de propriedade, ter segurança em estabelecer um pacto entre si. Ao diminuir a credibilidade no cumprimento das regras legais, os agentes econômicos naturalmente exigem maiores garantias recíprocas de cumprimento de suas avenças, comportamento que é acompanhado pela majoração de custos. Exemplos disso são os incrementos de custos em cadastros de devedores, aumento do componente do *spread* de risco nos juros bancários,[5] gastos em previsibilidade contratual e registro de garantias hipotecárias e bancárias etc.

4. O fenômeno dos custos de transação é reconhecido prioritariamente nos estudos de Análise Econômica do Direito (*Law and Economics*) e Economia das Organizações, tendo como grande nome e defensor o economista Ronald Coase. Entendem-se por "custo de transação" todos aqueles em que os agentes econômicos (por exemplo, as partes num contrato) incorrem nas atividades necessárias a viabilizar a concretização de uma transação ou alienação de propriedade, dentre elas a atividade de busca pela informação, a atividade da negociação, a realização e a formalização dos contratos e o monitoramento dos parceiros. Podem ser divididos os custos de transação em custos *ex ante* (negociação, salvaguardas e fechamento de acordos) e *ex post* (resolução de disputas, cumprimento de contratos etc.). Quando os sistemas legais e judiciários não conseguem impor o respeito aos contratos, obstar e punir o comportamento criminoso ou oportunista dos agentes econômicos, obviamente as transações na economia se tornam mais custosas, uma vez que será necessário exigir um montante maior de informações e garantias e cobrar maior preço (ou juro) para a assunção de riscos.

5. Uma breve explicação tornará claro o conceito ao leitor. Os juros cobrados por determinado credor (usualmente, um banco) têm seu valor determinado por uma série de fatores. Dentre eles encontram-se a taxa básica de juros livre de risco (normalmente determinada pelo valor pago pelos títulos do Governo Federal – ente cujo risco de inadimplência é assumido como inexistente –, constituindo-se como o nível mínimo exigido por qualquer credor para emprestar), o tempo do empréstimo (quanto maior o tempo, maiores os juros cobrados, pois maiores as incertezas envolvidas), o lucro desejado pelo credor (quanto maior o lucro desejado pelo credor, maiores serão os juros cobrados), a inflação do período (uma vez que os juros deverão superar a inflação e, ainda, resultar num retorno positivo ao credor) e, finalmente, o risco de inadimplência (quanto maior o risco de o empréstimo não ser pago pelo devedor, seja simplesmente desonrando seu compromisso ou lançando mão de quaisquer recursos legais, maior será o juro a ser cobrado). Se o sistema legal falimentar garantir uma baixa probabilidade de recebimento do crédito, maior será a taxa de juros exigida pelo credor para financiar o devedor – e, portanto, maior a diferença (ou *spread*) entre a taxa de juros que as instituições financeiras pagam para captar recursos do público e aquela que cobram para emprestar recursos a seus tomadores.

O ordenamento criminal falimentar, portanto, age como mecanismo garantidor do sistema legal de respostas às crises empresariais e tem inegável repercussão econômica, redundando em uma série de comportamentos consonantes aos estímulos e desestímulos provocados pela crença dos destinatários na efetiva aplicabilidade prática da legislação.

Daí por que um dos objetivos principais da legislação criminal falimentar deve ser o de funcionar como um mecanismo de incentivo ao cumprimento das "regras do jogo" pelos agentes econômicos (*legal enforcement*), de modo a tornar efetiva, na prática, a aplicação da lei aos casos concretos de crises empresariais, passando a devida credibilidade quanto a essa circunstância ao público em geral.

5
REPRESSÃO, POLÍTICA CRIMINAL E CRIMES FALIMENTARES

No Brasil, até os dias de hoje, não se constata um esforço conjunto para o enfrentamento dos crimes falimentares. Na prática judiciária em nosso país verifica-se que esta categoria de crimes recebe usualmente pouca importância dos órgãos de persecução criminal comparativamente a outras espécies de delitos, não havendo maior envolvimento dos agentes estatais em sua repressão.

Freqüentemente os problemas na apuração dos crimes falimentares envolvem falta de tecnologia e materiais adequados, deficiência na formação econômico-contábil necessária ao entendimento da realidade empresarial, além da ausência de políticas de ação conjunta e integrada dos órgãos do Estado.

Diferentemente da realidade nacional, nos países desenvolvidos a repressão aos crimes falimentares encontra ampla guarida e é tratada com a devida importância e prioridade pelos responsáveis por sua investigação e punição.

Para que se tenha uma base da importância da investigação e repressão aos crimes falimentares, nos Estados Unidos especialistas estimam que cerca de 10% de todos os casos de crises empresariais envolvem abusos ou fraudes. Para o ano de 2005, por exemplo, em que naquele país foram registrados 2 milhões de casos de empresas em crise, haveria cerca de 200 mil ocorrências de crimes falimentares.[1]

Números como estes, que chegam a proporções assustadoras, levaram o Departamento de Justiça norte-americano a enfrentar o problema da criminalidade falimentar como uma prioridade nacional, através da

---

1. Tais dados são informados por Stephanie Wickouski (*Bankruptcy Crimes*, Washington, Beard Books, 2007, p. 1).

denominada "Operação Transparência Total" (*Operation Total Disclosure*), um esforço integrado dos organismos estatais visando a deter a proliferação de casos de fraude, proteger a integridade do sistema falimentar como um todo, além de acentuar a confiança pública no ordenamento criminal.

Explicando os motivos da ação governamental supracitada, é importante citar novamente a lição de Stephanie Wickouski: "O alcance do sistema falimentar estende-se muito além daqueles diretamente envolvidos num processo. O sistema falimentar é projetado para ser a válvula de segurança da sociedade. A eficácia liberatória falimentar encoraja empreendedores a investir energia, dinheiro e recursos no mercado, sem o risco de responsabilização permanente por um negócio falido. O sistema falimentar depende de transparência e conformidade voluntárias. De modo a tal sistema trabalhar de maneira própria e justa, devedores, advogados e administradores precisam ser confiáveis em relação aos tribunais, aos credores e entre si. É essencial que todos joguem segundo as regras. A legislação criminal falimentar pretende proteger a integridade do processo, ao demandar integridade de todos no processo".[2]

Não por outro motivo, referida autora sustenta, além da coordenação de esforços dos órgãos estatais na punição do crime falimentar, o incremento das sanções a tal espécie delitiva, principalmente quando acompanhada de fraudes: "Escrevo por acreditar na necessidade de sanções criminais contra as fraudes falimentares e do consistente e efetivo reforço de tais sanções (...). Os esquemas de fraudes falimentares causam danos a vítimas individuais, de incontáveis modos, que são sérios e tristes. O mais severo e permanente dano, entretanto, é ao processo judicial. Tais esquemas de fraudes diminuem a confiança no próprio sistema legal. A chave para restaurar a fé pública no processo falimentar é um efetivo reforço das sanções contra a fraude falimentar".[3]

O *Federal Bureau of Investigations* (FBI), órgão norte-americano responsável pelas investigações dos crimes falimentares nos Estados Unidos da América, recentemente lançou amplo programa de combate à fraude falimentar na "Operação Verdade ou Conseqüências" (*Operation Truth or Consequences*), ressaltando que a investigação e a punição dos crimes falimentares se constituem, muitas vezes, na ponta do *iceberg* que revela crimes de ainda maior gravidade.[4]

---

2. Stephanie Wickouski, *Bankruptcy Crimes*, cit., p. 2 (tradução livre).
3. Idem, p. 13.
4. Fonte: *http://www.fbi.gov/page2/oct2006/bankruptcy101806.htm*, acesso em julho/2009. Segundo o FBI, o crime falimentar acaba por abalar a credibilidade

A maior severidade na punição dos crimes falimentares, entretanto, não pode inviabilizar a continuidade do negócio. Deve-se preservar a empresa, como atividade, separando-a da pessoa do empresário incurso em conduta criminosa.

Essa observação se faz necessária, uma vez que a legislação penal falimentar nacional continua a cometer equívocos sérios de política criminal no tocante à necessidade de que se tenha em conta a separação entre os conceitos de empresa (atividade) e da pessoa física do empresário (individual ou na condição de sócio ou acionista) sujeito às sanções criminais.

Caminhando nessa linha equivocada, o ordenamento pátrio, a título de proteger a integridade do sistema falimentar e no intuito de punir o empresário criminoso, ainda mantém disposições que acabam por inviabilizar a continuidade da atividade empresarial. Citado problema de política criminal nunca foi devidamente resolvido na legislação brasileira, que até hoje continua a condicionar o deferimento de benefícios legais de preservação da empresa (recuperação judicial e extrajudicial) à inexistência de punição do empresário por delitos falimentares.

Isso ocorria na vigência do Decreto-lei 7.661/1945 (art. 140, III) e ainda sucede na vigência da Lei 11.101/2005 (art. 48, IV), ao condicionar a concessão da concordata ou recuperação à ausência de condenação do empresário ou sócio por crime falimentar – o que resulta muitas vezes no impedimento da preservação de atividade empresarial viável quando o empresário houver sido criminalmente punido, acarretando toda a sorte de prejuízos daí advindos, como cessação de produção de bens, encerramento de postos de trabalho e interrupção do recolhimento de receitas tributárias.

É preciso, portanto, em futuras reformas da legislação nacional, que se modifique a política criminal referente aos delitos falimentares, de modo a permitir a continuidade da atividade empresarial, desvinculando-a da pessoa do empresário, para que a punição criminal deste não acarrete conseqüências danosas ao empreendimento.

Em outras palavras, a legislação penal falimentar deve se constituir, como acima citado, em mecanismo de preservação da credibilidade e confiança dos agentes econômicos no respeito às regras processuais, mas nunca servir como impeditivo à preservação da empresa.

---

de todo o sistema falimentar, impondo custos, em última análise, a toda a sociedade. Na operação *Truth or Consequences* 48 pessoas foram acusadas de fraudes falimentares e 11 foram detidas sob o mesmo fundamento.

Combinando as lições da doutrina estrangeira supracitada com os objetivos citados neste tópico e nos anteriores, resumimos genericamente, a seguir, os principais escopos de política criminal em relação aos delitos falimentares:

(1) *A punição do crime falimentar não deve influir na continuidade do negócio, não impedindo a concessão de benefícios legais destinados à reorganização empresarial, nem causando sua cassação judicial depois de concedidos.*

(2) *Os crimes falimentares devem buscar e estimular, pelos aspectos repressivos e preventivos de suas sanções, os seguintes comportamentos:* (a) *que o devedor torne absolutamente transparente (dever de "full disclosure") ao Poder Judiciário, ao Ministério Público, ao administrador judicial e aos credores o estado de seus ativos (bens e direitos) e passivos (obrigações e responsabilidades), fornecendo todas as informações constantes de seu negócio (escrituração, livros, contratos etc.) e aquelas necessárias ao bom andamento do processo;* (b) *que o devedor e os credores sigam estritamente as regras do processo falimentar para a distribuição dos ativos do devedor, sem a realização de transações paralelas que prejudiquem alguns credores, terceiros ou a credibilidade do Poder Judiciário;* (c) *que os credores e devedores prestem informações verídicas no processo falimentar, abstendo-se de veicular pretensões e habilitações falsas, que possam prejudicar credores e a administração da justiça;* (d) *que não haja conflitos de interesses ou utilização de informações privilegiadas por agentes estatais intervenientes em processos falimentares e de reorganização;* (e) *que haja desestímulo, através de punição severa, às fraudes em processos falimentares e de recuperação, seja ela praticada anterior ou posteriormente ao processo judicial, bem como às fraudes operacionalizadas por meio da utilização de processos falimentares e de reorganização.*

(3) *A punição do crime falimentar, visando sempre ao incremento da credibilidade do sistema legal por seus usuários (credores, governo e sociedade em geral), deve atentar e ser cada vez mais apta à redução dos custos de transação, garantindo, na medida do possível, o máximo respeito aos contratos.*

6
CRIMES FALIMENTARES, SOLUÇÕES JUDICIAIS E DE MERCADO PARA AS CRISES EMPRESARIAIS

Faz-se necessário analisar os crimes falimentares conforme o tipo de solução adotada para eventualmente superar ou solucionar a situação de crise empresarial.

Como se sabe, ao contrário do que ocorria na vigência da legislação anterior,[1] a partir da entrada em vigor da Lei 11.101/2005 a superação da condição de crise empresarial não se faz mais necessariamente no âmago de um processo judicial, podendo realizar-se por meio de recuperação extrajudicial não levada a homologação judicial, ou mesmo por intermédio de soluções de mercado, mediante acordos privados com os respectivos credores.

Comparativamente às soluções de mercado, as alternativas judiciais para superar as dificuldades econômico-financeiras enfrentadas pelos devedores (incluindo a recuperação judicial ou extrajudicial homologada em juízo, até a eventual falência e liquidação do negócio) apresentam uma série de desvantagens em relação aos custos envolvidos, morosidade da reorganização pretendida e repercussões negativas junto ao público.

Para que se tenha uma noção aproximada do incremento de custos e de tempo para finalização de processo judicial envolvendo matéria falimentar, trazemos, a seguir, estudo do Banco Mundial em que tais dados são comparativamente analisados entre os diversos países.

---

1. Na vigência do Decreto-lei 7.661/1945 a convocação de credores pelo devedor em crise para a propositura de acordo particular era considerada *ato de falência* (art. 2º, III). Assim, o devedor que assim procedesse corria o risco de que, não sendo aceito o acordo por algum credor, este ingressasse em juízo com pedido de falência, com razoáveis chances de sucesso.

Tempo gasto para concluir insolvência (anos)

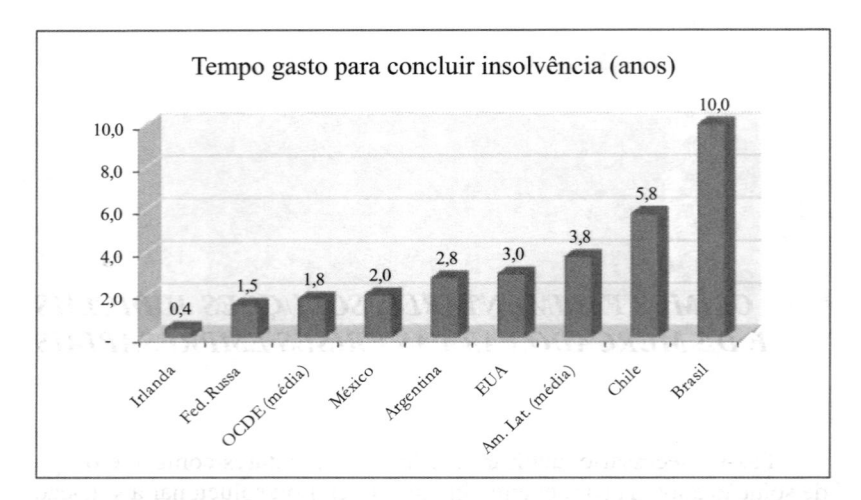

País	Anos
Irlanda	0,4
Fed. Russa	1,5
OCDE (média)	1,8
México	2,0
Argentina	2,8
EUA	3,0
Am. Lat. (média)	3,8
Chile	5,8
Brasil	10,0

Figura 6: Dados do Banco Mundial (fonte: banco de dados *Doing Business* – 2004) relativos ao lapso temporal para concluir os processos de insolvência

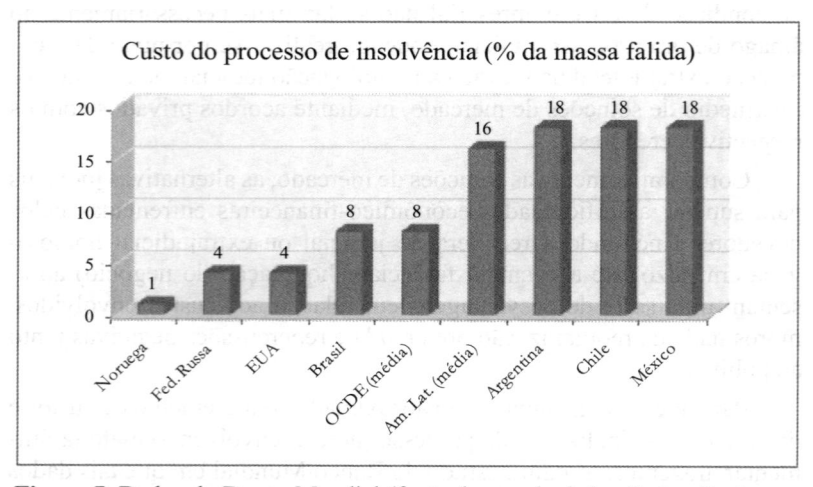

Custo do processo de insolvência (% da massa falida)

País	%
Noruega	1
Fed. Russa	4
EUA	4
Brasil	8
OCDE (média)	8
Am. Lat. (média)	16
Argentina	18
Chile	18
México	18

Figura 7: Dados do Banco Mundial (fonte: banco de dados *Doing Business* – 2004) relativos aos custos de falência, em termos percentuais do total da massa falida

Como se verifica dos dados supracitados, a escolha do processo judicial tende a acarretar custos significativos e razoável período de tempo.

Assim, diante dos menores custos, maior rapidez e reduzida repercussão negativa junto aos clientes e à comunidade, muitos devedores têm preferido, nos dias de hoje, adotar soluções de mercado para superar as crises com as quais eventualmente se defrontem – fato, este, que já ocorria em outros países e tende a se tornar cada vez mais presente no Brasil.[2]

Por outro lado, as reorganizações levadas a efeito sob a tutela do Poder Judiciário têm algumas vantagens que poderão beneficiar alguns devedores, dependendo do caso.

A primeira vantagem da reorganização sob tutela judicial é a faculdade concedida pela Lei Falimentar de *suspensão automática* das ações dos credores (*automatic stay period*), que perante a Lei 11.101/2005 é concedida às recuperações judiciais por 180 dias (art. 6º, § 4º), o que impede que os credores, pela execução individual de seus créditos, fulminem o fluxo de caixa do devedor em dificuldades econômico-financeiras.

A segunda vantagem das reorganizações judiciais sobre as alternativas de mercado é a de que nas primeiras o devedor que tem aprovação majoritária de seus credores pode impor determinado tipo ou plano de recuperação a alguns credores minoritários recalcitrantes, através de ordem judicial. Essa imposição (*cramdown*) resolve o chamado problema das partes que não querem ceder qualquer espaço em seus direitos (*holdout problem*) e é prevista pela Lei 11.101/2005 nos arts. 58, § 1º, e 163.

Diante da autorização dada pela Lei 11.101/2005 para a realização de acordos privados (art. 167) e recuperações judiciais e extrajudiciais (arts. 48, 162 e 163) para a superação de crises, os devedores em refe-

---

2. Segundo Ross et al. (Administração Financeira – *"Corporate Finance"*, São Paulo, Atlas, 1995, p. 622), nos Estados Unidos cerca de 49% dos casos de dificuldades financeiras não são seguidos por qualquer reorganização. Os restantes 51% enfrentam tipos de reorganização que se subdividem da seguinte forma: (1) 47% adotam soluções privadas de mercado; (2) 53% adotam soluções judiciais (concordata), sendo que, destas últimas, 83% acabam em recuperação ou reorganização, 7% terminam por fusão e somente 10% acabam por sofrer liquidação do negócio. Verifica-se, portanto, que o percentual de recuperações em juízo é de aproximadamente 22,43% (51% x 53% x 83%) de todas as empresas com dificuldades financeiras, enquanto as soluções de mercado respondem por 23,97% do total (51% x 47%), mostrando uma ligeira preponderância das alternativas de mercado sobre as soluções judiciais na preferência empresarial.

rida situação podem adotar várias formas para se reorganizarem, que incluem:

(1) *Realização de alternativas de mercado com o consentimento dos credores ("out of court agreements/workout agreements").*

(2) *Recuperação extrajudicial com o consentimento da totalidade dos credores (homologação facultativa em juízo).*

(3) *Recuperação extrajudicial sem a anuência da totalidade dos credores (homologação judicial obrigatória em juízo para produzir efeitos).*

(4) *Recuperação judicial.*

Resumindo as alternativas à disposição dos devedores, temos o seguinte esquema:

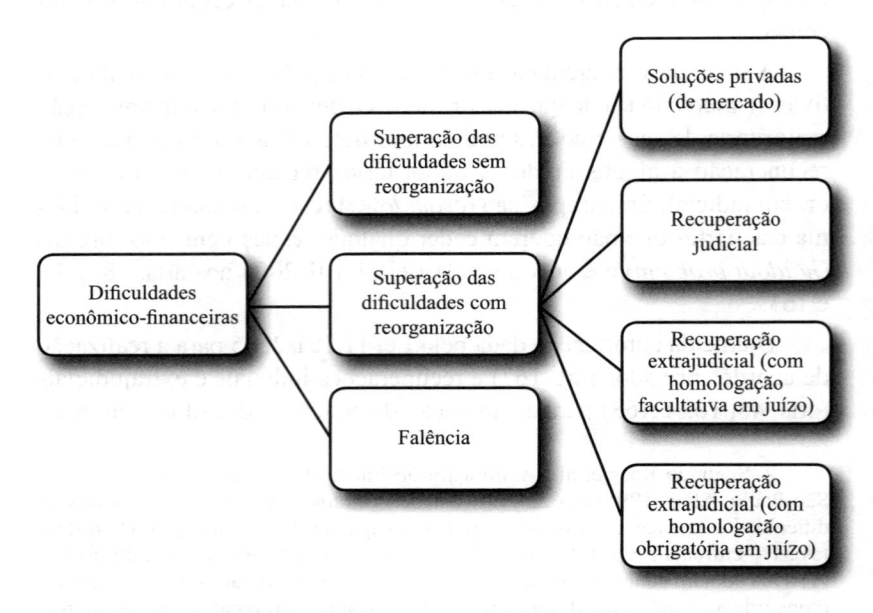

Figura 8: Possibilidades disponíveis ao devedor em dificuldades econômico-financeiras

A tabela a seguir resume as vantagens e desvantagens das alternativas anteriormente citadas:

Tabela 1: Vantagens e desvantagens dos modos de solução de crises empresariais

Vantagens/Desvantagens	Reorganizações sob tutela do Poder Judiciário	Soluções de mercado
Repercussões negativas junto aos clientes, fornecedores e comunidade	Significativas	Reduzidas
Custos	Maiores	Menores
Perspectivas de rapidez da obtenção dos resultados almejados	Reduzidas	Significativas
Possibilidade de evitar execuções individuais dos credores com atos de constrição judicial sobre bens ou fluxos de caixa do devedor	Possível em recuperação judicial pela suspensão automática das ações e execuções	Não é possível, uma vez que os credores continuam com a possibilidade de ingressar em juízo ou dar continuidade aos processos que já estiverem ajuizados
Possibilidade de imposição do plano de recuperação aos devedores recalcitrantes	Possível em recuperação judicial ou extrajudicial (se levada a juízo), conforme o caso	Inexistente

Como veremos mais adiante, os crimes falimentares terão sua punibilidade condicionada ao tipo de alternativa utilizada pelo devedor para o equacionamento de sua situação de crise.

Com efeito, dada a necessidade de uma condição objetiva de punibilidade para a punição da espécie delitiva em estudo (art. 180 da Lei 11.101/20), somente se poderá cogitar de crime falimentar quando o devedor optar por se reorganizar sob a tutela do Poder Judiciário, ou seja, em recuperação judicial, recuperação extrajudicial homologada em juízo ou quando, pela decretação da falência do devedor, o Judiciário venha a atuar diante da ineficácia de qualquer tipo de reorganização.

Não haverá punição criminal a delitos falimentares quando o devedor optar por mera solução de mercado, sem a intervenção judicial.

Isso se explica, ao menos em parte, em virtude de que o principal (mas não o único) bem jurídico a ser defendido com a instituição dos delitos falimentares é a credibilidade do sistema judicial falimentar, ou seja, o respeito e obediência às "regras do jogo" das falências e reorganizações, sinalizando ao mercado a manutenção da higidez da instituição judiciária como um todo.

Por outras palavras, pode-se dizer que o condicionamento da punibilidade dos crimes falimentares aos processos de reorganização sob tutela judicial ou às falências (em que o Poder Judiciário necessariamente atua) ocorre em razão de que o principal interesse a ser preservado com a instituição dos crimes falimentares é a administração da justiça, não havendo razão, segundo nosso legislador, para punir criminalmente um devedor que não tenha sequer se relacionado com o sistema judicial.

7
CRIME FALIMENTAR

7.1 Breve relato histórico e Direito Comparado. 7.2 Evolução do instituto no Brasil. 7.3 Posição topográfica da matéria e relacionamentos interdisciplinares. 7.4 Conceito, natureza, objetividade jurídica e nomenclatura.

7.1 Breve relato histórico e Direito Comparado

O crime falimentar passou por diversas conceituações na História e no Direito Comparado.

Inicialmente a falência já era considerada por si só como uma situação criminosa (*bankuptcy as criminal in nature*), sem que se perquirisse quanto a uma contribuição voluntária ou culposa do empresário, credores ou terceiros para essa situação. Falir, numa visão histórica inicial, já era infamante em si mesmo.

Ressalta Mauro R. Penteado: "Instituto tão antigo quanto a história do direito comercial, a falência surgiu de forma incipiente já a partir do século XIII, inspirado no *concursum creditorum* do Direito Romano, que, juntamente com os agregados do Direito Canônico, formava o direito comum, aplicável a devedores comuns e aos comerciantes – absorvendo os usos e costumes derivados das decisões dos juízes consulares, das corporações de mercadores. Veio assim timbrado pelo rigorismo e por sanções penais severas, que buscavam reprimir os abusos perpetrados por devedores desonestos, maculados pela infâmia traduzida na sentença *decoctor ergo fraudator*".[1]

Essa concepção, entretanto, foi sendo superada pela visão mais moderna do direito penal da culpabilidade, que exigia a participação efetiva de uma conduta voluntária do devedor falido na prática do crime.

1. Mauro R. Penteado, *Comentários à Lei de Recuperação de Empresas e Falência*, São Paulo, Ed. RT, 2006.

Historicamente, como ensina Arthur Migliari Jr.: "Num primeiro momento histórico a falência era considerada crime de per si, posto que o comerciante falido era considerado como uma verdadeira 'entidade infamante', sendo que bastava a declaração da quebra para que o mesmo fosse considerado verdadeiro criminoso (...) Tal conceito, porém, progrediu, passando para a teoria da dupla presunção legal, onde o objetivo principal do instituto era o de amenizar o rigor da responsabilidade objetiva (...)".[2]

Resumindo as posições, salienta Maximilianus Cláudio Américo Führer[3] a existência histórica de três teorias para a punição dos delitos falimentares:

• *Teoria da falência-crime: segundo a qual se puniam todos os falidos, considerados que eram "infami et infamissimi, decptores et fraudatores". Consagrava-se a responsabilidade objetiva, sem se indagar da causa que levou à quebra, mas apenas presumindo "juris et de jure" o dolo e/ou a culpa do falido.*

• *Teoria da dupla presunção legal: em que se fazia uma dupla presunção entre as causas da insolvência e a conduta irregular do devedor, chegando-se, por vias indiretas, ao mesmo resultado da teoria da falência-crime.*

• *Teoria da falência-condição: predominante na atualidade, exclui a falência, por si só, como fato criminoso, que decorre unicamente da prática de atos capitulados como crime em lei, mas impõe a quebra como "conditio júris" para a punição do crime falimentar.*

No Direito Comparado o crime falimentar recebeu várias conceituações e inserções na legislação dos diversos países.

Em Portugal os delitos falimentares encontram-se descritos nos arts. 227º a 229º-A do CP português, que pune as condutas de insolvência dolosa, insolvência por negligência, frustração de créditos e favorecimento de credores.[4]

Na Itália os delitos falimentares foram definidos no R.D. 267, de 16.3.1942, nos arts. 216 e ss., em extensa regulamentação que se vincula

---

2. Arthur Migliari Jr., *Crimes de Recuperação de Empresas e de Falências*, São Paulo, Quartier Latin, 2006.
3. Maximilianus Cláudio Américo Führer, *Crimes Falimentares*, São Paulo, Ed. RT, 1972.
4. V. no *Apêndice 1.1* os artigos referidos.

ainda ao conceito de bancarrota simples (causada por culpa) e qualificada (fraudulenta).⁵

Na Espanha os delitos falimentares foram definidos no Código Penal, no Capítulo VII do Título XIII, referente às insolvências puníveis.⁶

Na França os crimes falimentares (*banqueroute*) são previstos no *Code de Commerce*, no Capítulo IV do Livro V, intitulado "De la Banqueroute et des Autres Infractions", com as modificações introduzidas pela *Ordonnance 2008-1.345*, de 18.12.2008.⁷

Na Alemanha os delitos falimentares (*Insolvenzstraftaten – Insolvenzdelikt*) são disciplinados no Código Penal alemão (StGB – *Strafgesetzbuch*), na Seção Vigésima Quarta.⁸

Nos ordenamentos de base anglo-saxã, filiados ao sistema de *common law*, pesquisadores apontam que os primeiros diplomas falimentares datam do século XVI, sob o reinado de Henrique VIII, sendo essencialmente criminais em sua natureza, com penas prioritariamente pecuniárias e posteriores modificações para incluir penalidades de privação de liberdade e até mesmo capitais, em alguns casos.

Nos Estados Unidos da América, após um conjunto de modificações durante o século XIX, os crimes falimentares atualmente estão definidos no Código Criminal norte-americano (*US Code, title 18, part I, chapter 9*), sendo tipificados os seguintes delitos:

• "§ 152. Ocultação de ativos; declarações e proposições falsas; suborno" (*Concealment of assets; false oaths and claims; bribery*).

• "§ 153. Apropriação de bens" (*Embezzlement against estate*).

• "§ 154. Conflito de interesses e conduta de oficiais" (*Adverse interest and conduct of officers*).

• "§ 155. Acordo de rendimentos" (*Fee agreements in cases under title 11 and receiverships*).

• "§ 156. Desconsideração voluntária da legislação falimentar" (*Knowing disregard of bankruptcy law or rule*).

• "§ 157. Fraude falimentar" (*Bankruptcy fraud*).

---

5. V. no *Apêndice 1.2* os artigos correspondentes, do R.D. 267, de 16.3.1942.
6. V. no *Apêndice 1.3* os artigos do Código Penal Espanhol, aplicáveis.
7. V. no *Apêndice 1.4* o referido Capítulo IV do Livro V do *Code de Commerce*.
8. V. no *Apêndice 1.5* as disposições do Direito alemão sobre a matéria.

A maior parte dos delitos falimentares na legislação norte-americana é classificada como crimes "classe D" (*class D felony*), os quais sujeitam o infrator a penas de prisão de até cinco anos, além de multa.

Note-se que o conhecimento do Direito Comparado em matéria de crime falimentar não tem mero interesse acadêmico. Isso porque, além do amparo doutrinário, o ordenamento alienígena em matéria criminal falimentar serve como base comum para as sentenças de extradição. De fato, com fundamento nos requisitos de existência de tratado, reciprocidade, dupla tipicidade (no ordenamento pátrio e no do país estrangeiro que requer a extradição), ausência de prescrição e demais requisitos da Lei 6.815/1980, o STF tem autorizado, em alguns casos, a extradição de estrangeiros por cometimento de delito falimentar.[9]

9. STF, Tribunal Pleno, Ext 885, Itália, rel. Min. Carlos Velloso, j. 8.10.2003, *DJU* 31.10.2003, p. 00014, *Ement*. 02130-01/00012: "*Ementa*: Constitucional – Extradição: matéria de defesa – Dupla tipicidade – Crime de bancarrota fraudulenta (lei italiana) – Crime falimentar (lei brasileira): prescrição – Lei n. 6.815/1980 – Súmula n. 147/STF. I – Objeto da defesa – Sistema de contenciosidade limitada – Lei n. 6.815/1980, art. 85, § 1º – Constitucionalidade – Ext n. 669/EEUU, rel. Min. Celso de Mello, *RTJ* 161/409. II – Requisito da dupla tipicidade atendido – Bancarrota fraudulenta – Art. 216 da Lei Falimentar italiana – Lei de Falências brasileira, Decreto-lei n. 7.661/1945, arts. 187 e ss. III – Prescrição. Pela lei brasileira o processo falimentar deve ser encerrado em dois anos após a declaração da falência (Decreto-lei n. 7.661/1945, art. 132, § 1º), ocorrendo a prescrição do crime falimentar em dois anos após o encerramento do processo de falência (art. 199 e parágrafo único) – Súmula 147/STF: "A prescrição do crime falimentar começa a correr da data em que deveria estar encerrada a falência, ou do trânsito em julgado da sentença que a encerrar ou que julgar cumprida a concordata". IV – Inocorrência, no caso, de prescrição, quer pela lei brasileira, quer pela lei italiana, certo que pela lei italiana, CP italiano, art. 157, a prescrição extingue o delito em '15 anos, se se trata de delito para o qual a lei estabelece a pena de reclusão não inferior a 10 anos'. A lei penal italiana estabelece, para os crimes do art. 216 (bancarrota fraudulenta), a pena máxima de 10 anos de reclusão – V – Extradição deferida".

STF, Tribunal Pleno, Ext 795/Estados Unidos da América, rel. Min. Sepúlveda Pertence, j. 8.8.2001, *DJU* 6.4.2001, p. 00067, *Ement*. 02026-02: "*Ementa*: I – Inexistência de crime falimentar, ou de condição objetiva de sua punibilidade, quando com o fato não concorra a declaração judicial da falência, privativa do devedor comerciante no Direito Brasileiro. 1. A 'falência pessoal' (*personal bankruptcy*) – facultada ao devedor insolvente não comerciante no Direito Norte-Americano (*US Code*, Capítulo 13, Título 11) – não encontra similar, no Direito Brasileiro, na falência restrita ao devedor comerciante (LF, Dl), mas na insolvência civil (CPC, Título IV, arts. 748 e ss.). 2. Quer se considere a falência, segundo o Direito Brasileiro, elemento do tipo ou condição objetiva de punibilidade dos crimes falimentares, à falta de sua declaração não se pode afirmar, para fins extradicionais, a dúplice incriminação de conduta, à criminalidade da qual, no Estado requerente, basta a concorrência do que, no Brasil, não seria falência, mas insolvência civil. II – Tratado

7.2 Evolução do instituto no Brasil

No Brasil o conceito e a forma de descrição e punição do crime falimentar tiveram inúmeras modificações ao longo dos anos.

Trajano de Miranda Valverde ressalta que no Brasil a previsão de crimes falimentares se iniciou no Código Criminal do Império de 1830, que em seu art. 263 previa como delito a *bancarrota qualificada como fraudulenta ou culposa*, apenando-se a conduta com trabalho por um a oito anos. Referido autor ainda salienta disposição do Código Penal de 1890, que em seu art. 336 punia criminalmente todo comerciante que, matriculado ou não, viesse a falir, se sua quebra fosse considerada fraudulenta ou culposa.[10]

As leis falimentares que inicialmente regeram a matéria em nosso país não continham as disposições penais falimentares em sua integralidade, limitando-se a definir situações ocorrentes com a quebra do comerciante (por exemplo, falências culposas ou fraudulentas) nas quais determinadas condutas fariam o devedor incidir em práticas delitivas, cujas penas estavam definidas na legislação criminal comum.

bilateral, no Brasil, tem hierarquia de lei ordinária e natureza de lei especial, que afasta a incidência da lei geral de extradição. III – Tratado de Extradição Brasil/ Estados Unidos – Rol taxativo de delitos cuja imputação obriga à extradição no qual não se compreendem os crimes comuns cogitados para caracterizar, posto inexistente a falência, a tipicidade no Brasil dos fatos atribuídos ao extraditando nos Estados Unidos. IV – Omissão na declaração de bens do devedor, no processo de insolvência civil, à luz do Direito Brasileiro, não caracteriza fraude à execução (CP, art. 179), que é delito comissivo; nem falsidade ideológica (CP, art. 299), nem falso testemunho (CP, art. 342), que, no país, são crimes não imputáveis às declarações da própria parte no processo. V – Princípio da legalidade dos crimes e das penas (Constituição, art. 5º, XXXIX), que envolve a vedação de aplicação analógica de normas penais incriminadoras – Conseqüente inadmissibilidade da afirmação de haver crime falimentar se não existe falência, mas insolvência civil, não obstante as semelhanças entre os dois institutos".

STF, Tribunal Pleno, Ext 790, Itália, rel. Min. Ilmar Galvão, j. 13.9.2000, *DJU* 6.10.2000, p. 00080, *Ement.* 02007-01/00008: "Extradição – Governo da Itália – Paciente condenado, duas vezes, por crime falimentar, havendo sido, ainda, punido com a pena de seis meses de reclusão, por crime de natureza fiscal – Prescrição das penas verificada há vários anos (art. 199 do Decreto-lei n. 7.661/1945 e art. 109, VI, c/c o art. 110, do CP) – Configuração da hipótese prevista no art. 77, VI, da Lei n. 6.815/1980 – Extradição indeferida".

10. Trajano de Miranda Valverde, *Comentários à Lei de Falências*, Rio de Janeiro, Forense, 1962. O mesmo autor ressalta que: "Bancarrota é o termo geralmente empregado pelas legislações européias para designar o crime de insolvências culposa e dolosa".

Nessa linha, regulou a matéria o Decreto 917, de 24.11.1890, que reformou o Código Comercial na Parte III, relativa às falências, sendo que em seu Título VII se encontravam regulados os temas referentes à classificação da falência e os crimes que dela decorrem.[11]

Seguindo ainda o mesmo estilo de disposição (separação entre a definição de falência fraudulenta e culposa, com remissão da cominação de pena à legislação criminal) o assunto foi tratado na Lei 859, de 16.8.1902, que igualmente veiculou reforma da legislação falimentar, definindo em seu Título VII a classificação das falências e os crimes que dela decorrem.[12]

Com o advento da Lei 2.024/1908 a matéria foi tratada nos arts. 167 a 173 de referido diploma.[13]

Merece menção ainda o Decreto 5.746, de 9.12.1929, que trouxe alterações na legislação falimentar.[14]

A tendência de manutenção dos crimes falimentares integralmente em sua legislação própria, com definição de tipos penais e respectivas penas, foi observada no Decreto-lei 7.661/1945 e na Lei 11.101/2005, que, como se verá mais pormenorizadamente a seguir, abandonaram o conceito de falência culposa ou fraudulenta que acompanhou toda legislação falimentar nacional até então.

7.3 Posição topográfica da matéria e relacionamentos interdisciplinares

Como se viu no tópico anterior, tanto as legislações nacionais quanto as estrangeiras diferem na forma de abordagem e inserção dos crimes falimentares. Algumas delas incluem a matéria no corpo da legislação falimentar; outras, no bojo dos Códigos Penais.

Isso em parte reflete a divergência em termos do posicionamento enciclopédico da matéria referente aos crimes falimentares, sobre a qual diverge a doutrina, ora atribuindo-a ao direito penal, ora remetendo seu estudo ao direito comercial.

Bem explica esse fenômeno Rubens Requião:

"Com efeito, a tendência normal e natural dos comercialistas e penalistas é afastar do âmbito de seus estudos os crimes falimentares: os

---

11. V. no *Apêndice 2.1* os arts. 77 e ss. do Decreto 917, de 24.11.1890.
12. V. no *Apêndice 2.2* os artigos da Lei 859, de 1902, correspondentes.
13. V. no *Apêndice 2.3* os arts. 167 a 173 da Lei 2.024/1908.
14. V. no *Apêndice 2.4* os artigos referidos do Decreto 5.746, de 9.12.1929

primeiros consideram matéria nitidamente de natureza penal, e os criminalistas alegam sua vinculação íntima com o direito falimentar, matéria do domínio do direito comercial.

"Essa situação não ocorre apenas entre os juristas brasileiros. Encontramos a observação nos meios jurídicos de outros países. O jurista italiano G. Rodice observou que a dificuldade de tratar dos delitos em matéria de falência nasce, precisamente, de que eles implicam questões comerciais, do que provém que os comercialistas omitem este estudo, para não invadir o campo penal, e os penalistas o evitam, para não invadir o campo comercial e porque se encontram pouco afeitos às noções mercantis."[15]

A divergência reflete também a dúvida sobre o objeto jurídico dos crimes falimentares, ainda não bem definido na doutrina, como se verá adiante.

Aqueles que vêem nos delitos falimentares uma forma de proteção a bens jurídicos similares aos pertinentes a outros crimes definidos na legislação penal ordinária (patrimônio, administração da justiça etc.) tendem a inseri-los junto a estes nos diplomas penais. Já, os que vislumbram nos crimes falimentares um objeto jurídico *sui generis* tenderão a inseri-lo em uma legislação própria, usualmente a mesma que regula a matéria falimentar.

Historicamente, podem ser resumidas as diversas posturas adotadas nas legislações sobre o modo de inserção topográfica dos crimes falimentares em três tipos básicos, como ressalta J. C. Sampaio de Lacerda,[16] citando os ensinamentos de Oscar Stevenson:[17]

(1) *O grupo seguido pelos Códigos franceses de 1807 e 1810, em que a Lei Falimentar define os institutos e deixa as providências penais a cargo dos Códigos Penais respectivos.*

(2) *Aquele seguido pelo Código italiano de 1882, quando a especificação dos casos e das penas é mantida exclusivamente na legislação comercial falimentar.*

(3) *O grupo que insere toda a matéria criminal falimentar no Código Penal (Áustria, Hungria etc.).*

---

15. Rubens Requião, *Curso de Direito Falimentar*, vol. 2, São Paulo, Saraiva, 1992.

16. J. C. Sampaio de Lacerda, *Manual de Direito Falimentar*, Rio de Janeiro, Freitas Bastos, 1978.

17. Oscar Stevenson, *Do Crime Falimentar*, São Paulo, Saraiva, 1939.

Nos dias de hoje inserem a disciplina dos delitos falimentares no Código Penal: Portugal, Espanha e Alemanha. Na legislação norte-americana os crimes falimentares foram definidos inicialmente na própria Lei Falimentar, sendo hoje tipificados no Código Criminal (*US Code*).

Na França estão inseridos no *Code de Commerce*, e na Itália em legislação extravagante (R.D. 267, de 16.3.1942).

No Brasil, como já ressaltamos, a matéria referente aos crimes falimentares esteve em princípio disciplinada parcialmente nos diplomas falenciais e penais, sendo transportada posteriormente em sua integralidade para a legislação falimentar – tendência esta mantida no Decreto-lei 7.661/1945 e na Lei 11.101/2005.

Avaliando os sistemas com base na particularidade do objeto jurídico do crime falimentar em relação a outros delitos patrimoniais, J. C. Sampaio de Lacerda tira a seguinte conclusão, com a qual concordamos: "Julgamos não se compreender a equiparação dos crimes falimentares a certos delitos já punidos pela legislação penal, como quer Gilberto Valente, por isso que apresentam eles característicos próprios que só poderão ser verdadeiramente compreendidos através das noções do direito falimentar, que nos são fornecidas pela própria lei específica. Essa a razão por que preferimos o sistema em que os caracteres dos crimes falimentares permaneçam previstos nas Leis de Falências, deixando-se, quando muito, para as criminais tão-somente as penas correspondentes. Acreditamos mesmo que o critério adotado entre nós pelo legislador de 1940 seja o mais aconselhável e perfeitamente justa a doutrina exposta por Nelson Hungria".[18]

Ressalte-se, porém, que o posicionamento legislativo e doutrinário da matéria não é questão da maior importância, não tendo influência na essência do crime falimentar, refletindo apenas um problema de preferência pessoal de determinados doutrinadores ou, mesmo, a opção política do legislador em determinado momento histórico.

7.4 Conceito, natureza, objetividade jurídica e nomenclatura

Pode-se conceituar *crime falimentar* perante nosso ordenamento jurídico atual como *toda e qualquer conduta típica, antijurídica e culpável, definida e sancionada no âmbito penal da legislação falimentar, que possa, efetiva ou potencialmente, agravar a situação de crise em que se encontra um devedor empresário e cuja punibilidade se encontra*

---

18. J. C. Sampaio de Lacerda, *Manual de Direito Falimentar*, cit., p. 300.

subordinada ao reconhecimento desta conjuntura econômico-financeira pelo Poder Judiciário, por meio da falência ou recuperação.

A definição inclui os seguintes elementos, a seguir explicitados:

(1) *A exteriorização de uma conduta criminosa qualificada por ser típica (definida na lei penal), antijurídica (contrária ao ordenamento jurídico) e culpável (reprovável penalmente).*

(2) *Sua definição e respectiva cominação de pena (sanção) se contêm na parte penal do diploma legislativo falimentar, indicando sua posição topográfica externa ao Código Penal e outras leis extravagantes, na forma consagrada pela legislação nacional.*

(3) *A conduta criminosa tem o condão de agravar, ainda que apenas potencialmente, a situação de crise econômico-financeira em que um devedor empresário se encontre.*

(4) *A punibilidade do delito fica subordinada ao reconhecimento pelo Poder Judiciário da situação de crise empresarial, seja concedendo a recuperação judicial, homologando o plano de recuperação extrajudicial ou decretando a falência.*

A definição da natureza e do objeto do crime falimentar não é pacífica na doutrina.

Como se sabe, a identidade de determinado delito se faz pelo seu objeto jurídico, ou seja, pelo bem jurídico protegido pela norma penal. Essa matéria, entretanto, não está bem assentada pela doutrina, que diverge a respeito de qual seja o bem jurídico protegido no crime falimentar.

Diversos são os critérios preconizados para a definição do objeto jurídico da espécie delitiva em comento. Alguns doutrinadores desejaram equiparar o delito falimentar a crimes patrimoniais. Outros verificam objetos jurídicos singulares nesses crimes (administração da justiça, economia popular, crédito público etc.). Finalmente, há aqueles que reconhecem a multiplicidade de bens jurídicos abarcados nas figuras penais falimentares.

Franz von Liszt define como objeto jurídico do crime falimentar os direitos dos credores ao patrimônio do devedor, nos seguintes termos: "Podemos considerar a bancarrota como ofensa dos direitos do credor pelo devedor mediante diminuição dolosa ou culposa do patrimônio deste ou ocultação de sua situação patrimonial. Direitos do credor, eis o objeto que a bancarrota particularmente ataca".[19]

---

19. Franz von Liszt, *Tratado de Direito Penal Alemão*, Brasília, Senado Federal/Conselho Editorial, STJ, 2006.

Na abalizada opinião de Pontes de Miranda, o bem jurídico protegido pelo delito falimentar é a administração da justiça:

"No fundo, os crimes falenciais são crimes que dificultam ou preexcluem o cumprimento da promessa, que fez o Estado, de dar aos credores e a outros interessados a prestação jurisdicional. Portanto, são crimes contra a promessa de tutela jurídica, e somente em conseqüência ofensivos da pretensão à tutela jurídica exercida ou exercível.

"A concepção que aí se exprime consideramos a mais científica. Na literatura não a encontramos, aqui e alhures. Porém somente ela satisfaz as exigências de exposição sistemática e está em dia com a ciência do Direito. São de afastar-se, totalmente, as concepções que apontam os crimes falenciais como crimes que violam deveres especiais que se assumem com o exercício do comércio (...) ou como figuras de que lança mão o sistema dos institutos defensivos do crédito (...), o que é assaz vago, devido à extensão. Tê-los como crimes contra a ordem jurídica ou a administração da justiça já é estar mais perto da verdade (...). Os próprios crimes falenciais de outras pessoas que não o devedor entram na classe dos crimes que dificultam ou preexcluem ou excluem o cumprimento da promessa do Estado. Todos são ligados a empecilhos à prestação jurisdicional."[20]

Resumindo a controvérsia, salienta J. C. Sampaio de Lacerda: "Os primeiros escritores que dele se ocuparam assimilavam-no ao furto. O mesmo fazia a legislação, punindo com as penas deste o falido fraudulento: *furibus es latronibus ita equiparavit* (...). Outros identificam como estelionato ou variedade deste. Esses entendimentos, esclarece Oscar Stevenson, não mais se podem tomar em conta. Em se tratando de crime do falido, a diminuição do patrimônio, por ele causada, não poderia identificar-se ao furto, de vez que não se concebe subtração de bens pelo próprio dono. Menos ainda ao estelionato, que requer o emprego de artifícios para iludir a confiança de outrem e espoliá-lo em sua propriedade. Se o objeto material são coisas pertencentes ao sujeito ativo do crime, ficam excluídos o furto, o estelionato ou a apropriação indébita (...)".

A divergência ainda prossegue, segundo referido autor, para se saber em qual categoria criminal se enquadraria o crime falimentar: "É crime contra o patrimônio, afirmam Puglia, Ramella, von Liszt, Carvalho de Mendonça, Galdino Siqueira, Longhi, Delitala, De Semo (...). É a classificação tradicional de nossas leis, desde o Código Criminal

---

20. Pontes de Miranda, *Tratado de Direito Privado*, t. 30, São Paulo, Ed. RT, 1984.

de 1830 (...). 'O crime falimentar, acentua Oscar Stevenson, não pode considerar-se como de lesão ao patrimônio dos credores'. É que, seja cometido pelo devedor, seja por outras e determinadas pessoas, não se dirige à propriedade dos credores, mas do próprio falido (...). Há ainda quem sustente tratar-se de crime contra a fé pública (...) ou crime contra a pública economia (...). O delito deve ser capitulado, afirma Oscar Stevenson, como sendo contra o comércio, dentro de uma divisão genérica dos crimes contra a economia pública".[21]

Como ressaltamos anteriormente, há aqueles que entendem que a objetividade dos delitos em questão está na proteção ao crédito público, à ordem econômica, à fé pública; e até mesmo os que afirmam a natureza híbrida do bem jurídico protegido pelos crimes em questão, variando conforme o tipo penal em análise.

Um resumo das posições doutrinárias pode ser visto a seguir.

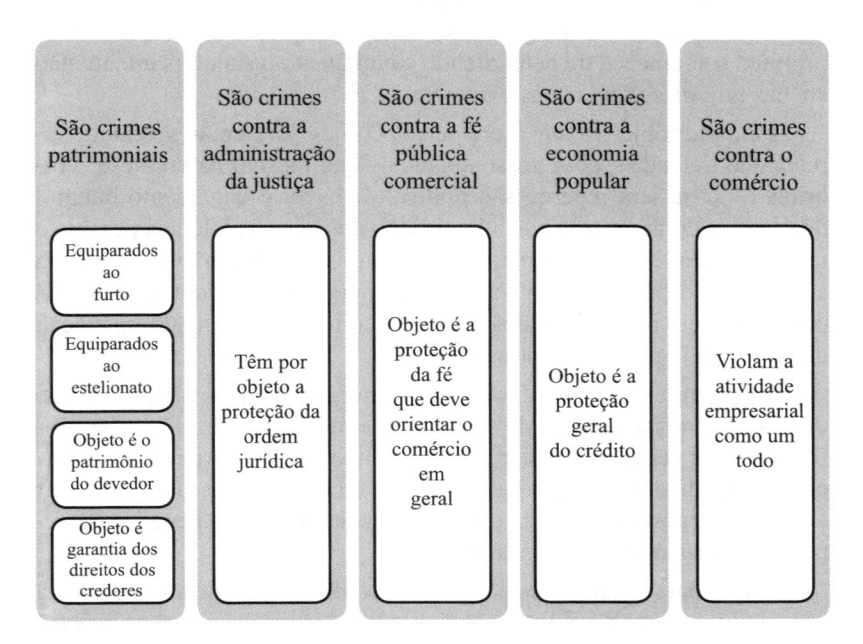

São crimes patrimoniais	São crimes contra a administração da justiça	São crimes contra a fé pública comercial	São crimes contra a economia popular	São crimes contra o comércio
Equiparados ao furto	Têm por objeto a proteção da ordem jurídica	Objeto é a proteção da fé que deve orientar o comércio em geral	Objeto é a proteção geral do crédito	Violam a atividade empresarial como um todo
Equiparados ao estelionato				
Objeto é o patrimônio do devedor				
Objeto é garantia dos direitos dos credores				

Figura 9: Posições doutrinárias quanto ao bem jurídico protegido nos crimes falimentares e suas subespécies

21. J. C. Sampaio de Lacerda, *Manual de Direito Falimentar*, cit., p. 300.

Em nosso modo de ver, as tentativas de inserção de um único objeto jurídico para todos os crimes falimentares, como fazem alguns doutrinadores, parecem por demais simplificativas, uma vez que o bem jurídico varia conforme cada crime e muitas vezes resta claramente abrangida em um único crime falimentar uma ampla gama de interesses protegidos. Filiamo-nos, pois, à corrente que entende que os delitos falimentares são *pluriobjetivos*, ou seja, têm mais de uma objetividade jurídica.[22]

Com razão, desse modo, o argumento de Maximilianus Cláudio Américo Führer: "A Lei de Falências é uma lei absorvente, que envolve praticamente todos os ramos do Direito. Assim, a complexidade do instituto da falência reflete-se também no âmbito penal, e seria mesmo estranho que a lei protegesse apenas um dos muitos interesses em jogo. Por isso o legislador foi obrigado a omitir qualquer referência expressa ao objeto jurídico dos crimes falimentares, vez que, dentre os interesses protegidos, não há possibilidade de se estabelecer qual o prevalente. Como já salientou Arthuro Rocco, 'ocorre freqüentemente que a ação proibida sob ameaça de pena ofende simultânea ou sucessivamente não apenas um, mas vários bens e interesses'".[23]

Pela pluriobjetividade inerente aos crimes falimentares, o autor supracitado defende – com nosso aplauso – que mesmo na hipótese cerebrina, e quase sem repercussão prática, de haver o pagamento integral de todos os credores (quando a liquidação dos bens na falência permite o rateio suficiente para pagamento de 100% dos créditos) não fica afastada a hipótese de crime falimentar, uma vez que referidos delitos protegem não somente o patrimônio dos credores, como também a administração da justiça, a fé pública e outros interesses.

Em suma, portanto, concordamos integralmente com a posição de que a objetividade jurídica do crime falimentar é múltipla, variando conforme o tipo penal em análise e não podendo se consubstanciar em único bem jurídico protegido. A constatação do objeto do crime falimentar deve se dar, portanto, a cada tipo penal estudado, e não genericamente, pela categoria desta espécie de delito.

Cabe, para finalizar este tópico, discutir a nomenclatura adotada para definir os crimes falimentares diante da inovação legislativa ocorrida com o advento da Lei 11.101/2005, que permitiu a ocorrência de

---

22. Esta última posição também é adotada por Rubens Requião (*Curso de Direito Falimentar*, cit., vol. 2, p. 158) e Migliari Jr. (*Crimes de Recuperação de Empresas e de Falências*, cit., p. 53).
23. Maximilianus Cláudio Américo Führer, *Crimes Falimentares*, cit., p. 23.

crimes dessa espécie também em casos de recuperação judicial ou extrajudicial, e não somente em casos de falência, como ocorria com a legislação anterior.

Diante da inovação da legislação atual, questionam alguns se a nomenclatura "crimes falimentares" estaria adequada aos novos tempos, já que tais delitos não se resumem mais ao estado falimentar, alcançando também o devedor em recuperação judicial ou extrajudicial.

Diante disso, preconiza-se a adoção de nova denominação para tais delitos, sugerindo sejam chamados de *crimes falenciais*. Nesse sentido opina Arthur Migliari Jr.: "É curioso apontar que os autores se referem aos crimes da falência como sendo 'crimes falimentares'. Não obstante consagrado o termo 'crime falimentar' na doutrina e na jurisprudência pátria há mais de séculos, não podemos nos esquecer de que esse entendimento, porém, deve sucumbir. Primeiramente, necessitamos observar que a nova legislação não trata apenas dos crimes cometidos na falência, como o Decreto-lei 7.661/1945 tratava, mas, também, dos crimes cometidos nas recuperações judicial e extrajudicial – o que não existia com relação às concordatas –, daí por que a utilização de 'crime falimentar' não estaria correta, eis que poderá existir crime que não tenha sido praticado na falência. Seja como for, a expressão 'falimentar' não é correta, nunca. E pregoamos que o melhor momento para se alterar a sua utilização é agora, com a modificação legislativa, passando a utilizar o termo 'falencial' ao já consagrado e utilizadíssimo 'falimentar'. É certo que os léxicos apontam um e outro como sinônimos, sendo que os doutrinadores, em voz unânime, jamais pestanejaram a correção de um ou outro termo, apontando-os indistintamente quando se pretende referir os crimes da falência. No entanto, Pedro Caeiro, da Faculdade de Direito da Universidade de Coimbra, após a edição do Código Penal português em 1995, afirmou que o correto na utilização do termo é 'falencial' e não 'falimentar'. Aduz que o termo 'falencial' é o decorrente da falência, que é a ação ou efeito de falir, cessação de pagamentos, quebra de um negociante, enquanto o 'falimentar' decorre de erro, omissão, míngua, carência, falha, gerando a palavra 'falimento', e, conseqüentemente, o 'falimentar'. Ademais, o termo 'falimentar' é decorrente do italianismo, ao passo que o 'falencial' advém do Português. Daí a sugestão do autor de Coimbra em apressar-se em utilizar o termo 'falencial' a 'falimentar', o que nos parece mais adequado".[24]

---

24. Arthur Migliari Jr., "Os crimes falenciais no Direito Intertemporal", disponível em *http://www5.mp.sp.gov.br:8080/caocivel/caocivel.htm*, acesso em 10.4.2006.

Muito embora a nomenclatura "crimes falimentares" se tenha tornado não abrangente o suficiente para definir a categoria que contempla (uma vez que haverá delitos que não dependerão da falência, podendo ocorrer com o mero advento da recuperação judicial ou extrajudicial), o emprego da expressão "crimes falenciais" (já preconizado antes do advento da Lei 11.101/2005 por Pontes de Miranda) em nada irá afetar sua essência, que legalmente permanecerá a mesma.

Por tal razão, manteremos nesta obra a nomenclatura "crimes falimentares", por já estar consagrada na doutrina e na jurisprudência.

8
CLASSIFICAÇÃO DOS CRIMES FALIMENTARES

Os crimes falimentares classificam-se de várias formas, segundo diversos critérios.

Considerando o *momento do crime falimentar em relação à decretação da falência*, os crimes podem ser *pré-falimentares* (ou *antefalimentares*), quando ocorridos previamente à decisão judicial de quebra, ou *pós-falimentares*, se ocorridos em momento posterior.

Com a disciplina da Lei 11.101/2005, que permite a ocorrência desses crimes também na recuperação judicial ou extrajudicial, preferimos incluir nesta classificação os crimes *pré-recuperação* e *pós-recuperação*, conforme ocorram antes ou depois da decisão judicial concessiva da recuperação judicial ou homologatória do plano de recuperação extrajudicial.[1]

No que toca aos crimes pré-falimentares ou pré-recuperação é pacífica na doutrina e na jurisprudência a desnecessidade de que a conduta criminosa do devedor que antecede a situação de crise empresarial se apresente como a causa principal que tenha levado o empreendimento à falência ou à recuperação ou que para estas tenha concorrido, bastando

---

1. A distinção tem repercussão prática: em relação aos crimes pré-falimentares (ou pré-recuperação), embora a ação ou o resultado típicos definidos na lei já tenham ocorrido, têm estes delitos sua punibilidade condicionada à decretação da quebra ou à concessão da recuperação judicial ou extrajudicial, resultando isso na inexistência de prazo prescricional a se iniciar a partir da data da consumação do fato. Em relação aos delitos pós-falimentares (ou pós-recuperação) perfeita está a condição de punibilidade (decisão de falência ou de concessão da recuperação) já em seu momento consumativo inicial, contando-se a prescrição da data de sua consumação.

que a ação criminosa tipificada em lei contrarie os interesses da massa, dos credores ou da administração da justiça.[2]

No entanto, deve-se notar que a existência de crimes pré-falimentares ou pré-recuperação pode causar certa dose de insegurança ao empresário e ao operador do Direito, uma vez que tais crimes, em tese, poderiam abranger toda e qualquer conduta que antecedesse a falência ou a recuperação, retroagindo *ad infinitum* para alcançar atos praticados desde a data de nascimento do empreendimento – o que parece inadmissível.

Por este motivo, preconizam alguns doutrinadores a necessidade de que a conduta criminosa pré-falimentar ou pré-recuperação mantenha ao menos um mínimo de vínculo com a situação de crise empresarial, uma vez que não faria qualquer sentido punir fatos que, em tese, poderiam ser tipificados como crimes quando praticados nos muitos anos ou décadas que antecederam a quebra ou recuperação, quando o negócio empresarial ainda se apresentava saudável.

Não seria admissível, portanto, retroagir indefinidamente na vida do empreendimento para atingir condutas que sequer se relacionam com a situação de dificuldades econômico-financeiras, razão pela qual concordamos com os doutrinadores que entendem necessário estabelecer, ainda que de modo impreciso, um limite razoável de tempo anterior à quebra ou recuperação em que as condutas do devedor possam ser enquadradas nos tipos penais respectivos.

2. Suponhamos o seguinte exemplo, para tornar mais clara a desnecessidade de relação causal entre o crime falimentar e os motivos da quebra ou recuperação: o devedor vem a omitir sua escrituração no período que antecede a falência, sendo esta decretada em virtude da ausência de pagamentos, derivada da falta de liquidez do ativo. Ora, o crime falimentar inerente à falta de escrituração (art. 178 da Lei 11.101/2005) não causou diretamente a quebra; no entanto, poderá dificultar a tarefa dos credores e do Poder Judiciário de apurar correta e completamente o montante do ativo e do passivo do devedor. Na jurisprudência podemos citar as seguintes decisões:

TJSP, ACr 190.324-3, 2ª Câmara Criminal, São Paulo, rel. Des. Renato Talli, j. 23.10.1995, v.u.: "*Ementa:* Crime falimentar – Caracterização – Escrituração lacunosa e falta de apresentação do balanço à rubrica judicial – Crime de mera conduta – Irrelevância de terem ou não concorrido para a falência – Hipótese em que o perigo é presumido – Condenação decretada".

TJSP, ACr 246.225-3, 4ª Câmara Criminal, São Paulo, rel. Des. Passos de Freitas, j. 5.5.1998, v.u.: "*Ementa:* Crime Falimentar – Art. 186, VI e VII, da Lei de Falências – Configuração, ainda que não tenha concorrido para a quebra – Autoria e materialidade comprovadas – Delitos de mera conduta – Irrelevância de a contabilidade da falida ficar a cargo de um terceiro – Apelo improvido".

Essa limitação, denominada por alguns doutrinadores de "zona de risco penal", deve ser fixada a cada caso concreto, de modo a estabelecer um nexo mínimo entre o crime pré-falimentar ou pré-recuperação e a crise empresarial, fora da qual referidos delitos seriam impuníveis.[3]

Em relação ao *sujeito ativo* do crime falimentar, pode ser ele *próprio*, quando somente possa ser cometido pelo falido (ou pelo devedor em recuperação), ou *impróprio*, quando puder ser praticado por outras pessoas (credores, terceiros, administrador judicial etc.).[4]

Classifica-se ainda o delito falimentar em crime *de dano* ou *de perigo*, havendo a primeira hipótese quando a lei se contenta com o perigo (abstrato ou concreto)[5] a um bem jurídico, e a segunda quando seja exigível o prejuízo ao sujeito passivo do crime.

3. V. a lição de Maximilianus Cláudio Américo Führer, baseado nos ensinamentos de Nuvolone e Sady Cardoso de Gusmão: "A zona de risco penal é um conceito relativo, que deverá ser examinado em cada caso concreto. Nuvolone alvitra que se deva examinar se os atos vedados pela lei foram praticados num ou noutro período da vida da empresa, ou seja, deve-se verificar se o ato foi praticado quando a empresa ainda era economicamente sana ou quando era *già malata*, vez que seria absurdo pensar-se que para a caracterização do crime falimentar pudéssemos retroagir indefinidamente na vida da empresa (...). Entre nós, ensina Sady Cardoso de Gusmão que 'é preciso que haja uma relação, ainda que mínima, com a insolvência, donde não se justificar a acusação com base em fatos de um passado remoto, quando outra a situação do devedor" (*Crimes Falimentares*, cit.).

4. Interessante notar que a classificação dos delitos falimentares em *próprios* e *impróprios* leva em consideração se o sujeito ativo do delito será o falido ou devedor em recuperação (crime falimentar próprio) ou outra pessoa (crime falimentar impróprio). Não se deve confundir a classificação mencionada com outra classificação usual em direito penal que separa os crimes *próprios* (que exigem uma qualidade especial do sujeito ativo) ou *comuns* (que possam ser cometidos por qualquer sujeito ativo). O crime de violação de impedimento (art. 177 da Lei 11.101/2005), por exemplo, não é um crime falimentar próprio, pois não tem o falido como sujeito ativo, mas é crime próprio no sentido da segunda classificação supracitada, segundo a qual somente algumas pessoas específicas (juiz, escrivão, perito etc.) podem cometê-lo.

5. Há na doutrina penal mais recente uma séria crítica aos crimes de perigo abstrato (ou presumido), defendendo-se a inconstitucionalidade de tais tipos penais, uma vez que violariam a necessidade de prova do perigo em cada caso concreto, instaurando verdadeira responsabilidade penal objetiva. Acreditamos que essa crítica não tem lugar, muito menos com relação aos crimes falimentares. Aliás, como preconiza Pontes de Miranda, tal classificação (crimes falimentares de dano e de perigo) sequer deveria ser utilizada, uma vez que não corresponde exatamente aos ditames científicos. Assim leciona: "A distinção entre crime falencial de dano e crime falencial de perigo também se há de evitar. Muitos exemplos de perigo são apenas versões que não atendem a ter havido dano a interesse público.

Há também aqueles que dividem os crimes falimentares em *dolosos* ou *culposos*, conforme derivados do elemento anímico intencional (dolo) ou da inobservância de um dever de cuidado (culpa). Trata-se, porém, de classificação que conta com intensa polêmica doutrinária, a qual será tratada em momento oportuno, mais adiante.

Um resumo pode ser visto a seguir:

Quanto à exigência de dano ao bem jurídico protegido	Quanto à intenção do agente	Quanto ao momento do cometimento do delito	Quanto às características pessoais do autor do delito
Crimes falimentares de dano	Crimes falimentares culposos (para a corrente que os admite)	Crimes pré-falimentares ou pré-recuperação	Crimes falimentares próprios
Crimes falimentares de perigo	Crimes falimentares dolosos	Crimes pós-falimentares ou pós-recuperação	Crimes falimentares impróprios

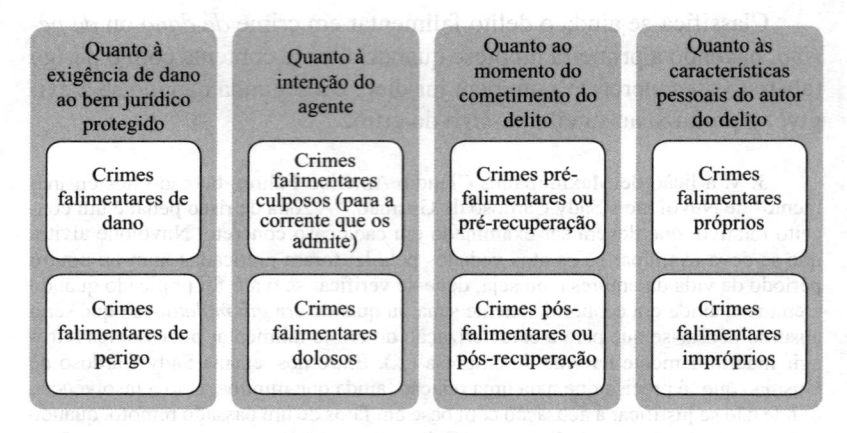

Figura 10: Classificação dos crimes falimentares

O esquema seguinte traz, resumidamente, a aplicação da classificação supracitada aos delitos falimentares definidos na Lei 11.101/2005. Consigne-se que a relação mencionada a seguir não exaure o tema, pois alguns dos delitos cabem em mais de uma das classificações ou em várias delas ao mesmo tempo. Outrossim, referida classificação não é totalmente pacífica na doutrina e na jurisprudência, havendo ainda divergências entre os estudiosos e entre os julgados.

O interesse público pode consistir em se evitarem situações que poderiam causar danos. Por outro lado, os conceitos de 'perigo presumido', 'dano presumido' e quejandas alusões à presunção, inclusive o de presunção *iuris et de iure*, que aí orça pelo ridículo, têm de ser refugados, energicamente. A lei diz quais são os elementos componentes do suporte fático de cada crime falencial, e a explicitação deles é o que mais importa" (Pontes de Miranda, *Tratado de Direito Privado*, t. 30, São Paulo, Ed. RT, 1984).

CLASSIFICAÇÃO DOS CRIMES FALIMENTARES

Crimes falimentares de dano
- Desvio, ocultação ou apropriação de bens (art. 173), crime de dano na modalidade de ocultação, segundo o – LISP
- Violação de sigilo empresarial, cuja consumação, em nosso entendimento, se dá com o resultado de inviabilidade econômico-financeira do devedor

Crimes falimentares de perigo
- Todos os demais crimes definidos na Lei 11.101/2005

Crimes necessariamente pré-falimentares ou pré-recuperação
- Violação de sigilo empresarial (art. 169)

Crimes necessariamente pós-falimentares ou pós-recuperação
- Divulgação de informações falsas (art. 170)
- Desvio, ocultação ou apropriação de bens (art. 173)
- Aquisição, recebimento ou uso ilegal de bens (art. 174)
- Habilitação ilegal de crédito (art. 175)
- Exercício ilegal de atividade (art. 176)
- Violação de impedimento (art. 177)

Crimes pré ou pós-falimentares (ou recuperação)
- Fraude a credores (art. 168 e parágrafos)
- Indução a erros (art. 171)
- Favorecimento de credores (art. 172)
- Omissão de documentos contábeis obrigatórios (art. 178)

Crimes falimentares culposos (para a corrente que os admite)
- Omissão de documentos contábeis obrigatórios (art. 178)

Crimes falimentares dolosos
- Todos os crimes definidos na Lei 11.101/2005 são puníveis a título de dolo

Crimes falimentares próprios
- Fraude a credores (art. 168 e parágrafos)
- Favorecimento de credores (art. 172)
- Exercício ilegal de atividade (art. 176)
- Violação de impedimento (art. 177), embora o sujeito ativo não seja o falido, nos termos da classificação tradicional
- Omissão dos documentos contábeis obrigatórios (art. 178)

Crimes falimentares impróprios
- Todos os demais crimes definidos na Lei 11.101/2005

Figura 11: Classificação dos crimes falimentares tipificados na Lei 11.101/2005

9
ELEMENTOS CONSTITUTIVOS DO CRIME FALIMENTAR, DECISÃO DE FALÊNCIA E DE RECUPERAÇÃO JUDICIAL OU EXTRAJUDICIAL

Na vigência da legislação revogada, salientava J. C. Sampaio de Lacerda: "São elementos constitutivos do crime falimentar: (1) a existência de um comerciante; (2) sentença declaratória de falência; (3) fatores culposos ou dolosos; (4) evento de perigo para o comércio".[1]

Os requisitos acima mencionados, muito embora com a perspicácia inerente ao grande subscritor, merecem já alguma discussão e atualização. Neste tópico analisaremos apenas os requisitos referentes aos itens 1 e 2, *supra*, ficando os demais para análise oportuna mais adiante, quando se aprofundar a matéria inerente ao elemento subjetivo nos crimes falimentares.

O primeiro requisito supracitado deve ser atualizado para compreender a existência de um *empresário* (e não mais um *comerciante*).

De fato, com a adoção pela legislação brasileira da teoria da empresa (CC, art. 966), fundamentando-se na escola comercial italiana, o âmbito da matéria tratada pelo direito empresarial ou direito comercial se estendeu, para abranger não mais unicamente a troca onerosa de mercadorias por dinheiro feita com habitualidade (como ocorria basicamente com a denominada *teoria dos atos de comércio*, de inspiração francesa), abarcando agora toda atividade econômica organizada para a produção ou a circulação de bens ou de serviços.[2]

---

1. J. C. Sampaio de Lacerda, *Manual de Direito Falimentar*, Rio de Janeiro, Freitas Bastos, p. 301.

2. Embora não seja o objetivo desta obra, entendemos que cabe aqui um breve esclarecimento sobre as teorias que definem a matéria sobre a qual recai o direito

Não são abrangidas pela matéria empresarial apenas aquelas atividades inerentes a profissões intelectuais, de natureza científica, literária ou artística, mesmo que realizadas com o concurso de auxiliares ou colaboradores (art. 966, parágrafo único, do CC). Tais atividades, porém, serão consideradas empresárias se o exercício da profissão constituir elemento de empresa.

O segundo requisito (decisão declaratória de falência) deve ser complementado, para incluir a decisão que concede a recuperação judicial ou homologa o plano de recuperação extrajudicial (art. 180 da Lei 11.101/2005).

A exigência de uma decisão que decrete a quebra como condição para a punibilidade do crime falimentar é tradição nos ordenamentos jurídicos de origem romano-germânica (*civil law*), não o sendo naqueles que seguem a linha anglo-saxã (*common law*).

Em Portugal o art. 227º do CP daquele país ressalta que a punição do crime falimentar ocorre tão-somente "se ocorrer a situação de insolvência e esta vier a ser reconhecida judicialmente" – exigência que se repete nos arts. 228º e 229º do mesmo diploma legal.

Na Alemanha o art. 283(6) do CP ressalta que: "O fato somente é punível quando o autor suspendeu seus pagamentos ou quando o processo de falência foi aberto ou o pedido de abertura foi rejeitado por falta de massa".[3]

Na Itália o art. 238 do R.D. 267/42 ressalta: "Para os crimes previstos nos arts. 216, 217, 223 e 224, a ação criminal é exercitada após

---

comercial. Como se sabe, historicamente o direito comercial surgiu na Idade Média como um direito protetor das relações dos componentes das corporações de ofício. A matéria abrangida por tal ramo jurídico era definida pelo sujeito ao qual se aplicava (critério subjetivo). Posteriormente, sob a inspiração do Código Comercial francês de 1807, tomou corpo a teoria dos *atos de comércio*, que definia um número determinado de atos supostamente "inerentes ao comércio" que, se praticados com habitualidade, independentemente da pessoa que o fizesse (critério objetivo), caracterizariam a matéria sobre a qual incidia o direito comercial. Essa teoria, que nunca conseguiu ter sucesso absoluto no exaurimento ou na definição precisa do objeto do direito comercial, foi substituída com vantagens pela teoria da empresa, que conceituou o objeto do direito comercial como recaindo sobre a atividade organizada visando à produção e troca de bens e serviços para o mercado praticada por empresário (conceito subjetivo moderno). No Brasil a teoria inicialmente adotada pelo Código Comercial foi a dos atos de comércio, que vinham definidos no Regulamento 737, de 1850, tendo o Código Civil de 2002 adotado finalmente a teoria da empresa.

3. Tradução livre do texto: "(6) Die Tat ist nur dann strafbar, wenn der Täter seine Zahlungen eingestellt hat oder über sein Vermögen das Insolvenzverfahren eröffnet oder der Eröffnungsantrag mangels Masse abgewiesen worden ist".

a comunicação da sentença declaratória da falência de que trata o art. 17. 2. É iniciada ainda antes no caso previsto no art. 7º e em quaisquer outros em que concorram graves motivos e já exista ou seja contemporaneamente apresentado pedido para obter a declaração acima referida".[4] Os casos previstos no art. 7º dessa legislação envolvem as hipóteses em que a insolvência resulta da fuga ou da dissimulação do empreendedor, do fechamento dos locais da empresa, de subtração, da substituição ou da diminuição fraudulenta do ativo por parte do empreendedor.

Verifica-se, portanto, que, ao contrário do que ocorre na legislação nacional, em que a decisão de falência ou recuperação é essencial em todos os casos para viabilizar a punibilidade do crime falimentar, o ordenamento de muitos países europeus traz exceções ou mitigações ao rigor da regra do art. 180 da Lei 11.101/2005, dispensando a presença da decisão de quebra em determinadas situações específicas.

Muito se discutiu a respeito da natureza jurídico-penal da decisão que decreta a falência (e, hoje, daquela que concede a recuperação) com relação ao crime falimentar.

Basicamente, três correntes se formaram na doutrina:

(1) *A sentença declaratória de falência é elemento do tipo penal falimentar.*

(2) *Trata-se de condição de procedibilidade da ação penal.*

(3) *Cuida-se de condição objetiva de punibilidade.*

Antes de entrarmos na discussão sobre as correntes mencionadas, é bom que se esclareça a distinção entre as *condições de procedibilidade* e as *condições objetivas de punibilidade*.

• Entende-se por **condição de procedibilidade** *todo e qualquer requisito cuja existência a lei imponha como necessária ao exercício da ação penal em juízo. Exemplos clássicos de tal instituto são a representação do ofendido ou a requisição do Ministro da Justiça, nos crimes em que a lei exija. As condições de procedibilidade subordinam o exercício da ação penal, e não o direito de punir estatal. Ocorrido o crime, surge para o Estado o direito de punir, que permanece, entretanto, subordinado a uma condição para ser exercido em juízo. Assim, enquanto não*

---

4. Tradução livre do texto: "1. Per reati previsti negli artt. 216, 217, 223 e 224, l'azione penale è esercitata dopo la comunicazione della sentenza dichiarativa di fallimento di cui all'art. 17. 2. È iniziata anche prima del caso previsto dall'art. 7 e in ogni altro in cui concorrano gravi motivi e già esista o sia contemporaneamente presentata domanda per ottenere la dichiarazione suddetta".

presente uma condição de procedibilidade não pode o Estado ingressar em juízo para punir o criminoso, embora seu direito de puni-lo permaneça íntegro e possa, inclusive, ser extinto se ocorrer uma das causas do art. 107 do CP (por exemplo, extinção da punibilidade pela morte do agente antes da representação da vítima em crime de ação penal pública condicionada).

• *Por* **condição objetiva de punibilidade** *entendem-se os fatos ou as circunstâncias, exteriores ao tipo penal, não abrangidos pelo dolo do agente, exigidos em lei como pressuposto necessário à punição do delito. Dizem respeito ao próprio nascimento do direito de punir do Estado, que não ocorre sem sua implementação efetiva. Enquanto na ausência de uma condição de procedibilidade o Estado vê seu direito de punir nascer mas seu exercício em juízo ficar impedido até a implementação daquele condicionamento, não havendo uma condição de punibilidade exigida em lei, sequer surgirá o "ius puniendi" estatal, que não poderá nem mesmo ser declarado extinto, por nunca se ter aperfeiçoado, ante a falta de uma condição para tanto.*

A posição doutrinária que considera a decisão de falência ou recuperação como elemento do tipo penal falimentar é defendida com ardor por Vicente Greco Filho, argumentando que é a corrente que melhor explica as conseqüências práticas derivadas da posterior reforma da decisão.[5]

O mesmo entendimento também já foi defendido por José Frederico Marques.[6]

---

5. Vicente Greco Filho, *Manual de Processo Penal*, São Paulo, Saraiva, 1993. Argumenta o autor, ao sustentar a natureza jurídica da sentença que decreta a falência como elemento do tipo falimentar: "Nossa posição é a de que se trata de elemento do tipo penal, ainda que implícito ou genérico. As outras posições, de que seria condição de procedibilidade ou condição de punibilidade, não explicam a extinção de todos os efeitos, inclusive da sentença condenatória, se for rescindida a sentença de falência. Afirmar que se trata de condição de procedibilidade explica a impossibilidade de ação penal sem ela, mas não a extinção da ação penal depois de proposta, no caso de rescisão; afirmar que se trata de condição de punibilidade, por sua vez, não explica a extinção de todos os efeitos, inclusive da sentença penal condenatória transitada em julgado, se houver rescisão da sentença de falência. Nossa conclusão, portanto, apesar de argumentos em contrário, como, por exemplo, o de que esse elemento do tipo não se encontra na vontade do agente, é de que a sentença de falência tem essa natureza, ainda que, quanto a ela, se deva reconhecer a existência de resquício de responsabilidade objetiva".

6. José Frederico Marques, *Elementos de Direito Processual Penal*, vol. III, Campinas/SP, Bookseller, 1997.

O posicionamento doutrinário que insere a decisão de falência (ou recuperação) como elemento do tipo penal recebeu várias críticas. O principal contraponto à teoria supracitada é que, se assim fosse, a falência ou recuperação deveria estar abrangida pelo dolo do agente, razão pela qual seria possível chegar à conclusão de que um devedor, ao cometer crime falimentar antes da quebra (por exemplo, uma fraude a credores), deveria ter a intenção de falir posteriormente – o que se configura em conclusão afastada da realidade. Por outro lado, admitir a existência de um elemento do tipo penal não abrangido pelo dolo do agente seria admitir a responsabilidade penal objetiva, o que é, no mínimo, de duvidosa constitucionalidade.

Além disso, na grande maioria dos tipos penais falimentares a falência (ou recuperação) sequer é inserida como elemento do tipo, ou o é apenas para fixar o tempo no qual o delito poderia ser cometido – motivo pelo qual esta corrente de pensamento ficaria prejudicada.

A natureza de condição de procedibilidade, que situa a decisão que declara aberta a falência (ou que concede a recuperação) como obstáculo à *persecutio criminis*, é defendida, entre outros, por Fernando da Costa Tourinho Filho, nos seguintes termos: "Pareceu-nos, anteriormente, fosse a sentença declaratória de falência elemento normativo do tipo (...). Contudo, atentando para a regra contida no parágrafo único do art. 143 da Lei de Falências, parece-nos que a sentença declaratória funciona como condição de procedibilidade, tanto mais quando o art. 507 do CPP dispõe que a ação penal não pode iniciar-se antes de declarada a falência".[7]

Veja-se que a posição do autor supracitado se funda no fato de o credor, na vigência do Decreto-lei 7.661/1945, poder fundamentar seus embargos à concordata preventiva em fato que tipificasse, em tese, crime falimentar, sem que a decisão declaratória de falência tivesse ainda sido prolatada. Em outras palavras: se já existia situação de crime falimentar apta a dar ensejo à procedência dos embargos à concordata, significa dizer que o delito já se encontraria aperfeiçoado, bastando uma condição de procedibilidade para que se procedesse à sua persecução penal.

Há acórdãos que também defendem a natureza jurídica de condição de procedibilidade da decisão que decreta a falência.[8]

---

7. Fernando da Costa Tourinho Filho, *Prática de Processo Penal*, São Paulo, Saraiva, 1994.

8. TJDF, 2ª Turma Criminal, RSE 184.997-DF, Acórdão 104.814, rel. Des. Vaz de Mello, j. 12.3.1998, *DJE* 3.6.1998, p. 45 (referências legislativas: CPP, art. 43, I; Decreto-lei 7.661/1945, art. 186, VI, e art. 187; ramo do Direito: direito penal):

No entanto, entendemos que referida teoria contraria o disposto na Lei 11.101/2005. De fato, no art. 184 de referido diploma ressalta-se expressamente que "os crimes previstos nesta Lei são de ação penal pública incondicionada". Assim, admitir que os crimes falimentares tivessem como pressuposto uma condição de procedibilidade, diante de expresso texto de lei afirmando o contrário, seria verdadeiro contra-senso.

Por fim, a natureza de condição objetiva de punibilidade, entendida esta não mais como um obstáculo à persecução penal, mas sim como um requisito necessário à punição do crime falimentar, foi defendida por Oscar Stevenson,[9] sendo também reconhecida pelo STF[10] e adotada no art. 180 da Lei 11.101/2005.

É a posição com a qual concordamos.

Com efeito, pelos motivos elencados anteriormente (proibição da responsabilidade penal objetiva e não abrangência pelo dolo do agente), a decisão de falência ou recuperação não pode ser conceituada como elemento do tipo penal falimentar.

Igualmente, não pode ser conceituada como condição de procedibilidade, pois, além de esta última orientação contrariar dispositivo expresso de lei, teria como conseqüência o mero condicionamento da ação penal em juízo, e não do direito de punir do Estado – o que permitiria, por exemplo, o início da contagem do prazo prescricional do delito pré-falimentar desde seu cometimento, antes da superveniência da decisão de quebra ou recuperação (tal como ocorre nos crimes de ação pública condicionada a representação do ofendido ou a requisição do Ministro da Justiça), quando isso não ocorre efetivamente nos casos dos crimes pré-falimentares (ou pré-recuperação).

"*Ementa:* Recurso em sentido estrito – Crime falimentar – Rejeição da denúncia por atipicidade do fato. Não é cabível discutir em processo crime a natureza jurídica da atividade desenvolvida pelo falido, uma vez atendida a condição de procedibilidade para a instauração da ação penal pela declaração do estado de falência, que pressupõe a qualidade de empresário comercial do devedor; sua insolvência e a declaração judicial da falência. Constituindo-se a falida como empresa individual, torna-se obrigatória a manutenção dos livros sob a égide da Lei de Quebras, urgindo a reforma do *decisum* monocrático para que se proceda ao recebimento da denúncia – Conhecido e provido o recurso para receber a denúncia – Unânime.

"*Decisão:* Conhecer e prover o recurso para receber a denúncia – Unânime."

9. Oscar Stevenson, *Do Crime Falimentar*, São Paulo, Saraiva, 1939.

10. STF, RHC 34.731, j. 2.1.1957, *ADJ* 26.8.1957, p. 2.184, *Ement.* 294/00360, *RTJ* 1/260: "*Ementa: Habeas corpus*. O crime falimentar é de natureza complexa e decorre da declaração de falência como única e insubstituível condição de punibilidade".

Assim, a única conceituação consentânea com o fenômeno estudado é a de que a decisão de falência ou recuperação se constitui em condição objetiva de punibilidade. Nesse sentido é magistral a lição de Juarez Tavares: "As condições objetivas de punibilidade são tidas normalmente como elementos do fato punível situados fora do tipo de injusto, mas previstos no complexo típico como manifestação da valoração de sua punibilidade. Podem ser preenchidas após ou antes do fato, não sendo, portanto, necessariamente, acontecimentos futuros. Estas condições representam uma particularidade do conflito social desencadeado no delito e a delimitação do legislador acerta de sua solução através do emprego de uma sanção penal. Muitas vezes não interessa ao legislador que determinado fato, embora típico, seja punido simplesmente pelo cometimento por um agente culpado, mas somente quando ocorrerem resultados ou conseqüências específicos, que considera relevantes à consecução de sua política criminal (...). No crime falimentar tem suscitado alguma dúvida se é ou não condição objetiva de punibilidade a declaração de falência. Como a declaração de falência não interfere na configuração do injusto desses delitos, nem na culpabilidade do agente, parece tratar-se evidentemente de uma condição de punibilidade. Assim, o comerciante que realiza, por exemplo, conscientemente operações arriscadas de puro acaso ou jogos de qualquer espécie não precisa também estender seu dolo à declaração de falência. Até mesmo porque, nesses delitos, o comerciante não quer falir, apenas realizar ações que o locupletem ou até mesmo possam melhorar seu negócio. A declaração de falência depende de outros fatores, como, normalmente, o pedido de algum credor, o não pagamento do débito no prazo elisivo de título de dívida líquida e certa etc., sendo, por isso mesmo, estranha tanto ao tipo de injusto quanto à culpabilidade".[11]

Consigne-se ainda que há doutrinadores que defendem, em uma posição eclética, conforme o tipo de crime falimentar, que a decisão de falência (ou recuperação) possa ter natureza jurídica multifacetária, constituindo-se, conforme o caso, em uma ou outra natureza jurídica anteriormente referida.

É o caso de Júlio Fabbrini Mirabete, que assim se expressa: "Para nós, a sentença declaratória de falência é pressuposto dos crimes pós-falimentares e condição objetiva de punibilidade dos crimes antefalimentares, exceto quando a quebra é elemento do crime. A condição objetiva de punibilidade é um acontecimento incerto, posterior ao fato criminoso e não coberto pelo dolo do agente. Assim, não pode anteceder o crime,

---

11. Juarez Tavares, *Teoria do Injusto Penal*, Belo Horizonte, Del Rey, 2000.

sendo, nesse caso, seu pressuposto. Será elemento do crime a sentença se o tipo penal exigir que a quebra esteja abrangida pela consciência do agente, perfazendo o dolo da infração, como no art. 186, III, da Lei de Falências. Caso contrário, nos crimes antefalimentares, é mera condição de punibilidade, como nos crimes previstos no art. 186, VI e VII, etc., e não condição de procedibilidade, que se refere direta e exclusivamente às condições para o exercício da ação penal".[12]

Obviamente, a Lei 11.101/2005, em seu art. 180, quis, ao adotar um posicionamento explícito sobre a matéria, pôr fim às controvérsias existentes. No entanto, como não poderia deixar de ser, a opção do legislador foi também objeto de críticas doutrinárias.[13]

Qualquer que seja a natureza jurídica adotada pelo intérprete, o fato é que a decisão que decreta a falência, concede a recuperação judicial ou homologa o plano de recuperação extrajudicial configura-se como *conditio juris* do crime falimentar, sem a qual não se há de cogitar dessa figura.

Nesse ponto, devem ser examinadas duas questões:

(1) *Se reformada por qualquer forma a decisão de falência ou recuperação (v.g.: através da interposição do recurso cabível), como fica a situação do delito falimentar?*

(2) *Encerrado o processo de falência ou recuperação sem que haja reforma da decisão declaratória de falência ou concessiva da recuperação, pode ainda o delito falimentar ser punido?*

Quanto à primeira questão, com a reforma da decisão de quebra ou recuperação restará impunível o delito falimentar caso ainda não proferida decisão definitiva, sujeitando-se a decisão a revisão criminal na hipótese de já existir trânsito em julgado de decisão condenatória. Isto porque já não haverá mais em tal situação, por desconstituído, o requisito legal necessário para a punibilidade do crime falimentar.[14]

12. Júlio Fabbrini Mirabete, *Processo Penal*, São Paulo, Atlas, 2004.

13. Dentre elas, a feita por Antônio Sérgio A. de Moraes Pitombo na obra *Comentários à Lei de Recuperação de Empresas e Falência: Lei 11.101/2005*, coordenação de Francisco Satiro de Souza Jr. e Antônio Sérgio A. de Moraes Pitombo, São Paulo, Ed. RT, 2005.

14. Nesse sentido: Nelson Abrão, *Curso de Direito Falimentar*, São Paulo, Ed. RT, 1993. Argumenta o autor: "Conseqüência da condicionalidade do crime falimentar à decretação da falência é a de que a revogação da respectiva sentença extingue a punibilidade". Também nesse sentido a opinião de Alberto Silva Franco *et al.*: "Os atos praticados antes da quebra ou são penalmente irrelevantes ou constituem crime comum; só passam a ser crimes falimentares depois da declaração judicial da falên-

Se quando da reforma da decisão declaratória de falência ou concessiva de recuperação já houver sido instaurado inquérito para a apuração do crime falimentar ou já houver ajuizamento de ação penal, poderão estes ser trancados judicialmente pela via do *habeas corpus*.[15]

No que tange ao encerramento do processo de falência ou recuperação (por exemplo, por falta de arrecadação de ativo, ausência de credores habilitados, pagamento do passivo ou rateio proporcional para extinção das obrigações etc.), mantendo-se íntegra a decisão judicial que as originou, a solução é diametralmente oposta.

Isso porque a decisão de falência ou recuperação, requisito para a punibilidade do crime falimentar, mantém-se intacta nesta hipótese, pouco importando que o processo falimentar ou o de recuperação estejam encerrados, uma vez que seu trâmite é completamente independente do processo criminal que apura o delito falimentar.

A jurisprudência também tem claramente adotado posição no sentido de que o encerramento do processo falimentar ou de recuperação não impede, de qualquer forma, a persecução penal.[16]

cia. Por conseqüência, se a sentença de falência for reformada (para torná-la sem efeito) ou anulada, o crime falimentar deixará de estar configurado" (*Código Penal e sua Interpretação Jurisprudencial*, São Paulo, Ed. RT, 1997).

15. TJSP, 1ª Câmara Criminal, HC 289.005-3, São Paulo, rel. Des. Andrade Cavalcanti, j. 9.8.1999, v.u.: "*Habeas corpus* – Trancamento da ação penal – Ausência de justa causa – Crime falimentar – Decretação da quebra de empresa na qual a paciente figura como sócia – Posterior reforma da decisão pelo Tribunal – Atipicidade da conduta imposta caracterizada – Trancamento determinado – Ordem concedida".

Na doutrina, interessante o ensinamento de Franz von Liszt a respeito: "Quando falta, e tanto quanto falta, a condição de punibilidade, também não pode originar-se o direito do Estado à pena; o ato não é punível no sentido da lei (...). Por isso, antes de sobrevir a condição (...) não pode ser iniciado o processo, nem mesmo pode ser apresentada a queixa, com eficácia jurídica, para a iniciação do processo" (*Tratado de Direito Penal Alemão*, Brasília, Senado Federal/Conselho Editorial, STJ, 2006, p. 308).

16. STJ, 5ª Turma, RHC 451-SP (199000002087), rel. Min. Cid Flaquer Scartezzini, j. 20.6.1990, *DJU* 6.8.1990, p. 7.345: "*Ementa:* Falência – Inexistência de credores habilitados – Encerramento – Denúncia por crime falimentar – Inocorrência deste por superveniência de legislação especial. Sendo a falência uma execução coletiva, a inexistência de créditos habilitados a serem satisfeitos faz com que o processo perca o objeto. A simples declaração de encerramento da falência não obsta à instauração de ação penal cabível para apurar-se os delitos falimentares ocorridos. Em se tratando de microempresário e ocorrendo para si a desobrigatoriedade de manter escrituração contábil (art. 15 da Lei n. 7.256/1984), a denúncia que descreve e imputa crime previsto no art. 186, VI, do Decreto-lei n. 7661/1945 perde sua tipici-

No entanto, embora minoritário, deve-se consignar entendimento segundo o qual o encerramento do processo falimentar por ausência de credores habilitados deve resultar na improcedência do pedido condenatório. Argumenta-se que, não havendo quaisquer habilitações, não se evidenciaria sequer um risco potencial a eventuais interesses de uma coletividade de credores (massa falida subjetiva).

Na doutrina, defende o posicionamento mencionado Maximilianus Cláudio Américo Führer: "Fato anômalo pode ocorrer quando nenhum credor declara seu crédito, nem mesmo o próprio requerente da falência, que, por um motivo qualquer, não se habilita (...). Neste caso deve o juiz encerrar a falência, que não pode prosseguir, por falta de objeto, vez que inexistem credores. Na hipótese, em relação ao falido e às pessoas a ele equiparadas não pode ser reconhecido crime falimentar, vez que o falido seria o único titular dos interesses envolvidos na massa falida, não sendo admissível reconhecer-se que o devedor possa praticar crime contra si mesmo. Sob o aspecto patrimonial, não haveria sujeito passivo. Do ângulo da administração da justiça, não haveria possibilidade de se frustrar a finalidade do processo executivo concursal, que, no caso, teria sido instaurado apenas nominalmente, mas não de fato (...). Na verdade, considerando-se a hipótese de ausência total de credores habilitados, seria como se o devedor não tivesse falido. No caso, se crime houver, será crime comum, punido independentemente da declaração da falência".[17]

dade, e o prosseguimento de ação penal por tal fato constitui-se em constrangimento ilegal – Recurso a que se dá provimento para efeito de trancamento da ação penal. *Decisão:* Por unanimidade, dar provimento ao recurso, para conceder a ordem e trancar a ação penal, nos termos do voto do Sr. Ministro Relator".

TJSP, HC 83.495-2, São Caetano do Sul, rel. Des. Djalma Lofrano, j. 27.9.1989: "*Ementa:* Ação penal – Justa causa – Crime falimentar – Declaração de encerramento da falência, por ausência de quadro de credores – Fato que não impede a apuração de possíveis crimes definidos na lei especial – Ordem denegada".

TJSP, 1ª Câmara Criminal, HC 292.980-3, Diadema, rel. Des. Fortes Barbosa, j. 27.9.1999, v.u.: "Constrangimento ilegal – Não caracterização – Pretendido trancamento da ação penal interposta por crime falimentar a despeito de ter sido determinado o encerramento da falência – Fato que não obsta à ação penal em curso – Responsabilidade civil que independe da criminal – Inteligência do art. 1.525 do CC – Ordem denegada. O encerramento da falência pela inexistência de credores habilitados não impede o prosseguimento do processo criminal, mormente em casos como o presente, onde se vê que antes já houve quebra que terminou via acordo sem que a falida pagasse qualquer credor, o que, certamente, provoca o desânimo dos que pretendiam habilitar-se".

17. Maximilianus Cláudio Américo Führer, *Crimes Falimentares*, São Paulo, Ed. RT, 1972, pp. 46-47.

A posição supracitada, que recebeu alguma repercussão em decisões jurisprudenciais,[18] não chega a nos convencer.

Primeiramente, em virtude de que a habilitação em processo falimentar ou de recuperação é algo eventual e não atesta categoricamente a ocorrência ou não de interesses de credores prejudicados pela conduta de determinado devedor. Tanto é assim que durante o trâmite do feito há sempre lugar para habilitações retardatárias de credores, fato que pode alterar completamente a situação de omissão presente até então.

Ademais, a ausência de credores habilitados não significa que estes não existam ou que seus direitos não tenham sido lesados. Muitas vezes os credores simplesmente deixam de se habilitar por motivos outros, tais como a descrença em receber seus direitos em face do elevado passivo do devedor, a relação *custo/benefício* desfavorável em pleitear judicialmente seu crédito (por exemplo, na hipótese de o credor ter maiores gastos para se habilitar e se manter até a conclusão do processo falimentar que o montante que porventura iria receber), entre outras razões. Isso tudo sem falar em classes de credores que não necessitam de se habilitar para receber seu crédito, tais como os credores tributários.

Do mesmo modo, em relação à administração da justiça, esta não deixa de ser aviltada ou colocada em risco quando da ocorrência de um crime falimentar pela mera inexistência de credores habilitados. Com efeito, como dissemos anteriormente, o sistema criminal falimentar tem uma importante função de sinalizar às instituições nacionais e ao mercado quanto à credibilidade, seriedade e aplicabilidade célere das sanções penais por parte do Poder Judiciário quando da ocorrência de crimes. Referida função, obviamente, não deixa de estar presente quando credores não se habilitam.

18. TJSP: "Crime falimentar – Não caracterização – Ausência de credores habilitados – Perda do objeto do processo – Ordem concedida para trancar a ação penal" (*JTJ* 128/568).
TJRJ, 1ª Câmara Criminal, ACr 2008.050.01405, rel. Des. Nildson Araújo da Cruz, j. 31.7.2008: "Crime falimentar – Art. 186, VI, do Decreto-lei n. 7.661/1945 – Sentença condenatória – Apelo defensivo com pleito de absolvição por falta de provas – Falência frustrada – Inexistência de credores habilitados – Crime falimentar não configurado – Sentença reformada para absolver o apelante – Unanimidade. Como se tratou de falência frustrada (Decreto-lei n. 7.661/1945, art. 75), em que não se habilitou qualquer credor, e inexistindo ações movidas em face da massa, nem por ela, e tendo sido pago crédito reclamado pelo requerente da quebra, a rigor, à míngua do concurso de credores, não se pode afirmar ter havido falência, necessária à configuração do crime. Por isso, dá-se provimento ao apelo defensivo para absolver o réu, nos termos do art. 383, III, do CPP – Unanimidade".

Dessa maneira, rejeitamos a posição segundo a qual o encerramento da falência pela ausência de habilitação de credores torna inviável a punição do crime falimentar.

Outro ponto importante que merece análise – o qual abordamos anteriormente, no princípio desta obra – é o referente à repercussão na punibilidade do crime falimentar do tipo de reorganização empresarial escolhida pelo devedor em crise empresarial, dentre as diversas opções facultadas pela legislação.

Por outras palavras: se o devedor, ao invés de escolher a recuperação judicial ou a recuperação extrajudicial homologada em juízo, optar por uma reorganização de seu negócio que envolva apenas uma solução de mercado, por meio de acordo particular com seus credores, ou, ainda, se não levar o plano de recuperação extrajudicial a juízo para homologação, poderá haver crime falimentar, diante da redação do art. 180 da Lei 11.101/2005?

Nos moldes do artigo supracitado, serão consideradas como condições objetivas de punibilidade de eventual crime falimentar (além da decisão declaratória de falência prevista na legislação falimentar revogada) apenas as decisões que concedem a recuperação judicial ou extrajudicial.

No entanto, não somente essas duas hipóteses existem para a reorganização do devedor em dificuldades econômico-financeiras, podendo este lançar mão de outras alternativas, conforme o caso: (1) recuperação judicial;[19] (2) recuperação extrajudicial (de homologação judicial facultativa ou obrigatória);[20] (3) acordo(s) privado(s) (*out of court agreeements/workout agreements*) com seu(s) credor(es), com ou sem homologação judicial.[21]

Diante disso, teremos as seguintes hipóteses:

• *Se o devedor optar pela recuperação judicial, a decisão concessiva deste tipo de reorganização empresarial será condição objetiva de punibilidade, possibilitando, assim, a punição de eventual crime fali-*

---

19. Arts. 47 e ss. da Lei 11.101/2005.

20. Arts. 162 e 163 da Lei 11.101/2005.

21. Art. 167 Lei 11.101/2005. Saliente-se que na vigência da legislação falimentar revogada a reunião dos credores para tentativa de acordo era considerada *ato de falência* (art. 3º, III, do Decreto-lei 7.661/1945). A Lei 11.101/2005 aboliu referido ato como ensejador de quebra, permitindo amplamente a realização de acordos privados entre o devedor e seus credores.

mentar. Do mesmo modo se houver homologação do plano de recuperação extrajudicial em juízo.

• *No entanto, se a opção escolhida pelo empresário recair sobre a realização de recuperação extrajudicial não submetida a homologação em juízo (nos termos do art. 162 da Lei 11.101/2005, que prevê a homologação facultativa do plano quando este contar com a aprovação da totalidade dos credores que a ele aderiram)[22] ou mesmo se houver mero acordo privado (homologado ou não em juízo),[23] não haverá possibilidade de punição por crime falimentar, uma vez que não estará presente a condição objetiva de punibilidade necessária para tanto.*

Outra questão relevante é saber a repercussão na punibilidade do crime falimentar das decisões administrativas que decretam a intervenção, liquidação extrajudicial (Lei 6.024/1974) ou regime de administração especial temporária (RAET) em instituições financeiras ou assemelhadas.

Nesse caso, por não se tratar de decisão judicial que decreta a falência ou concede recuperação, tais deliberações administrativas não se constituem em condição objetiva de punibilidade para fim de punição de eventual crime falimentar enquanto as situações jurídicas referidas não forem transformadas ou convertidas em quebra por determinação do Poder Judiciário a pedido de eventual liquidante ou interventor.[24]

Haverá a possibilidade, neste último caso, da existência de crime contra o sistema financeiro nacional, nos termos definidos pela Lei 7.492/1986.

22. "Art. 162. O devedor *poderá requerer a homologação* em juízo do plano de recuperação extrajudicial, juntando sua justificativa e o documento que contenha seus termos e condições, com as assinaturas dos credores que a ele aderiram" (grifos nossos).

23. Importante recordar que, nos termos do art. 57 da Lei 9.099/1995, qualquer acordo extrajudicial pode ser levado a homologação em juízo: "Art. 57. O acordo extrajudicial, de qualquer natureza ou valor, poderá ser homologado, no juízo competente, independentemente de termo, valendo a sentença como título executivo judicial".

24. TJRJ: "Crime falimentar – Ação penal intentada com base em liquidação extrajudicial – Inadmissibilidade – Decreto que não equivale à sentença declaratória de falência para fins penais – Denúncia rejeitada – Inteligência da Lei n. 6.024/1974 (*RT* 563/359)".

TJRJ: "Liquidação extrajudicial – Ação penal nela baseada – Crime falimentar – Inadmissibilidade – Decreto que não equivale à sentença declaratória de falência para fins penais – Denúncia rejeitada – Inteligência da Lei n. 6.024/1974 (*RT* 563/359)".

Saliente-se que a impossibilidade de incriminação nos casos de liquidação extrajudicial não convolada em falência, por falta de condição de punibilidade, não atende ao melhor interesse da sociedade.

Com efeito, os casos de crise empresarial envolvendo sociedades empresárias sujeitas ao regime de intervenção e liquidação extrajudicial (instituições financeiras, seguradoras, entidades de previdência privada, entre outras) costumam envolver grandes passivos, sendo freqüentemente acompanhados de fraudes de alta complexidade, que prejudicam um número incalculável de pessoas. Dada a atual situação da legislação nacional, porém, tais condutas podem restar impuníveis no âmbito dos crimes falimentares se a falência não vier a ser decretada judicialmente.

Assim, do mesmo modo que ocorre em ordenamentos de países estrangeiros,[25] seria recomendável a alteração da legislação brasileira, para judicializar ou equiparar a decisão administrativa de instauração da liquidação extrajudicial à decisão judicial de falência, possibilitando a apuração de eventuais crimes falimentares.

---

25. A legislação italiana (R.D. 267/1942, art. 237), ainda que de modo aproximado, permite em casos de liquidação extrajudicial (*liquidazione coatta amministrativa*) a existência de crimes falimentares, nos seguintes termos: "**Liquidazione coatta amministrativa.** L'accertamento giudiziale dello stato di insolvenza a norma degli art. 195 e 202 è equiparato alla dichiarazione di fallimento ai fini dell'applicazione delle disposizioni del presente titolo. Nel caso di liquidazione coatta amministrativa, si applicano al commissario liquidatore ed alle persone che lo coadiuvano nell'amministrazione della procedura le disposizioni degli art. 228, 229 e 230".

10
DOS SUJEITOS ATIVO E PASSIVO NO CRIME FALIMENTAR E O CONCURSO DE PESSOAS

Por *sujeito passivo* de um crime entende-se o titular do bem ou interesse violado pela prática do fato criminoso. Pode o sujeito passivo ser classificado em: (1) *constante ou formal*, sempre definido como sendo o Estado; (2) *eventual ou material*, que se constitui naquele titular do bem jurídico violado pela ação criminosa.

O sujeito passivo dos crimes falimentares pode ser variado.

Além do Estado, ora considerado como sujeito passivo genérico ou universal, os sujeitos passivos de crime falimentar podem ser múltiplos, abrangendo a coletividade de credores, a administração pública e da justiça, o próprio devedor, entre outros.

Já, por *sujeito ativo* de um crime entende-se o agente que comete o fato descrito no tipo penal incriminador.

Será, ordinariamente, sujeito ativo principal dos crimes pré-recuperação ou pré-falimentares o devedor ou falido, sem excluir a autoria (ou co-autoria) e a participação de terceiras pessoas.

Por sua vez, nos crimes pós-recuperação ou pós-falimentares nem sempre o devedor falido estará na figura de autor ou sujeito ativo, pois em muitos casos tais crimes são cometidos por pessoas que figuram no processo falencial, tais como o administrador judicial, o juiz, o membro do Ministério Público etc.

Para os fins dos delitos falimentares, a Lei 11.101/2005 tornou mais clara a responsabilidade penal dos autores. De fato, o art. 179 ampliou o conceito de "sujeito ativo", nos termos seguintes: "Art. 179. Na falência, na recuperação judicial e na recuperação extrajudicial de sociedades, os seus sócios, diretores, gerentes, administradores e conselheiros, de fato ou de direito, bem como o administrador judicial, equiparam-se ao devedor ou falido para todos os efeitos penais decorrentes desta Lei, na medida de sua culpabilidade".

Assim, podem ser sujeitos de crimes falimentares, conforme o caso, o devedor, sócios, administradores ou conselheiros de sociedades empresárias, credores, o administrador e o gestor judicial, promotores de justiça, juízes, peritos, serventuários etc.

Caso o menor emancipado venha a exercer atividade empresarial antes dos 18 anos de idade, não poderá ser responsabilizado criminalmente por eventual delito falimentar. Nesse caso poderá ser aplicada a medida sócio-educativa cabível na espécie pelo eventual ato infracional falimentar cometido, nos termos do Estatuto da Criança e do Adolescente (Lei 8.069/1990). Em tal hipótese deve-se excepcionar a competência do juízo falimentar ou criminal, para estabelecer como competente para o processo e julgamento do ato infracional o Juízo da Infância e da Juventude.

Além das pessoas acima citadas, outras ainda podem ser responsabilizadas criminalmente por delitos falimentares, em *concurso de agentes*, entendendo-se por tal a pluralidade de pessoas cujas condutas concorrem no sentido do cometimento de um crime.

Do mesmo modo que ocorre nos crimes comuns, são requisitos necessários ao concurso de agentes nos crimes falimentares:

(1) *Pluralidade de pessoas.*

(2) *Unidade de crime.*

(3) *Liame subjetivo entre os agentes.*

(4) *Relevância causal da conduta de cada agente.*

O concurso de agentes em delitos falimentares pode se dar através das modalidades de co-autoria e participação.[1]

Aplicam-se aos crimes falimentares todas as normas referentes ao concurso de agentes do Código Penal, particularmente aquela presente

---

1. Diverge-se quanto à distinção entre co-autoria e participação em tema de concurso de agentes. Para parte da doutrina co-autor é aquele que pratica, junto com os demais agentes, fato definido no tipo penal incriminador, enquanto o partícipe teria papel secundário, não praticando a conduta descrita no núcleo do tipo penal, agindo em conjunto com o co-autor, mediante instigação, induzimento ou prestação de auxílio material. Para outros doutrinadores o co-autor teria o *domínio do fato* criminoso a ser praticado, guardando para si o poder de decidir se e como praticar o delito, o que não ocorreria com relação ao partícipe.

no art. 29 deste último diploma, segundo a qual "quem, de qualquer modo, concorre para o crime incide nas penas a este cominadas, na medida de sua culpabilidade".

Do mesmo modo, tem aplicabilidade aos crimes falimentares a regra da comunicação de elementares do crime aos co-autores e partícipes (art. 30 do CP). Assim, caso um particular, agindo em conjunto e unidade de propósitos com escrivão de um juízo falimentar, venha a adquirir bens da massa, cometerá também o delito de violação de impedimento, comunicando-se a qualidade do servidor público (elementar do art. 177 da Lei 11.101/2005) ao particular que age em concurso.

Os crimes falimentares definidos na Lei 11.101/2005, em sua totalidade, constituem-se em crimes de concurso eventual, ou seja, desnecessitam da pluralidade de condutas pessoais para sua consumação. No entanto, poderão ser cometidos em conjunto com crimes de concurso necessário, tal como o delito de quadrilha ou bando (art. 288 do CP).

Especificamente em relação aos crimes falimentares, é muito comum o concurso de agentes com empregados e prepostos, principalmente em relação àqueles que tenham acesso ou controle da área financeira do empreendimento.

Diante disso, a possibilidade de concurso de pessoas com referidos profissionais foi expressamente admitida na Lei 11.101/2005 com relação ao crime de fraude contra credores quando, no art. 168, § 3º, dispôs que "nas mesmas penas incidem os contadores, técnicos contábeis, auditores e outros profissionais que, de qualquer modo, concorrerem para as condutas criminosas descritas neste artigo, na medida de sua culpabilidade". A previsão supracitada, obviamente, embora inserida em tipo penal específico, encerra regra geral em relação aos demais crimes falimentares, inclusive por se aplicar subsidiariamente em relação à matéria o disposto no art. 29 do CP.

Aliás, a regra do art. 168, § 3º, da Lei 11.101/2005 tornou mais claro o que no ordenamento anterior já era genericamente admitido pela jurisprudência em relação ao concurso de agentes em crimes falimentares,[2] abrangendo principalmente os profissionais responsáveis pelo setor financeiro e contábil da entidade.

---

2. TJSP, ACr 112.900-3, São Paulo, rel. Des. Dante Busana, j. 18.11.1992: "*Ementa:* Crime falimentar – Concurso de agentes – Regra extensiva a todos os delitos falimentares – Art. 12 do CP – Recurso não provido. Mandando aplicar suas disposições gerais aos fatos incriminados por lei especial, o Código Penal (art. 12) estende as regras do concurso de pessoas a todos os delitos falimentares".

Não se admite, entretanto, que o devedor falido (empresário, sócio ou administrador) venha a se escusar do cometimento de crime falimentar alegando culpa exclusiva desses prepostos ou empregados (por exemplo, alegação de responsabilidade exclusiva por omissão de escrituração a cargo de contador).[3]

Como o crime falimentar é cometido freqüentemente no bojo de uma pessoa jurídica, é muito comum o concurso de agentes entre sócios. Em grande parte dos casos trata-se de crime de autoria coletiva, externado mediante expressão de vontade social.

Note-se, porém, que o mero fato de uma pessoa constar como sócia em contrato social, sem poderes para exercer a gerência ou administração, não a torna legitimada para responder por delito falimentar. É necessário, portanto, que se prove a influência, de direito ou de fato, na administração e nos negócios sociais para que haja responsabilização penal por crime falimentar.[4]

---

3. TJSP, 1ª Câmara Criminal, ACr 176.348-3, São Paulo, rel. Des. Fortes Barbosa, j. 26.6.1995, v.u.: "*Ementa:* Crime falimentar – Caracterização – Balanço não apresentado no prazo previsto no art. 186, inciso VII, da Lei de Falências – Culpa do contador alegada – Circunstância que não elide a responsabilidade do devedor – Ocorrência, ademais, de desvio de bens e dinheiro – Recurso não provido".

4. STJ, 6ª Turma, RHC 8.518-SP (199900281284), j. 3.8.1999: "*Ementa: Habeas corpus* – Recurso ordinário – Crime falimentar – Exercício de funções gerenciais. 1. A simples condição de sócio, sem exercício de funções gerenciais ou de administrador, não é suficiente para fundamentar qualquer juízo penal de culpabilidade, consistente na falta de livros obrigatórios por ocasião da liquidação extrajudicial da empresa, transformada em falência. Segundo a legislação de referência, na quebra das sociedades apenas são equiparados ao devedor ou falido os diretores, administradores, gerentes ou liquidantes. 2. Recurso provido. *Decisão:* Vistos, relatados e discutidos estes autos: Acordam os Ministros da 6ª Turma do Superior Tribunal de Justiça, na conformidade dos votos e das notas taquigráficas a seguir, por unanimidade, dar provimento ao recurso para conceder o *habeas corpus*, ordenando o trancamento da ação penal. Votaram com o Ministro Relator os Mins. Hamilton Carvalhido, Vicente Leal e Fontes de Alencar. Ausente, por motivo de licença, o Min. William Patterson".

TJSP, 3ª Câmara Criminal, ACr 272.160-3, Diadema, rel. Des. Gonçalves Nogueira, j. 13.4.1999, v.u.: "*Ementa:* Crime falimentar – Co-autoria – Simples condição de sócio da empresa falida – Ausência de qualquer função de gerência ou administração – Absolvição das infrações imputadas – Inteligência do art. 191 do Decreto-lei n. 7.661/1945. Não pode ser responsabilizado pelos delitos falimentares cometidos quem figura apenas como sócio da empresa falida, sem o exercício de qualquer ato de gestão".

TJSP, 6ª Câmara Criminal, ACr 238.679-3, São Paulo, rel. Des. Fanganiello Maierovitch, j. 18.12.1997, v.u.: "*Ementa:* Crime falimentar – Supressão de livro e desvio de bens – Sociedade por cotas de responsabilidade limitada – Gerência

Do mesmo modo, meramente pela condição matrimonial de um(a) sócio(a) que não exerça a gerência ou administração, embora figure no contrato social, não pode haver punição por delito falimentar (caso comum, na prática, envolvendo esposas que constam em contrato societários mas não exercem qualquer gestão ou administração da sociedade).[5]

A situação do sócio que se retirou anteriormente da sociedade há de ser examinada a cada caso concreto, para se ter noção exata se, antes de se retirar, teve participação nos atos societários apontados como crimes falimentares. É certo, porém, que a mera retirada não exime o sócio de sua responsabilidade penal.[6]

Em relação à possibilidade de ser sujeito ativo de delito falimentar pouco importará o tipo de responsabilidade do sócio pelas dívidas sociais. Dessa forma, se o sócio responder solidária e ilimitadamente por

reservada a outro sócio – Inexistência de prova de ter havido exercício de fato da gerência pelo réu – Impossibilidade de sua responsabilização por práticas decorrentes da atividade gerencial – Absolvição – Recurso provido".

TJSP, HC 164.555-1, Indaiatuba, rel. Des. Benini Cabral, j. 27.11.1991: *"Ementa: Habeas corpus* – Crime falimentar – Ausência de poderes de gerência ou representação – Sócio que adquiriu, tão-somente, uma cota do capital social – Paciente, ademais, que encontrava-se muito ausente da empresa falida quando dos fatos que ensejaram a quebra – Ordem concedida".

5. TJSP, 6ª Câmara Criminal, ACr 202.415-3, São Paulo, rel. Des. Augusto César, j. 20.6.1996, m.v.: *"Ementa:* Crime falimentar – Não caracterização – Supressão de livro obrigatório e desvio de bens – Acusada que, embora figurando como sócia, não teve qualquer função de gerência ou participação – Administração exercida por seu marido – Absolvição baseada no art. 386, IV, do CPP – Recurso provido".

TJSP, ACr 132.677-3, São Paulo, rel. Des. Gonçalves Nogueira, j. 19.9.1994: *"Ementa:* Crime falimentar – Absolvição – Admissibilidade – Co-autoria afastada – Apelante que possuía simples condição de sócia do marido – Não exercício de qualquer atividade de gestão – Inteligência do art. 191 do Decreto-lei n. 7.661/1945 – Recurso provido. Ainda para os delitos societários, a imputação não há de se afastar do dogma da pessoalidade, no sentido de projetar o tipo subjetivo (dolo ou culpa *stricto sensu*) à conduta de cada um dos co-autores. Assim, e sob pena de dar margem à responsabilidade objetiva, exclui-se da incriminação coletiva por ilícito falimentar quem se situou apenas na condição de sócio da falida, porém sem o exercício à época dos fatos de qualquer ingerência na administração ou nos negócios da firma".

6. TJSP, ACr 156.090-3, São Paulo, rel. Des. Jarbas Mazzoni, j. 29.8.1994: *"Ementa:* Crime falimentar – Caracterização – Retirada do sócio-diretor em período inferior a dois anos antes da quebra – Fraude ocorrida nesse interregno – Responsabilidade solidária dos sócios que então integravam a sociedade – Inteligência do art. 5º, parágrafo único, da Lei de Falências – Recurso não provido. O sócio solidário fica sujeito aos efeitos da falência desde que se tenha retirado há menos de dois anos da sociedade e de não terem sido solvidos, até a data da declaração da falência, as obrigações sociais existentes ao tempo da retirada".

tais débitos (por exemplo, nos casos de sócios de sociedade em nome coletivo, entre outros) isso não lhe acarretará, por si só, a imediata responsabilidade penal. Por outras palavras, a responsabilidade criminal do sócio independe do tipo de responsabilização que este tenha quanto ao passivo societário.[7]

Tratando-se os delitos falimentares, em grande parte das vezes, de crimes societários e, portanto, de autoria coletiva, discute-se se a denúncia no processo criminal deve descrever pormenorizadamente a conduta de cada um dos sócios, ou se a descrição de forma abrangente é suficiente para possibilitar a defesa dos acusados. Nesse ponto a jurisprudência inclina-se pela desnecessidade da descrição individual pormenorizada da conduta de cada sócio na denúncia por crime falimentar.[8]

7. Modificando a posição adotada com o Decreto-lei 7.661/1945, o art. 81 da Lei 11.101/2005 determinou que "a decisão que decreta a falência da sociedade com sócios ilimitadamente responsáveis também acarreta a falência destes, que ficam sujeitos aos mesmos efeitos jurídicos produzidos em relação à sociedade falida e, por isso, deverão ser citados para apresentar contestação, se assim o desejarem". Isso, entretanto, não acarreta a automática responsabilidade penal do sócio solidário. Essa, aliás, a lição de Waldemar Ferreira sobre a responsabilização dessa categoria de sócios: "A solidariedade acarreta-lhes a responsabilidade pelas dívidas sociais. Não, porém, a responsabilidade criminal. Esta é pessoal. Responde cada sócio, portanto, pelos crimes que tenha ou venha a praticar na falência, para cuja prática haja pessoalmente concorrido" (*Instituições de Direito Comercial*, vol. 5, São Paulo, Max Limonad, 1955).

8. STJ, 6ª Turma, RHC 7.927-MG (199800668187), rel. Min. Vicente Leal, j. 29.10.1998: "*Ementa:* Processual penal – Crime falimentar – Nulidade – Laudo pericial – Cerceamento de defesa – Inocorrência – Prescrição – Denúncia – Alegação de inépcia – Trancamento da ação – Descabimento – Recebimento da denúncia – Fundamentação – Desnecessidade. Em tema de crime falimentar, o laudo pericial é peça meramente informativa, cujos eventuais defeitos não consubstanciam nulidade capaz de invalidar a ação penal já instaurada.

"Este Tribunal, em diversos julgamentos, tem reafirmado a tese consagrada nos verbetes das Súmulas ns. 147 e 595/STF, afirmativas de que o prazo prescricional nos crimes falimentares começa a fluir a partir da data do trânsito em julgado da sentença que encerrar a falência ou de quando deveria ser encerrada, interrompida pelo recebimento da denúncia.

"Na formulação da denúncia de crimes de autoria coletiva não se exige que a peça acusatória pormenorize a conduta individual de cada acusado, sendo suficiente a imputação do fato típico, o que permite o exercício pleno do direito de defesa.

"Exige-se fundamentação no despacho que rejeita a queixa ou a denúncia, silenciando a lei quanto à hipótese de recebimento de denúncia – Exegese do art. 516 do CPP.

"O despacho de recebimento da denúncia não contém carga decisória, tendo a natureza de decisão interlocutória simples, que, na sistemática processual vigente,

Embora os crimes falimentares sejam eminentemente de autoria coletiva, pois cometidos na maior parte das vezes no âmbito de sociedades empresárias formalmente organizadas, não se evoluiu ainda no Brasil no sentido de responsabilizar a pessoa jurídica pelo crime falimentar, nos moldes existentes para os crimes ambientais (Lei 9.605/1998) e contra a ordem econômica (Lei 8.137/1990), ao contrário do que ocorre na legislação francesa.[9]

---

dispensa fundamentação, não gerando preclusão quanto à regularidade da peça exordial – Recurso ordinário desprovido.

"*Decisão:* Por unanimidade, negar provimento ao recurso."

STJ, 5ª Turma, RHC 7.502-RJ (199800254366), j. 21.5.1998: "*Ementa:* Penal – Crime falimentar – Trancamento da ação – Denúncia – Peça cujo recebimento se basta pelo que contém em descrição do crime em tese e na indicação da autoria coletiva – Caso que, no mais, se conforma aos termos da doutrina e da jurisprudência.

"*Decisão:* Por unanimidade, negar provimento ao recurso".

STJ, 6ª Turma, RHC 5.250-RS (199600041318) , j. 26.3.1996: "*Ementa:* Processual penal – Crime falimentar – Denúncia – Alegação de inépcia – Trancamento da ação – Descabimento. Os crimes falimentares praticados pelos antigos dirigentes da empresa falida situam-se no conceito de crimes de autoria coletiva; não se exige que a denúncia pormenorize a conduta individual de cada acusado, sendo suficiente a descrição do fato típico, o que permite o exercício pleno do direito de defesa – Alegação de inépcia da denúncia rejeitada – Recurso desprovido.

"*Decisão:* Por unanimidade, negar provimento ao recurso".

9. A legislação francesa (*Code de Commerce* – art. L654-7*)* é expressa em admitir a responsabilidade das pessoas jurídicas (*personnes morales*) pelas infrações previstas nos arts. L654-3 e L654-4, incorrendo nas penalidades seguintes: (1) multa, de acordo com as modalidades previstas no art. 131-38 do CP francês; (2) as penalidades mencionadas no art. 131-39 daquele diploma.

11
DO ELEMENTO SUBJETIVO

Há uma grande divergência no que tange ao elemento subjetivo dos crimes falimentares.

Antes da vigência do Decreto-lei 7.661/1945, que trazia em seu bojo a classificação das modalidades de falência como culposas ou fraudulentas, havia, legal e doutrinariamente, clara distinção entre crimes falimentares culposos ou dolosos.

A partir da entrada em vigor do Decreto-lei 7.661/1945 houve a supressão de tal classificação (falência culposa, dolosa ou casual), razão pela qual grande parte da doutrina passou a opinar pela inexistência ulterior de crimes falimentares culposos, os quais seriam puníveis a título de dolo de perigo.[1]

Ilustrativa é a argumentação levada a efeito pelo então Ministro da Justiça, Marcondes Filho, na exposição justificativa do Projeto que originou o Decreto-lei 7.661/1945:

1. Saliente-se que em grande parte das vezes apenas se discutia a que título um crime falimentar era punido (dolo ou culpa). Isto porque, em termos de descrição típica, muitos dos crimes que eram descritos na Lei 2.024/1908 mantiveram praticamente o mesmo conteúdo no Decreto-lei 7.661/1945, que simplesmente não mais os classificou como culposos, acarretando a querela doutrinária e jurisprudencial segundo a qual, a partir de então, somente poderiam ser punidos se o agente praticasse a conduta a título doloso. Não é outra a lição de Waldemar Ferreira: "A despeito de assim dissertar-se, nada inovou, nesta matéria, o Decreto-lei 7.661/1945. Suprimiu apenas a nomenclatura da lei anterior (...). O decreto-lei palmilhou as mesmas trilhas. Não qualificou de culposo o crime falimentar. Nem de doloso. Absteve-se de tais adjetivos. Mas focalizou-os, enumerando-os casuisticamente, quase com as mesmas palavras que antes eram as configuradoras do crime falimentar por culpa ou dolo. Estabeleceu penalidades para um e para outro, diversamente, menores para os autores daqueles, mais gravas para os deste. Nada mais fez que isso" (*Instituições de Direito Comercial*, vol. 5, São Paulo, Max Limonad, 1955).

"Tendo em vista, por um lado, a impropriedade da classificação dos crimes falimentares em culposos e dolosos, ou em 'falência culposa' e 'falência fraudulenta', e, por outro lado, o preceito do art. 15, n. 1, do CP vigente, concernente às duas modalidades de dolo criminal admitidas pelo legislador pátrio – querer o agente o resultado ou assumir o risco de produzi-lo –, o Projeto suprime aquela classificação. Limita-se a distribuir as modalidades delituosas por artigos, considerando o grau de gravidade que representam, e comina para sua prática as penas correspondentes.

"Adere à concepção de que tradicionais figuras, sobretudo da pretensa 'falência culposa', exprimem crimes de dolo de perigo. Representam conduta incriminável, pelo risco de, vindo a ocorrer a falência, serem manifestamente danosos aos credores.

"Irrelevante é que de qualquer desses atos, condicionalmente perigosos, decorra a falência, como o efeito da causa. O prejuízo dos credores, determinável por eles, é inerente à sua prática, quer haja tal decorrência, quer seja mesmo casual a insolvência. É inegável que arriscar-se conscientemente a produzir um evento vale tanto quanto querê-lo; ainda que sem interesse nele, o agente o ratifica *ex ante*; presta anuência a seu advento."

Tal concepção, ao que tudo indica, foi mantida na Lei 11.101/2005, que não classificou os delitos falimentares em culposos ou dolosos.

Dessa forma, para alguns doutrinadores e parte da jurisprudência tais delitos são dolosos em sua totalidade.

Para esta parcela da doutrina e da jurisprudência, além de se exigir do agente no crime falimentar uma conduta que evidencie má-fé, dada pela ampla cognição dos fatos em conjunto com a vontade de praticar um fato típico, haveria ainda a questão da excepcionalidade do crime culposo,[2] conforme descrito no art. 18 do CP:

2. Nesse sentido Alberto Silva Franco (Alberto Silva Franco e outros, *Código Penal e sua Interpretação Jurisprudencial*, vol. 2, São Paulo, Ed. RT, 1997, p. 1.471), comentando na vigência do Decreto-lei 7.661/1945, mas com aplicabilidade atual à Lei 11.101/2005, que manteve o mesmo sistema da legislação falimentar anterior, não definindo expressamente modalidades culposas de crime falimentar: "Não existe crime falimentar culposo. A antiga lei de Falências (n. 2.024/1908) é que dividia os crimes falimentares em dolosos ou culposos (e a falência em fraudulenta, culposa ou casual). A lei atual (Decreto-lei 7.661/1945) só prevê modalidades dolosas. O sistema da legislação penal é que todos os crimes são dolosos, salvo quando estiver expressa a forma culposa. Como a Lei de Falências não descreve nenhum crime culposo, segue-se que só há crimes falimentares dolosos. O mínimo exigível,

"Art. 18. Diz-se o crime:

"(...).

Crime culposo

"II – culposo, quando o agente deu causa ao resultado por imprudência, negligência ou imperícia.

"Parágrafo único. *Salvo os casos expressos em lei, ninguém pode ser punido por fato previsto como crime, senão quando o pratica dolosamente*" (grifos nossos).

Como não há na legislação falimentar atual (Lei 11.101/2005) e não havia na anterior (Decreto-lei 7.661/1945) qualquer menção de punição dos delitos ali definidos a título de culpa, prega-se que o elemento subjetivo do crime falimentar seria tão-somente o dolo.[3]

---

para fins punitivos, é o dolo eventual. Algumas condutas que na lei de 1908 eram previstas como culposas passaram a ser punidas a título de dolo. A doutrina aponta, nesses casos, a existência do chamado dolo de perigo. Não se podendo incriminar o acusado pelo menos por essa forma, e reconhecendo-se a simples culpa, não haverá como condenar por crime falimentar. Apesar disso, inúmeros julgados continuam a fazer referência a formas culposas".

3. TJSP, ACr 105.151-2, São Paulo, rel. Des. Barreto Fonseca, j. 9.12.1991: "*Ementa:* Crime falimentar – Não caracterização – Crime não punível a título de culpa – Recurso provido Os crimes falimentares só se punem a título de dolo. A prova foi toda no sentido de que a apelante, de fato, nunca exerceu atividade na falida, nem foi ela quem deixou a falida sem os livros obrigatórios, já que tão-só nominalmente era sócia. Por culpa, sua participação não se constituiu em crime, à falta de previsão (parágrafo único do art. 18 do CP)".

TJDF, 1ª Turma Criminal, HC 1.437-DF, Acórdão 9.367, rel. Des. Cândido Colombo, j. 27.5.1974, *DJE* 2.9.1974, p. 6.153 (ramo do Direito: direito processual penal):

"*Ementa:* Crime falimentar. A Lei Falimentar revogada pelo Decreto-lei n. 7.661 considerava os crimes falimentares culposos ou dolosos conforme o elemento moral. A legislação atuante aboliu o dualismo. Como exceção à regra geral da punibilidade a título de dolo, a punibilidade a título de culpa só é reconhecível nos casos expressos (art. 15, parágrafo único, do CP) – Denúncia não reconhecida inepta. A necessidade de se definir a participação de cada denunciado em razão de não transcender da pessoa do delinqüente a responsabilidade está ínsita na denúncia, visto atribuir aos dois acusados todos os fatos delituosos indicados, apoiando-se neles o Dr. Juiz como provas de simples credibilidade para receber a peça inicial, que tem por fim apenas as investigações do processo. O pagamento extingue as obrigações do falido; contudo, a lei atuante exige uma sentença que declara extintas todas as obrigações. Não existindo esta sentença, prevalece a que declarou a quebra em toda a sua plenitude e todos os efeitos – Voto vencido.

"*Decisão:* Denegar a ordem, contra o voto do Sr. Des. Mário Guerrera."

Para esta corrente, no caso de práticas de operações empresariais de risco poder-se-ia, no máximo, cogitar de dolo eventual ou de perigo, o que nem sempre é fácil de se observar ou provar.

Outros doutrinadores, porém, mesmo diante da supressão da classificação dos crimes falimentares dolosos e culposos com o advento do Decreto-lei 7.661/1945, continuam a admitir a existência de crimes falimentares culposos.

Alegam não ser necessário que a lei defina com palavras sacramentais a existência de um crime punido a título de culpa, mas que simplesmente contenha elementos que autorizem ao intérprete concluir que a figura penal seja punível dessa maneira.

Importante a menção a Sílvio Martins Teixeira: "Para que um ato delituoso seja considerado crime culposo não é necessário que a lei, ao defini-lo, empregue a palavra 'culpa' ou alguma derivada desta, como 'culposo' ou 'culposamente' etc.; basta que a lei preveja, além da modalidade dolosa, outra figura em que não existe dolo, mas se depreende a culpa, cominando pena ao agente. Isto se verifica em várias leis (...). Na nova Lei de Falências também alguns atos são punidos por dolo ou por culpa, conforme o motivo determinante, sem que nos dispositivos se encontre alguma das palavras dolo ou culpa".[4]

No sentido de que o crime falimentar é punido a título de dolo ou culpa várias decisões são encontradas na jurisprudência nacional.[5]

---

4. *Diário da Justiça*, Apenso ao n. 166 do *Diário Oficial* de 21.7.1947, do Rio de Janeiro, p. 3.247; *Arquivo Judiciário* 79/25.

5. TJSP, 4ª Câmara Criminal, ACr 215.020-3, Diadema, rel. Des. Bittencourt Rodrigues, j. 1.7.1997, v.u.: "*Ementa:* Crime falimentar – Inexistência de livros obrigatórios – Delito de mera conduta – Art. 186, VI, da Lei de Falências – Configuração. O crime do art. 186, VI, da Lei de Falências configura-se independentemente de se saber se a inexistência dos livros obrigatórios concorreu, ou não, para a quebra, por se tratar de infração de mera conduta, culposa.

"Crime falimentar – Crimes culposos – Omissão de deveres funcionais dos sócios – Responsabilidade criminal de todos que estavam obrigados a praticar o ato. Nos crimes falimentares culposos, resultantes de omissão de deveres funcionais, cometem o crime todos os que estavam, por lei, indiferentemente, obrigados a praticar o ato. Assim nas hipóteses previstas nos arts. 186, VI e VII, e 188, VI, VII e VIII. Os administradores não poderão, ainda que os estatutos, ou o contrato social, distribuam as funções entre eles, eximir-se da responsabilidade pelo não cumprimento de um dever que toca a todos os indistintamente."

TJSP, 3ª Câmara Criminal, ACr 198.886-3, São Paulo, rel. Des. Linneu Carvalho, j. 12.3.1996, v.u.: "*Ementa:* Crime falimentar – Caracterização – Supressão de livros obrigatórios – Alegação de ficarem a cargo da empresa encarregada da contabilidade – Irrelevância – Culpa *in elegendo* ou *in vigilando* – Recurso não provido.

No Direito Comparado as diversas legislações não são uniformes no que tange ao elemento subjetivo dos crimes falimentares.

Admitem expressamente os crimes falimentares dolosos e culposos as legislações de Portugal (prevendo a insolvência dolosa e por negligência), da Itália (bancarrota simples ou culposa, ao lado da bancarrota fraudulenta ou dolosa) e da Alemanha (que prevê hipóteses de crimes falimentares cometidos por imprudência).

Não admite os crimes falimentares culposos a legislação norte-americana. Lecionando sobre tal ordenamento, Stephanie Wickouski assevera a necessidade de que haja ciência e intenção (*knowing and intent*) na ação criminosa falimentar: "Um elemento necessário a todos os crimes falimentares é a intenção criminosa. Todos os crimes falimentares sob os §§ 152, 153 e 155 contêm o elemento de intento 'ciência e fraude' (...). O intuito fraudulento como elemento de um crime falimentar geralmente significa o propósito de enganar um credor, administrador ou juiz falimentar".[6]

Parece-nos que assiste razão à corrente que entende não haver crime falimentar culposo.

Além das razões já expostas na mudança legislativa ocorrida a partir do Decreto-lei 7.661/1945, mantida a mesma linha na Lei 11.101/2005, o argumento da excepcionalidade do crime culposo se põe de modo irrefutável.

Com efeito, quando o legislador deseja punir a título de culpa, deve fazê-lo de modo expresso. Na omissão, presume-se que o dolo seja necessário ao aperfeiçoamento da figura típica. Essa postura é mais consentânea com o direito penal moderno, preocupado com as garantias do cidadão, que não pode ser punido, a não ser nas hipóteses estrita e taxativamente enumeradas pela lei.

Além disso, parece-nos que o legislador não procurou punir o devedor (ou o terceiro sujeito ativo de crime falimentar) meramente inábil ou incompetente, que culposamente não seguiu as melhores práticas da ciência de administração de empresas (por não conhecê-las ou não empregá-las), contribuindo para que o empreendimento fosse levado à situação de crise. Para tal caso entendemos que serão suficientes as me-

---

O fato de a contabilidade da empresa ficar a cargo de escritório de contabilidade não elide a responsabilidade dos sócios, em face do princípio da culpa *in elegendo* ou *in vigilando*".

6. Stephanie Wickouski, *Bankruptcy Crimes*, Washington, Beard Books, 2007, p. 19 (tradução livre).

didas cíveis de realocação de ativos nas mãos dos credores, através da reorganização empresarial ou da expropriação de bens na falência.

Buscou o legislador punir o devedor ou terceiros em co-autoria quando, dolosamente, venham a se utilizar do empreendimento para prejudicar os credores, o fisco, a administração da justiça e a sociedade como um todo, ou ao menos voluntariamente venham a incrementar os riscos dessa ocorrência.

Note-se igualmente que a existência de crimes falimentares culposos pode causar séria insegurança jurídica, principalmente nos crimes pré-falimentares ou pré-recuperação.

Primeiramente, grande parte da condução de um negócio empresarial é composta pela tomada de decisões de risco e em condições insuficientes de informação. Por vezes as decisões possíveis ao gestor em determinado caso são igualmente arriscadas, e usualmente a alternativa de maior risco é a que apresenta maior expectativa de retorno, o que torna quase impossível a imputação de culpa de forma segura.

Ademais, muitas das decisões gerenciais nos casos concretos sequer podem ser tomadas em bases integralmente racionais ou com respaldo de experiências bem sucedidas, sendo freqüentemente apoiadas em elementos intuitivos e sobre fundamentos imprevisíveis.

Não há, no mais das vezes, uma *regra-de-ouro* infalível a ser seguida pelo administrador, um manual de explicações normativo contendo procedimentos padronizados ou mesmo um banco de dados dos casos passados. Decide-se, usualmente, sem conhecimento dos pressupostos e dos resultados possíveis que advirão. Resultados passados, igualmente, não garantem sucessos futuros.

Como ressalta Antônio Carlos Aidar Sauaia: "Sucesso e fracasso são vividos diariamente no grande laboratório da vida organizacional, onde gestores de todas as áreas e em todos os níveis experimentam suas fórmulas já testadas no passado e que teriam produzido resultados passíveis de replicação. Com base na confiança de conquistas anteriores, nas equipes bem escolhidas e bem preparadas, e fazendo uso das infalíveis regras de bolso, muitos se deparam com o inesperado. As organizações experimentam suas fórmulas de sucesso apostando milhões de dólares em reuniões telefônicas que duram menos de meia hora. As decisões adotadas são racionais? Essas organizações maximizam o retorno para os acionistas ou acabam focalizando os incentivos dos gestores? Os consumidores são os beneficiários das políticas dessas organizações? Na academia talvez se ousasse oferecer respostas a essas questões. No ambiente das organizações jamais saberemos os reais motivos que orientam a tomada de decisão, sem sentido para os críticos, sem alternativa para os que decidem. Por mais preparados que estejam os gestores, cada momento traz peculiaridades não mapeadas na fase anterior".[7]

Tudo isso, obviamente, reduz muito a viabilidade de se imputar culpa ao empresário (mediante negligência, imprudência ou imperícia) nos casos concretos, quando referida atribuição de responsabilidade criminal se baseia preponderantemente na *previsibilidade* e na *evitabilidade* do resultado, as quais, como vimos, não estão presentes em grande parte no processo cotidiano de tomada de decisões dos gestores.

Diante dessa ausência de bases racionais para a tomada de decisão, corre-se ainda o risco de o juiz, ao avaliar a conduta do empresário no crime falimentar culposo, reconstruir imperfeitamente a realidade do gestor quando externalizou sua conduta, ou mesmo de fazê-lo tendenciosamente de forma negativa.

Com efeito, para julgar, deverá o juiz reconstruir a situação em que se encontrava o empresário ao tomar uma decisão que supostamente se reputa subsumida a um tipo falimentar culposo e avaliar *ex post* as decisões adotadas *ex ante* pelo empresário. Isso, como ressalta Maurizio Pontani, cria um problema de duas vertentes: (1) o juiz não tem necessariamente as melhores habilidades para reconstruir as condições iniciais em que o empresário agiu e, (2) independentemente disso, o magistrado torna-se suscetível a se deparar com a chamada *reconstrução tendenciosa*.[8]

Essa espécie de reconstrução tendenciosa, segundo o autor supracitado, é demonstrada por provas empíricas, segundo as quais indivíduos que avaliam *ex post* comportamentos anteriores, após receberem informações de resultado final e do que poderia ter sido feito para atingir resultados ótimos, costumam considerar que os agentes cuja conduta é avaliada também poderiam ter agido de forma otimizada. Sendo qualitativa ou quantitativamente inferior o resultado apresentado pelo(s) avaliado(s), a tendência geral é de reprovação da conduta.

Trata-se, portanto, de inclinação psicológica de avaliação negativa dos fatos. Isso se explica, uma vez que, ao se conhecerem as possíveis conseqüências de determinada decisão, os eventos parecem tornar-se

---

7. Antônio Carlos Aidar Sauaia, *Laboratório de Gestão: Similador Organizacional, Jogo de Empresas e Pesquisa Aplicada*, São Paulo, Manole, 2008.

8. Maurizio Pontani, *Pre-Bankruptcy Crimes and Entrepreneurial Behavior. Some Insights from American and Italian Bankruptcy Laws*, German Working Papers in Law and Economics, 2004.

mais compreensíveis, previsíveis e reprováveis ao observador posterior do que efetivamente eram no momento inicial.

É comum, portanto, que a reorganização dos fatos pelo magistrado se torne tendenciosa, ainda que este desconheça a grande influência que isso tenha em suas decisões. O que aumenta a possibilidade de que, se permitida a punição do crime falimentar a título de culpa, condutas sejam interpretadas como penalmente relevantes mesmo que no momento em que foram tomadas não houvesse qualquer previsibilidade por parte do agente ou quaisquer efeitos prejudiciais aos interesses de credores.

A punição do crime falimentar culposo ainda pode gerar perigosa inversão de estímulos ao empreendedor, com reflexos importantes na economia.

Isso porque o empresário, eventualmente temeroso de ser punido criminalmente por mera culpa em futura quebra ou recuperação, tenderá a optar pela possibilidade que lhe apresente menor relação *risco/retorno* quando da existência de alternativas de risco nas decisões de gestão de um negócio, ainda que esta postura seja desvantajosa ou o contrário seja recomendável, pelas circunstâncias de fato. Esse posicionamento de aversão ao risco pode, paradoxalmente, gerar baixo desempenho nos resultados empresariais e contribuir para conduzir o empreendimento ao estado de crise empresarial.

Da mesma maneira, na hipótese da quebra se avizinhar ou se apresentar muito provável, o empresário pode restar encorajado a tomar decisões de risco excessivo para evitar a falência, com o intuito de não ser punido futuramente, a título de culpa, por decisões que tenha tomado no curso de sua gestão – fato, este, que pode prejudicar ainda mais os credores e a administração da justiça.

Diga-se ainda que com a punição do crime falimentar culposo é possível a criação de um problema de *seleção adversa*,[9] ou seja, de que

---

9. O fenômeno da *seleção adversa* remete necessariamente ao exemplo de Akerlof, em seu clássico artigo "The market for 'lemons'". Referido autor faz uma análise do que ocorre no mercado de carros usados (chamado de "mercado de limões" ou *lemons*), quando uma das partes contratantes (vendedor de automóveis usados) não consegue demonstrar ou convencer a outra (comprador) da veracidade das informações prestadas. No texto, Akerlof trabalha a questão da assimetria informacional entre as partes e verifica que o comprador não tem o conhecimento necessário para distinguir os carros usados em bom estado daqueles que não estejam em boas condições de uso. Da mesma forma, a informação do vendedor não é suficiente para tanto, uma vez que há a constante suspeita por parte do comprador de que aquele aja de modo oportunista, ou seja, unicamente com o intuito de vender. Esse

não haja suficiente estímulo ao empreendedorismo por parte de gestores razoáveis e ponderados, que tomem os riscos empresariais na medida certa, uma vez que restarão naturalmente temerosos de punição potencial a título de culpa. Inversamente, criam-se incentivos aos maus gestores, que tenham por hábito a tomada de decisões irresponsáveis quanto aos riscos empresariais ou que frontalmente subestimem os riscos de falência, impondo eventuais prejuízos aos credores e à sociedade com sua conduta.

Por outras palavras, a decisão de punir a título de culpa inibe a existência de bons empresários e estimula os incautos e irresponsáveis quanto aos riscos.[10]

Por tais razões, entendemos somente admissíveis crimes falimentares a título de dolo.

---

fenômeno acaba provocando que a preferência do consumidor se verifique unicamente por intermédio do sistema de preços, favorecendo os veículos de menor valor, usualmente os que se encontram em pior condição de uso. Isso acaba por selecionar justamente os piores empresários, ou seja, aqueles que ofereçam menores preços e que freqüentemente vendam os piores automóveis, em detrimento dos que cobrem preços mais altos e vendam carros de qualidade. Em outras palavras: o veículo usado de boa qualidade tenderia a desaparecer do mercado. Para evitar tal problema é que se criam, muitas vezes, as certificações de qualidade dos produtos (George Akerlof, "The market for 'lemons': quality uncertainty and the market mechanism", *Quarterly Journal of Economics* 84/488-500, 1970).

10. V., nesse sentido, a lição magistral de Maurizio Pontani: "As stated above, the typical examples of such conduct are risky investment decisions that can be sanctioned with sentence to prison. This possibility is likely to give rise to bad incentives for the economic actors: optimal risk taking may be discouraged, as well as entrepreneurship may be weakened. Vice versa, as long as the insolvency probability increases, the economic actors might engage in too high risk activities, trying to avoid the default and the penal consequences that they possibly bear. In addition, an 'adverse selection' problem could also arise: in fact only too risk-loving entrepreneurs or entrepreneurs who underestimate the bankruptcy risk could be willing to initiate an economic activity. In this way, the entrepreneurs more likely to run the firm into bankruptcy would be paradoxically self-selected" (*Pre-Bankruptcy Crimes and Entrepreneurial Behavior. Some Insights from American and Italian Bankruptcy Laws*, German Working Papers in Law and Economics, 2004).

12
CONSUMAÇÃO E TENTATIVA NOS CRIMES FALIMENTARES

Há divergência quanto ao momento consumativo dos crimes pré-falimentares, ou seja, aqueles que ocorrem antes da decisão que decreta a quebra, bem como, após a vigência da Lei 11.101/2005, dos crimes que antecedem a concessão da recuperação judicial ou homologação do plano de recuperação extrajudicial (crimes pré-recuperação).

O problema que se põe em tal espécie delitiva é a necessidade, ou não, de se considerar a superveniência da *conditio juris* referente à decisão que decreta a falência ou concede a recuperação judicial ou extrajudicial para a efetiva consumação do crime.

Uma primeira linha doutrinária sustenta que o crime pré-falimentar ou pré-recuperação somente estará consumado com a sobrevinda das decisões acima mencionadas, uma vez que antes disso são condutas indiferentes ao ordenamento criminal, as quais podem simplesmente nunca receber punição se a quebra ou recuperação não lhes for superveniente.

Para esta linha doutrinária, portanto, o momento da consumação do delito falimentar se daria quando da ocorrência da decisão judicial de falência ou de recuperação, e não quando, em momento anterior, houve a prática pelo agente da conduta descrita no tipo penal.

Já uma segunda corrente, por entender que a decisão falimentar ou de recuperação é apenas uma condição de punibilidade externa ao tipo penal respectivo, entende que o crime falimentar estará consumado quando da prática da ação ou omissão descritas no tipo penal, e não quando, posteriormente, sobrevenha uma decisão judicial reconhecendo a bancarrota ou a crise empresarial.

Ressalte-se que o problema relativo ao momento consumativo dos crimes falimentares não se põe no pertinente aos delitos cometidos após a decisão de falência ou recuperação (crimes pós-falimentares ou pós-recuperação), uma vez que quando da prática da conduta criminosa já terá ocorrido a *conditio juris* necessária, consumando-se tais delitos no momento da ação ou do resultado criminoso, conforme o tipo penal respectivo.

Outra matéria polêmica diz respeito à possibilidade, ou não, de tentativa nos crimes falimentares.

Com relação aos crimes pré-falimentares vige ampla divergência, também porque para sua punibilidade é necessária a decisão decretando a falência, concedendo a recuperação judicial ou homologando plano de recuperação extrajudicial.

Assim, ou bem já existe crime consumado com o advento destas decisões judiciais, ou tratar-se-á de fato impunível, restando, na opinião de alguns doutrinadores, impossível a ocorrência de tentativa de crime pré-falimentar ou pré-recuperação, principalmente nos casos em que se cuide de crimes sem resultado naturalístico ou em que haja apenas evento de perigo (e não dano) ao bem jurídico protegido. [1]

Parte da doutrina, porém, admite a tentativa mesmo em crimes pré-falimentares ou pré-recuperação, quando as decisões judiciais decretando a quebra ou recuperação venham a colher o delito no curso de sua execução.[2]

---

1. Não a admite Oscar Stevenson, citado por Rubens Requião (*Curso de Direito Falimentar*, vol. 2, São Paulo, Saraiva, 1992, p. 164), nos seguintes termos: "A nosso ver o delito é de evento perigoso, e, por sua natureza, desvale toda e qualquer tentativa. A tentativa é essencialmente delito de perigo. Seria absurdo, por meio dela, um perigo a outro perigo".

2. Maximilianus Cláudio Américo Führer admite a tentativa em crimes antefalimentares, mesmo reconhecendo que são de rara ocorrência prática. Cita os seguintes exemplos: "(1) O comerciante, nas vésperas da falência, emite alguns cheques para pagar dívidas não vencidas, a favor de uns credores, em prejuízo de outros (...). Declarada a falência, o síndico assume a administração da massa e susta o pagamento dos cheques e susta a ordem de pagamento dos cheques, mediante uma contraordem ao banco; (2) o devedor, pretendendo desviar vultoso lote de mercadorias, providencia o embarque clandestino das mesmas para outro país (...). Declarada a falência, o síndico chega a tempo, apreendendo a mercadoria no porto (exemplo citado por Antolisei); (3) antevendo a falência, o comerciante põe fogo nos seus livros (...). Mas, antes que os mesmos sejam destruídos, intervém um oficial de justiça, que li comparece para cumprir uma ordem de seqüestro de livros, expedida antes da declaração da falência" (*Crimes Falimentares*).

Franz von Liszt (*Tratado de Direito Penal Alemão*, Brasília, Senado Federal/Conselho Editorial, STJ, 2006, p. 308), por seu turno, admite a tentativa, com algumas restrições: "Quando falta, e tanto quanto falta, a condição de punibilidade,

Já, em relação aos crimes ocorridos após a decretação da quebra, concessão de recuperação judicial ou homologação de plano de recuperação extrajudicial (pós-falimentares) a doutrina inclina-se pela admissibilidade da tentativa, como em casos de tentativa de subtração ou desvio de bens da massa cuja execução seja interrompida por circunstâncias alheias à vontade do agente.[3]

Recentemente, já na vigência da Lei 11.101/2005, o TJSP decidiu sobre possibilidade de tentativa de crime falimentar (ocultação de bens da massa falida) nos seguintes termos:

"Crime falimentar – Ocultação de bens – Art. 173 da Lei n. 11.101/2005 – Tentativa – Omissão do agente acerca da existência de determinado bem que não chega a ser colocado fora do efetivo alcance da massa ou dos credores – Configuração – Ordem parcialmente concedida, com recomendação" (12ª Câmara Criminal, HC 985.458.3/4-0000-000, São Bernardo do Campo, rel. Des. Sydnei de Oliveira Jr., j. 20.9.2006, v.u., Voto 3.296).[4]

Para aqueles que se filiam à posição minoritária, que admite a existência de crimes falimentares culposos, será inadmissível a tentativa

---

que a lei exige, não pode entrar em questão a consumação ou a tentativa do crime respectivo. Deve-se, porém, admitir a existência da tentativa e deve ela ser punida segundo a escala reduzida do art. 44 do CP quando se dá a condição de punibilidade mas a ação falhou ou não progrediu até a consumação do crime".

3. Nesse sentido, v. a lição de J. C. Sampaio de Lacerda: "Discute-se a respeito da admissibilidade ou não da tentativa em se tratando de crime falimentar. Negam alguns, tendo em vista que a falência resulta, como vimos, da sentença declaratória de falência e que só aí o crime se caracteriza. Bento de Faria considera a tentativa inaplicável ao crime falencial, mas reconhece que, em caso excepcional, poderia ocorrer, e exemplifica: no curso de falência, se o falido procurasse subtrair bens da massa e fosse surpreendido nessa ocasião, sendo impedido de levar a efeito a subtração" (*Manual de Direito Falimentar*, Rio de Janeiro, Freitas Bastos, 1978, p. 308).

4. Do inteiro teor do acórdão supracitado colhe-se a seguinte lição: "Tem-se, porém, que, na modalidade de ocultação de bens falimentares, o agente do delito deve perseguir a colocação da coisa fora do efetivo alcance da massa falida ou dos credores, exteriorizando-se um crime de resultado danoso (crime de dano). Uma vez iniciada a consecução criminosa, sem, no entanto, alcançar-se a definitiva posse do bem, verifica-se tão-só a tentativa de ocultação (cf. art. 14, inciso II, do CP). Bem por isso, não se pode admitir, como foi da suposição do impetrante, a consumação delitiva após a prestação de contas ou, também, uma mera modalidade de tentativa impossível. Com a omissão do paciente acerca da existência daquele bem se deu início ao caminho criminoso, que não se consumou por circunstâncias alheias à vontade do agente".

quando o crime for punido a tal título, já que, pela falta de intencionalidade do agente, não se admite que um delito culposo possa ser tentado.[5]

Igualmente, nos casos em que o delito falimentar se consume com um único ato (crime unissubsistente) ou com a mera conduta do agente, sem produção de resultado, bem como naqueles casos em que a conduta descrita no tipo penal falimentar seja omissiva (crime omissivo próprio) será impossível a tentativa, uma vez que é inadmissível a cogitação desta em relação a tais espécies delitivas.

Importante sublinhar que, no Direito Comparado, o Código Penal Alemão (StGB – *Strafgesetzbuch*) permite expressamente a punição da tentativa (*Der Versuch ist strafbar*) nos delitos de bancarrota (§ 283[3]), favorecimento de credores (§ 283c[2]) e favorecimento de devedores (§ 283d[2]).

---

5. Fazemos pequena observação aqui, apenas a título de curiosidade, no sentido de que a doutrina penal costuma apontar uma exceção à impossibilidade de tentativa nos crimes culposos. Trata-se do caso de *culpa imprópria*, derivada de erro de tipo inescusável. A hipótese, porém, seria de rara ocorrência em crimes falimentares, mesmo que se admitisse a modalidade culposa.

13
A LEI 11.101/2005
E O DIREITO INTERTEMPORAL

No início da análise propriamente dita das normas penais e processuais penais constantes da Lei 11.101/2005 há de se considerar um importante aspecto em relação às inovações legislativas ocorridas.

Isso porque a legislação falimentar supracitada, além da matéria comercial que lhe é ínsita, contém normas concernentes aos crimes falimentares, que se configuram como *normas penais* de direito material, bem como disposições processuais sobre os crimes falimentares, as quais têm a natureza de *normas processuais penais*.

Assim ocorrendo, hão de ser observadas em relação à aplicabilidade do ordenamento novo as regulamentações penais e processuais penais concernentes ao Direito Intertemporal, sendo inaplicáveis aqui os dispositivos constantes da Lei 11.101/2005, que visam a regular as questões intertemporais relativas às normas falimentares de natureza meramente comercial.

Dessa forma, não deve incidir sobre matéria estritamente penal o art. 192 da Lei de Recuperação de Empresas e Falências, que disciplina as relações intertemporais falimentares no campo comercial.[1]

1. "Art. 192. Esta Lei não se aplica aos processos de falência ou de concordata ajuizados anteriormente ao início de sua vigência, que serão concluídos nos termos do Decreto-lei n. 7.661, de 21 de junho de 1945.

"§ 1º. Fica vedada a concessão de concordata suspensiva nos processos de falência em curso, podendo ser promovida a alienação dos bens da massa falida assim que concluída sua arrecadação, independentemente da formação do quadro geral de credores e da conclusão do inquérito judicial.

"§ 2º. A existência de pedido de concordata anterior à vigência desta Lei não obsta o pedido de recuperação judicial pelo devedor que não houver descumprido obrigação no âmbito da concordata, vedado, contudo, o pedido baseado no plano

Para a aplicação das novas normas penais e processuais penais é necessário que se apliquem as regras de Direito Intertemporal contidas na Constituição Federal, no Código Penal e no Código de Processo Penal.

São elas as seguintes:

• *Constituição Federal, art. 5º*: "XL – a lei penal não retroagirá, salvo para beneficiar o réu".

• *Código Penal*

"Lei penal no tempo

"Art. 2º. Ninguém pode ser punido por fato que lei posterior deixa de considerar crime, cessando em virtude dela a execução e os efeitos penais da sentença condenatória.

"Parágrafo único. A lei posterior, que de qualquer modo favorecer o agente, aplica-se aos fatos anteriores, ainda que decididos por sentença condenatória transitada em julgado."

• *Código de Processo Penal*: "Art. 2º. A lei processual penal aplicar-se-á desde logo, sem prejuízo da validade dos atos realizados sob a vigência da lei anterior".

O princípio básico que rege a aplicação das leis penais (materiais) no tempo é aquele segundo o qual a lei vigente à época do crime será a regra aplicável a este (*tempus regit actum*).

No entanto, diante das disposições constitucionais e legais anteriormente transcritas, há importantes particularidades no emprego do princípio *tempus regit actum* na aplicação das normas penais no tempo, as quais consistem principalmente na *retroatividade* e na *ultratividade* da lei penal mais benigna ao agente:

• *A retroatividade da lei penal mais benigna ocorre toda vez que uma lei penal posterior beneficie de qualquer modo o agente. Assim*

especial de recuperação judicial para microempresas e empresas de pequeno porte a que se refere a Seção V do Capítulo III desta Lei.

"§ 3º. No caso do § 2º deste artigo, se deferido o processamento da recuperação judicial, o processo de concordata será extinto e os créditos submetidos à concordata serão inscritos por seu valor original na recuperação judicial, deduzidas as parcelas pagas pelo concordatário.

"§ 4º. Esta Lei aplica-se às falências decretadas em sua vigência resultantes de convolação de concordatas ou de pedidos de falência anteriores, às quais se aplica, até a decretação, o Decreto-lei n. 7.661, de 21 de junho de 1945, observado, na decisão que decretar a falência, o disposto no art. 99 desta Lei.

"§ 5º. O juiz poderá autorizar a locação ou arrendamento de bens imóveis ou móveis a fim de evitar a sua deterioração, cujos resultados reverterão em favor da massa."

ocorrendo, a norma penal benéfica retroagirá para incidir sobre fatos ocorridos anteriormente à sua vigência.

• *A ultratividade da lei penal mais benigna ocorrerá sempre que uma lei penal anterior seja revogada por uma posterior, mais severa. Ocorrido o fato durante a vigência da lei penal mais benigna (e revogada), esta incidirá sobre fatos sucedidos durante sua vigência mesmo após sua revogação pela legislação posterior mais severa.*[2]

O esquema gráfico seguinte esclarecerá melhor a aplicabilidade da lei penal no tempo:

Lei anterior mais benigna → **Crime** → **Lei posterior mais severa**

- Alica-se a lei penal anterior mais benigna ao fato ocorrido durante sua vigência, mesmo após sua revogação (ultratividade)
- Ultratividade da lei anterior mais benigna
- Não se aplica a lei penal posterior mais severa (não retroativa)

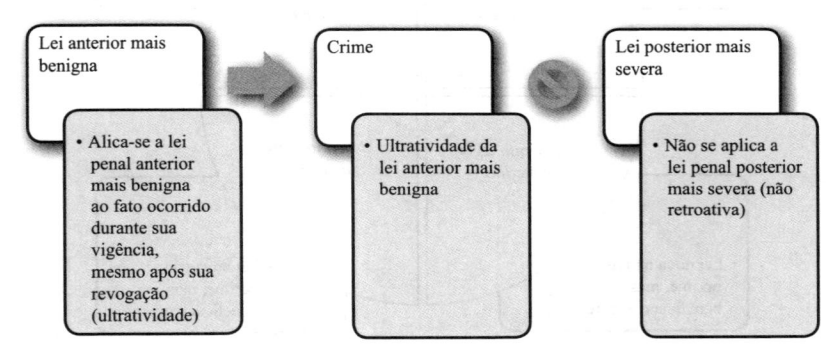

Figura 12: Ultratividade da lei penal anterior mais benigna

Lei anterior mais severa — **Crime** → **Lei posterior mais benigna**

- Não se aplica a lei penal anterior mais severa ao fato ocorrido durante sua vigência, após sua revogação (não ultrativa)
- Retroatividade da lei posterior mais benigna
- Aplica-se a lei posterior mais benigna ao fato ocorrido anteriormente à sua vigência (retroatividade)

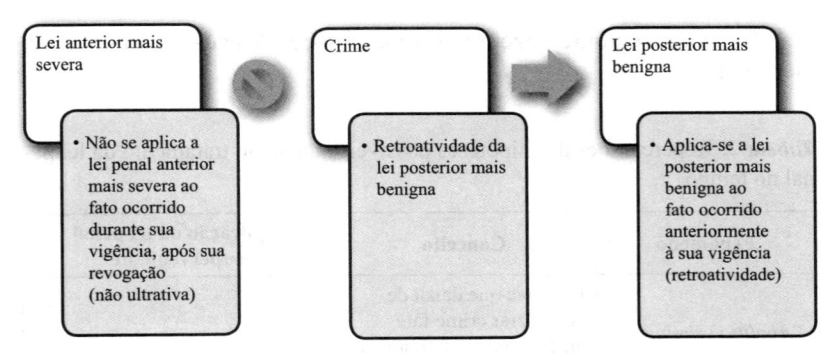

Figura 13: Retroatividade da lei penal posterior mais benigna

---

2. A rigor, a ultratividade da lei penal mais benigna não é exceção ao princípio *tempus regit actum*. Afinal, a lei vigente ao tempo da ocorrência do crime está sendo aplicada. Para fins apenas didáticos, entretanto, destacamos tal fenômeno no texto, de forma separada.

Nesses termos, em relação à situação benéfica ou prejudicial ao acusado, no que tange às leis penais supervenientes, a doutrina reconhece quatro fenômenos possíveis, conforme o esquema seguinte:

- Lei deixa de considerar o fato como criminoso — *"Abolitio criminis"*
- Lei passa a incriminar fato antes atípico — *"Novatio legis" incriminadora*
- Lei nova não revoga o crime, mas beneficia o agente — *"Novatio legis in mellius"*
- Lei nova não revoga o crime, mas beneficia o agente — *"Novatio legis in pejus"*

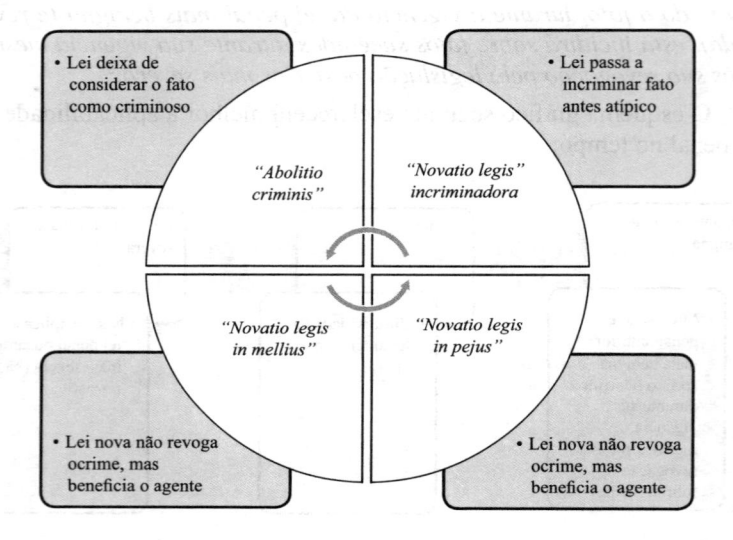

Figura 14: Hipóteses passíveis de ocorrência na legislação penal superveniente

Na tabela seguinte trazemos as repercussões de cada hipótese acima elencada:

Tabela 2: Repercussões das hipóteses possíveis quanto ao tratamento da lei penal no tempo

Fenômeno	Conceito	Aplicação da lei penal superveniente
"Abolitio criminis"	Lei nova que deixa de considerar crime fato anteriormente definido em lei como tal	Retroatividade da lei posterior mais benigna (*lex mitior*), não ultratividade da lei penal anterior
"Novatio legis in melius"	Lei nova que, mantendo a definição do fato como criminoso, beneficia de qualquer maneira o autor do delito	

A LEI 11.101/2005 E O DIREITO INTERTEMPORAL

Fenômeno	Conceito	Aplicação da lei penal superveniente
"Novatio legis in pejus"	Lei nova que, mantendo a definição do fato como criminoso, prejudica de qualquer maneira o autor do delito	Ausência de retroatividade da lei penal mais severa, ultratividade da lei penal anterior
"Novatio legis" incriminadora	Lei nova que passa a considerar crime fato anteriormente não definido em lei como tal	

Na hipótese de existirem dispositivos favoráveis e desfavoráveis, ao mesmo tempo, no ordenamento penal anterior e no superveniente, diverge a doutrina penal quanto à possibilidade de conjugação ou combinação parcial de ambos os regramentos, apenas na parte em que beneficiem o réu. A respeito do tema da prescrição do crime falimentar, a jurisprudência já começa a divergir quanto à possibilidade de aplicação parcial dos dispositivos da legislação falimentar revogada (Decreto-lei 7.661/1945) e da atual (Lei 11.101/2005) naquilo em que beneficiem o acusado.[3]

3. Os doutrinadores que rejeitam esta hipótese argumentam ser vedada ao aplicador a utilização parcial de duas normas penais, uma vez que, assim agindo, estariam criando uma terceira norma. Os que a admitem aduzem que não há criação de nova lei pelo aplicador, mas apenas aplicação de dispositivos preexistentes. No caso da Lei 11.101/2005 e do Decreto-lei 7.661/1945, como veremos melhor a seguir, em matéria prescricional, ambos têm dispositivos favoráveis e desfavoráveis ao acusado. Diante disso, o TJSP já admitiu a incidência das duas normas, cindindo-as para aplicá-las apenas nos dispositivos que beneficiarem o réu. Nesse sentido: "Sentença – Dispositivo – Decretação da extinção da pretensão punitiva, em decorrência de combinação de nova legislação (Lei n. 11.101/2005) que adota princípios do Código Penal, sobre matéria de prescrição, com a legislação anterior (Decreto-lei n. 7.661/1945), para excluir a possibilidade de dilação do prazo, extinguindo-se a punibilidade pela prescrição da pretensão punitiva do Estado – Possibilidade. Tendo a nova lei dispositivos favoráveis e desfavoráveis ao réu, não há outra solução senão cindir o texto legal, aplicando a parte que favorece – Recurso ministerial desprovido" (12ª Câmara Criminal, RSE 946.449-3/8-00, São Paulo, rel. Des. Eduardo Pereira, j. 21.3.2007, v.u., Voto 13.914).

Contra a conjugação parcial de regramentos, no mesmo assunto: TJSP, 9ª Câmara Criminal, RSE 960.650-3/8, São Paulo, rel. Des. Sérgio Coelho, j. 21.11.2007, m.v., Voto 5.877: "Prescrição criminal – Pretensão punitiva – Crime falimentar praticado na vigência do Decreto-lei n. 7.661/1945 – Início da contagem do biênio prescricional da data em que deveria estar encerrada a falência, ou do trânsito em julgado da sentença que a encerrar ou que julgar cumprida a concordata, nos termos

Outro problema que pode ocorrer em relação aos delitos falimentares definidos na Lei 11.101/2005 é o relativo à retroatividade benéfica aplicada a normas penais em branco.

Por "norma penal em branco" entende-se aquela cuja definição típica deva necessariamente ser complementada por outra, de idêntica ou diversa hierarquia. No caso dos crimes falimentares, são exemplos de normas penais em branco:

(1) *Tipos penais que definem crimes, qualificadoras ou causas de aumento de pena derivados de descumprimento de preceitos relativos à* **escrituração obrigatória***, cuja definição e exigências e cujos limites vêm inseridos na legislação empresarial ou tributária.*

(2) *Normas penais que conceituam temas definidos na legislação empresarial, tais como* **microempresa** *ou* **empresa de pequeno porte***.*

A questão que se põe aqui é saber se, revogado o complemento da norma penal em branco, de modo a descriminalizar a conduta ou beneficiar de qualquer modo a situação do acusado, teríamos uma hipótese de retroatividade benéfica da lei penal. Exemplo disso, para os crimes falimentares, seria o da norma que não mais obrigasse a escrituração de determinada classe empresarial ou que ampliasse o conceito de microempresa ou empresa de pequeno porte para atingir destinatários antes não abrangidos em seu âmbito de incidência.

Embora haja muita divergência a respeito do tema, a maior parte da doutrina e da jurisprudência entende que a retroatividade benéfica dependerá dos fundamentos da existência e da revogação do complemento da norma penal em branco.

Tratando-se de complemento destinado a situações excepcionais ou temporárias, sua revogação não implicará retroatividade benéfica, aplicando-se a norma do art. 3º do CP, que regula tais casos. Na hipótese, po-

do art. 199 daquele decreto-lei e da Súmula n. 147/STF – Necessidade – Fluência a partir do dia da decretação da falência, como prevê o art. 182 da Lei n. 11.101/2005 – Inadmissibilidade, por ser a nova Lei de Falências e Recuperação Judicial mais prejudicial ao réu, eis que o próprio art. 182 determina a aplicação das disposições do Código Penal, segundo o qual deve ser considerada, na fixação do prazo prescricional, a pena máxima aplicável a cada crime – Combinação do diploma legal anterior com o posterior para extrair de cada um deles as partes mais benéficas ao agente – Descabimento, porque, nesse caso, o juiz estaria legislando – Precedentes do STF – Recurso ministerial provido para cassar a decisão recorrida, sendo, de ofício, julgada extinta a punibilidade dos recorridos, pelo reconhecimento da prescrição da pretensão punitiva estatal no período compreendido entre o recebimento da denúncia e a data do julgamento".

rém, de se tratar de revogação de caráter perene e estável, não destinada a qualquer situação exceptiva, a revogação do complemento da norma penal em branco será retroativa, podendo importar *abolitio criminis* ou *novatio legis in melius*.[4]

Assim, cada hipótese deve ser analisada para verificar se a revogação do complemento da norma penal em branco se deu por fundamentos que revelam a estabilidade e a perenidade da legislação ulterior ou se por razões passageiras que se fundam em excepcionalidade ou temporariedade.

Entendemos que em princípio, e salvo determinação legal em contrário, serão permanentes os complementos que alterem as definições de microempresa ou empresa de pequeno porte ou, mesmo, que alterarem a escrituração obrigatória exigida do empresário ou sociedade empresária, uma vez que tais matérias representam evolução da legislação destinada a vigorar de modo perene. Assim, sua revogação determinará a retroatividade benéfica da lei penal em matéria de crime falimentar.

A aplicação da lei mais benéfica deve dar-se imediatamente pelo juízo de primeiro grau ou de instância superior no caso de processo em curso ou, na hipótese de haver condenação transitada em julgado, pelo juízo da execução (Súmula 611/STF).

Havendo *abolitio criminis*, com a conseqüente extinção da punibilidade do crime (CP, art. 107, III), serão suprimidos quaisquer efeitos penais da sentença condenatória por delito falimentar (inabilitação para exercício de atividade empresarial, reincidência etc.), subsistindo os efeitos civis desta (*v.g.*: obrigação de indenizar eventual vítima prejudicada pelo crime).

Já, no que tange às disposições *processuais penais*, em princípio, aplicam-se estas imediatamente, respeitados os atos processuais praticados durante a vigência da lei anterior. Não se cogita, aqui, de prejuízo ou benefício ao sujeito ativo do crime.

4. Nesse sentido definiu o STF, HC 73.168, j. 21.11.1995: "*Ementa: Habeas corpus*. Em princípio, o art. 3º do CP se aplica à norma penal em branco na hipótese de o ato normativo que a integra ser revogado ou substituído por outro mais benéfico ao infrator, não se dando, portanto, a retroatividade. Essa aplicação só não se faz quando a norma, que complementa o preceito penal em branco, importa real modificação da figura abstrata nele prevista ou se assenta em motivo permanente, insuscetível de modificar-se por circunstâncias temporárias ou excepcionais, como sucede quando do elenco de doenças contagiosas se retira uma, por se haver demonstrado que não tem ela tal característica – *Habeas corpus* indeferido".

Ocorre que nem sempre é fácil distinguir o que seja uma norma penal ou processual penal. De fato, muitas vezes os dispositivos processuais (*v.g.*: a prescrição ou a decadência) interferem fundamentalmente no direito de punir (*ius puniendi*) do Estado, repercutindo em matéria inerente ao direito penal material, caso em que poderão ser conceituadas como normas mistas (materiais e processuais), aplicando-se ao caso a disciplina da legislação penal material acima aludida (retroatividade e ultratividade da lei mais benigna).[5]

Deve-se lembrar que, nos termos do art. 201 da Lei 11.101/2005, foi estabelecida uma *vacatio legis* de 120 dias, finda em 9.6.2005, momento que deverá ser considerado para a aplicação, ou não, da retroatividade e ultratividade dos dispositivos penais falimentares.

Vejamos com mais vagar os dispositivos penais e processuais alterados pela Lei 11.101/2005, com sua respectiva aplicabilidade imediata, ultratividade ou retroatividade.

Dentre os dispositivos constantes de normas incriminadoras existentes do Decreto-lei 7.661/1945 não repetidos na Lei 11.101/2005 (que foram objeto de *abolitio criminis*) estão os seguintes:

5. Hipótese atinente a norma mista (processual e penal) em que a matéria foi discutida no Poder Judiciário foi a relativa à Lei 9.271/1996, que instituiu a suspensão do processo e do curso do prazo prescricional para o réu citado por edital no processo criminal. A dúvida surgida na jurisprudência foi a de saber se a norma em questão era processual ou penal (material) e, por conseqüência, a qual regime estaria subordinada sua aplicabilidade. Diversos foram os posicionamentos, sendo a maioria no sentido de que, se há caracteres ou influências da norma processual em matéria penal, devem ser aplicadas as normas previstas no Código Penal. Nesse sentido, STF, 1ª Turma, HC 75.284-5-SP, rel. Min. Moreira Alves, j. 14.10.1997: "*Ementa*: Citação por edital – Suspensão do processo – Aplicação retroativa do art. 366 do CPP, com a redação dada pela Lei n. 9.271/1996, cindindo a norma para a continuidade da fluência da prescrição – Impossibilidade – Inteligência do art. 366 do CPP, Lei federal n. 9.271/1996. 2. O art. 366 do CPP, na redação dada pela Lei n. 9.271/1996, é uma norma de natureza mista, porquanto encerra preceito de direito processual (a suspensão do processo) e dispositivo de direito penal (suspensão do curso do prazo de prescrição). O primeiro princípio é mais benéfico para o réu, o que não sucede com o segundo, e, em casos como este, para o efeito de aplicação do princípio da retroatividade, a *lex mitior*, prevalece o preceito de direito penal, que, sendo mais gravoso, afasta a retroatividade da norma em sua integralidade, por ser indivisível, até porque, se se admitisse a suspensão do processo sem a suspensão do curso do prazo da prescrição, estar-se-ia criando um terceiro sistema que não é nem o da lei nova, nem o da lei antiga – *Habeas corpus* indeferido, pela impossibilidade da divisibilidade da norma em causa – Concessão, porém, *ex officio*, da ordem, para cassar o acórdão do TACrimSP e determinar que ele julgue a apelação do Ministério Público como entender de direito" (*RJTACrim* 36/594).

Tabela 3: Casos de *abolitio criminis*

Dispositivos legais do Decreto-lei 7.661/1945 objeto de *abolitio criminis*	Definição legal
Art. 186, I	Gastos pessoais ou de família manifestamente excessivos em relação ao seu cabedal
Art. 186, II	Despesas gerais ou do negócio injustificadas
Art. 186, III	Emprego de meios ruinosos para obter recursos e retardar a declaração da falência, como vendas, nos seis meses a ela anteriores, por menos do preço corrente, ou a sucessiva reforma de títulos de crédito
Art. 186, IV	Abuso de responsabilidade de mero favor
Art. 186, V	Prejuízos vultosos em operações arriscadas, inclusive em "jogos de Bolsa"
Art. 186, VII	Falta de apresentação do balanço, dentro de 60 dias após a data fixada para o seu encerramento, à rubrica do juiz sob cuja jurisdição estiver o seu estabelecimento principal
Art. 188, V	Perdas avultadas em operações de puro acaso, como jogos de qualquer espécie
Art. 188, IX	Ser o falido leiloeiro ou corretor
Art. 189, IV	Síndico que der informações, pareceres ou extratos dos livros do falido inexatos ou falsos, ou que apresentar exposição ou relatórios contrários à verdade

Interessante verificar que a jurisprudência já reflete o que acima se expôs. Vejam-se, nesse sentido, as seguintes decisões do TJSP:

"*Abolitio criminis* – Crime falimentar – Imputação da prática das condutas descritas no art. 186, III e VII, do Decreto-lei n. 7.661/1945 – Superveniência da Lei n. 11.101/2005 – Atipicidade – Extinção da punibilidade decretada – Recurso parcialmente provido" (4ª Câmara Criminal, ACr 469.955.3/0, São Paulo, rel. Des. Hélio de Freias, j. 16.8.2005, v.u., Voto 6.704).

"*Abolitio criminis* – Crime falimentar – Art. 186, VII, do Decreto-lei n. 7.661/1945 – Superveniência da Lei n. 11.101/2005 – Ausência de caracterização de tal conduta entre os novos delitos falimentares – Incidência, *in casu*, das disposições do art. 2º, *caput*, do CP – Decisão reformada – Extinção da punibilidade *ex officio* decretada, com fulcro no art. 107, III, do CP – Recurso provido para esse fim" (1ª Câmara Criminal, ACr 479.577-3/2-00, São Paulo, rel. Des. Mário Devienne Ferraz, j. 25.4.2005, v.u., Voto 5.513).

"Crime falimentar – Art. 186, VII, do Decreto-lei n. 7.661/1945 – Superveniência da Lei n. 11.101/2005 – *Abolitio criminis* – Ocorrência – Aplicação do disposto no parágrafo único do art. 2º do CP – Cabimento – Decretação da extinção da punibilidade do acusado, nos termos do art. 107, III, do CP – Necessidade – Hipótese – Embargos rejeitados, sendo concedido *habeas corpus* de ofício" (5ª Câmara Criminal, EI 473.228.3/0-0002-000, São Paulo, rel. Des. Pinheiro Franco, j. 23.2.2006, m.v., Voto 8.185).

"Extinção da punibilidade – *Abolitio criminis* – Crime falimentar – Apresentação de relatório contrário à verdade fática – Art. 189, IV, do Decreto-lei n. 7.661/1945 – Hipótese – Inteligência do art. 171 da Lei n. 11.101/2005, cuja descrição nele contida, apesar de similar, não induz à perfeita tipicidade, restando afastada a incriminação pretérita – Ordem parcialmente concedida, com recomendação" (12ª Câmara Criminal, HC 985.458.3/4-0000-000, São Bernardo do Campo, rel. Des. Sydnei de Oliveira Jr., j. 20.9.2006, v.u., Voto 3.296).

Dentre aqueles delitos que não existiam na legislação anterior, cuja figura típica foi criada na Lei 11.101/2005 (*novatio legis* incriminadora), podem ser citados:

Tabela 4: Casos de *novatio legis* incriminadora

Dispositivos legais da Lei 11.101/2005 objeto de *novatio legis* incriminadora	Definição legal
Art. 169	Violação de sigilo empresarial
Art. 170	Divulgação de informações falsas
Art. 171	Indução a erro
Art. 174	Aquisição, recebimento ou uso ilegal de bens
Art. 176	Exercício ilegal de atividade
Todos os crimes que ocorrerem na fase de recuperação (judicial ou extrajudicial), uma vez que tais condutas não eram incriminadas na legislação anterior	

Dentre os dispositivos que foram alvo de majoração de pena ou que, de qualquer forma, vieram a prejudicar a situação do agente (*novatio legis in pejus*) estão os seguintes:

Tabela 5: Casos de *novatio legis in pejus*

Dispositivos da legislação anterior (Decreto-lei 7.661/1945)	Dispositivos da Lei 11.101/2005 que encerram *novatio legis in pejus*
Art. 187 (ato fraudulento de que resulte ou possa resultar prejuízo aos credores, pena de reclusão de um a quatro anos)	Art. 168 (fraude a credores, pena de reclusão de três a seis anos e multa e causas de aumento de pena de 1/6 a 1/3, constantes do § 1º, I-V, e de 1/3 até metade, constante do § 2º – contabilidade paralela)
Art. 188, I (simular capital, pena de reclusão de um a quatro anos)	Art. 168, § 1º, IV (pena de reclusão de três a seis anos e multa e aumento de pena de 1/6 a 1/3)
Art. 188, II (pagamento antecipado de credores, pena de reclusão de um a quatro anos)	Art. 172 (favorecimento de credores, pena de reclusão de dois a cinco anos e multa)
Art. 188, III (desvio de bens, pena de reclusão de um a quatro anos)	Art. 173 (desvio ocultação ou apropriação de bens, pena de reclusão de dois a quatro anos e multa)
Art. 188, IV (simulação de perdas, pena de reclusão de um a quatro anos)	Art. 172 (favorecimento de credores, pena de reclusão de dois a cinco anos e multa)
Art. 188, VI (escrituração falsificada, pena de reclusão de um a quatro anos)	Art. 168, § 1º, I, II, III e V (pena de reclusão de três a seis anos e multa e aumento de pena de 1/6 a 1/3)
Art. 188, VII (omissão na escrituração contábil, pena de reclusão de um a quatro anos)	Art. 178 (omissão de documentos contábeis obrigatórios, pena de detenção de um a dois anos e multa, se o fato não constitui crime mais grave)
Art. 188, VIII (supressão de escrituração, pena de reclusão de um a quatro anos)	Art. 168, § 1º, V (se for meio para fraude a credores) (pena de reclusão de três a seis anos e multa e aumento de pena de 1/6 a 1/3)
	Art. 178 (detenção de um a dois anos e multa)
Art. 186, parágrafo único (perdão judicial aos pequenos comerciantes)	Art. 168, § 4º (transformado em mera causa de redução ou substituição de pena)

Dispositivos da legislação anterior (Decreto-lei 7.661/1945)	Dispositivos da Lei 11.101/2005 que encerram *novatio legis in pejus*
Art. 189, I (desvio de bens, pena de reclusão de um a três anos)	*Art. 172* (favorecimento de credores, pena de reclusão de dois a cinco anos e multa) *Art. 173* (desvio, ocultação ou apropriação de bens, pena de reclusão de dois a quatro anos e multa)
Art. 189, II (habilitação ilegal de crédito, pena de reclusão de um a três anos)	*Art. 175* (pena de reclusão de dois a quatro anos e multa)
Art. 189, III (reconhecer o devedor como verdadeiros créditos falsos ou simulados, pena de reclusão de um a três anos)	*Art. 172* (favorecimento de credores, pena de reclusão de dois a quatro anos) ou *Art. 168* (fraude a credores, pena de reclusão de três a seis anos e multa) ou *Art. 299 do CP* (falsidade ideológica, reclusão de um a cinco anos e multa, se o documento é público, e reclusão de um a três anos e multa, se o documento é particular) conforme a conduta do agente
Art. 190 (violação de impedimento, pena de detenção de um a dois anos)	*Art. 177* (violação de impedimento, pena de reclusão de dois a quatro anos)

Também já se reconheceu a *novatio legis in pejus* na vigência da Lei 11.101/2005 em relação ao crime do art. 189, I, do Decreto-lei 7.661/1945 em relação ao art. 173 da primeira. Nesse sentido:

> "Extinção da punibilidade – *Abolitio criminis* – Crime falimentar – Ocultação de bens – Art. 189, I, do Decreto-lei n. 7.661/1945 – Inocorrência – Inteligência do art. 173 da Lei n. 11.101/2005 – *Novatio legis in pejus*, em face da pena mais gravosa – Caracterização – Ordem parcialmente concedida, com recomendação" (TJSP, 12ª Câmara Criminal, HC 985.458.3/4-0000-000, São Bernardo do Campo, rel. Des. Sydnei de Oliveira Jr., j. 20.9.2006, v.u., Voto 3.296).

Igualmente foram objeto de agravamento na situação do autor de delito falimentar os dispositivos constantes do art. 181, I, II e III, e o art. 182, todos da Lei 11.101/2005, que dispuseram sobre efeitos da condenação (antes prevista meramente a interdição do exercício do comércio) e os prazos de prescrição (anteriormente em dois anos para todos os crimes falimentares), agora, em regra, mais gravosos ao acusado, uma vez que regidos conforme a pena de cada crime, nos termos do Código Penal (mínimo de dois anos pelo art. 109 do CP).[6]

Interessante verificar que o TJSP entendeu que no caso de *novatio legis in pejus* a denúncia por fatos típicos anteriores à vigência da Lei 11.101/2005, que se seguiram regulados por esse diploma legal, de modo a tornar mais gravosa a situação do agente, deve ser feita com base na nova legislação, ainda que seja aplicada a pena prevista na lei anterior (Decreto-lei 7.661/1945), por ser mais benéfica.[7]

6. Dizemos que os prazos prescricionais são "em regra" mais gravosos porque nem sempre a prescrição regida pelo art. 109 do CP e seus incisos será mais gravosa ao acusado. Como se verá mais adiante, na legislação falimentar revogada a prescrição, nos termos da Súmula 147/STF, decorria num prazo máximo de quatro anos a contar da quebra (dois anos para encerramento da falência, mais dois anos contidos no art. 199 do Decreto-lei 7.661/1945, relativos ao prazo prescricional propriamente dito). Isso ocorria quaisquer que fossem o crime, o agente ou a pena cominada. No Código Penal a prescrição dependerá de cada caso concreto. *Vejamos um exemplo de situação benéfica ao réu*: o agente que, maior de 70 anos à época da sentença, omitira a escrituração de livros estava sujeito a uma pena de seis meses a três anos de detenção (art. 186, VI, do Decreto-lei 7.661/1945). A prescrição, pelo ordenamento anterior, seria decretada, no máximo, *três anos após a quebra* (*dois anos contados da decisão de falência, em que o prazo prescricional não se iniciava, mais um ano de prazo prescricional a partir de então, contando-se a prescrição de dois anos, no caso, pela metade, dada a idade do réu – CP, art. 115*). Na vigência da Lei 11.101/2005 para o mesmo fato (omissão de escrituração, art. 178) a prescrição é, em regra, a mesma de quatro anos (dado a pena máxima do crime do art. 178 da Lei 11.101/2005 ser de dois anos). Mas o réu que for maior de 70 anos de idade na data da sentença terá a prescrição reduzida pela metade, totalizando *dois anos a partir da data da quebra*. Pela antecipação do termo inicial da contagem do prazo, ocorrerá, muitas vezes, uma situação em que se consubstancia verdadeira *novatio legis in melius* e que poderá ensejar a aplicação retroativa da Lei 11.101/2005.
7. TJSP, *RT* 856/589: "Denúncia – Crime falimentar – Fatos típicos anteriores que se seguiram regulados pela Lei n. 11.101/2005 – Peça inicial acusatória que deve ser feita com base na nova legislação, ainda que seja aplicada a pena prevista na lei anterior, por ser mais benéfica, devido à ocorrência da *novatio legis in pejus*".

14

DA UNIDADE OU UNICIDADE DO CRIME FALIMENTAR E O PROBLEMA DE SUA SUBSISTÊNCIA NA VIGÊNCIA DA LEI 11.101/2005

14.1 Unidade e concurso de crimes falimentares e comuns.

Na vigência da lei anterior era pacífico na doutrina e na jurisprudência que o crime falimentar deveria ser único, ou seja, ocorrido mais de um delito falimentar, somente se puniria aquele dotado de pena mais grave,[1] restando impuníveis os delitos menores.

1. V., como exemplo de aplicação do princípio da unicidade, os seguintes acórdãos:

TJSP, 1ª Câmara Criminal, ACr 92.488-3, São Paulo, rel. Des. Luiz Betanho, j. 30.1.1991: *"Ementa:* Pena – Redução – Crimes falimentares – Aplicação das penas de cada uma das figuras criminais em que incorreu o réu – Inadmissibilidade – Imposição somente da pena do crime mais grave – Atendimento ao princípio da unicidade penal falimentar – Recurso parcialmente provido".

TJSP, 2ª Câmara Criminal, ACr 242.746-3, São Paulo, rel. Des. Silva Pinto, j. 9.3.1998, v.u.: *"Ementa:* Concurso formal – Crime falimentar – Arts. 186 e 188 da Lei de Falências – Aumento da pena – Impossibilidade – Crimes praticados pelo próprio falido – Unidade e não pluralidade de crimes – Redução determinada – Recurso provido para este fim".

TJSP, ACr 166.017-3, São José do Rio Preto, rel. Des. Augusto Marin. j. 5.12.1994: *"Ementa:* Crime falimentar – Caracterização – Supressão de livros obrigatórios e prática de atos fraudulentos – Afastamento, entretanto, do delito previsto no art. 188 da Lei de Falências – Condenação mantida face ao princípio da unicidade do crime falimentar – Recurso não provido".

TJSP, 3ª Câmara Criminal, ACr 260.991-3, Diadema, rel. Des. Walter Guilherme, j. 4.5.1999, v.u.: *"Ementa:* Apelação – Crime falimentar (arts. 186, VII, 187 e 188, VIII, da Lei de Falências) – Preliminar de prescrição não atendida, pois entre a data em que a falência se devia encerrar e a do recebimento da denúncia, entre

A principal justificativa doutrinária para a unidade ou unicidade dos crimes falimentares era a de que a decisão que decreta a falência (hoje também a concessiva de recuperação judicial e homologatória do plano de recuperação extrajudicial), agindo como condição de punibilidade do delito falimentar, de forma una, converte em unidade jurídica os atos praticados pelo devedor ou equiparados.

Trajano de Miranda Valverde ressalta, com peculiar propriedade, que: "Sendo, como é, na hipótese, única a condição de punibilidade, converte ela em unidade a pluralidade dos atos praticados pelo devedor anteriores à declaração da falência. O evento ofensivo é um só, ainda que haja o concurso de vários fatos mencionados na lei, já que estes não constituem crimes por si mesmos (...). Trata-se, pois, de crime de estrutura complexa, em que as ações ou omissões são unificadas pela lei porque revelam uma conduta ilícita do devedor ou falido na direção dos seus negócios ou da sua empresa. Isto posto, verificando-se a existência de diversos fatos mencionados na lei, dá-se uma só ação punível, e não uma pluralidade de ações puníveis".[2]

Franz von Liszt leciona no mesmo sentido: "A suspensão de pagamentos ou a abertura de falência é condição de punibilidade (...). Esta condição de punibilidade, sendo, como é, una, converte em unidade jurídica o conjunto dos atos praticados pelo devedor comum".[3]

Além desse fato, cooperava também para uma única punição em tema de delito falimentar a circunstância de que vários crimes descritos no ordenamento falimentar revogado se constituíam em tipos mistos al-

esta e a do julgamento do recurso não transcorreu o biênio (arts. 132, § 1º, da Lei de Falências e 117, I e IV, do CP e Súmula n. 147/STF) – Prova insuficiente de ser (...) sócio oculto da falida, de sorte a recair também sobre ele a responsabilidade pela prática dos crimes denunciados – Prova suficiente de ser sócio da empresa quando da decretação da quebra e, pois, responsável pelos delitos dos arts. 186, VII, e 188, VIII, da Lei de Quebras – Insuficiente a prova, todavia, no que concerne ao crime de transferência simulada ou fraudulenta das contas sociais (art. 187 da Lei de Falências) – Recurso de (...) provido e provido parcialmente o de (...), sem alteração da pena, em face da unidade do crime falimentar, mas convertido o processo em diligência relativamente a este último, para fim de cumprimento do art. 89 da Lei n. 9.099/1995".

TJSP, ACr 142.571-3, Osasco, rel. Des. Djalma Lofrano, j. 23.12.1993: "*Ementa*: Pena – Redução – Crime falimentar – Princípio da unicidade que deve ser observado na sua aplicação – Recurso provido para esse fim".

2. Trajano de Miranda Valverde, *Comentários à Lei de Falências*, Rio de Janeiro, Forense, 1962, pp. 44-45.

3. Franz von Liszt, *Tratado de Direito Penal Alemão*, Brasília, Senado Federal/ Conselho Editorial, STJ, 2006, p. 288.

ternativos, nos quais, cometida mais de uma das condutas descritas nos tipos penais, ter-se-ia apenas uma punição.

Vale lembrar novamente a lição de Trajano de Miranda Valverde em comentários ao art. 186 do Decreto-lei 7.661/1945, segundo o qual os delitos falimentares ali estatuídos consubstanciavam-se em crimes de conteúdo variado (chamados também por alguns de "tipos mistos alternativos"): "Trata-se de crime de conteúdo variado. Um só fato basta para revelar, no conceito da lei, a negligência, a imprudência ou a imperícia, conforme o caso, do devedor na direção dos seus negócios ou da sua empresa. A ocorrência de mais de um fato não quebra a unidade do crime. Poderá, porém, determinar o aumento da pena".[4]

Os tipos mistos alternativos, de ação múltipla ou de conteúdo variado, como explica Damásio E. de Jesus, "são crimes em que o tipo penal faz referência a várias modalidades da ação (...). Neste caso, mesmo que sejam praticadas as três formas de ação, elas são consideradas fases de um só crime".[5]

Ademais, considerava-se que a sujeição passiva dos crimes falimentares e os bens jurídicos atingidos eram os mesmos nas diversas condutas previstas, o que não justificava o concurso de crimes.

Na vigência da Lei 11.101/2005 surgiram discussões acirradas sobre a permanência da unicidade como princípio inerente aos delitos falimentares.

De fato, a forma de definição dos crimes falimentares efetivada no novo diploma falencial é completamente diferente daquela empregada na legislação anterior, além do fato de a lei atual nada ter dito em acolhimento ao princípio da unidade ou unicidade.

Opinando desfavoravelmente à continuidade do princípio na Lei 11.101/2005, Arthur Migliari Jr. ressalta, com nosso aplauso: "No entanto, ao que nos parece, pelo texto da Lei de Recuperação de Empresas (LRE), tal forma de pensar caiu em total desuso e descrédito. Primeiro porque a Lei 11.101/2005 mandou aplicar todas as normas do Código Penal brasileiro, aqui incluídas as regras do concurso de crimes (arts. 69 a 71 do CP) (...). Há uma classificação totalmente diferente, havendo crimes que são cometidos antes da falência, depois da falência, concomitantemente com esta e, principalmente, crimes que podem subsistir por si sós, sem que exista uma falência decretada. Não vemos como, diante do novo texto legal, possa persistir a idéia de unicidade dos crimes fa-

---

4. Trajano de Miranda Valverde, *Comentários à Lei de Falências*, cit., p. 52.
5. Damásio E. de Jesus, *Direito Penal*, São Paulo, Saraiva, 1988.

lenciais, eis que a atuação da persecução penal poderá ser iniciada em qualquer fase do procedimento de recuperação ou da falência, tão logo ocorrer o delito, ou quando entender mais viável à persecução penal, o órgão do Ministério Público".[6]

O STJ, entretanto, embora não tenha enfrentado claramente a questão, parece continuar a aplicar o princípio da unidade mesmo na vigência da Lei 11.101/2005, como se verifica na decisão seguinte.

"*Ementa:* Criminal – *Habeas corpus* – Crimes falimentares – Quadrilha – Princípio da unicidade – Aplicação somente aos crimes falimentares – Quadrilha – Delito autônomo – Concurso material – Possibilidade – Incompetência do Juízo Cível para o julgamento – Argumento anteriormente analisado por esta Corte – Reiteração de pedido – Não conhecimento – Ordem parcialmente conhecida e denegada.

"I – O princípio da unicidade é ficção criada pela doutrina, a qual dispõe que, no caso de concurso de diversas condutas direcionadas ao cometimento de fraudes geradoras de prejuízos aos credores da empresa submetida ao processo de falência, deve-se entender como praticado um só tipo penal, com a aplicação ao agente somente da pena do mais grave deles.

"II – Não há que se falar em aplicação do princípio da unidade dos crimes falimentares na hipótese dos autos, pois não se trata de concurso de delitos tipificados apenas na Lei n. 11.101/2005, uma vez que também foi atribuído ao paciente crime descrito no Código Penal.

"III – As situações tratadas pelo estatuto repressivo, desde que não configurem *bis in idem*, devem ser punidas separadamente em relação àquelas compreendidas pelo princípio da unicidade, sendo o caso de concurso material, cumulando-se as reprimendas impostas.

"IV – Evidenciado que o tema trazido na impetração, referente à incompetência do Juízo Cível para julgar o delito autônomo e distinto do falimentar , já foi apreciado por esta Corte, resta configurada a indevida reiteração de pedido.

"V – Ordem parcialmente conhecida e, nesta extensão, denegada.

"*Decisão:* A Turma, por unanimidade, conheceu parcialmente do pedido e, nessa parte, denegou a ordem. Os Srs. Mins. Laurita Vaz, Arnaldo Esteves Lima e Félix Fischer votaram com o Sr. Ministro Relator" (5ª Turma, HC 56.368-SP (200600589373), rel. Min. Gilson Dipp, j. 24.10.2006, *DJU* 20.11.2006, p. 00347).

Problema processual que pode surgir se adotado o princípio da unidade é o de saber o exato momento de sua aplicação. Por outras palavras, pode-se indagar: dada a unidade do crime falimentar, havendo mais de

---

6. Arthur Migliari Jr., *Crimes de Recuperação de Empresas e de Falências*, São Paulo, Quartier Latin, 2006.

um delito desta espécie, deve haver, desde logo, único crime apurado nas investigações e único crime a constar em eventual denúncia ou queixa, ou o reconhecimento da unidade somente deverá acontecer em decisão judicial?

Tal questão é relevante, pois muitas vezes a própria tipificação dada na denúncia, com pluralidade e concurso de crimes, inviabilizará a concessão de benefícios penais como os da suspensão condicional do processo ou a transação penal, constantes da Lei 9.099/1995.[7]

O STJ, analisando essa questão, veio a decidir pela impossibilidade de aplicação do princípio da unidade dos crimes falimentares antes da sentença, para a concessão de eventuais benefícios de suspensão condicional do processo.[8]

Nesse sentido:

"*Ementa: Habeas corpus* – Crimes falimentares – Concurso material – Suspensão condicional do processo – Impossibilidade – Princípio da unicidade – Inaplicabilidade antes da sentença – Incidência da Súmula n. 243/STJ.

"1. Constitui óbice inarredável o fato de haver concurso material de crimes (arts. 186, inciso VI, e 188, inciso VIII, do Decreto-lei n. 7.661/1945), cujas penas mínimas cominadas em abstrato são, respectivamente, de seis meses e um ano, perfazendo um somatório acima da restrição legal, que é de um ano – Incidência do Verbete Sumular n. 243 desta Corte.

"2. A unidade dos crimes falimentares, ressalte-se, fictícia, de criação doutrinária, e altamente questionável, já caracterizaria uma benesse ao agente, aplicável somente ao final da instrução criminal, por ocasião da prolação da sentença. Não pode servir, também, para, contornando o comando legal (art. 89 da Lei n. 9.099/1995), vencer uma restrição

---

7. Por exemplo, se o concurso de crimes constante da denúncia ultrapassar a pena mínima de um ano pela soma ou aumento de pena derivadas do concurso, incabível restaria a aplicação da suspensão condicional do processo. Nesse sentido é o entendimento da Súmula 243/STJ: "O benefício da suspensão do processo não é aplicável em relação às infrações penais cometidas em concurso material, concurso formal ou continuidade delitiva quando a pena mínima cominada, seja pelo somatório, seja pela incidência da majorante, ultrapassar o limite de um ano".

8. Não podemos deixar de consignar posição contrária do TJSP, muito embora não concordemos com a posição tomada, admitindo a aplicação do princípio da unicidade antes da sentença para a concessão do benefício da suspensão condicional do processo. Nesse sentido: "Processo crime – Suspensão condicional – Crime falimentar – Concurso material – Irrelevância – Princípio da unicidade – Sujeição à Lei federal n. 9.099/1995 – Crime mais grave, no caso, cuja pena mínima cominada é de um ano – Aplicabilidade do benefício" (*JTJ* 253/502).

objetiva à suspensão condicional do processo, outro benefício instituído pela lei.

"3. É improcedente o pedido alternativo de remessa dos autos ao Procurador-Geral de Justiça, porquanto a hipótese de aplicação analógica do disposto no art. 28 do CPP ocorre quando há divergência entre o juiz e o promotor de justiça acerca do oferecimento do benefício, o que não é o caso dos autos.

"4. Ordem denegada.

"*Decisão:* Vistos, relatados e discutidos estes autos: Acordam os Ministros da 5ª Turma do Superior Tribunal de Justiça, na conformidade dos votos e das notas taquigráficas a seguir, por unanimidade, denegar o pedido. Os Srs. Mins. José Arnaldo da Fonseca, Félix Fischer, Gilson Dipp e Jorge Scartezzini votaram com a Sra. Ministra Relatora" (5ª Turma, HC 26.126-SP (200201758984), j. 18.11.2003).

14.1 Unidade e concurso de crimes falimentares e comuns

Ainda que se admita a unidade ou unicidade como princípio inerente aos crimes falimentares – posição com a qual não concordamos –, é de se ressaltar que esta não se aplica quando haja concurso de crime falimentar e crime comum, mas unicamente quando exista pluralidade de crimes falimentares.

A legislação anterior (Decreto-lei 7.661/1945) dizia, em seu art. 192, que no concurso entre crime comum e crime falimentar dever-se-ia aplicar a regra do concurso formal (antigo art. 51, § 1º, do CP, atual art. 70 do mesmo diploma).

À época, bem explicavam a hipótese de concurso de crimes falimentares e comuns Alberto Silva Franco *et al.*: "Há de se distinguir duas hipóteses em tema de concurso de crime falimentar com crime comum: (a) a figura falimentar também constitui crime comum, independentemente, portanto, da declaração da falência, tratando-se apenas de uma ação (...); (b) o crime comum não é previsto como crime falimentar (...). No primeiro caso, determina o art. 192 que os dois crimes concorrentes sejam reconhecidos, com aplicação da regra do art. 70 do CP (concurso formal). Na segunda hipótese ('b'), ou só há o crime comum ou há concurso material com crime falimentar".[9]

Na vigência da Lei 11.101/2005 não há determinação expressa no sentido da espécie de concurso de crimes cabível em cada caso concre-

---

9. Alberto Silva Franco *et al.*, *Código Penal e sua Interpretação Jurisprudencial*, vol. 2, São Paulo, Ed. RT, 1997, p. 1.488.

to. Assim, entendemos que a matéria restará regulada em sua totalidade pelo Código Penal (arts. 69-71), de aplicação subsidiária à legislação falimentar em matéria criminal.

Muito comum é o concurso de crimes falimentares com o delito de quadrilha,[10] formada para a prática de delitos em detrimento da coletivi-

10. STJ, 5ª Turma, HC 85.148-SP (2007/0140134-7), rela. Min. Jane Silva (Desembargadora convocada do TJMG – 8.145), j. 6.9.2007, *DJU* 1.10.2007, p. 351: "*Ementa:* Criminal – *Habeas corpus* – Condenação – Quadrilha – Participação do réu não demonstrada – Falta de provas – Não ocorrência – Sentença e acórdão bem elaborados – Fundamentação nas provas dos autos – Legalidade da condenação – Maiores incursões não permitidas na via eleita – Revolvimento dos fatos e provas – Impropriedade do *writ* – Ordem denegada. 1. Se a sentença monocrática foi habilmente elaborada pelo juízo singular, que explicitou minuciosamente os fatos atribuídos aos acusados, com a devida participação de cada um, descrevendo de forma detalhada os acontecimentos, com as respectivas provas, não há que se falar em constrangimento ilegal. 2. Demonstrado o prévio ajuste entre os denunciados, os quais se associaram livremente com o fim de praticar crimes falimentares contra a massa credora, resta afastada a tese defensiva de nulidade da sentença condenatória, bem como do aresto impugnado, sendo certo que foi explicitada nas decisões a prática pelo paciente dos atos delituosos a ele imputados, especialmente do crime de quadrilha. 3. O *habeas corpus* constitui-se em meio impróprio para maiores incursões acerca da legalidade da condenação do réu no delito a ele imputado, por demandar exame aprofundado das circunstâncias de fato e das provas dos autos. 4. Ordem denegada".

STJ, 5ª Turma, HC 33.398-SP (2004/0011566-8), rel. Min. Gilson Dipp, j. 17.8.2004, *DJU* 20.9.2004, p. 311: "*Ementa:* Criminal – *Habeas corpus* – Crimes falimentares e formação de quadrilha – Trancamento da ação penal – Inépcia da denúncia – Prejuízo à defesa não evidenciado – Autoria coletiva – Possibilidade de denúncia mais ou menos genérica – Ausência de constrangimento ilegal – Ordem denegada. I – Eventual inépcia da denúncia só pode ser acolhida quando demonstrada inequívoca deficiência a impedir a compreensão da acusação, em flagrante prejuízo à defesa do acusado, ou na ocorrência de qualquer das falhas apontadas no art. 43 do CPP, o que não se vislumbra *in casu*. II – Exordial acusatória que narra com clareza a possibilidade de existência dos fatos típicos, permitindo aos acusados o perfeito conhecimento da extensão da narração e, por conseqüência, facultando-lhes a ampla defesa. III – Tratando-se de delito de autoria coletiva, não se tem como inepta a denúncia que não descreve pormenorizadamente a conduta dos denunciados quando não obstrui nem dificulta o exercício da mais ampla defesa, admitindo-se a narração mais ou menos genérica, por interpretação pretoriana do art. 41 da lei processual penal. IV – Ordem denegada".

STJ, 5ª Turma, RHC 16.854-SP (2004/0158509-0), rel. Min. Gilson Dipp, j. 24.5.2005, *DJU* 13.6.2005 p. 324: "*Ementa:* Criminal – Recurso de *habeas corpus* – Crime falimentar – Desvio de bens – Formação de quadrilha – Trancamento da ação penal – Inépcia da denúncia – Atipicidade da conduta – Falhas não vislumbradas – Questões controvertidas devem ser submetidas à instrução criminal – Incompetência do juízo falimentar para o processo e julgamento do crime de quadrilha – Impro-

dade de credores, lavagem de dinheiro (Lei 9.613/1998),[11] crimes contra a ordem tributária, contra o sistema financeiro, estelionato, duplicata simulada, entre outros.[12]

cedência – Conexão – Prisão preventiva – Réu foragido – Necessidade da custódia demonstrada – Prisão administrativa – Súmula n. 280/STJ – Recurso parcialmente conhecido e desprovido – *Habeas corpus* de ofício concedido – Hipótese em que o paciente foi denunciado pela suposta prática de crime falimentar (desvio de bens) e formação de quadrilha, tendo sido decretadas as suas prisões administrativa e preventiva – Pleito de trancamento da ação penal por inépcia da denúncia, em razão da ilegitimidade passiva e atipicidade da conduta do paciente, e de revogação das custódias. Os vícios apontados pelo recorrente, quanto à atipicidade da conduta e ilegitimidade passiva, não restaram, de plano, comprovados. Se evidenciadas a ocorrência de suposta transferência de valores para conta no exterior, ainda que de titularidade da empresa falida, e a ausência de arrecadação da referida quantia na fase própria do processo de falência, em prejuízo aos credores, resta configurado, em tese, o crime de desvio de bens. A associação de mais de três pessoas para o fim de cometer crimes caracteriza o eventual cometimento do delito de formação de quadrilha ou bando, ainda que nenhum crime seja efetivamente praticado, bastando, portanto, o intuito de proceder à prática delitiva. A via eleita não se presta para verificar se o paciente é, ou não, sócio, diretor ou gerente da empresa falida, demonstração que caberá à defesa no decorrer da instrução criminal, momento adequado para a dilação probatória e esclarecimentos das questões controvertidas. Eventual inépcia da denúncia só pode ser acolhida quando demonstrada inequívoca deficiência a impedir a compreensão da acusação, em flagrante prejuízo à defesa do acusado, ou na ocorrência de qualquer das falhas apontadas no art. 43 do CPP, o que não se verificou no caso. Ainda que o delito de formação de quadrilha não seja propriamente falimentar, o seu julgamento compete ao Juízo da Falência, em virtude da conexão, porque evidenciado que a sua prática ocorreu no mesmo contexto em que cometidos os crimes falimentares – Precedentes desta Corte. O simples fato de se tratar de réu foragido pode obstar à pretendia revogação da prisão processual. A decretação da prisão administrativa do paciente, com base em dispositivo da Lei de Falências, configura constrangimento ilegal, pois tal dispositivo afronta a Constituição da República – Incidência da Súmula n. 280/STJ – Recurso parcialmente conhecido e desprovido – Concessão de *habeas corpus*, de ofício, para revogar a prisão administrativa decretada contra o paciente".

11. STJ, 5ª Turma, RHC 11.918-SP (2001/0114611-9), rel. Min. Gilson Dipp, j. 13.8.2002, *DJU* 16.9.2002. p. 202: "*Ementa:* Criminal – Recurso de *habeas corpus* – 'Lavagem' de dinheiro – Crimes falimentares, estelionatos e falsidade – Trancamento da ação – Inépcia da denúncia – Requisitos do art. 41 do CPP – Crime de autoria coletiva – Denúncia mais ou menos genérica admitida – Ausência de justa causa não evidenciada – Ausência de elementos comprobatórios do nexo de causalidade entre a conduta do paciente e o delito – Impropriedade do meio eleito – Competência da Justiça Estadual – Recurso desprovido. Eventual inépcia da denúncia só pode ser acolhida quando demonstrada inequívoca deficiência a impedir a compreensão da acusação e em flagrante prejuízo à defesa dos réus, sendo que, tratando-se de crimes de autoria coletiva, de difícil individualização da conduta de cada participante, admite-se a denúncia de forma mais ou menos genérica, por interpretação

Havendo concurso entre crime falimentar e outro definido no Código Penal ou legislação penal especial, como vimos, será incabível a aplicação do princípio da unicidade e, por conseqüência, de benefícios penais previstos na Lei 9.099/1995 (Lei dos Juizados Especiais) se as penas do concurso de crimes superarem o patamar exigido por essa legislação.[13]

pretoriana do art. 41 do CPP. A falta de justa causa para a ação penal só pode ser reconhecida quando de pronto, sem a necessidade de exame valorativo do conjunto fático ou probatório, evidenciarem-se a atipicidade do fato, a ausência de indícios a fundamentar a acusação ou, ainda, a extinção da punibilidade. É imprópria a alegação de ausência de justa causa para o prosseguimento da ação penal sob a alegação de que o paciente não seria sócio das empresas, atuando, apenas, como advogado de uma delas, se evidenciadas, nos autos, a presença de indícios suficientes para a possível configuração do crime de 'lavagem' de dinheiro e a participação, em tese, do paciente em suas atividades. O *habeas corpus* é meio impróprio para a análise de alegações que exijam o exame do conjunto fático-probatório, como a sustentada ausência de elementos comprobatórios do nexo de causalidade entre a conduta do paciente e o delito que lhe foi imputado, tendo em vista a incabível dilação que se faria necessária. A competência para o crime de 'lavagem' de dinheiro é definida diante do caso concreto e em função do crime antecedente. Se o crime anterior for de competência da Justiça Federal, caberá a esta o julgamento do processo relacionado ao crime acessório. Competem à Justiça Estadual o processo e julgamento de delito de 'lavagem' ou ocultação de bens, direitos e valores oriundos, em tese, de crimes falimentares, estelionatos e falsidade se inexistente, em princípio, imputação de delito antecedente afeto à Justiça Federal – Recurso desprovido".

12. Analisaremos melhor o concurso entre os delitos falimentares e os crimes de estelionato e duplicata simulada quando passarmos em revista ao art. 168 da Lei 11.101/05.

13. TJSP, *RT* 801/516: "Suspensão do processo – Crime falimentar – Aplicação do princípio da unicidade dos crimes – Inadmissibilidade se há a imputação de outra infração prevista no Código Penal – Concurso material que impede a aplicação do art. 89 da Lei n. 9.099/1995".

15
DOS CRIMES EM ESPÉCIE

> *15.1 Da fraude a credores. 15.2 Da violação de sigilo empresarial. 15.3 Da divulgação de informações falsas. 15.4 Da indução a erro. 15.5 Do favorecimento de credores. 15.6 Do desvio, ocultação ou apropriação de bens. 15.7 Da aquisição, recebimento ou uso ilegal de bens. 15.8 Da habilitação ilegal de crédito. 15.9 Do exercício ilegal de atividade. 15.10 Da violação de impedimento. 15.11 Da omissão dos documentos contábeis obrigatórios.*

Em relação ao ordenamento anterior, a Lei 11.101/2005 optou claramente por um endurecimento na punição dos crimes falimentares.

Esse, aliás, foi um dos princípios enunciados pelo senador Ramez Tebet em seu parecer sobre o Projeto que originou a legislação atual:[1] *"Rigor na punição de crimes relacionados à falência e à recuperação judicial*: é preciso punir com severidade os crimes falimentares, com o objetivo de coibir as falências fraudulentas, em função do prejuízo social e econômico que causam. No que tange à recuperação judicial, a maior liberdade conferida ao devedor para apresentar proposta a seus credores precisa necessariamente ser contrabalançada com punição rigorosa aos atos fraudulentos praticados para induzir os credores ou o juízo a erro. Naturalmente, nem sempre é possível a perfeita satisfação de cada um desses enunciados, principalmente quando há conflito entre dois ou mais deles. Nesses casos, é necessário sopesar as possíveis conseqüências sociais e econômicas e buscar o ponto de conciliação, a configuração mais justa e que represente o máximo benefício possível à sociedade".

---

1. Parecer 534/2004. Sobre o Projeto de Lei da Câmara 71/2003 (n. 4.376/1993 na Casa de origem), de iniciativa do Presidente da República, que regula a recuperação judicial, a extrajudicial e a falência de devedores pessoas físicas e jurídicas que exerçam atividade econômica regida pelas leis comerciais, e dá outras providências.

Do mesmo modo, foram suprimidas algumas figuras criminais já ultrapassadas pelo tempo (*v.g.*: o crime relativo ao excesso de despesas pessoais injustificadas ou, mesmo, a ausência de rubrica judicial em balanço), criando-se outras de relevante interesse (indução a erro, divulgação de informações falsas etc.).

Mesmo com as inovações e o maior rigor da novel legislação falimentar, entendemos que o legislador ainda deixou de incluir alguns delitos essenciais, presentes na legislação de países mais desenvolvidos, que protegeriam melhor a lisura do procedimento e o interesse dos credores. Dentre eles incluímos o delito de suborno (*bribery*) como forma de manipulação de processo falimentar ou de recuperação e o de suborno em procedimento de leilão ou ofertas (*bid bribery*), constantes da legislação norte-americana (*US Code*, § 152[6]).[2]

Com a criação do instituto da recuperação (judicial ou extrajudicial) pela Lei 11.101/2005, o primeiro delito (*bribery*) teria aplicação ampla em tais processos nos quais o devedor, dependente da aprovação de credores ao plano de recuperação apresentado, oferecesse vantagem indevida a credor para que dele obtivesse voto favorável. Teria aplicação também à conduta do credor que, nas mesmas condições, aceitasse a oferta indevida e votasse favoravelmente à aprovação do plano, baseado na concessão da vantagem ilícita pelo devedor.

Na mesma linha, o segundo delito supracitado (*bid bribery*) seria necessário para proteger de forma mais específica os leilões ou outras formas de alienação do patrimônio do devedor falido ou em recuperação contra o aliciamento feito por interessados que prometam vantagens indevidas aos ofertantes seja para que estes não venham a ser assediados no sentido de não oferecerem lances ou propostas no ato de alienação. Saliente-se que a necessidade de referida proteção mais se acentua na medida em que a Lei 11.101/2005 (art. 141, II) permite a inexistência de sucessão de obrigações entre arrematante e devedor nas dívidas respectivas.

15.1 Da fraude a credores

O primeiro delito a ser tratado no presente trabalho é o descrito no art. 168, concernente à fraude a credores.

2. "A person who – [6] knowingly and fraudulently gives, offers, receives, or attempts to obtain any money or property, remuneration, compensation, reward, advantage, or promise thereof for acting or forbearing to act in any case under title 11."

O delito em estudo correspondia, no regramento anterior, ao crime previsto no art. 187 do Decreto-lei 7.661/1945. Apesar de a redação do *caput* se ter mantido praticamente idêntica, além do aumento de pena na figura simples, acresceu o legislador diversas causas de aumento de pena, constantes dos §§ 1º e 2º, cuja redação comparativa poderá ser vista a seguir.

Tabela 6: Quadro comparativo da fraude a credores na legislação anterior

Redação da legislação anterior (Decreto-lei 7.661/1945)	Redação da Lei 11.101/2005
Art. 187. Será punido com reclusão por um a quatro anos o devedor que, com o fim de criar ou assegurar injusta vantagem para si ou para outrem, praticar, antes ou depois da falência, algum ato fraudulento de que resulte ou possa resultar prejuízo aos credores.	Art. 168. Praticar, antes ou depois da sentença que decretar a falência, conceder a recuperação judicial ou homologar a recuperação extrajudicial, ato fraudulento de que resulte ou possa resultar prejuízo aos credores, com o fim de obter ou assegurar vantagem indevida para si ou para outrem: Pena – reclusão, de três a seis anos, e multa. **Aumento da pena** § 1º. A pena aumenta-se de um sexto a um terço, se o agente: I – elabora escrituração contábil ou balanço com dados inexatos; II – omite, na escrituração contábil ou no balanço, lançamento que deles deveria constar, ou altera escrituração ou balanço verdadeiros; III – destrói, apaga ou corrompe dados contábeis ou negociais armazenados em computador ou sistema informatizado; IV – simula a composição do capital social; V – destrói, oculta ou inutiliza, total ou parcialmente, os documentos de escrituração contábil obrigatórios. **Contabilidade paralela** § 2º. A pena é aumentada de um terço até metade se o devedor manteve ou movimentou recursos ou valores paralelamente à contabilidade exigida pela legislação.

15.1.1 Sujeito ativo

Embora a Lei 11.101/2005 não faça mais referência expressa ao devedor, trata-se de crime próprio de autoria deste. Não está descartada, porém, a hipótese de co-autoria, expressamente prevista no art. 168, § 3º, incluindo terceiros que anuíram à conduta do devedor, auxiliares e prepostos deste (com proeminência daqueles que trabalham na área financeira e contábil).

15.1.2 Sujeito passivo

Aqui, o sujeito passivo é a comunidade dos credores, prejudicada em seus direitos pelos atos fraudulentos praticados, além da administração da justiça.

15.1.3 Objeto jurídico

Ressalvando a constante divergência jurídica sobre o tema, conforme antes se descreveu, o bem jurídico tutelado no crime em tela são os direitos dos credores ao patrimônio íntegro do devedor, com o fim do adimplemento de suas obrigações. Secundariamente protegem-se a ordem jurídica e a administração da justiça, cujo interesse é a correta prestação jurisdicional e a arrecadação dos bens, impedida pelo ato fraudulento.

15.1.4 Tipo objetivo

Trata-se aqui do que se costuma chamar de *estelionato falimentar*. Apesar disso, o delito em questão não se confunde com o estelionato definido no Código Penal, como se verá mais adiante, dado terem vítimas distintas (no crime falimentar, a comunidade de credores; no estelionato, pessoa(s) determinada(s)),[3] não admitir o estelionato o mero prejuízo

---

3. Ilustrativa a decisão da *Procuradoria-Geral de Justiça do Estado de São Paulo* em conflito de atribuições entre promotores de justiça: Protocolado 36.909/2001, conflito de atribuições, IP 00.047930/1-DIPO, comarca de São Paulo, suscitante: Promotora de Justiça de Falências, suscitado: 72º Promotor de Justiça Criminal:

"*Ementa:* Estelionato – Venda de móveis pela empresa que vem a falir – Caracterização – Crime falimentar – Distinção. A conduta do agente que, na condição de representante legal da empresa falida, promete a realização de um serviço de marcenaria e recebe adiantado mas não o executa configura crime de estelionato (modalidade fundamental) e não crime falimentar. A suposta fraude levada a efeito pelo agente teve por escopo a obtenção de vantagem ilícita em prejuízo de pessoa certa e determinada, e não da universalidade de credores. O ato fraudulento não resultou e nem poderia acarretar, da forma como foi praticado, qualquer perigo à massa de credores. Não acarretou a diminuição do patrimônio do devedor, que constitui, como é cediço, a garantia daqueles.

potencial (como se admite no crime falimentar), além da distinção de ânimo do agente (v. comentários ao tipo subjetivo, mais adiante).

O delito em estudo consiste na prática de *ato fraudulento* (imbuído de ardil, engodo ou malícia), *antes ou depois da decretação da quebra ou recuperação*, com o fim de obter ou assegurar *vantagem indevida* para si ou para outrem.

Do ato deve resultar prejuízo efetivo ou potencial aos credores. Neste último caso entendemos que se trata de perigo concreto, devendo ser efetivamente demonstrado a cada caso.

A jurisprudência é farta em casos relativos ao delito em tela, tendo-se decido que respondem pelo crime: (1) o empresário que realiza aumento expressivo de estoque, através de crédito, para, a seguir, pedir concordata e desaparecer com os bens;[4] (2) aquele que usa documentos falsos para obter aumento de capital;[5] (3) o réu que pouco antes da quebra liquida o patrimônio da empresa;[6] (4) o sócio que se utiliza de alteração de nome social em fraude e detrimento dos credores;[7] (5) os sócios que encerram irregularmente a sociedade, sem qualquer procedimento

---

"*Decisão:* Do exposto, dirimo o presente conflito negativo de atribuições, declarando caber à 72ª Promotora de Justiça Criminal da Capital o encargo de atuar no feito e nos seus ulteriores termos" (no mesmo sentido: Protocolado 41.894/2001 e Protocolado 44.036/2001).

4. TJSP, 3ª Câmara Criminal, ACr 106.320-3, rel. Des. Eduardo Pereira, j. 16.12.1991: "*Ementa:* Crime falimentar – Fraude – Aumento expressivo de estoque, através de crédito, para, a seguir, pedir concordata e desaparecer com os bens – Caracterização – Art. 187 da Lei de Falências – Recurso não provido".

5. TJSP, ACr 93.233-3, São Paulo, rel. Des. Andrade Cavalcanti, j. 10.6.1991: "*Ementa:* Crime falimentar – Ocorrência – Réus que, com o intuito de obterem vantagem ilícita em prejuízo dos credores da empresa, pediram concordata preventiva servindo-se de documentos falsos que indicavam um vultoso aumento de capital – Caracterizada a fraude contra credores – Incidência dos arts. 187 e 192 da lei federal – Recurso parcialmente provido".

6. TJSP, 4ª Câmara Criminal, ACr 210.171-3, São José do Rio Preto, rel. Des. Hélio de Freitas, j. 27.5.1997, v.u.: "*Ementa:* Crime falimentar – Art. 187 da Lei de Falências – Fraude – Pretendida condenação – Admissibilidade – Réu que pouco antes da quebra liquidou todo o patrimônio, transferindo-o para outra empresa – Conduta que procurou beneficiar terceiros em detrimento dos credores – Recurso parcialmente provido para esse fim".

7. TJSP, 6ª Câmara Criminal, ACr 221.374-3, São Paulo, rel. Des. Lustosa Goulart, j. 14.8.1997, v.u.: "*Ementa:* Crime falimentar – Fraude – Ocorrência – Empresa que após alteração do nome continuou utilizando denominação social anterior – Realização de contratos – Prejuízo a credores – Condenação mantida – Recurso não provido".

prévio e em detrimento dos credores;[8] (6) aquele que emite cheque sem fundo e encerra irregularmente a atividade empresarial.[9]

Já se entendeu, entretanto, que não se configura o crime: (1) na venda normal de estoque, sem fraude;[10] (2) na venda de linhas telefônicas pouco antes da situação falimentar, feita às claras e sem indícios de fraude.[11]

A Lei 11.101/2005 não faz referência expressa à utilização do processo de recuperação ou de falência pelo devedor como meio destinado à fraude a credores, ou seja, àquela espécie de fraude em que o devedor faz uso do processo judicial como mecanismo destinado a prejudicar seus credores. Igualmente, nem a doutrina nem a jurisprudência nacionais se aprofundaram muito no estudo da questão.

Na legislação norte-americana, porém, a utilização do processo falimentar ou de reorganização como meio para um resultado fraudulento

---

8. TJDF, 1ª Turma Criminal, ACr 20010111205955APR/DF, Acórdão 216.336, rel. Des. Sérgio Bittencourt, j. 18.11.2004, *DJE* 15.6.2005. p. 41: "*Ementa:* Penal – Crime falimentar – Dissolução irregular da empresa – Fraude – Inexistência dos livros obrigatórios – Ausência de escrituração. Se a empresa foi dissolvida irregularmente, causando com isso efetivo prejuízo aos credores, caracterizado se acha o delito previsto no art. 187 do Decreto-lei n. 7.661/1945. O crime previsto no art. 186, inciso VI, da Lei de Falências se configura não só pela inexistência dos livros obrigatórios, mas também pela irregularidade na escrituração contábil".

9. TJDF, 1ª Turma Criminal, ACr 191.9698-DF, Acórdão 112.844, j. 15.4.1999, rel. Des. Natanael Caetano, *DJE* . 19.5.1999, p. 90: "*Ementa:* Crime falimentar – Art. 187 do Decreto-lei n. 7.661/1945 – Alegação de insuficiência da prova produzida – Pedido de absolvição – Recurso improvido. Em se tratando de crime falimentar pela prática de ato fraudulento, consubstanciado pela emissão de cheque sem provisão de fundos e pelo encerramento irregular das atividades, a prova do não funcionamento da empresa no local indicado pelo contrato social, aliada à ausência de notícia de outro local em que esta esteja em funcionamento, além da cópia do cheque emitido pelo réu em nome da empresa, são provas suficientes para caracterizar o delito e suas circunstâncias".

10. TJSP, 2ª Câmara Criminal, ACr 251.143-3, Santo André, rel. Des. Egydio de Carvalho, j. 1.6.1998, v.u.: "*Ementa:* Crime falimentar – Desvio de bens – Venda de mercadoria constante de estoque – Bens que faziam parte do ramo comercial da empresa – Fraude não comprovada – Atipicidade – Absolvição – Recurso provido".

11. TJSP, 4ª Câmara Criminal, ACr 108.691-3, São Paulo, rel. Des. Barreto Fonseca, j. 30.3.1992: "*Ementa:* Crime falimentar – Fraude – Não caracterização – Exclusão da condenação sem repercussão na pena – Admissibilidade – Hipótese em que a transferência de linhas telefônicas, feita às claras, não pode ser tida como ato fraudulento, assim como não é fraude uma maior movimentação de mercadorias às vésperas do pedido de concordata, desde que não haja notícia de expedientes enganosos – Recurso provido em parte para esse fim".

em prejuízo dos credores é expressamente tipificada em lei como crime (*bankruptcy fraud – US Code, chapter 19, title 18, § 157*).[12]

Na doutrina norte-americana aponta-se como exemplo de utilização fraudulenta do processo:

(1) *O devedor que intencionalmente ganha a confiança de seus credores por determinado período de tempo, para conseguir o fornecimento de grandes quantidades de estoque a crédito sem pagamento imediato, vendendo o estoque à vista a terceiros e ingressando com processo de recuperação para forçar a concessão de maiores prazos de pagamento, acordos para não pagar juros ou abatimento de valores (fraude conhecida como* bustout*).*

(2) *O devedor que desvia os valores de empréstimo obtido com garantia hipotecária para outra pessoa jurídica, controlada pelo primeiro ou por pessoa a ele ligada, evitando a execução hipotecária pelo ingresso de processo de recuperação sem qualquer fundamento, beneficiando-se da suspensão de execuções ("automatic stay period"), em prejuízo do credor hipotecário (fraude conhecida como" skimming").*

Entendemos que, embora o artigo em comento não contenha referência expressa à utilização do processo como meio fraudulento em prejuízo aos credores, os termos do tipo penal abrangem referida conduta como criminosa, uma vez que a forma com que a fraude é perpetrada é indiferente, cuidando-se de crime de forma livre. Caberá à jurisprudência, futuramente, a adequação e interpretação de cada caso concreto para o correto enquadramento no delito em questão.

15.1.5 Tipo subjetivo

É o dolo, consistente na vontade livre e consciente de causar prejuízo efetivo ou potencial mediante fraude. Exige-se o elemento

---

12. "A person who, having devised or intending to devise a scheme or artifice to defraud and for the purpose of executing or concealing such a scheme or artifice or attempting to do so – [1] files a petition under title 11, including a fraudulent involuntary bankruptcy petition under section 303 of such title; [2] files a document in a proceeding under title 11, including a fraudulent involuntary bankruptcy petition under section 303 of such title; or [3] makes a false or fraudulent representation, claim, or promise concerning or in relation to a proceeding under title 11, including a fraudulent involuntary bankruptcy petition under section 303 of such title, at any time before or after the filing of the petition, or in relation to a proceeding falsely asserted to be pending under such title, shall be fined under this title, imprisoned not more than 5 years, or both."

subjetivo do tipo (dolo específico), consistente no fim de obtenção de vantagem.

Tem-se distinguido o elemento subjetivo do estelionato daquele exigido na fraude falimentar a credores. Com efeito, a doutrina e a jurisprudência vêm afirmando que no estelionato exige-se o dolo preordenado, ou seja, o propósito anterior ao(s) negócio(s) ou *ab initio* de induzir em erro o sujeito passivo, causando-lhe prejuízo, enquanto no delito falimentar a fraude pode suceder ulteriormente, no decorrer do exercício habitual dos atos empresariais, sem intenção preconcebida de fraude quando do início do ato ou da atividade.[13]

13. Nesse sentido, comentando o art. 187 do Decreto-lei 7.661/1945, Trajano de Miranda Valverde leciona: "A fraude é o meio de que se serve o devedor para alcançar o resultado desejado. Não resta a menor dúvida de que é a mesma fraude civil que integra o crime previsto no dispositivo. A distinção entre a fraude civil e a fraude penal, tão difícil de fazer-se teoricamente, existe, mas só pode ser aferida caso por caso, em face dos preceitos da lei positiva" (*Comentários à Lei de Falências*, Rio de Janeiro, Forense, 1962, p. 63).

É ilustrativo neste assunto o seguinte acórdão do extinto TACrimSP: "Estelionato – Crime falimentar alegado – Existência de dolo preordenado – Caracterização. A aquisição de estabelecimento comercial com o verdadeiro intuito de utilizá-lo como meio para empreender múltiplas fraudes a fornecedores caracteriza o crime de estelionato, diferenciando-o do delito falimentar, que decorre do exercício do comércio pelo agente. A ocorrência de dolo preordenado, no estelionato, é o principal elemento da distinção" (8ª Câmara, ACr 655.443-0, rel. Juiz S. C. Garcia, j. 28.2.1991, *RJDTACrim* 10/67). *Retiramos do inteiro teor do acórdão ora citado os seguintes trechos*: "Com efeito, o dolo da conduta do réu, bem se vê da prova dos autos, era preordenado. Vele dizer, a fraude não se deu propriamente no desenvolvimento dos atos de comércio pelo réu, mas sim teve início na própria aquisição por ele do estabelecimento comercial, com o verdadeiro intuito de utilizá-lo como meio para empreender novas fraudes nos contratos mercantis (inúmeros e vultosos), com o fim específico de desviar as mercadorias e causar prejuízo aos fornecedores. O réu, efetivamente, jamais teve a intenção de honrar os contratos mercantis, pelos quais adquiriu grandes partidas de mercadorias (...). Na verdade, a própria aquisição desse estabelecimento, como referido, foi o ato inicial da cadeia de fraudes subseqüentes, agindo desde o início com o notório e comprovado intuito de locupletar-se indevidamente, em prejuízo de outrem (...). A fraude no comércio, caracterizadora dos crimes falimentares, é aquela cometida em razão do exercício do comércio pelo agente, vale dizer: pressupõe a fraude nos atos de comércio, nos moldes e tipos legais dos arts. 186 e 190 da Lei de Quebras. Mas não foi isso, precisamente, o que fez o réu. Ao contrário, agindo com manifesto intuito ilícito, primeiramente se introduziu na gestão (...). Diga-se realmente 'introduziu-se', porque a própria aquisição se deu de forma anômala, através de contrato particular, e não por alteração do contrato social na Junta Comercial (fls. 788-942). Após isso, além de não haver cumprido integralmente o ajustado (...), passou à segunda fase de seu intento fraudulento, comprando

15.1.6 Consumação e tentativa

A consumação dá-se com a prática do ato fraudulento apto a prejudicar os credores, independentemente do prejuízo efetivo.

Parece-nos impossível a tentativa, uma vez que basta a prática pelo devedor de ato fraudulento que acarrete prejuízo potencial. Assim, ou teremos crime consumado pela existência de um ato potencialmente danoso, ou, se a conduta não apresentar qualquer potencialidade lesiva, haverá fato penalmente atípico.

15.1.7 Classificação

Trata-se de crime:

(1) *Ante ou pós-falimentar* (ou *recuperação*), uma vez que pode ocorrer antes ou depois da decretação da falência ou da concessão da recuperação judicial ou extrajudicial.

(2) *Próprio*, pois o sujeito ativo é o devedor, sem excluir a co-autoria ou participação de terceiros.

(3) *Formal*, por não exigir qualquer resultado naturalístico[14] para sua consumação, bastando a prática de ato fraudulento potencialmente danoso.

---

grandes partidas de mercadorias a prazo para, em seguida, vendê-las à vista, além de desviá-las para outro estabelecimento, tudo com evidente propósito de locupletar-se ilicitamente. E, quando o alienante do estabelecimento começou a desconfiar dessa ilicitude, procurou registrar o contrato respectivo na Junta do Comércio, mas não obteve êxito, porque o réu não lhe forneceu a segunda via ficada em seu poder (fls. 788). Constata-se, pois, em sua conduta, a fraude preordenada, o intuito de antemão planejado para induzir vendedores e fornecedores em erro, sabendo-se da praxe comercial de faturamento a prazo das mercadorias, para pagamento posterior, com isso obtendo vantagem ilícita em prejuízo dos mesmos fornecedores. É justamente pela manifesta ocorrência desse dolo preordenado que se caracteriza o crime de estelionato, e não o falimentar".

14. Entende-se por "resultado naturalístico" aquele que se configura com uma mudança no mundo exterior causada pela ação criminosa. À teoria do resultado naturalístico se contrapõe a do *resultado normativo*, que preconiza que o resultado do crime não é a mudança no mundo exterior, mas a lesão ou o perigo de lesão ao bem jurídico protegido pela norma penal. Para os partidários da teoria do resultado naturalístico há crime sem resultado (por exemplo, delitos contra a honra, ameaça, desacato e outros cuja ação do agente não modifica o mundo exterior). Já, para os que acreditam que o resultado do crime é normativo não há delito sem resultado, pois todo crime provoca lesão ou perigo de lesão a um bem jurídico protegido.

(4) *De perigo*, pois não exige dano efetivo ao bem jurídico protegido (direito dos credores, administração da justiça etc.).

(5) *De forma livre*, por não exigir a lei qualquer meio especial para a atuação do agente.

15.1.8 Causas de aumento de pena

As causas de aumento de pena criadas pela Lei 11.101/2005 estão todas ligadas a procedimentos contábeis.

Ao que parece, buscou o legislador uma maior reprovação da conduta nos casos em que a contabilidade é usada fraudulentamente com fins de prejudicar credores, uma vez que priva estes das informações corretas a respeito da situação patrimonial do devedor, além do fato de que a fraude em tais informações exige maior conhecimento e demanda maiores custos para ser revelada.

Dentre as fraudes mais comuns em sistemas contábeis, relacionadas pela doutrina especializada,[15] encontram-se as seguintes:

Tabela 7: Principais casos de fraude, conforme as rubricas contábeis

Elemento das demonstrações sobre a qual a fraude incide	Descrição
Caixa	Movimentos fraudulentos em dinheiro sem comprovação bancária
	Pagamento de despesas pessoais de sócios com o caixa da sociedade, violando o princípio da entidade
	Fraude em vales e retiradas de numerário
	Subtrações de numerário com substituição por títulos falsos ou sem valor
	Recebimento de valores no caixa sem contabilização ("caixa dois") e criação de passivos fictícios
	Pagamentos a empregados-fantasmas

---

15. Antônio Lopes de Sá e Wilson Alberto Zappa Hoog, *Corrupção, Fraude e Contabilidade*, Curitiba, Juruá, 2005.

DOS CRIMES EM ESPÉCIE 143

Elemento das demonstrações sobre a qual a fraude incide	Descrição
Estoques	Avaliação fraudulenta de valores de estoque
	Estoque sem comprovação por documento idôneo
	Desvios em quantidade e qualidade de bens do estoque
	Fraudes em sucatas e refugos
Contas a receber	Baixa indevida em títulos a receber
	Recebimentos fraudulentos de clientes em lugar da pessoa jurídica credora, em concurso com fraude documental
	Fraude em devolução de bens vinculados a contas a receber
	Apropriação fraudulenta de valores de multas por atraso devidas por clientes
Ativo permanente	Investimentos fictícios em imobilizado
	Aumento ou diminuição indevida de cotas de depreciação, amortização ou exaustão
	Reavaliações fraudulentas
	Contabilização de despesas em lugar de ativação no imobilizado
	Trocas ruinosas de imobilizado
	Contabilização fraudulenta de gastos em pesquisa e desenvolvimento
Passivo	Passivo fictício
	Contabilização fraudulenta de datas com o fim de vantagens indevidas
	Dupla contabilização de passivos
	Contabilização parcial de dívidas
Patrimônio líquido	Integralização com imobilizado obsoleto a valor irreal
	Contabilização a maior de valores em conta de capital social
	Criação de falsas reservas por doação de valores fictícios ou reavaliações fraudulentas

15.1.8.1 Inciso I – Inserção de dados inexatos em escrituração ou balanço

A primeira causa de aumento ocorre quando *o devedor elabora escrituração contábil ou balanço com dados inexatos.*

Protege-se aqui a *regularidade da informação contábil*, que dá base aos credores quanto ao conhecimento da situação patrimonial e financeira do devedor.

Por "escrituração contábil" entende-se a atividade privativa de contabilista (contador ou técnico)[16] consistente em inserir em suporte material (livros, fichas, meios eletrônicos etc.) os fatos administrativos de natureza econômica passíveis de avaliação e mensuração pela ciência contábil, referentes a determinada entidade.

Balanço (ou *balanço patrimonial*) é a demonstração contábil destinada a evidenciar, qualitativa e quantitativamente, numa determinada data, a posição patrimonial e financeira da entidade.[17]

A causa de aumento vincula-se à inserção de *dados inexatos* em escrituração ou balanço.

Algumas explicações se fazem necessárias.

Primeiramente, a legislação falimentar esqueceu-se de mencionar, ao lado do balanço, outras demonstrações contábeis que também resultam da escrituração e são obrigatórias para várias sociedades (*v.g.*: a demonstração de resultado do exercício/DRE, a demonstração de fluxo de caixa/DFC, a demonstração de lucros e prejuízos acumulados/DLPA, a demonstração de valor adicionado/DVA ou de mutações no patrimônio líquido/DMPL). Isso faz com que, ainda que haja dados inexatos nas demonstrações não mencionadas na Lei Falimentar, o fato se torne atípico desde que tais dados não tenham sido lançados ou reproduzidos de qualquer forma na escrituração ou no balanço.

Outro conceito importante é o do que se deve entender por "dados inexatos". Isto porque, embora não seja de conhecimento comum ao leigo, a escrituração de determinados fatos pode ser feita levando-se em consideração diversos critérios de valoração, igualmente válidos sob o ponto de vista contábil, mas que resultarão em valores diferentes em escrituração ou balanço.[18]

---

16. Resolução do Conselho Federal de Contabilidade (CFC)-94/1958.

17. Resolução CFC-686/1990, que aprova a "NBC T.3 – Conceito, Conteúdo, Estrutura e Nomenclatura das Demonstrações Contábeis".

18. Ao contrário do que usualmente se imagina, a contabilidade não tem valores únicos para diversos itens patrimoniais ou de resultado. V., por exemplo, a forma de escriturar uma cota ou ação de sociedade (investida) adquirida por outra (investidora) ao preço de custo de R$ 100,00 mas cujo valor percentual de patrimônio líquido desta mesma sociedade investida, nos dias atuais, atribua à investidora montante equivalente a R$ 200,00, dada sua valorização no tempo. Qual seria o dado exato a ser lançado na contabilidade? Na verdade, os dois valores são igualmente

Assim, entendemos que somente ocorrerá o delito em questão quando se comprovar que, nos termos da exigência da legislação societária ou fiscal ou dos princípios contábeis geralmente aceitos, o valor inexato inserido na escrituração ou balanço seja manifestamente *ilegal* ou *inaceitável*, causando *distorção ou omissão relevante na informação* ao usuário externo da contabilidade do ente empresarial.

A aplicação do inciso em comento, nos termos dos requisitos anteriormente mencionados, tem inegável valia no caso da utilização da chamada *contabilidade criativa* (*criative accounting*).

Na definição dos professores Ariovaldo dos Santos e Ivan Ricardo Guevara Grateron, a expressão "contabilidade criativa" é conceituada como: "O processo mediante o qual os contadores aplicam os conhecimentos da norma contábil para manipular, de acordo com sua conveniência, os valores das demonstrações contábeis (...) Griffiths [1998], citado por Lainez [1999:17], apresenta a contabilidade criativa entre o que é legal e o que é ético; entre a criatividade e a fraude contábil".[19]

A possibilidade da utilização dos processos "criativos" em contabilidade é causada, segundo os autores supracitados, por uma série de fatores, entre os quais:

(1) *Existência de regras e critérios vagos, inexatos, que permitem interpretações divergentes.*

(2) *Ausência de normas regulando determinadas matérias.*

(3) *Flexibilidade e subjetividade de normas contábeis.*

(4) *Dificuldade de percepção por parte de auditores e usuários do sistema de escrituração.*

---

válidos e dependerão, para seu lançamento, do que determinar a norma de regência. Obedecendo ao Código Civil (art. 1.187, II), lançaríamos pelo valor de custo (R$ 100,00, no exemplo), salvo se o valor de mercado fosse menor. De acordo com esse mesmo diploma, caso se tratasse de ação negociada em Bolsa de Valores usaríamos a cotação atribuída por esse mercado (art. 1.187, III), que poderia se configurar em um terceiro valor. Se a investidora fosse uma sociedade anônima, nos termos dos arts. 183, III, e 248 da Lei 6.404/1976, deveríamos avaliar, conforme o caso, pelo valor de custo ou pelo valor percentual do patrimônio da investida (equivalência patrimonial). *Em conclusão, temos que em muitas hipóteses não haverá um valor único a ser lançado, mas vários igualmente aceitáveis, sem que nenhum deles se possa considerar,* a priori, *fraudulentamente inexato para fins de cometimento de crime falimentar.*

19. Ariovaldo dos Santos e Ivan Ricardo Guevara Grateron, "Contabilidade criativa e responsabilidade dos auditores", *Revista Contabilidade & Finanças* 32/7-22, São Paulo, USP, maio-agosto/2003.

Ainda segundo os professores, a utilização de práticas "criativas" em matéria escritural tem causado sérios prejuízos, entre eles os escândalos contábeis envolvendo sociedades empresárias internacionais (*Enron, WorldCom* etc.), além de alguns outros efeitos normalmente pretendidos pelos elaboradores:

(1) *Benefícios indevidos na margem de vendas.*
(2) *Incentivos fiscais.*
(3) *Controle de dividendos.*
(4) *Melhoria na imagem institucional etc.*

No Direito Comparado já houve discussão da matéria relativa à fraude bancária efetivada através de "contabilidade criativa" pelo Poder Judiciário norte-americano no caso "United States *vs.* Harris", no qual o acusado, "criativamente", teria sobrevalorizado o montante dos ativos da companhia da qual exerca a diretoria executiva, visando a ocultar perdas e dificuldades financeiras do exame de auditoria realizada pelo conjunto de bancos credores dos quais havia obtido empréstimo.

15.1.8.2 Inciso II – Omissão de lançamento ou alteração de dados verdadeiros em escrituração ou balanço

A segunda causa de aumento de pena ocorre quando o devedor *omite, na escrituração contábil ou no balanço, lançamento que deles deveria constar, ou altera escrituração ou balanço verdadeiros.*

Ressalte-se mais uma vez a omissão da legislação quanto às demais demonstrações contábeis que não o balanço patrimonial.

A omissão de lançamento em escrituração ou balanço deve ser *materialmente relevante*,[20] ou seja, deve ter repercussão sensível no patrimônio da entidade e privar os credores de informação importante para a tomada de decisão ou para a correta avaliação patrimonial do devedor. Pequenas omissões de valores contabilmente *imateriais*, a nosso ver, não configuram a causa de aumento em questão.

Quanto à alteração de escrituração ou balanço, entendemos também que esta deve ser, nos termos da exigência da legislação societária ou

---

20. O *princípio* ou *convenção contábil da materialidade* reza que, com o intuito de evitar gastos inúteis de tempo e dinheiro, deve-se apenas escriturar no sistema contábil os fatos administrativos relevantes e dignos de atenção, em momento oportuno. Exemplo disso seria a omissão da escrituração de uma despesa a cada vez que os empregados de um escritório fizessem uso de lápis, canetas, papéis e outros materiais de almoxarifado de valor diminuto.

fiscal ou dos princípios contábeis geralmente aceitos, *ilegal* ou *inaceitável*. Não configurarão a causa de aumento ora tratada lançamentos que *legalmente* alterem outros já realizados, tais como estornos, correções, lançamentos de exercícios anteriores até então não realizados etc.

15.1.8.3 *Inciso III – Destruição ou corrupção de dados contábeis ou negociais em sistema informatizado*

A terceira causa de aumento consiste no procedimento do devedor que *destrói, apaga ou corrompe dados contábeis ou negociais armazenados em computador ou sistema informatizado.*

Visa o legislador, aqui, a proteger os procedimentos modernos de contabilidade, realizados mediante sistemas informatizados.[21] Não só os dados contábeis, entretanto, estão sujeitos à proteção do dispositivo em comento, mas também os *negociais* (dados sobre operações econômicas, contratos, clientes, fornecedores etc.), ainda que não tenham inserção em contabilidade propriamente dita.

A tipificação da causa de aumento de pena em estudo segue a linha da legislação norte-americana (*US Code, title 18, part I, chapter 9, § 152[8]*), que, de modo ainda mais amplo que a Lei 11.101/2005, incrimina todo aquele que, em processo falimentar, agindo com ciência e intuito fraudulento, oculta, destrói, mutila, falsifica ou faz qualquer falsa entrada de dados em qualquer informação negocial registrada (incluindo livros, documentos, arquivos e papéis).[22]

Transportando as lições do Direito Comparado para a legislação nacional, podemos citar os ensinamentos de Stephanie Wickouski sobre o tema: "Da mesma forma que o sistema falimentar depende da total e verídica transparência de informação, depende ainda da disponibilidade e acurácia de tal informação. A integridade dos livros do devedor e seus registros é essencial ao administrador e aos credores. O § 152[8] penaliza quem impede o processo falimentar destruindo registros financeiros de um devedor, antes ou depois do início de um caso. O § 152[8]

---

21. O Departamento Nacional de Registro do Comércio (DNRC), através de suas últimas instruções normativas, autoriza a utilização de escrituração em forma de livros em microfichas geradas através de microfilmagem de saída direta do computador (*Computer Output Microfilm* – COM).

22. "A person who – [8] after the filing of a case under title 11 or in contemplation thereof, knowingly and fraudulently conceals, destroys, mutilates, falsifies, or makes a false entry in any recorded information (including books, documents, records, and papers) relating to the property or financial affairs of a debtor."

abrange uma ampla gama de itens, incluindo virtualmente toda forma de informações registradas. O termo 'informações registradas' inclui não apenas documentos, livros e arquivos, mas também aqueles magnética ou eletronicamente armazenados. A ação proibida pelo § 152[8] inclui não só a destruição, mas também a alteração ou mutilação da informação. O escopo da informação abarcada pelo § 152[8] inclui qualquer uma que diga respeito a possíveis fontes de fundos ou ativos de propriedade, ou meios de reorganização".[23]

No mesmo sentido, no Direito Comparado, o *Sarbanes-Oxley Act* (SOx),[24] recente e conhecido diploma legislativo norte-americano regulador do mercado de capitais, surgido após os últimos escândalos contábeis envolvendo grandes companhias estadunidenses, criou delito falimentar semelhante ao anteriormente referido (§ 1.519, *title 18*), que pune com prisão de até 20 anos e multa aquele que altera, destrói, oculta, mutila, encobre, falsifica ou realiza falsa entrada em arquivo, documento ou objeto tangível com a intenção de impedir, obstruir ou influenciar a investigação a cargo de departamento ou agência do Governo Federal Norte-Americano envolvendo caso de falência ou reorganização.[25]

23. Stephanie Wickouski, *Bankruptcy Crimes*, Washington, Beard Books, 2007, p. 67 (tradução livre).

24. A complexidade dos instrumentos financeiros negociados no mercado financeiro e de capitais (incluindo derivativos, como opções, contratos a termo, futuros e *swaps*) torna mais fácil a subtração de informações do público investidor. Referida complexidade fez com que, recentemente, importantes companhias norte-americanas conseguissem esconder fraudulentamente imensos passivos de seus acionistas, até que sua situação financeira se tornasse tão grave a ponto de não poder ser mais subtraída do conhecimento destes. São representativos da situação supracitada os casos das empresas americanas *Enron* e *WorldCom*, cuja falência também foi acompanhada pela quebra de uma das maiores empresas de auditoria daquele país, a *Arthur Andersen*. Tais acontecimentos originaram a resposta legislativa correspondente, consubstanciada na Lei *Sarbanes-Oxley* (SOx). Referida lei passou a ser ponto de referência para as empresas (americanas e estrangeiras) que negociam valores mobiliários no mercado estadunidense, vindo a aumentar em muito os requisitos de transparência (e também, por conseqüência, os custos de transação) para que tais títulos sejam ofertados ao público investidor.

25. "§ 1.519. **Destruction, alteration, or falsification of records in federal investigations and bankruptcy.** Whoever knowingly alters, destroys, mutilates, conceals, covers up, falsifies, or makes a false entry in any record, document, or tangible object with the intent to impede, obstruct, or influence the investigation or proper administration of any matter within the jurisdiction of any department or agency of the United States or any case filed under title 11, or in relation to or contemplation of any such matter or case, shall be fined under this title, imprisoned not more than 20 years, or both".

A causa de aumento em estudo, na forma que lhe deu o legislador na redação da Lei 11.101/2005, não chega a punir a ocultação ou retenção fraudulenta de dados informatizados pelo devedor, sonegando informações dos credores, o que só passará a qualificar a fraude falimentar se vierem a se constituir em conteúdo de documentos de escrituração obrigatórios (art. 168, V).

Entendemos igualmente que para existir a causa de aumento em estudo as informações ou dados destruídos, apagados ou corrompidos devem ser *materialmente relevantes* para o processo falimentar ou de recuperação, não se configurando a hipótese quando não haja qualquer repercussão, interesse ou valor aos credores ou ao juízo nos dados objeto da ação do agente.

15.1.8.4 Inciso IV – Simulação de capital social

Também está sujeito ao aumento de pena o devedor que *simula a composição do capital social*.

Por "capital social" entende-se o montante conferido pelos sócios ao patrimônio de uma sociedade com o fim de que esta desenvolva sua atividade empresarial. Nem sempre, porém, o valor do capital social refletirá contribuição de sócios, uma vez que, além desses valores, podem ser capitalizados reservas e lucros sociais.

Na legislação anterior este delito falimentar se encontrava tipificado no art. 188, I, que punia a *simulação de capital para obtenção de maior crédito*. Na Lei 11.101/2005 a finalidade do agente tornou-se irrelevante, razão pela qual qualquer simulação de capital fraudulenta, ainda que sem a finalidade de obter crédito, tornar-se-á criminosa.[26]

Muito embora a lei não mais exija o dolo específico, a simulação de capital social é manobra normalmente utilizada para inflar os valores de referida rubrica contábil na escrituração ou no balanço societários com

---

26. Tornou-se, portanto, ultrapassada a jurisprudência existente ao tempo do Decreto-lei 7.661/1945 que entendia não haver crime quando a simulação do capital social não tivesse qualquer fim ou efeito de obtenção de créditos. Nesse sentido, apenas para ilustrar, inserimos o julgado do TJSP, 2ª Câmara Criminal, ACr 1.261.893, São Paulo, rel. Des. Egydio de Carvalho, j. 29.3.1993: "*Ementa:* Crime falimentar – Não caracterização – Declaração de capital maior que o efetivamente realizado – Necessidade, todavia, de que o ato seja praticado com o intuito de obtenção de maior crédito – Recursos não providos. O crime não se configura com a simples declaração de capital maior que o efetivamente realizado. A lei exige mais, a simulação de capital maior, o que inclui o dolo, e, ainda, quer que isso seja feito para obtenção de maior crédito".

o fim de demonstrar a terceiros, usualmente financiadores da sociedade, posição de maior solidez financeira.[27]

É o que a doutrina jurídica costuma chamar de "capital aguado". Muito comum para tanto é a avaliação a maior de bens com os quais se faz a integralização do capital social ou a integralização de capital com créditos incobráveis ou de difícil recebimento futuro.

Não incide a causa de aumento em questão, entretanto, sobre a conduta daquele que meramente não ultima providências registrárias de imóvel incluído no capital social.[28]

15.1.8.5 Inciso V – Destruição, ocultação ou inutilização de documentos de escrituração obrigatórios

Por fim, aumenta-se a pena da fraude a credores quando o devedor *destrói, oculta ou inutiliza, total ou parcialmente, os documentos de escrituração contábil obrigatórios*.

As condutas incriminadas são *destruir* ("acabar", "tornar insubsistente") *ocultar* ("esconder", "guardar em local inacessível a terceiros") ou *inutilizar* ("tornar inservível, inútil").

Devem recair sobre *documentos de escrituração contábil obrigatórios*.

---

27. Temos grandes dúvidas sobre se nos dias de hoje a simulação de capital social é meio eficaz, em grande parte das vezes, para a obtenção de crédito. Primeiramente porque os valores consignados a título de capital social, na verdade, não demonstram, por si mesmos, qualquer solidez (*v.g.*: a situação em que todo o montante prestado pelos sócios já tenha sido despendido na atividade, não restando qualquer valor disponível). Além disso, as instituições financeiras, fontes usuais do crédito empresarial, fazem extensa e complexa análise do tomador de empréstimo antes de liberar a este qualquer recurso, exigindo comumente a prestação de sólidas garantias (hipotecas, saldos médios, desconto de títulos, avais, fianças etc.). A mera conferência do capital social para a obtenção de crédito, colocada pela lei anterior (e pela lei atual, de certa maneira) como medida decisiva na concessão de crédito, parece-nos atualmente procedimento extremamente amador na análise de risco financeiro de tomadores de empréstimo.

28. TJSP, 1ª Câmara Criminal, ACr 170.641-3, São Paulo, rel. Des. Marcial Hollanda, j. 6.3.1995, v.u.: "*Ementa:* Crime falimentar – Simulação de capital para obtenção de maior crédito – Não caracterização – Imóvel incorporado ao capital social, mas que não fora registrado – Configuração de mero inadimplemento de obrigação – Obtenção de créditos, ademais, que não decorreram do aumento de capital – Absolvição decretada – Recurso provido. A simulação resulta da substituição de um ato jurídico por outro ou da prática de um ato sob a aparência de um outro para esconder a realidade do que se pretende".

Dentre esses documentos se inclui, para todos os comerciantes, a obrigação de escriturar o livro "Diário" (art. 1.180 do CC).[29]

Para os empresários que emitam duplicatas é obrigatória a escrituração do livro de "Registros de Duplicatas" (art. 19 da Lei 5.474/1968).

Às sociedades anônimas, além dos livros antes referidos, é ainda obrigatória a escrituração dos livros de "Atas de Assembléias-Gerais", "Atas e Pareceres do Conselho Fiscal", "Atas das Reuniões da Diretoria", "Presença dos Acionistas", "Registro de Ações Nominativas", "Transferências de Ações Nominativas".

Para o microempresário há distintas obrigações legais de escrituração.[30]

Primeiramente, entendemos que o Código Civil dispensou o pequeno empresário da escrituração empresarial completa, no art. 1.179, § 2º, desse diploma.[31]

---

29. O "Diário" é o livro empresarial por excelência. Consubstancia o que se costuma denominar *escrituração empresarial completa*, por abranger o controle e os lançamentos que envolvem todas as rubricas (patrimoniais e de resultado) estabelecidas no plano de contas elaborado pelo empresário. No "Diário" deverão ser lançados, dia a dia, os atos ou operações da atividade empresarial, bem como aqueles que modifiquem ou possam vir a modificar a situação patrimonial do empreendimento. Excepcionalmente os lançamentos no "Diário" podem ser somente dos saldos mensais (no caso de contas cujas operações sejam numerosas ou realizadas fora da sede do estabelecimento). Para isso, entretanto, deverão ser escriturados livros auxiliares destinados à escrita das transações correspondentes efetuadas no mês. São requisitos dos lançamentos no livro "Diário" ("partidas de Diário") os seguintes: (1) data e local da operação econômica; (2) nome, código, título ou rubrica das contas envolvidas a débito e a crédito; (3) histórico da transação; (4) valores envolvidos, expressos em moeda nacional.

30. Historicamente, as microempresas e empresas de pequeno porte passaram por inúmeros regimes de escrituração. Ainda antes da Constituição Federal de 1988 foi regulada a dispensa, para as micro e pequenas empresas, da escrituração de livros contábeis pela Lei 7.256/1984. Referida lei, em seu art. 15, dispensava-as completamente dos deveres escriturais (comerciais e fiscais). A isenção mencionada durou até a sobrevinda da Lei 8.864/1994, que não previu dispensa de escrituração, ressaltando apenas que esta seria simplificada (art. 11). Confirmando a necessidade de escrituração do micro e pequeno empresário, por nada excepcionar ao regime geral de obrigatoriedade de escrituração, a Lei 9.841/1999 não dispôs sobre qualquer dispensa. Finalmente, o Código Civil dispensou o pequeno empresário dos deveres escriturais (mercantis) e a Lei Complementar 123/2006 previu dispensas apenas para os empresários individuais.

31. Aliás, esse último entendimento também é esposado pelo professor Haroldo Malheiros Duclerc Verçosa: "Quanto ao *pequeno empresário*, fica dispensado das

Com o advento da Lei Complementar 123/2006, esta regulou a escrituração mercantil das microempresas e empresas de pequeno porte, trazendo apenas uma única hipótese de dispensa de escrituração, qual seja, a disposta no art. 68, que considera "pequeno empresário, para efeito de aplicação do disposto nos arts. 970 e 1.179 da Lei n. 10.406, de 10 de janeiro de 2002, o empresário individual caracterizado como microempresa na forma desta Lei Complementar que aufira receita bruta anual de até R$ 36.000,00 (trinta e seis mil reais)".

Não há, portanto, dispensa de escrituração mercantil para sociedades empresárias, mesmo que se enquadrem na definição de microempresas ou empresas de pequeno porte.

Em relação à escrita fiscal, a Lei Complementar 123/2006 estabeleceu na Seção VII, sob o título "Das Obrigações Fiscais Acessórias", os deveres escriturais das microempresas e empresas de pequeno porte (art. 26 e §§).

Para tanto, foram estabelecidas duas espécies de obrigações escriturais, conforme haja, ou não, opção pela tributação no sistema SIMPLES:[32]

(1) *Em relação às microempresas e empresas de pequeno porte optantes pelo SIMPLES, devem apresentar declaração unificada de informações socioeconômicas e fiscais, além de manter os documentos exigidos pela Lei Complementar 123/2006.*

---

exigências de escrituração previstas no art. 1.170 do NCC (...). No entanto, o alcance dessa dispensa não ficou claro, na medida em que a obrigatoriedade do 'Diário' está prevista no art. 1.180, em relação ao qual tal favor legal não estaria abrangido. Mas esta seria uma interpretação contraditória. Se o pequeno comerciante não está obrigado a seguir um sistema de contabilidade, então, não haveria motivo para estar sujeito à utilização de um livro voltado para tal finalidade. (...)" (*Curso de Direito Comercial*, 2ª ed., vol. 1, São Paulo, Malheiros Editores, 2008, p. 215). No mesmo sentido, antes da vigência da Lei Complementar 123/2006 mas já na vigência do Código Civil, em estudos interpretativos do Código Civil de 2002, as *Jornadas de Direito Civil* do STJ, na comissão referente ao "Direito de Empresa", fixaram o Enunciado 235, nos seguintes termos: "Art. 1.179: O pequeno empresário, dispensado da escrituração, é aquele previsto na Lei n. 9.841/1999. Fica cancelado o Enunciado n. 56".

32. O SIMPLES é um sistema tributário aplicável ao microempresário e ao empresário de pequeno porte, instituído pelos órgãos de fiscalização tributária da União (Receita Federal do Brasil), que dispõe de alíquotas reduzidas (normalmente incidentes sobre o faturamento bruto) para pagamento unificado de diversos tributos, incluindo exações estaduais e municipais, além de sistema simplificado de escrituração contábil.

(2) *Em relação àquelas não optantes ficou mantida a exigência de escrituração fiscal através da elaboração de livro "Caixa", suprimida a necessidade do livro "Registro de Inventário".*

Por tratar a causa de aumento de pena em questão apenas dos documentos de escrituração obrigatória, não estão abrangidos aqui os livros ou outros sistemas contábeis escriturados de forma facultativa (não exigidos em lei como obrigatórios) por qualquer tipo de empresário ou sociedade empresária.

Embora só tenha incluído como objeto da causa de aumento de pena em comento os dados objeto de escrituração – e não toda e qualquer informação ou documento relevante –, a Lei 11.101/2005 seguiu a linha da legislação norte-americana que pune a destruição de dados e documentos (como visto no comentário à qualificadora do inciso III do art. 168) bem como a mera retenção ou ocultação destes (*withholding recorded information*).[33]

15.1.9 Contabilidade paralela

Sob a rubrica "contabilidade paralela", o § 2º do art. 168 retrata causa de aumento de pena de 1/3 até metade ao devedor que manteve ou movimentou recursos ou valores paralelamente à contabilidade exigida pela legislação.

É o chamado "caixa dois", ou *contabilidade não oficial*, utilizada principalmente para não evidenciar a terceiros (fisco, usuários externos da contabilidade, credores, financiadores etc.) importâncias que ocasionariam imposição tributária, cerceamento de credibilidade, temor no mercado ou entre os fornecedores etc.

É necessário dizer aqui que na prática contábil empresarial não há um único tipo de registro para as operações econômicas. Isto porque na maior parte das vezes o empresário, por força de divergências na legislação de regência, tem de manter um tipo de contabilidade para atender às exigências das obrigações da legislação societária e/ou de órgãos como a Comissão de Valores Mobiliários (CVM) e outro, muitas vezes com cri-

---

33. US Code, title 18, part I, chapter 9, § 152[9]: "A person who – [9] after the filing of a case under title 11 –, knowingly and fraudulently withholds from a custodian, trustee, marshal, or other officer of the court or a United States Trustee entitled to its possession, any recorded information (including books, documents, records, and papers) relating to the property or financial affairs of a debtor".

térios diversos, para se adaptar aos ditames obrigatórios impostos pela legislação fiscal.[34]

Além disso, é usual o empresário contar com outro tipo de escrituração, também com critérios próprios, para fins exclusivamente internos e gerenciais.[35]

Em nenhum dos casos citados, referentes a divergências entre requisitos impostos para a contabilidade pelas legislações fiscal e comercial, ou mesmo no tocante à existência de contabilidade gerencial, teremos contabilidade paralela. Por outras palavras: a existência de mais

---

34. V., por exemplo, a questão dos juros sobre capital próprio, considerados atualmente pela legislação fiscal (Lei 9.249/1995) como *despesa* contábil e pelo regramento da CVM (Deliberação 207/1996) como equiparados a dividendos, determinando que as companhias que adotarem a contabilização dos juros sobre capital próprio como despesas, para fins de atendimento às disposições tributárias, deverão reverter, na última linha da demonstração de resultado do exercício/DRE, o valor deduzido a tal título, e as que não deduzirem os valores de juros sobre capital próprio como despesas deverão contabilizá-los diretamente na conta de lucros acumulados, sem passar pelo resultado do exercício. A própria legislação das sociedades por ações reconhece a divergência entre os critérios contábeis da legislação comercial e da fiscal, no art. 177, § 2º, da Lei 6.404/1976 (com a redação da Lei 11.638/2007), determinando que "as disposições da lei tributária ou de legislação especial sobre atividade que constitui o objeto da companhia que conduzam à utilização de métodos ou critérios contábeis diferentes ou à elaboração de outras demonstrações não elidem a obrigação de elaborar, para todos os fins desta Lei, demonstrações financeiras em consonância com o disposto no *caput* do art. 177 e deverão ser alternativamente observadas mediante registro: I – em livros auxiliares, sem modificação da escrituração mercantil; ou II – no caso da elaboração das demonstrações para fins tributários, na escrituração mercantil, desde que sejam efetuados em seguida lançamentos contábeis adicionais que assegurem a preparação e a divulgação de demonstrações financeiras com observância do disposto no *caput* deste artigo, devendo ser essas demonstrações auditadas por auditor independente registrado na Comissão de Valores Mobiliários".

35. Essa é a parte da ciência contábil chamada de *contabilidade gerencial*, que se diferencia da contabilidade societária ou financeira principalmente no que tange ao seu usuário ou destinatário. Enquanto na contabilidade gerencial os critérios para lançamento e contabilização são mais livres (pois somente se destina a usuários internos), na contabilidade societária ou financeira há um grau maior de rigidez quanto ao respeito aos princípios contábeis e à legislação (pois visa principalmente a usuários externos). Um exemplo tornará mais fácil o entendimento. Suponhamos o valor de uma marca formada internamente ao ente empresarial (*v.g.*: as famosas "Cocacola", "Microsoft", "Nike" etc.). Para a contabilidade societária tal valor não poderá ser incluído na escrituração e nas demonstrações, por falta de critério objetivo de mensuração de seu montante. Para a contabilidade gerencial, nada obsta a que o ente presuma o valor de sua marca em seus ativos, somente para fins de gerenciamento interno ou para negociação de seu valor com terceiros.

de um tipo de escrituração, para atender a especificidades da legislação fiscal ou comercial ou para fins gerenciais internos, não constitui crime falimentar nem causa de aumento de pena.

É necessário, portanto, para a existência de contabilidade paralela, que o ente empresarial esteja *legalmente obrigado* a escriturar ou demonstrar os valores omitidos na contabilidade oficial, uma vez que sua ausência subtrai informação relevante dos credores e do Poder Judiciário na análise da empresa.

Entendemos que a causa de aumento de pena relativa à contabilidade paralela aplica-se independente e cumulativamente em relação às constantes do § 1º do art. 168, comentadas anteriormente (por exemplo, na hipótese do falido que destrói documentos de escrituração obrigatórios e mantém contabilidade paralela).

15.1.10 Redução ou substituição da pena

O art. 168, § 4º, substituiu o perdão judicial disposto no art. 186, parágrafo único, do Decreto-lei 7.661/1945[36] por uma causa de diminuição ou substituição de pena, nos seguintes termos: "Tratando-se de falência de microempresa ou de empresa de pequeno porte, e não se constatando prática habitual de condutas fraudulentas por parte do falido, poderá o juiz reduzir a pena de reclusão de um terço a dois terços ou substituí-la pelas penas restritivas de direitos, pelas de perda de bens e valores ou pelas de prestação de serviços à comunidade ou a entidades públicas".

A redução da pena ora tratada tem por fundamento: (1) o menor porte econômico, que muitas vezes exige a gestão pessoal do devedor e não permite que este se aconselhe, na administração da atividade empresarial, com profissionais de maior competência (e de maior custo salarial) com o fim de cumprir as complexas exigências das legislações comercial, trabalhista, tributária e societária; (2) a falta de habitualidade na prática de condutas fraudulentas.

Deve-se lembrar que os requisitos de menor porte econômico e ausência de habitualidade são *cumulativos*, não podendo o benefício de redução ou substituição da pena ser aplicado na existência de apenas um deles. Presentes os pressupostos, porém, entendemos que a redução ou

---

36. "Parágrafo único. Fica isento da pena, nos casos dos ns. VI e VII deste artigo, o devedor que, a critério do juiz da falência, tiver instrução insuficiente e explorar comércio exíguo."

substituição da pena é direito do réu e, portanto, dever do juiz, não se tratando de mera faculdade.

Para o fim de aplicação deste artigo, a Lei Complementar 123/2006 define os entes empresariais antes referidos de acordo com a receita bruta anual,[37] nos seguintes termos:

• *Microempresas*: o empresário, a pessoa jurídica, ou a ela equiparada, que aufira, em cada ano-calendário, receita bruta igual ou inferior a R$ 240.000,00.

• *Empresas de pequeno porte*: o empresário, a pessoa jurídica, ou a ela equiparada, que aufira, em cada ano-calendário, receita bruta superior a R$ 240.000,00 e igual ou inferior a R$ 2.400.000,00.

Trata-se, pois, de *norma penal em branco*, cuja definição é complementada pela lei própria de regência das microempresas ou empresas de pequeno porte.[38]

Não há na lei definição do que seja "habitualidade" na prática de condutas fraudulentas, ficando tal critério a cargo do prudente arbítrio do magistrado.

Algumas questões se põem quanto à causa de aumento em estudo:

(1) *Qual o critério que guiará o juiz na redução de pena prevista no § 4º do art. 168 da Lei 11.101/2005?*

(2) *Poderá o juiz substituir a pena privativa de liberdade por restritiva de direitos, mesmo que superior a quatro anos, ou ausentes outros requisitos do Código Penal (art. 44 e §§ do CP, com redação dada pela Lei 9.714/1998)?*

Quanto à primeira indagação, parece-nos que o juiz deverá se ater ao porte econômico do devedor e à reiteração das condutas deste, conforme seu prudente arbítrio. Quanto menor o porte e menos reiterada a conduta, maior a redução de pena. Inversamente, quanto maior o porte

---

37. A lei considera *receita bruta*, para fins da definição, "o produto da venda de bens e serviços nas operações de conta própria, o preço dos serviços prestados e o resultado nas operações em conta alheia, não incluídas as vendas canceladas e os descontos incondicionais concedidos".

38. Assim sendo, entendemos que eventual modificação ampliativa no conceito de microempresa ou empresa de pequeno porte que venha a beneficiar o acusado (por exemplo, ampliando a faixa de receita admitida para tanto), através de legislação específica que revogue ou altere o complemento da norma penal em branco ora tratada, *terá aplicação retroativa*, uma vez que se trata de legislação destinada a viger de modo perene e estável, não se tratando se situação excepcional ou temporária.

econômico do devedor e mais reiterada sua conduta fraudulenta, menor a redução a ser aplicada.

À segunda questão parece-nos que a resposta é negativa. Com efeito, pudesse o juiz aplicar pena substitutiva a qualquer caso de fraude falimentar, sem os requisitos do art. 44 do CP, esta poderia ser aplicada a réus com maus antecedentes, reincidentes específicos no crime (embora sem condutas habituais), bem como a apenados com reprimendas que venham a atingir mais de 10 anos de reclusão.[39]

Isso sem falar que, inaplicável fosse o art. 44 do CP ao presente caso, o condenado por fraude falimentar estaria em situação melhor que a de outros condenados por estelionato comum ou mesmo outros crimes falimentares reprimidos com penas superiores a quatro anos, a quem não poderia ser dado o benefício da substituição de pena privativa de liberdade por restritiva de direitos.

Do mesmo modo, o CP é expresso, no art. 12, ao ressaltar que: "As regras gerais deste Código aplicam-se aos fatos incriminados por lei especial, se esta não dispuser de modo diverso". Como o art. 168, § 4º, da Lei 11.101/2005 não encerra norma que venha a excluir a aplicação do Código Penal na matéria, pois não dispôs de modo explicitamente diverso deste, entendemos que o juiz somente poderá aplicar a substituição de pena se presentes os requisitos do art. 44 do CP.

15.1.11 *Concurso com outros crimes*

Cabe, aqui, examinar o concurso do delito de fraude (falimentar) a credores e os delitos de estelionato (CP, art. 171), duplicata simulada (CP, art. 172) e falsidade documental ou ideológica (CP, arts. 297 e ss.).

No que toca ao estelionato (na modalidade do *caput* do art. 171 do CP, na emissão de cheque sem a devida provisão de fundo, ou ou-

---

39. Imaginemos um exemplo, para ilustrar esta situação: um crime de fraude a credores é cometido por meio de simulação da composição do capital social, além de contabilidade paralela (por exemplo, a integralização do capital social constante em balanço não foi acompanhada pelo ingresso de numerário no caixa da entidade – numerário, este, apropriado pelos sócios; ao mesmo tempo, os sócios movimentaram tais valores fora da contabilidade societária exigida na legislação, com fins pessoais). A pena máxima desse delito (embora de rara aplicação prática) alcançaria 11 anos de reclusão: 6 anos de pena-base mais 2 anos (1/3 de aumento) pela simulação de capital social, mais 3 anos (1/2 de aumento) pela utilização de contabilidade paralela. Entendemos inadmissível que para uma pena que possa atingir esse patamar fosse possível ao juiz convertê-la em restritiva de direitos.

tras subespécies) – figura que, como já se viu, não se confunde com a fraude falimentar a credores –, restará absorvido pelo delito falimentar do art. 168 quando tenha por finalidade o prejuízo da coletividade dos credores,[40] ou subsistirá autonomamente quando não se relacione com a falência ou recuperação e não tenha como finalidade precípua causar prejuízo à massa ou aos credores.[41]

Do mesmo modo, no que diz respeito à duplicata simulada já resta pacificado que a mera circunstância da decretação da quebra (e hoje também da concessão da recuperação) ou de a duplicata ter sido emitida no termo legal da falência não transmuda, por si só, o crime do art. 172 do CP em falimentar.

40. TJSP, 3ª Câmara Criminal, ACr 266.695-3, São Paulo, rel. Des. Oliveira Ribeiro, j. 28.9.1999, v.u.: "Estelionato – Absorção pelo crime de falência – Acusado processado pelos arts. 186, VI, 187 e 188 da Lei de Falências – Réu, administrador da falida, que emitiu cheque seu contra o Banco Geral do Comércio em pagamento da Cia. União dos Refinadores de Açúcar – Eventual proveito na emissão de tal cheque para garantir duplicata da própria credora da cártula que não compete ao réu, mas sim à empresa por ele administrada, a devedora da duplicata – Ato fraudulento que, uma vez comprovado, gera o crime falimentar, absorvedor do ilícito do art. 171 do CP – Recurso ministerial não provido".

41. STJ, 3ª Seção, CComp 31.294-SP (200001469940), j. 13.11.2002:

"*Ementa:* Processual penal – Conflito negativo de competência – Juízos criminal e falimentar – Estelionato – Crime autônomo. Inexistindo nos autos qualquer conexão entre o possível crime de estelionato e a falência decretada, fica afastada a competência do juízo falimentar – Conflito conhecido – Competente o Juízo de Direito da 4ª Vara Criminal de Brasília, o suscitado.

"*Decisão:* Vistos, relatados e discutidos os autos em que são partes as acima indicadas: Acordam os Ministros da 3ª Seção do Superior Tribunal de Justiça, por unanimidade, conhecer do conflito e declarar competente o suscitado, Juízo de Direito da 4ª Vara Criminal de Brasília/DF, nos termos do voto do Sr. Ministro Relator. Votaram com o Relator os Srs. Mins. Gilson Dipp, Hamilton Carvalhido, Jorge Scartezzini, Paulo Gallotti, Fontes de Alencar e Fernando Gonçalves. Ausente, ocasionalmente, o Sr. Min. Vicente Leal."

TJSP, Câmara Especial, CJ 82.103-0/0, São Paulo, rel. Des. Álvaro Lazzarini, j. 11.10.2001, v.u.: "Conflito de jurisdição – Negativo – Estelionato praticado antes do decreto de quebra – Figura típica que não se confunde com o crime falimentar, dele sendo distinta – Delito que não teve como escopo prejuízo da universalidade de credores, e sim pessoas determinadas – Conflito configurado – Competência da Vara Criminal, ora suscitada".

TJSP, 2ª Câmara Criminal, ACr 266.934-3, Mirassol, rel. Des. Silva Pinto, j. 19.4.1999, v.u.: "*Ementa:* Competência criminal – Estelionato – Delito praticado no transcurso de termo legal de falência – Fato que não o transmuda de crime comum em falimentar – Competência do juízo criminal comum e não do falimentar – Preliminar rejeitada".

Para se verificar a relação com o delito falencial, há de se ver em cada caso concreto as circunstâncias de momento, finalidade e modo de emissão da duplicata, podendo o delito do art. 172 do CP: (1) ser absorvido pelo crime falimentar, quando seja meio para a fraude a credores – caso em que, se instaurada ação penal também junto ao juízo comum, tranca-se ou anula-se esta;[42] (2) não ter relação com o delito falimentar

42. STJ, 5ª Turma, HC 8.773/SP (199900196350), j. 19.10.1999:
"*Ementa: Habeas corpus* – Competência – Estelionato – Ajuste ao quadro fático falimentar – Fatos ocorridos na época da quebra da empresa – Competência do juízo falimentar – Ordem concedida. I – Constatado que os fatos narrados na denúncia, inobstante ajustarem-se ao quadro fático falimentar – por se tratar de emissão de duplicata simulada –, ainda ocorreram na mesma época da quebra da firma do acusado, deve ser reconhecida a competência do juízo falimentar para o processo e julgamento do feito. II – Ordem concedida para anular a ação penal instaurada contra o paciente perante o Juízo da 13ª Vara Criminal, determinando a remessa dos autos ao Juízo da 27ª Vara Cível Falimentar, a fim de que este aprecie a viabilidade da denúncia.

"*Decisão:* Vistos, relatados e discutidos estes autos: Acordam os Srs. Ministros da 5ª Turma do Superior Tribunal de Justiça, em conformidade com os votos e notas taquigráficas a seguir, por unanimidade, conceder a ordem para anular a ação penal instaurada contra o paciente perante o Juízo da 13ª Vara Criminal, determinando a remessa dos autos ao Juízo da 27ª Vara Cível Falimentar, a fim de que este aprecie a viabilidade da denúncia. Votaram com o Relator os Srs. Mins. Jorge Scartezzini, José Arnaldo, Edson Vidigal e Félix Fischer."

TJSP, 12ª Câmara Criminal, ACr 815.312-3/2, São Paulo, rel. Des. Breno Guimarães, j. 20.1.2006, v.u., Voto 10.109: "Competência criminal – Conexão – Condenação do réu às penas do crime de duplicata simulada – Art. 172, c/c art. 71. do CP – Emissão de títulos em períodos sucessivos que antecederam a quebra da empresa da qual o réu-emitente era sócio – Ocorrência de ação penal falimentar referente a outros títulos da mesma espécie e emitidos à mesma época – Unicidade do crime falimentar, havendo necessidade de se adotar, de uma só vez, a reprimenda mais severa – Art. 187 da antiga Lei de Quebras e art. 183 da Lei n. 11.101/2005 – Competência do juízo falimentar, mesmo em face da citada Lei n. 11.101/2005, pois o fórum competente regula-se pela normatividade em vigor à época do ilícito – Nulidade de todo o processo penal, não só da sentença – Prescrição da pretensão punitiva evidenciada, tomando-se o termo inicial do lapso prescricional a partir da data de cada delito, considerando-se, ainda, a pena impingida para cada conduta integrante da continuidade delitiva – Preliminar acolhida para anular o feito *ab initio* e, de ofício, reconhecer a prescrição e declarar extinta a punibilidade do apelante – Art. 107, IV, do CP".

TJSP, 4ª Câmara Criminal, RSE 116.924-3, São Paulo, rel. Des. Dante Busana, j. 21.9.1992: "*Ementa:* Crime falimentar – Caracterização – Empréstimos realizados anteriormente à falência, tendo como garantia duplicatas simuladas – Hipótese de absorção do crime do art. 172 do CP pelo art. 187 da Lei de Falências – Recurso provido para decretar a extinção da punibilidade pela prescrição. Se a emissão de duplicata simulada foi meramente preparatória do crime falimentar, é caso de con-

(*v.g.*: quando não visa a prejudicar a coletividade dos credores) – sendo, então, de competência do juízo comum.⁴³

curso aparente de normas, a ser resolvido pela especialidade, resultando na absorção do delito do art. 172 do CP pelo delito falimentar. Ademais, tendo este prescrevido, o mesmo ocorre com o absorvido, por não ter existência autônoma".

Procuradoria-Geral de Justiça do Estado de São Paulo, crime falimentar e duplicata simulada, conflito aparente de normas, Pt. 9.935/1996 (suscitante: Promotoria de Justiça de Falências, suscitada: Promotoria de Justiça Criminal de Santo André), conflito de atribuições:

"*Ementa:* Conflito de atribuições – Emissão de duplicatas simuladas – Pretendida absorção pelo crime falimentar – Admissibilidade. Se o ato fraudulento resultante da emissão de duplicatas simuladas acarretou prejuízo à massa de credores e implicou diminuição do patrimônio do devedor, que constitui, como é cediço, a garantia daqueles, a hipótese é de absorção do delito de emissão de duplicata simulada pelo crime falimentar. A emissão das duplicatas simuladas concorreu para piorar a posição dos credores na falência iminente, ou seja, diminuir-lhes a cota-parte a que teriam direito no rateio da massa falida, nos termos do art. 187 da lei especial.

"*Despacho:* Dirimo o presente conflito negativo de atribuições, declarando caber ao digno Promotor de Justiça oficiante junto à 7ª Vara Cível da comarca de Santo André o encargo de atuar nos feitos, nos seus ulteriores termos."

43. STJ, 5ª Turma, RHC 7.011-SP (199700849074), rel. Min. José Dantas, j. 10.2.1998:

"*Ementa:* Processo penal – Emissão de duplicata simulada – Falência – Juízo universal. A falência não caracteriza como falimentar qualquer delito antes cometido pelo falido, para efeito da atuação da competência do juízo universal.

"*Decisão:* Por unanimidade, negar provimento ao recurso."

TJSP, Câmara Especial, CComp 63.882-0, São Paulo, rel. Des. Hermes Pinotti, j. 3.2.2000, v.u.: "*Ementa:* Conflito de jurisdição – Crime de estelionato sob a modalidade de emissão de duplicata simulada em tese praticado por representantes legais de sociedade declarada falida. A circunstância de o crime ter sido praticado no termo legal da quebra ou no período suspeito não transmuda em falimentar o delito – Conexão com os crimes falimentares não configurada – Competência do juízo criminal comum para conhecimento da ação penal – Competência do Juízo suscitante".

TACrimSP, 14ª Câmara, ACr 1.126.527-9, rel. Juiz San Juan França, j. 1.12.1998, *RJTACrim* 42/80: "*Ementa:* Competência – Duplicata simulada – Agente que pratica o crime, em interesse próprio, na época em que a empresa se achava sob regime de concordata preventiva – Julgamento do processo pelo juízo falimentar – Impossibilidade. O juízo falimentar é incompetente para julgar processo por delito de duplicata simulada cometido por agente que pratica a fraude em interesse próprio, na época em que a empresa se achava sob regime de concordata preventiva, pois trata-se de crime autônomo em relação àquele tipificado no art. 187 do Decreto-lei n. 7.661/1945, sendo certo que o fato de ter sido decretada a falência posteriormente não é obstáculo à aplicação da pena em processo crime diverso do da qualificação da quebra, uma vez que a universalidade do juízo falimentar restringe-se aos fatos da vida comercial do falido e aos que interessam aos bens e dívidas da massa, e não aos crimes comuns por ele cometidos".

Quando ao delito de falsidade (material ou ideológica), entendemos que se este for meio à fraude a credores, nesta se exaurindo, restará absorvido pelo crime do art. 168 da Lei 11.101/2005.[44] No entanto, na vigência deste último diploma legislativo já se decidiu pela existência de concurso material entre tais delitos.[45]

15.2 Da violação de sigilo empresarial

Sob a rubrica de "violação de sigilo empresarial" pune o legislador, no art. 169 da Lei 11.101/2005, a conduta daquele que viola, explora ou divulga, sem justa causa, sigilo empresarial ou dados confidenciais sobre operações ou serviços, contribuindo para a condução do devedor a estado de inviabilidade econômica ou financeira.

Trata-se de *novatio legis* incriminadora, uma vez que o Decreto-lei 7.661/1945 não tipificava a conduta como delito falimentar. Irretroativa, pois, a norma penal em comento, por ser prejudicial ao réu.

---

44. Entendemos que se aplica ao caso, por analogia, a Súmula 17/STJ, que preceitua: "Quando o falso se exaure no estelionato, sem mais potencialidade lesiva, é por este absorvido".

45. TJRJ, 8ª Câmara Criminal, AC 2007.050.03369, rela. Desa. Suely Lopes Magalhães, j. 5.7.2007, v.u.: "*Ementa:* Lei n. 11.101, de 2005 – Crime falimentar – Falso – Concurso material – Crime falimentar e delito de falso – Art. 168, § 1º, da Lei n. 11.101/2005 e art. 299 do CP, em concurso material – Condenação – Pena de três anos de reclusão e 18 DMa no VLM, em regime aberto, substituída por duas penas restritivas de direito – Recursos defensivos sustentando preliminares de nulidade, por erro no procedimento a ser adotado, inépcia da denúncia e ausência de condição objetiva de punibilidade dos crimes falimentares prevista no art. 180 da Lei n. 11.101/2005. No mérito, pretendem as defesas as absolvições dos apelantes, por ausência de provas do fato, concorrência para a infração e elementos para a condenação. Alternativamente, postulam a mitigação da pena aplicada. Os acusados, no curso de procedimento falimentar, desapareceram com a escrituração contábil da empresa e seu patrimônio, tendo ainda alterado fraudulentamente seu estatuto social. A Lei anterior Falimentar foi aplicada no que era mais benéfico aos agentes. O rito procedimental, todavia, aplica-se de imediato, conforme o art. 2º do CPP, e correto o entendimento do sentenciante ao valer-se do rito insculpido na Lei n. 11.101/2005. A exordial foi suficientemente clara para evitar a pecha de invalidade apontada, descrevendo adequadamente os fatos imputáveis aos agentes, consoante jurisprudência pacífica dos tribunais. Condição de punibilidade importa em requisitos para a aplicação da pena. O processo que reconheceu a falência encontra-se em baixa, restando, portanto, reconhecida a condição exigida – Preliminares afastadas – Prova robusta de autoria e materialidade nos termos da denúncia. A pena deve ser aplicada, consoante a melhor doutrina, de modo a desestimular a prática de nova infração, mantida a substituição determinada pelo Juízo – Recursos improvidos".

15.2.1 Sujeito ativo

Pode ser sujeito ativo do crime qualquer pessoa, incluindo credores, empregados, fornecedores e até mesmo o próprio devedor.

15.2.2 Sujeito passivo

Sujeitos passivos são a comunidade dos credores prejudicada com o estado de inviabilidade econômica ou financeira do devedor, a administração da justiça, o titular do sigilo e o devedor conduzido à inviabilidade econômico-financeira.

Entendemos que não seja mister para a tipificação do delito em tela que o titular do sigilo seja necessariamente o devedor conduzido ao estado de inviabilidade econômica ou financeira. Pode ocorrer, por exemplo, que a divulgação do sigilo de uma das empresas de um grupo econômico ou mesmo de um concorrente venha a ocasionar a inviabilidade de um devedor não titular das informações confidenciais.

15.2.3 Objeto jurídico

O bem jurídico protegido é a manutenção do sigilo empresarial e a confidencialidade dos dados de operações ou serviços empresariais contra uso indevido que provoque a insolvência ou insolvabilidade do devedor, bem como a administração da justiça, prejudicada com eventual processo falimentar ou de recuperação que poderia ser legitimamente evitado sem a divulgação da matéria sigilosa.

15.2.4 Tipo objetivo

As condutas são *violar* ("devassar", "revelar"), *explorar* ("tirar partido ou proveito") ou *divulgar* ("tornar público", "dar notoriedade ou publicidade", "difundir").

É necessário que a violação de sigilo ocorra *sem justa causa*.[46] Poder-se-ia cogitar de justa causa para a revelação de um segredo, por exemplo, na atitude do credor que, para cobrar o devedor em face de inadimplemento, venha a juntar em processo judicial, como prova ne-

---

46. A expressão "sem justa causa" configura-se em *elemento normativo do tipo penal*, o que significa que, pelo seu conteúdo vago e impreciso, deverá ser objeto da devida apreciação e valoração pelo juiz, para verificar, em cada caso, quanto à sua existência e configuração típicas.

cessária de seu crédito, contrato com dados confidenciais entre as partes, os quais venham a ser sabidos por terceiros em face da publicidade processual, contribuindo para a inviabilidade do devedor. Do mesmo modo, haveria justa causa na conduta daquele que, para defender-se de acusação em juízo, revelasse dados sigilosos que levassem o devedor à inviabilidade.

O objeto material do crime é o *sigilo empresarial* ou *dados confidenciais sobre operações ou serviços*.

O sigilo empresarial incluirá todos os dados de ativos intangíveis, como propriedade imaterial, marcas, invenções patenteadas, desenhos e modelos industriais e todos aqueles que assegurarem ao devedor vantagem competitiva sobre os concorrentes, possibilitando-lhe manter-se atuando no mercado.

Os dados confidenciais sobre operações e serviços abrangem negociações e contratos com clientes e fornecedores em que as partes, implícita ou explicitamente, se obrigaram ao dever de sigilo, operações bancárias, de mercado financeiro e de capitais, entre outros.

Estão abrangidos ainda os dados relativos à contabilidade e à escrituração do devedor, sigilosos por força de lei (art. 1.190 do CC), configurando o delito a divulgação ao mercado de informação sobre a superveniência de prejuízos, passivos a descoberto etc. que venham a causar a inviabilidade do devedor.[47]

Não haverá crime, entretanto, quanto às informações contábeis cuja publicação seja obrigatória (por exemplo, para as sociedades anônimas abertas, por força do art. art. 176, § 1º, da Lei 6.404/1976). Nesse caso, justamente por não haver o requisito de sigilo na informação, entendemos que não comete o delito em questão o prestador de serviços em mercado financeiro ou de capitais (operador, corretora, distribuidora etc.) que divulga ao público ou a seus clientes análise negativa sobre

---

47. O profissional de contabilidade tem o dever de manutenção de sigilo profissional por força do art. 2º, II, da Resolução CFC-803/1996, que aprovou o atual Código de Ética Profissional do Contabilista/CEPC, dispondo nos seguintes termos: "(...) guardar sigilo sobre o que souber em razão do exercício profissional lícito, inclusive no âmbito do serviço público, ressalvados os casos previstos em lei ou quando solicitado por autoridades competentes, entre estas os Conselhos Regionais de Contabilidade". Isso inclui as informações obtidas no exercício profissional por sociedade de auditoria contábil, que, ressalvadas as hipóteses legais, não pode ser compelida a apresentar tais dados. Nesse sentido, TJSP, *JTJ* 275/586: "Mandado de segurança – Matéria criminal – Crime falimentar – Empresa de auditoria – Determinação de envio de documentos – Impossibilidade – Manutenção do sigilo profissional – Segurança concedida".

devedor que se constitui em sociedade anônima aberta cujas ações sejam negociadas em Bolsa ou mercado assemelhado (por exemplo, mercado de balcão), recomendando, *v.g.*, a venda de papéis da sociedade analisada, ainda que tal avaliação contribua para a inviabilidade econômico-financeira do devedor.

15.2.5 Tipo subjetivo

Trata-se de crime exclusivamente doloso, consistente o dolo na vontade livre e consciente de violar sigilo, ciente de que pode contribuir para a inviabilidade financeira ou econômica do devedor.

Admite-se o dolo eventual, quando o devedor assume conscientemente o risco de divulgar sigilo ou dados confidenciais.

Não se pune a violação culposa de sigilo.

15.2.6 Consumação e tentativa

Diverge a doutrina quanto à consumação e à tentativa. Alguns doutrinadores entendem que o delito está consumado com a violação, exploração ou divulgação, dando ciência a terceiras pessoas do sigilo ou dados confidenciais, independentemente da efetiva inviabilidade econômica e financeira do devedor ou de prejuízo concreto, exigindo-se a mera potencialidade lesiva.[48]

Outros opinam no sentido que o delito se consumaria quando em decorrência da violação, exploração ou divulgação é decretada a falência do devedor, que consagraria juridicamente sua insolvência ou insolvabilidade.[49]

Entendemos que nenhuma das posições é a melhor, nos termos da redação da Lei 11.101/2005.

De fato, a lei obrigou que a violação do sigilo *contribua* com a inviabilidade do devedor. Ou seja, não prescindiu deste resultado eco-

---

48. Nesse sentido Arthur Migliari Jr. (*Crimes de Recuperação de Empresas e de Falências*, São Paulo, Quartier Latin, 2006, p. 135), para quem há necessidade apenas de prejuízo potencial, e não efetivo, e Manoel Justino Bezerra Filho (*Lei de Recuperação de Empresas e Falências Comentada*, São Paulo, Ed. RT, 2008), que entende que a consumação do crime se daria com a mera violação, divulgação ou exploração, por se tratar de delito formal, que não admite, em princípio, a tentativa.

49. Opinião de Antônio Sérgio A. de Moraes Pitombo, in Antônio Sérgio A. de Moraes Pitombo e Francisco Satiro de Souza Jr. (coords.), *Comentários à Lei de Recuperação de Empresas e Falência: Lei 11.101/2005*, São Paulo, Ed. RT, 2005.

nômico-financeiro para a consumação do crime. Por outro lado, exigiu a mera circunstância da inviabilidade econômica ou financeira, e não sua consagração jurídica definitiva, com a decretação da falência, para a consumação.[50]

Será possível, portanto, que a violação do sigilo empresarial torne momentaneamente inviável (econômica ou financeiramente)[51] o devedor, que, por isso, seja conduzido a uma recuperação judicial ou extrajudicial na qual supere tal condição, sem que a quebra chegue a ser decretada. Nesta hipótese entendemos que estará inegavelmente consumado o delito.

Efetivamente, não nos parece correto entender que a violação de sigilo empresarial somente possa ser punida criminalmente se acarretar a quebra da empresa. Esse entendimento faz com que permaneça impune a violação que, embora não resulte em falência, faça com que o devedor tenha de enfrentar inúmeras dificuldades econômico-financeiras que o levem ao processo de recuperação, por necessitar da anuência dos seus credores ou da interveniência judicial para continuar sua atividade.

Dessa forma, a nosso ver estará consumado o crime com o mero fato (econômico-financeiro) da inviabilidade do devedor, prescindindo-se da efetiva declaração da falência para tanto.

Dependendo da postura assumida quanto à consumação, haverá ou não a possibilidade de tentativa.

Para aqueles que entendem consumado o delito com a mera violação, divulgação ou exploração do sigilo que acarrete a ciência de terceiros, ainda que se exija a potencialidade lesiva, deve-se entender inadmissível a tentativa. De fato, ou haverá a violação através de ato potencialmente prejudicial, com a consumação do delito, ou não haverá violação minimamente lesiva em potencial, cuidando-se, então, de fato atípico.

Para os que opinam no sentido de que a consumação se dá com a condução do devedor à falência será viável a tentativa no caso de a viola-

---

50. Parece-nos que quando o legislador deseja que a conduta leve à falência, ou tenha a finalidade de acarretá-la, cita referida circunstância expressamente, como o fez nos tipo penal do art. 170 da Lei 11.101/2005.

51. Note-se que falar de inviabilidade econômico-financeira não é sinônimo de falar em encerramento das atividades empresariais ou falência. Tanto as inviabilidades econômicas como patrimoniais ou financeiras podem ser momentâneas, parciais e superáveis em processos de recuperação. Dizer o contrário, a nosso ver, é negar os inúmeros casos de empresas supostamente "inviáveis" que se reergueram após terem apoio de credores, governos, trabalhadores etc.

ção do sigilo não produzir tal efeito, mas meramente sujeitar o devedor à recuperação ou, caso já esteja nessa condição, se a violação não acarretar a convolação da recuperação em quebra.

Como entendemos que a consumação se dá com o evento econômico-financeiro da inviabilidade do devedor, com a mera sujeição do devedor a processo de recuperação, sem necessidade da decretação da quebra, não admitimos a tentativa. Isso porque ou a recuperação é concedida (se judicial) ou homologada (se extrajudicial), estando o crime consumado, ou não o é, carecendo o fato de tipicidade penal.

15.2.7 Classificação

Trata-se de crime:

(1) *Pré-falimentar ou Pré-recuperação*, uma vez que entendemos que só pode ocorrer antes da decretação da falência ou concessão da recuperação judicial ou extrajudicial.[52]

(2) *Comum ou impróprio*, pois o sujeito ativo pode ser qualquer pessoa.

(3) *Material*, por exigir resultado naturalístico (inviabilidade econômica ou financeira) para sua consumação.

(4) *De dano*, pois exige dano efetivo ao bem jurídico protegido (sigilo de dados e viabilidade econômico-financeira do devedor).

(5) *De forma livre*, por não exigir a lei qualquer meio especial para a atuação do agente.

15.3 Da divulgação de informações falsas

No delito de divulgação de informações falsas (art. 170 da Lei 11.101/2005) pune o legislador falimentar a conduta daquele que divulga ou propala, por qualquer meio, informação falsa sobre devedor em recuperação judicial, com o fim de levá-lo à falência ou de obter vantagem.

Cuida-se também de delito criado originariamente pela Lei 11.101/2005 (*novatio legis* incriminadora); portanto, de aplicação irretroativa.

---

52. Entendemos impossível que o delito ocorra após a concessão da recuperação judicial ou extrajudicial mas antes da falência. Isso porque se o devedor estiver nessa situação já estará em situação de inviabilidade econômica ou financeira confessada, dela não podendo sair sem o consentimento dos credores ao plano apresentado para sua recuperação.

15.3.1 Sujeito ativo

Qualquer pessoa. Trata-se de crime comum.

15.3.2 Sujeito passivo

O devedor em recuperação judicial e a comunidade de credores eventualmente prejudicada pela conduta do divulgador, além da administração da justiça, que pode vir a ser indevidamente influenciada pela divulgação da informação falsa na decretação da falência do devedor.

15.3.3 Objeto jurídico

A veracidade das informações sobre o devedor em recuperação judicial e a preservação da empresa contra informações falsamente divulgadas.

15.3.4 Tipo objetivo

As condutas típicas são *divulgar* ("tornar público", "dar notoriedade ou publicidade", "difundir") ou *propalar* ("espalhar", "publicar", "propagar").

A informação divulgada ou propalada deve ser *falsa*, ou seja, não correspondente à realidade, mentirosa ou dissimulada. Não é necessário, como no delito do art. 169 da Lei 11.101/2005, que a informação seja sigilosa.

15.3.5 Tipo subjetivo

É o dolo direto. Exige-se o elemento subjetivo do tipo (dolo específico), consistente no fim de levar o devedor em recuperação à falência ou de obter vantagem (econômica ou não, uma vez que não se trata necessariamente de delito patrimonial). A vantagem pode até ser lícita ou juridicamente devida (por exemplo, a conduta do devedor que divulga informação falsa para receber seu crédito antes dos demais).

15.3.6 Consumação e tentativa

Não exige a lei o resultado (falência ou recebimento de vantagem) para a consumação. Basta, pois, a ciência de terceiros em relação à informação falsa, obtida com a divulgação ou propalação, para que o delito esteja consumado.

É penalmente irrelevante que o devedor, após a divulgação da informação, venha, pública ou particularmente, a esclarecer a verdade aos terceiros que dela tiveram ciência (por exemplo, divulgando nota de esclarecimento, informe publicitário, direito de resposta ou por outros meios cabíveis), pois o delito já estará consumado.

Sendo o delito necessariamente cometido em momento posterior à concessão da recuperação judicial ou extrajudicial, entendemos admissível a tentativa quando a divulgação não seja feita oralmente em único ato (por exemplo, na divulgação de informação falsa por escrito cujo documento de divulgação seja interceptado pelo devedor antes de chegar ao conhecimento de terceiros).

15.3.7 Classificação

Trata-se de crime:

(1) *Pós-recuperação*, uma vez que só pode ocorrer depois da concessão da recuperação judicial ou extrajudicial, mas necessariamente antes da falência.[53]

(2) *Comum ou impróprio*, pois o sujeito ativo pode ser qualquer pessoa.

(3) *Formal*, por não exigir qualquer resultado naturalístico (decretação da falência ou recebimento de vantagem) para sua consumação.

(4) *De perigo*, pois se contenta o legislador com o mero risco de o devedor ser conduzido à falência ou ter exigida vantagem contra si.

(5) *De forma livre*, por não exigir a lei qualquer meio especial para a atuação do agente.

15.4 Da indução a erro

Sob a rubrica "indução a erro" pune o legislador falimentar, no art. 171 da Lei 11.101/2005, a conduta daquele que sonega ou omite informações ou presta informações falsas no processo de falência, de recuperação judicial ou de recuperação extrajudicial com o fim de induzir

---

53. Por tal motivo não usamos, aqui, as expressões "pré-falimentar" ou "antefalimentar".

a erro o juiz, o Ministério Público, os credores, a assembléia-geral de credores, o comitê ou o administrador judicial.

Cuida-se de delito criado originariamente pela Lei 11.101/2005 (*novatio legis* incriminadora); portanto, de aplicação irretroativa.

15.4.1 Sujeito ativo

Qualquer pessoa. Trata-se de crime comum.

15.4.2 Sujeito passivo

A administração da justiça em geral, e em específico o juiz, o membro do Ministério Público, os credores, a assembléia-geral de credores, o comitê ou o administrador judicial, vítimas da conduta que visa a induzi-los a erro.

15.4.3 Objeto jurídico

A veracidade e a correção das informações prestadas em processo de recuperação judicial, extrajudicial ou falência.

15.4.4 Tipo objetivo

As condutas são *sonegar* ("ocultar", "encobrir" ou "esconder") ou *omitir* ("não mencionar, dizer ou escrever") informações ou, ainda, *prestar informações falsas* ("não correspondentes à verdade" ou "ideologicamente falsas").

A sonegação, omissão ou prestação de informações falsas devem dar-se no processo de falência ou recuperação. É necessário, pois, que a conduta esteja inserida ou formalizada nesses processos judiciais. Faz-se mister também que nas condutas omissivas ("sonegar" e "omitir") o agente tenha o dever jurídico de prestar a informação.

Poderá cometer o crime o devedor em recuperação ou o falido que dolosamente apresentam informações falsas (por exemplo, documentos contábeis falsificados, relação de bens pessoais intencionalmente inexata etc.).

Na legislação norte-americana incrimina-se a prestação de afirmação falsa sob juramento e o perjúrio (*false oath*) ou de declarações falsas (*false declaration*) em processos falimentares, independentemente

do fim especial de induzir a erro (*US Code, title 18, part I, chapter 9, §
152[2], [3] e [4]*).[54]

15.4.5 Tipo subjetivo

É o dolo direto.

Exige-se o elemento subjetivo do tipo (dolo específico), consistente no fim de induzir a erro o juiz, o Ministério Público, os credores, a assembléia-geral de credores, o comitê ou o administrador judicial.

Se o intuito do devedor, ao prestar as informações falsas, for fraudar credores, estaremos diante do delito do art. 168 da Lei 11.101/2005. Se, por outro lado, a falsidade incidir sobre informações, dados ou documentos apresentados em habilitação de crédito, haverá o delito do art. 175 do mesmo diploma, dado o princípio da especialidade. Caso a finalidade seja outra, não incluída em outra tipificação de delitos falimentares, poderá eventualmente haver crime comum de falsidade.

15.4.6 Consumação e tentativa

Consuma-se o delito nas condutas omissivas ("sonegar" e "omitir") no momento em que o devedor, obrigado a prestar as informações ao juízo, deixa de prestá-las (total ou parcialmente) com o intuito de induzir a erro os sujeitos passivos do delito.

Na forma comissiva ("prestação de informações falsas") consuma-se no momento em que o agente presta as informações não correspondentes à verdade.

Para a consumação não se exige que as pessoas destinatárias da informação sejam efetivamente enganadas. Bastam a prática ou a omissão do agente com a intenção de induzir a erro. Também não se exige a ciência do destinatário para a consumação, bastando para tanto a omissão ou a prestação da informação nos autos de falência ou recuperação.

Nas formas omissivas a tentativa é impossível, uma vez que não se cogita de tal instituto nos crimes omissivos próprios.

---

54. "A person who – [2] knowingly and fraudulently makes a false oath or account in or in relation to any case under title 11; [3] knowingly and fraudulently makes a false declaration, certificate, verification, or statement under penalty of perjury as permitted under section 1.746 of title 28, in or in relation to any case under title 11; [4] knowingly and fraudulently presents any false claim for proof against the estate of a debtor, or uses any such claim in any case under title 11, in a personal capacity or as or through an agent, proxy, or attorney."

Na forma comissiva devemos separar duas situações: (1) se praticado no curso do processo antes da decisão judicial que decreta a falência, concede a recuperação judicial ou homologa o plano de recuperação extrajudicial (crime pré-falimentar ou pré-recuperação) entendemos inviável a tentativa, uma vez que quando as decisões supracitadas forem tomadas o crime fatalmente já estará consumado; (2) se praticado o crime após as decisões mencionadas (crime pós-falimentar ou pós-recuperação), embora seja teoricamente possível a tentativa (por exemplo, na hipótese de o devedor tentar protocolar petição contendo informação falsa, sendo impedido por terceiro), há de se convir que a hipótese será de rara ocorrência prática.

15.4.7 Classificação

Trata-se e crime:

(1) *Ante ou pós-falimentar (ou recuperação)*, pois, apesar de a informação falsa necessariamente ter de ser prestada no curso de um processo falimentar ou de recuperação, a conduta do agente pode ocorrer antes ou depois de o juiz, em tais processos, ter decidido a respeito da decretação da falência ou concessão da recuperação judicial ou extrajudicial.[55]

(2) *Comum ou impróprio*, pois o sujeito ativo pode ser qualquer pessoa.

(3) *Formal*, por não exigir qualquer resultado naturalístico (engano ou erro efetivos dos sujeitos passivos) para sua consumação.

(4) *De perigo*, pois contenta-se o legislador com o mero risco de indução a erro.

(5) *De forma livre*, por não exigir a lei qualquer meio especial para a atuação do agente.

15.5 Do favorecimento de credores

No delito de favorecimento de credores o art. 172 da Lei 11.101/2005 pune a prática, antes ou depois da sentença que decretar a falência, conce-

---

55. Imagine-se como exemplo a informação falsa prestada durante o processo falimentar ou de recuperação mas antes de o juiz decretar a falência, conceder a recuperação judicial ou homologar o plano de recuperação extrajudicial. Cite-se o caso do devedor que apresenta balanço contábil com dados falsos para obter a recuperação judicial, fazendo-o, portanto, antes de o juiz conceder a recuperação. Para os efeitos de classificação o crime será pré-recuperação, pois cometido antes da decisão judicial referida, embora os fatos tenham sido praticados *no curso do processo* de recuperação.

der a recuperação judicial ou homologar plano de recuperação extrajudicial, de ato de disposição ou oneração patrimonial ou gerador de obrigação destinado a favorecer um ou mais credores em prejuízo dos demais.

Muito embora sem a mesma redação, o Decreto-lei 7.661/1945 previa parcialmente as condutas ora incriminadas no art. 188, II (pagamento antecipado de uns credores em prejuízo de outros), cuja conduta foi ampliada na atual redação do art. 172, em comento. A comparação entre ambas as normas pode ser vista no quadro seguinte:

Tabela 8: Quadro comparativo do favorecimento de credores na legislação anterior

Redação da legislação anterior (Decreto-lei 7.661/1945)	Redação da Lei 11.101/2005
Art. 188. Será punido o devedor com a mesma pena do artigo antecedente, quando com a falência concorrer algum dos seguintes fatos: (...); II – pagamento antecipado de uns credores em prejuízo de outros;	Art. 172. Praticar, antes ou depois da sentença que decretar a falência, conceder a recuperação judicial ou homologar plano de recuperação extrajudicial, ato de disposição ou oneração patrimonial ou gerador de obrigação, destinado a favorecer um ou mais credores em prejuízo dos demais: Pena – reclusão, de dois a cinco anos, e multa.

15.5.1 Sujeito ativo

Trata-se de crime próprio, praticado em regra pelo devedor falido ou em recuperação ou, ainda, por sócio, diretor ou preposto em caso de sociedade; sem excluir a possibilidade do concurso de agentes do credor que é beneficiado, estando em conluio com o devedor (art. 172, parágrafo único).

15.5.2 Sujeito passivo

A comunidade dos credores, prejudicada com o privilégio e a quebra da *par conditio creditorum*. Secundariamente, a administração da justiça, prejudicada pelo privilégio concedido a um ou alguns credores.

15.5.3 Objeto jurídico

A paridade entre os credores na falência ou recuperação (*par conditio creditorum*) e a boa-fé na condução de tais processos.

15.5.4 Tipo objetivo

Incrimina a legislação o ato de *disposição* (ato que torna a coisa alheia, transferindo-a de patrimônio) ou *oneração patrimonial* (criador de ônus real), ou *gerador de obrigação* (outorgando prerrogativas ou direitos subjetivos sobre bens).

Pratica o crime o devedor que, por exemplo, vende ou dá em pagamento a alguns credores, em detrimento de outros, cotas do capital social ou máquinas componentes de seu ativo permanente.[56]

A conduta pode se dar antes ou depois da sentença que decretar a falência, conceder a recuperação judicial ou homologar plano de recuperação extrajudicial. Não é necessário, porém, que o ato de disposição ou oneração ocorra dentro do termo legal da falência.

A figura corresponde, *grosso modo*, ao que na legislação norte-americana se denomina de "transferência fraudulenta pré-falimentar" (*fraudulent prebankruptcy transfer*), incriminada no *US Code* (*title 18, part I, chapter 9, § 152[7]*).[57]

15.5.5 Tipo subjetivo

Cuida-se de tipo penal doloso. É necessário o elemento subjetivo do tipo (dolo específico), consistente na finalidade de favorecer um ou mais credores em prejuízo dos demais.

15.5.6 Consumação e tentativa

Consuma-se o crime com a prática do ato de oneração, disposição ou que gere obrigação, sem necessidade do prejuízo ou favorecimento efetivo aos credores. Mesmo que cometido após a falência ou recuperação, entendemos impossível a tentativa.

---

56. TJSP, *RT* 559/330: "*Ementa:* Crime falimentar – Venda fraudulenta de partes sociais e desvio de bens – Cotas do capital social transacionadas pelo acusado no termo legal da falência – Pagamento antecipado de alguns credores, em detrimento de outros, com a venda de máquinas da falida – Condenação decretada – Inteligência dos arts. 187 e 188, III e IV, da Lei de Falências".

57. "A person who – [7] in a personal capacity or as an agent or officer of any person or corporation, in contemplation of a case under title 11 by or against the person or any other person or corporation, or with intent to defeat the provisions of title 11, knowingly and fraudulently transfers or conceals any of his property or the property of such other person or corporation."

15.5.7 Classificação

Trata-se de crime:

(1) *Ante ou pós-falimentar (ante ou pós-recuperação)*, uma vez que pode ocorrer antes ou depois da decretação da falência, concessão da recuperação judicial ou extrajudicial.

(2) *Próprio*, pois o sujeito ativo é o devedor.

(3) *Formal*, por não exigir qualquer resultado naturalístico (prejuízo ou favorecimento efetivo aos credores) para sua consumação.

(4) *De perigo*, pois contenta-se o legislador com o mero risco aos credores pelo ato de disposição ou oneração patrimonial.

(5) *De forma livre*, por não exigir a lei qualquer meio especial para a atuação do agente.

15.6 Do desvio, ocultação ou apropriação de bens

No art. 173 a Lei 11.101/2005 pune a conduta daquele que se apropria, desvia ou oculta bens pertencentes ao devedor sob recuperação judicial ou à massa falida, inclusive por meio da aquisição por interposta pessoa.

O Decreto-lei 7.661/1945 incriminava, de modo mais restrito, a conduta supracitada no art. 188, III, e no art. 189, I. A redação comparativa pode ser vista a seguir:

Tabela 9: Quadro comparativo do crime de desvio, ocultação e apropriação de bens na legislação anterior

Redação da legislação anterior (Decreto-lei 7.661/1945)	Redação da Lei 11.101/2005
Art. 188. (...). III – desvio de bens, inclusive pela compra em nome de terceira pessoa, ainda que cônjuge ou parente; Art. 189. (...). I – qualquer pessoa, inclusive o falido, que ocultar ou desviar bens da massa;	Art. 173. Apropriar-se, desviar ou ocultar bens pertencentes ao devedor sob recuperação judicial ou à massa falida, inclusive por meio da aquisição por interposta pessoa: Pena – reclusão, de dois a quatro anos, e multa.

Dessa forma, continuam válidas, em sua grande maioria, as observações doutrinárias e jurisprudenciais feitas sob a vigência da legislação anterior.

15.6.1 Sujeito ativo

Qualquer pessoa. Trata-se de crime comum. Pode haver concurso de agentes se houver interposta pessoa[58] para o desvio e/ou aquisição de bens.

15.6.2 Sujeito passivo

A comunidade de credores e a administração da justiça.

15.6.3 Objeto jurídico

A integridade do patrimônio do devedor, sobre o qual recairão os direitos dos credores.

15.6.4 Tipo objetivo

As condutas incriminadas no dispositivo penal em tela são *apropriar-se* ("tornar próprio ou seu", "apossar-se"),[59] *desviar* ("alterar o destino ou a aplicação", "desencaminhar") ou *ocultar* ("esconder", "disfarçar", "dissimular").

A ação deve recair sobre bens do devedor em *recuperação judicial* ou pertencentes à *massa falida*. Não há crime, portanto, quando o desvio de bens tenha relação com devedor que esteja em recuperação extrajudicial, por atipicidade da conduta.

---

58. Leciona Trajano de Miranda Valverde: "Tanto na ocultação quanto no desvio de bens da massa falida pode surgir a figura do receptador, aquele que adquire, recebe ou oculta, em proveito próprio ou alheio, coisa que sabe ser procedente de crime, ou influi para que terceiro de boa-fé a adquira, receba ou oculte" (*Comentários à Lei de Falências*, Rio de Janeiro, Forense, 1962, pp. 78-79). Na vigência da Lei 11.101/2005 a conduta ora referida pelo ilustre doutrinador pode recair no art. 174 desse diploma legislativo (v. comentários ao artigo seguinte).

59. A conduta de se apropriar de bem da massa não era prevista no Decreto-lei 7.661/1945, incriminando-se a conduta na vigência desse diploma legal no art. 169 do CP. A Lei 11.101/2005, nesse aspecto, configura norma penal mais severa e, portanto, irretroativa. Nesse sentido, TJSP, 13ª Câmara Criminal, ACr 931.881-3/4, São Paulo, rel. Des. Lopes da Silva., j. 14.12.2006, v.u., Voto 11.010: "*Ementa:* Prescrição criminal – Apropriação indébita de bem pertencente à massa falida, conduta antes capitulada no Código Penal, que passou a ser enquadrada na Lei n. 11.101/2005 – Hipótese – Previsão de penas mais gravosas, que não podem sofrer efeito retroativo – Existência – Contagem dos prazos concernentes ao crime comum – Necessidade – Fluência dos mesmos dando ensejo ao instituto – Inocorrência – Preliminar rejeitada".

Deve-se lembrar, porém, que o devedor em recuperação judicial mantém a disponibilidade de seus bens enquanto durar o processo, tendo apenas restrição na venda de seu ativo permanente (art. 66 da Lei 11.101/2005). Assim, não haverá crime na conduta daquele que, nessa situação, realizar venda normal de estoque (espécie de ativo circulante), sem prova de fraude.[60]

Comete o delito o devedor que, em recuperação judicial, relaciona os bens a ele pertencentes, os quais, posteriormente, quando da decretação da quebra, deixam de ser arrecadados sem que o devedor apresente qualquer justificativa razoável.[61] Do mesmo modo o devedor que, para inviabilizar a arrecadação, desmobiliza seu patrimônio[62] e aquele que promove venda de bens da massa para promover acertos trabalhistas.[63]

Do mesmo modo, sem prejuízo do delito de apropriação indébita previdenciária, de competência da Justiça Federal (CP, art. 168-A), já se decidiu que comete o crime em tela o empresário que dolosa e fraudu-

---

60. Já na vigência do Decreto-lei 7.661/1945, no qual não era prevista a recuperação judicial, a jurisprudência se orientava nesse sentido. Sob a égide da Lei 11.101/2005 entendemos que tal orientação deva prevalecer.
TJSP, 2ª Câmara Criminal, ACr 251.143-3, Santo André, rel. Des. Egydio de Carvalho, j. 1.6.1998, v.u.: *"Ementa:* Crime falimentar – Desvio de bens – Venda de mercadoria constante de estoque – Bens que faziam parte do ramo comercial da empresa – Fraude não comprovada – Atipicidade – Absolvição – Recurso provido".

61. TJSP, 4ª Câmara Criminal, ACr 253.282-3, São Paulo, rel. Des. Passos de Freitas, j. 11.8.1998, v.u.: *"Ementa:* Crime falimentar – Desvio de bens (Lei de Falências, art. 188, III) – Configuração. Tendo o réu apresentado, no pedido de concordata, relação de bens que compunham o patrimônio da empresa e, após a decretação da falência, por ocasião da arrecadação, esses bens não foram encontrados, caracterizado restou o desvio irregular – Condenação mantida – Apelo provido".

62. TJRS, 4ª Câmara Criminal, ACr 70021162714, Porto Alegre, rel. Des. José Eugênio Tedesco, j. 22.11.2007: *"Ementa:* Crime falimentar – Art. 186, VI, e art. 188, III, do Decreto-lei n. 7.661/1945 – Recurso parcialmente provido – Apenamento redimensionado. I – Não é a simples inexistência de livros obrigatórios que perfaz a conduta criminosa do art. 186, VI, do Decreto-lei n. 7.661/1945. É necessário que a ausência destes livros tenha relevância suficiente na decretação da quebra – Atipicidade – Absolvição – Precedentes. II – Comete o delito do art. 188, III, do Decreto-lei n. 7.661/1945 a agente que, vendo-se falida, ou na sua iminência, desmobiliza seu patrimônio em evidente afronta a direitos de terceiros, desviando bens de modo a inviabilizar a arrecadação. III – Recurso parcialmente provido, com redimensionamento da pena carcerária".

63. TJSP, 6ª Câmara Criminal, ACr 241.109-3, rel. Des. Gentil Leite, j. 19.2.1998, v.u.: *"Ementa:* Crime falimentar – Venda de bens da massa – Prática para acertos trabalhistas – Fato que não afasta o delito do art. 188, III, da Lei de Falências – Recurso não provido".

lentamente se apropria das contribuições previdenciárias em detrimento dos credores trabalhistas privilegiados.[64]

Não é necessário que haja a venda formal ou transferência de posse a terceiros para a caracterização do crime, bastando que haja maior dificuldade na localização dos bens por parte de credores. Comete o crime, dessa forma, o devedor que transfere os bens a paradeiro ou comarca diversa, inacessível aos credores, ou que imponha a estes considerável óbice em localizá-los.

Sendo necessária a comprovação do intuito fraudulento do devedor em prejuízo de seus credores, não se pode presumir o desvio ou apropriação de bens pelo mero fato de nenhum bem ter sido arrecadado no processo falimentar.[65] Igualmente, embora haja algumas divergências doutrinárias, não caracteriza o crime a mera entrega tardia dos bens pelo devedor ao administrador judicial, desde que sem intenção de fraudar.[66]

Não comete o crime aquele que meramente guarda os bens em residência, que vêm a se deteriorar com o tempo.[67] Também não se configura o delito em tela na conduta daquele que realiza alienações de bens cujo produto acabou por beneficiar os credores,[68] ou no caso de serem

---

64. TJSP, *RT* 609/305: "*Ementa:* Crime falimentar – Desvio de bens – Acusado que não recolhe ao órgão competente as contribuições previdenciárias descontadas dos empregados – Fraude caracterizada – Prejuízo causado a credores privilegiados – Condenação mantida – Inteligência dos arts. 187 e 188, III, do Decreto-lei 7.661/1945".

65. TJSP, *JTJ* 139/265: "*Ementa:* Crime falimentar – Não caracterização – Desvio de bens – Delito que tem como substrato a fraude – Impossibilidade da presunção do desvio apenas porque nada se arrecadou na falência – Não comprovação, ademais, do acervo da companhia antes da quebra – Recurso provido".

66. TJSP, *RT* 724/706: "*Ementa:* Crime falimentar – Descaracterização – Ocorrência de simples insucesso do empreendimento comercial – Ausência de provas de desvio de bens da empresa em proveito próprio – Irrelevância da entrega tardia dos bens restantes ao síndico da massa falida – Sentença absolutória confirmada – Voto vencido".

67. TJSP, 4ª Câmara Criminal, ACr 210.171-3, São José do Rio Preto, rel.Des. Hélio de Freitas, j. 27.5.1997, v.u.: "*Ementa:* Crime falimentar – Art. 189 da Lei de Falências – Desvio de bens – Inocorrência – Bens depositados pelo réu na garagem de sua casa – Deterioração, com o tempo – Doação a carroceiro – Bens de difícil conservação e, ademais, insignificantes para a configuração do tipo – Absolvição mantida – Recurso não provido".

68. TJSP, 2ª Câmara Criminal, ACr 262.697-3, São Paulo, rel. Des. Silva Pinto, j. 23.11.1998, v.u.: "*Ementa:* Crime falimentar – Desvio de bens – Inocorrência – Bens vendidos cujos frutos destinaram-se ao pagamento de credores – Proveito

efetivadas vendas, sem má-fé, como último recurso para evitar a quebra.[69]

No caso da alegação de furto por parte do agente, deve este juntar prova cabal da existência da subtração por parte de terceiros, sob pena de ser afastada a alegação, uma vez que será ônus do réu a demonstração de tal circunstância.[70] Todavia, não haverá desvio de bens se evidenciada a subtração destes sem qualquer participação do acusado.[71]

Na legislação norte-americana a figura típica em análise corresponde em parte ao delito de ocultação de ativos (*concealment of assets*), crime falimentar punido no *US Code* (*title 18, part I, chapter 9, § 152[1]*).[72]

15.6.5 Tipo subjetivo

O crime é exclusivamente doloso (dolo direto), não se exigindo qualquer finalidade especial do agente (dolo específico).

próprio não caracterizado – Fraude não comprovada – Recurso parcialmente provido".
69. TJSP, 2ª Câmara Criminal, ACr 242.746-3, São Paulo, rel. Des. Silva Pinto, j. 9.3.1998, v.u.: "*Ementa:* Crime falimentar – Desvio de bens – Não caracterização – Vendas feitas no período que antecede a quebra – Providência derradeira para arrecadar fundos para satisfação de débitos pendentes – Inexistência de prova de má-fé – Ausência do elemento subjetivo – Condenação excluída – Recurso provido para este fim".
70. TJSP, 5ª Câmara Criminal, ACr 175.285-3, São Paulo, rel. Des. Dante Busana, j. 6.4.1995, v.u.: "*Ementa:* Crime falimentar – Caracterização – Incabível a imputação a preposto – Culpa *in eligendo* e *in vigilando* – Desvio de bens – Inexistência de prova idônea do alegado furto – Interrupção da escrituração do livro 'Diário' – Ausência de exibição do livro 'Registros de Duplicatas' – Não apresentação dos balanços à rubrica judicial – Irrelevância de não influência na quebra – Recurso não provido. Não é dado ao comerciante forrar-se à responsabilidade afirmando que a transferiu a preposto e este não a cumpriu. A culpa *in eligendo* e *in vigilando* não justifica o descumprimento de obrigação legal do comerciante ou do administrador de sociedade comercial e não exclui a tipicidade das omissões".
71. TJSP, 3ª Câmara Criminal, ACr 198.886-3, São Paulo, rel. Des. Linneu Carvalho, j. 12.3.1996, v.u.: "*Ementa:* Crime falimentar – Não caracterização – Desvio de bens – Insuficiência probatória – Laudo pericial a demonstrar a insegurança do local – Testemunhas que confirmam a permanência de pessoas estranhas na empresa – Absolvição decretada – Recurso não provido".
72. "A person who – [1] knowingly and fraudulently conceals from a custodian, trustee, marshal, or other officer of the court charged with the control or custody of property, or, in connection with a case under title 11, from creditors or the United States Trustee, any property belonging to the estate of a debtor."

15.6.6 Consumação e tentativa

A maior parte da doutrina entende que o crime se consuma com a mera prática das condutas descritas no tipo penal ("apropriar-se", "desviar" ou "ocultar"), independentemente de qualquer outro resultado.[73]

Entretanto, o TJSP, como vimos anteriormente (12ª Câmara Criminal, HC 985.458.3/4-0000-000, São Bernardo do Campo, rel. Des. Sydnei de Oliveira Jr., j. 20.9.2006, v.u., citado no Capítulo 13), já admitiu a tentativa no caso do crime em análise, argumentando o Relator tratar-se, na modalidade de ocultação, de crime material de dano, que se consuma com a colocação do bem fora do efetivo alcance da massa falida ou dos credores, permitindo, portanto, a tentativa.

Para melhor entendimento, transcrevemos parcialmente a argumentação utilizada no acórdão supracitado:

> "Tem-se, porém, que, na modalidade de ocultação de bens falimentares, o agente do delito deve perseguir a colocação da coisa fora do efetivo alcance da massa falida ou dos credores, exteriorizando-se um crime de resultado danoso (crime de dano). Uma vez iniciada a consecução criminosa, sem, no entanto, alcançar-se a definitiva posse do bem, verifica-se tão-só a tentativa de ocultação (cf. art. 14, inciso II, do CP). Bem por isso, não se pode admitir, como foi da suposição do impetrante, a consumação delitiva após a prestação de contas ou, também, uma mera modalidade de tentativa impossível. Com a omissão do paciente acerca da existência daquele bem se deu início ao caminho criminoso, que não se consumou por circunstâncias alheias à vontade do agente. Talvez seja obviedade dizer, que, pelo raciocínio empreendido, para a distinção entre atos preparatórios e executórios adota-se a teoria 'objetivo-individual', segundo a qual o começo do *iter criminis* contém os atos anteriores ao início da conduta típica, de acordo com o plano criminal traçado pelo agente. Nesse espectro, também são atos de execução do crime aqueles cometidos em momento anterior à conduta, desde que amoldados ao verbo do tipo penal. Note-se que essa proposição não se choca com os dizeres da nossa lei repressora, pois o Código Penal, ao referir-se ao crime tentado, reporta-se à frase 'quando, iniciada a execução' (cf. art. 14, inciso II), sem referência, destarte, ao começo da ação típica".

15.6.7 Classificação

Trata-se de crime:

---

73. Nesse sentido Arthur Migliari Jr. (*Crimes de Recuperação de Empresas e de Falências*, cit., p. 141) e Manoel Justino Bezerra Filho (*Lei de Recuperação de Empresas e Falências Comentada*, cit., p. 394).

(1) *Pós-falimentar ou pós-recuperação*, uma vez que só pode ocorrer depois da decretação da falência ou concessão da recuperação judicial.

(2) *Comum*, pois o sujeito ativo pode ser qualquer pessoa.

(3) *Formal*, por não exigir qualquer resultado naturalístico para sua consumação.

(4) *De perigo* para parte da doutrina, pois contentar-se-ia o legislador com o mero risco aos credores pelo ato de desvio, apropriação ou ocultação patrimonial. Consigne-se que há posições que entendem que na modalidade de ocultação o crime seria de dano, por exigir que o bem fique fora do alcance de quem de direito.

(5) *De forma livre*, por não exigir a lei qualquer meio especial para a atuação do agente.

15.7 Da aquisição, recebimento ou uso ilegal de bens

Sob a rubrica de "aquisição, recebimento ou uso ilegal de bens" pune o legislador, no art. 174 da Lei 11.101/2005, aquele que venha a "adquirir, receber, usar, ilicitamente, bem que sabe pertencer à massa falida ou influir para que terceiro, de boa-fé, o adquira, receba ou use".

A legislação falimentar anterior (Decreto-lei 7.661/1945) não trazia dispositivo semelhante, razão pela qual estamos novamente diante de *novatio legis* incriminadora, de aplicação irretroativa.

15.7.1 Sujeito ativo

Qualquer pessoa. Trata-se de crime comum.

Entendemos que responde pelo delito tanto aquele que adquire, recebe ou usa o bem diretamente do devedor falido quanto o adquirente sucessivo, desde que este, de má-fé, adquira, receba ou use bem recebido de terceiro que antes houvera obtido o bem da massa falida.

15.7.2 Sujeito passivo

A comunidade dos credores e a administração da justiça.

15.7.3 Objeto jurídico

A integridade do patrimônio da massa falida contra dilapidação ou uso indevidos.

15.7.4 Tipo objetivo

As condutas incriminadas são *adquirir* ("obter", "conseguir", "alcançar"), *receber* ("entrar na posse"), *usar* ilicitamente ("servir-se de algo ou empregar de modo ilícito ou ilegal") ou *influir* ("incutir", "insuflar") na conduta de terceiro adquirente de boa-fé.

Bem ressalta Arthur Migliari Jr., explicando o tipo penal em estudo: "Tal dispositivo penal é norma especial com relação ao crime de receptação do Código Penal (art. 180), mas possui uma distinção ímpar que é a tipificação do crime de usar bem pertencente à massa falida. A experiência nos mostrou que inúmeros bens das massas falidas, notadamente imóveis e veículos, eram utilizados por terceiras pessoas ou até mesmo pelos próprios falidos ou pessoas vinculadas aos administradores da massa falida, ou até mesmo por terceiros que viam os imóveis lacrados e resolviam, *motu proprio*, passar a utilizar os bens, sem quaisquer contraprestações à massa falida, em prejuízo dos credores".[74]

As condutas podem se dar a título gratuito ou oneroso, mas devem recair necessariamente sobre bens da massa falida. Diante disso, não configurarão o delito a aquisição, recebimento ou uso de bem pertencente a devedor em recuperação judicial ou extrajudicial.

Não é necessário que o terceiro de boa-fé sucumba à influência exercida e adquira o bem da massa para a consumação do delito, bastando a influência para tanto, através de ato idôneo.

A aquisição, uso ou recebimento de vários bens, num mesmo contexto ou ação, caracterizarão crime único. Se em diversas condutas, separadas no tempo, poderá haver crime continuado.

O tipo penal tem paralelo na legislação norte-americana, que pune o recebimento por parte de terceiros de modo fraudulento, e fora dos casos legalmente autorizados, de somas ou propriedade do devedor (*US Code, title 18, part I, chapter 9, § 152[5]*).[75]

15.7.5 Tipo subjetivo

Trata-se do dolo direto. Neste há de se incluir a ciência da origem e titularidade do bem (pertencente à massa falida).

---

74. Arthur Migliari Jr., *Crimes de Recuperação de Empresas e de Falências*, cit., p. 145.
75. "A person who – [5] knowingly and fraudulently receives any material amount of property from a debtor after the filing of a case under title 11, with intent to defeat the provisions of title 11."

Havendo necessidade de que o agente *saiba* que o bem pertence à massa falida, não é possível cogitar de dolo eventual.

Entendemos que haverá o crime ainda que o dolo seja posterior ao início da aquisição (*dolus subsequens*). Veja-se o caso daquele que, inicialmente ignorando a origem ilícita, adquire bem da massa falida, vindo a saber de tal circunstância posteriormente, quando ainda na posse do bem, não restituindo a coisa ao devedor e mantendo sua posse ilícita.

15.7.6 Consumação e tentativa

Consuma-se o delito com a aquisição, recebimento ou uso efetivos ou, ainda, com a influência sobre o ânimo de terceiro de boa-fé para tanto. Não é obrigatório para a consumação que se convença o terceiro de boa-fé, nem que se consigam quaisquer comportamentos deste, bastando que a influência seja exercida por ato idôneo para tanto.

Tratando-se de crime pós-falimentar, admitimos a tentativa (tal qual ocorre com o delito de receptação definido no art. 180 do CP)[76] quando o agente tenta adquirir, receber ou usar mas é impedido por circunstâncias alheias à sua vontade. Na conduta de "influir", seguindo o que a doutrina penal preconiza quanto à receptação, entendemos inadmissível a tentativa, pois ou o ato destinado a influenciar o terceiro é idôneo, e haverá crime consumado, ou não é, inexistindo o delito.

15.7.7 Classificação

Trata-se de crime:

(1) *Pós-falimentar*, uma vez que só pode ocorrer depois da decretação da falência.

(2) *Comum*, pois o sujeito ativo pode ser o qualquer pessoa.

(3) *Material* nas formas de "aquisição", "recebimento" e "uso", uma vez que a lei exige o resultado naturalístico nessas hipóteses. *Formal* na conduta de "influir" para aquisição por terceiro, dado ser dispensável para esta última conduta o resultado naturalístico para a consumação.

(4) *De forma livre*, por não exigir a lei qualquer meio especial para a atuação do agente.

---

76. Tribunal de Alçada Criminal de São Paulo: *A tentativa de receptação dolosa configura-se pelo fato dos agentes terem sido surpreendidos quando da entrega de veículo roubado* (JTACRIM 96/244).

15.8 Da habilitação ilegal de crédito

O delito de habilitação ilegal de crédito, definido no art. 175 da Lei 11.101/2005, prevê a conduta criminal daquele que apresentar, em falência, recuperação judicial ou recuperação extrajudicial, relação de créditos, habilitação de créditos ou reclamação falsas, ou juntar a estas título falso ou simulado.

O Decreto-lei 7.661/1945 já previa em seu art. 189, II, como crime falimentar a conduta supracitada. A redação comparativa pode ser vista a seguir:

Tabela 10: Quadro comparativo da habilitação ilegal de crédito na legislação anterior

Redação da legislação anterior (Decreto-lei 7.661/1945)	Redação da Lei 11.101/2005
Art. 189. (...). II – quem quer que, por si ou interposta pessoa, ou por procurador, apresentar, na falência ou na concordata preventiva, declarações ou reclamações falsas, ou juntar a elas títulos falsos ou simulados;	Art. 175. Apresentar, em falência, recuperação judicial ou recuperação extrajudicial, relação de créditos, habilitação de créditos ou reclamação falsas, ou juntar a elas título falso ou simulado: Pena – reclusão, de dois a quatro anos, e multa.

Talvez por um cochilo do legislador não foi incluída no tipo penal do art. 175 da Lei 11.101/2005 a conduta do devedor que reconhece como verdadeiros créditos falsos ou simulados, na forma antes tipificada no art. 189, III, do Decreto-lei 7.661/1945.[77]

15.8.1 Sujeito ativo

Qualquer pessoa. Trata-se de crime comum.

---

77. Acreditamos que dificilmente se poderia enquadrar esta conduta no art. 175 da Lei 11.101/2005 sem ter de usar recurso de analogia *in malam partem* (vedada em direito penal). Afinal, o devedor que reconhece o crédito falso ou simulado não o está *apresentando*, mas simplesmente reconhecendo a falsidade praticada por outrem (credor). Além disso, na maior parte das vezes ao reconhecer falsamente um crédito *não junta qualquer documento*, fazendo mera declaração de anuência ou concordância com direito creditício alheio. Assim, entendemos que a conduta em questão poderá eventualmente ser tipificada no art. 168 da Lei 11.101/2005 se for meio para a fraude a credores; no art. 172 da Lei 11.101/2005 se for meio para favorecer credores; ou então no art. 299 do CP (falsidade ideológica).

Tanto o credor que se habilita na falência ou recuperação declarando falsamente seu crédito quanto o devedor que apresenta lista de credores com dados falsos podem ser sujeitos ativos.

15.8.2 Sujeito passivo

A comunidade de credores e a administração da justiça.

15.8.3 Objeto jurídico

Protegem-se o direito dos credores, com o fim de preservar a realidade da apuração do passivo do devedor em face de declarações falsas de crédito, bem como a administração da justiça, levada a erro com o procedimento do agente.

15.8.4 Tipo objetivo

As condutas incriminadas são: *apresentar* ("passar às mãos", "entregar", "dar a conhecer")[78] ou *juntar* ("anexar" documentos ou provas).

Tais condutas devem recair sobre os seguintes objetos materiais ou sobre os documentos que os acompanham:

(1) *Relação de créditos* – trata-se da relação a ser apresentada pelo devedor ao juízo, informando quais são seus credores, além do valor e da natureza dos créditos (arts. 51, III, 99, III, 162 e 163, todos da Lei 11.101/2005).

(2) *Habilitação de créditos* – é o requerimento apresentado pelo credor, instruído com a prova de seu direito, no qual requer seja seu crédito incluído dentre aqueles a serem pagos pela massa falida ou pelo devedor em recuperação.

(3) *Reclamação* – constitui-se em todo e qualquer pedido ou reclamo dentro do processo falimentar ou de recuperação, tais como pedido de restituição, pedido de reserva de bens ou numerário etc.

---

78. Dado que a conduta incriminada é apresentar a habilitação, não comete o crime aquele que meramente ajuíza reclamação trabalhista para obtenção de crédito fictício junto à Justiça do Trabalho, sem apresentar qualquer pretensão, posteriormente, ao juízo falimentar. Nesse sentido, TJSP, *RT* 632/297: "*Ementa*: Crime falimentar – Simulação fraudulenta de crédito – Descaracterização – Acusado que propõe reclamação trabalhista objetivando recebimento de créditos fictícios, com prejuízo para a massa – Delito, porém, que só se caracteriza com a apresentação na falência de reclamação ou declaração falsa – Denúncia que, portanto, descreve fato atípico – Processo anulado – Aplicação dos arts. 564, III, 'a', do CPP e 189, II, do Decreto-lei n. 7.661/1945".

A falsidade da habilitação, relação, reclamação ou dos documentos juntados a estas pode ser tanto material quanto ideológica. Pode se referir a falsidade, entre outras características, à própria existência do crédito, sua natureza (trabalhista, com garantia real, quirografário etc.) ou a seu valor.

Portanto, o crime pode se consumar pela falsidade do conteúdo intrínseco apresentado em petição de habilitação ou reclamação (por exemplo, relação de credores inexistentes, créditos trabalhistas irreais ou superiores ao montante real etc.) ou pelos documentos juntados (duplicatas simuladas, títulos falsos etc.).

Também se configura o crime com a juntada de título *simulado*, que se deve entender como aquele objeto de vício do consentimento consistente em simulação, em que as partes apresentam negócio meramente aparente, visando a encobrir outro que realmente atende às suas intenções (por exemplo, um contrato de compra e venda que simula doação de bens disfarçada a pessoa ligada ao credor).

Tratando-se de delito pós-falimentar ou pós-recuperação, a conduta deve ocorrer após a concessão da recuperação judicial, homologação do plano de recuperação extrajudicial ou decretação da quebra.

Discute-se, nos casos de habilitação de crédito apresentada por credor, quanto à possibilidade de a ação penal se iniciar antes da decisão final do juízo falimentar quanto ao crédito apresentado ou se esta se constituiria em pressuposto essencial à persecução criminal do delito em tela. Abordaremos a questão mais adiante, quando tratarmos da ação penal nos crimes falimentares.

No Direito Comparado, particularmente na legislação norte-americana, pune-se o ajuizamento pelo credor de falsas pretensões de prova em processos falimentares (*false claim for proof*) em detrimento do patrimônio do devedor (*US Code, title 18, part I, chapter 9, § 152[4]*).[79]

15.8.5 Tipo subjetivo

O tipo penal é doloso. Deve-se admitir o dolo eventual quando o agente tenha dúvida quanto à falsidade e mesmo assim faça a apresentação ou juntada.

Não se exige qualquer elemento subjetivo do tipo (dolo específico) consistente em ânimo especial de agir.

---

79. "A person who – [4] knowingly and fraudulently presents any false claim for proof against the estate of a debtor, or uses any such claim in any case under title 11, in a personal capacity or as or through an agent, proxy, or attorney."

15.8.6 Consumação e tentativa

Com a apresentação de habilitação, relação ou reclamação falsas ou juntada de títulos ou documentos falsificados. Inclinamo-nos a não admitir a tentativa.

15.8.7 Classificação

Trata-se de crime:

(1) *Pós-falimentar ou pós-recuperação*, uma vez que só pode ocorrer depois da decretação da falência ou concessão da recuperação judicial ou extrajudicial.

(2) *Comum*, pois o sujeito ativo pode ser tanto o credor quanto o devedor falido ou em recuperação.

(3) *Formal*, por não exigir qualquer resultado naturalístico para sua consumação.

(4) *De perigo*, pois se contenta o legislador com o mero risco aos credores pela apresentação ou juntada com forma ou conteúdo falsos.

(5) *De forma livre*, por não exigir a lei qualquer meio especial para a atuação do agente.

15.9 Do exercício ilegal de atividade

O delito de exercício ilegal de atividade, disciplinado no art. 176 da Lei 11.101/2005, prevê a conduta daquele que vem a exercer atividade para a qual foi inabilitado ou incapacitado por decisão judicial, nos termos da lei falimentar.

Não havia a mesma previsão na legislação anterior (Decreto-lei. 7.661/1945), razão pela qual se está novamente diante de *novatio legis* incriminadora, de aplicação irretroativa.[80]

15.9.1 Sujeito ativo

Somente aquele que foi inabilitado para o exercício de atividade nos termos da lei falimentar. Cuida-se de crime próprio, no sentido genérico de ser requerida qualidade especial do sujeito ativo.

---

80. Anteriormente à Lei 11.101/2005 o exercício de atividade para o qual estivesse o agente inabilitado poderia configurar a contravenção penal do art. 47 do Decreto-lei 3.688/1941 (exercício ilegal de profissão) ou o delito do art. 359 do CP, que tipifica a conduta de exercer função, atividade, direito, autoridade ou múnus de que se foi suspenso ou privado por decisão judicial.

Pode ocorrer, entretanto, que o indivíduo inabilitado para o exercício de atividade venha a fazê-lo por meio de interposta pessoa (por exemplo, o devedor que se utiliza de terceiro, cônjuge ou parente para exercer atividade empresarial). Neste caso, havendo dolo por parte daquele que atue conjuntamente, haverá concurso de agentes.[81] Justamente por isso, não se há de cogitar de crime na atuação de colaboradores do devedor (empregados, eventuais, autônomos e prestadores de serviço) que ajam sem ter ciência da proibição judicialmente imposta.

15.9.2 Sujeito passivo

A administração da justiça e, secundariamente, o interesse e o patrimônio dos credores afetados pelo exercício da atividade.

15.9.3 Objeto jurídico

Protegem-se a efetividade da decisão judicial que determinou a inabilitação ou incapacitação para o exercício de atividade e também, de modo indireto, a incolumidade do patrimônio dos credores e terceiros, para que não venham a ser prejudicados pelo exercício de atividade judicialmente proibida.

15.9.4 Tipo objetivo

A conduta incriminada é *exercer* ("desempenhar", "levar a efeito", "cumprir") atividade para a qual *inabilitado* ou *incapacitado* por decisão judicial.

Entendemos que o crime pode ocorrer pelo exercício de atividade vedada por decisão do juízo falimentar de natureza civil ou penal. Não estará configurado o delito, porém, se a decisão judicial proibitiva do exercício de atividade não for tomada com base na lei falimentar, mas sim com fundamento na legislação penal ou civil comum.

Dessa forma, estará configurado o delito, entre outras hipóteses:

(1) *Quando o falido venha a exercer atividade empresarial depois de inabilitado para o exercício do comércio pela decretação da falência, anteriormente à extinção das obrigações (art. 102 da Lei 11.101/2005).*

---

81. Percuciente a observação de Manoel Justino Bezerra Filho quanto à dificuldade probatória nessa eventualidade: "Haverá, certamente, dificuldades práticas quanto à prova do delito naquelas hipóteses em que o sujeito ativo se vale de terceiros para exercer ou continuar exercendo atividade, sugerindo a hipótese de concurso de agentes" (*Lei de Recuperação de Empresas e Falências Comentada*, cit., p. 396).

(2) *Quando o devedor em recuperação retornar à atividade empresarial após determinação judicial de seu afastamento (arts. 64 e 65 da Lei 11.101/2005).*

(3) *Quando o devedor venha a exercer atividade empresarial após condenação por crime falimentar com trânsito em julgado, durante seus efeitos, sem prévia reabilitação.*

(4) *Quando, após condenação criminal por delito falimentar, durante seus efeitos, e sem prévia reabilitação, venha o devedor a exercer cargo ou função em conselho de administração, diretoria ou gerência de sociedade, ou venha a gerir empresa por mandato ou por gestão de negócio.*

Como o tipo penal fala em "atividade", não bastará a prática de um único ato para o aperfeiçoamento do delito em tela, sendo necessário que haja habitualidade na conduta do sujeito ativo para a consumação do crime.

Entende-se que no caso de a proibição ao agente ter-se dado em virtude de pena restritiva de direitos, imposta em substituição a pena privativa de liberdade em condenação por crime falimentar (por exemplo, interdição temporária de direitos e proibição do exercício de profissão ou atividade que dependam de licença ou autorização do Poder Público – arts. 43, V, e 47, II, do CP), eventual descumprimento derivado do exercício da atividade não caracterizaria o delito em questão, uma vez que a sanção para tal conduta seria a conversão em pena privativa de liberdade.

15.9.5 Tipo subjetivo

Basta o dolo genérico para a configuração do crime, não se exigindo qualquer finalidade específica.

15.9.6 Consumação e tentativa

Dá-se a consumação com a prática da atividade proibida, de forma habitual, após decisão judicial que inabilite ou incapacite o agente para tanto. Por se tratar de delito habitual, é inadmissível a tentativa.

15.9.7 Classificação

Trata-se de crime:

(1) *Pós-falimentar ou pós-recuperação*, uma vez que só pode ocorrer depois da decretação da falência ou concessão da recuperação judi-

DOS CRIMES EM ESPÉCIE

cial ou extrajudicial, processos nos quais eventual decisão judicial de inabilitação ou incapacitação venha a ser tomada.

(2) *Próprio*, pois o sujeito ativo só pode ser o indivíduo inabilitado ou incapacitado.

(3) *Formal*, por não exigir qualquer resultado naturalístico para sua consumação.

(4) *De perigo*, pois se contenta o legislador com o mero risco ao ordenamento jurídico, à credibilidade do Poder Judiciário e ao patrimônio de credores e terceiros derivado do exercício da atividade para a qual havia impedimento.

(5) *De forma livre*, por não exigir a lei qualquer meio especial para a atuação do agente.

15.10 Da violação de impedimento

No delito de violação de impedimento, definido no art. 177 da Lei 11.101/2005, incrimina o legislador a conduta de adquirir o juiz, o representante do Ministério Público, o administrador judicial, o gestor judicial, o perito, o avaliador, o escrivão, o oficial de justiça ou o leiloeiro, por si ou por interposta pessoa, bens de massa falida ou de devedor em recuperação judicial ou, em relação a estes, entrar em alguma especulação de lucro, quando tenham atuado nos respectivos processos.

O Decreto-lei 7.661/1945 já previa, em seu art. 190, como crime falimentar a conduta supracitada. A redação comparativa pode ser vista a seguir:

Tabela 11: Quadro comparativo do crime de violação de impedimento na legislação anterior

Redação da legislação anterior (Decreto-lei 7.661/1945)	Redação da Lei 11.101/2005
Art. 190. Será punido com detenção, de um a dois anos, o juiz, o representante do Ministério Público, o síndico, o perito, o avaliador, o escrivão, o oficial de justiça ou o leiloeiro que, direta ou indiretamente, adquirir bens da massa, ou, em relação a eles, entrar em alguma especulação de lucro.	Art. 177. Adquirir o juiz, o representante do Ministério Público, o administrador judicial, o gestor judicial, o perito, o avaliador, o escrivão, o oficial de justiça ou o leiloeiro, por si ou por interposta pessoa, bens de massa falida ou de devedor em recuperação judicial, ou, em relação a estes, entrar em alguma especulação de lucro, quando tenham atuado nos respectivos processos: Pena – reclusão, de dois a quatro anos, e multa.

15.10.1 Sujeito ativo

Somente o juiz, o representante do Ministério Público, o administrador judicial, o gestor judicial, o perito, o avaliador, o escrivão, o oficial de justiça ou o leiloeiro.

Juiz é o representante do Poder Judiciário, aprovado em concurso público para o cargo de magistrado. Incluem-se aqui aqueles que exercem suas funções em primeira instância ou em instâncias superiores, desde que tenham intervindo no processo falimentar ou de recuperação. A mesma circunstância aplica-se aos membros do Ministério Público, que se constituem em promotores (atuantes em primeira instância) e procuradores de justiça (que atuam perante os tribunais).

Administrador judicial é o profissional de escolha do juízo cuja função principal é auxiliar o magistrado no curso do processo falimentar ou de recuperação, exercendo as atribuições do art. 22 da Lei 11.101/2005.

Gestor judicial é figura profissional criada pela Lei 11.101/2005 (art. 65) destinada ao gerenciamento da atividade do devedor quando este venha a ser afastado de suas funções por determinação judicial.

Perito é o auxiliar do juiz, por este nomeado para pronunciar-se sobre matéria técnica de sua área de especialidade através de laudo.

Avaliador é o profissional em cuja função se inclua a de atribuir valores a bens constantes do processo falimentar ou de recuperação.

O escrivão e o oficial de justiça são funcionários de uma serventia judicial, sendo o primeiro incumbido da realização de atos materiais em processos judiciais e o segundo do cumprimento de ordens externas determinadas pelo magistrado.

O leiloeiro é o responsável pela alienação de bens da massa falida em processo de leilão.

A doutrina aponta, com razão, a omissão legal em relação a duas espécies de agentes que também estariam na mesma relação de incompatibilidade dos acima referidos, quais sejam, o depositário e o advogado que houver atuado nos autos como patrono do falido, do administrador judicial ou dos demais sujeitos ativos supracitados, os quais não foram incluídos no rol dos possíveis autores do delito em questão.[82]

Se houver aquisição mediante interposta pessoa, havendo dolo desta, haverá concurso de agentes.

---

82. V. Migliari Jr. (*Crimes de Recuperação de Empresas e de Falências*, cit., p. 151) e Manoel Justino Bezerra Filho (*Lei de Recuperação de Empresas e Falências Comentada*, cit., p. 397).

15.10.2 Sujeito passivo

A administração da justiça.

15.10.3 Objeto jurídico

Protege-se a lisura do procedimento falimentar contra a existência de conflitos de interesses, uso de informações privilegiadas com fins negociais em benefício pessoal (*insider information/insider trading*) ou, mesmo, emprego de prerrogativas especiais na aquisição dos bens da massa ou do devedor em recuperação.

15.10.4 Tipo objetivo

É de se notar que sobre a matéria o Código Civil (art. 497, III) estabelece a proibição, sob pena de nulidade, da aquisição, ainda que em hasta pública, "pelos juízes, secretários de tribunais, arbitradores, peritos e outros serventuários ou auxiliares da Justiça", dos "bens ou direitos sobre que se litigar em tribunal, juízo ou conselho, no lugar onde servirem, ou a que se estender a sua autoridade".

Nessa linha de raciocínio, seguindo a sanção estipulada na esfera cível pelo artigo supracitado, ressalta Trajano de Miranda Valverde que o delito em tela "é a sanção penal de atos civilmente nulos. O fato, porém, não depende, para constituir crime, da prévia declaração de nulidade no juízo cível. O juiz criminal tem autoridade para o apreciar, já que se trata de ato nulo".[83]

As condutas são *adquirir* ("obter", "conseguir", "comprar") bens de massa ou devedor em recuperação ou *entrar em especulação de lucro*, que consigna expressão genérica cuja intenção parece ser a vedação de que os sujeitos ativos se valham de sua posição ou circunstância para auferir vantagens.

Na conduta de "adquirir" entendemos que não haja necessidade de o agente obter a propriedade formal do bem, bastando que possa exercer

---

83. Trajano de Miranda Valverde, *Comentários à Lei de Falências*, cit., p. 83. O autor ainda faz referência ao art. 133, IV, do CC de 1916, hoje correspondente ao art. 497, III, do CC de 2002, na seguinte redação: "Sob pena de nulidade, não podem ser comprados, ainda que em hasta pública: (...) III – pelos juízes, secretários de tribunais, arbitradores, peritos e outros serventuários ou auxiliares da Justiça, os bens ou direitos sobre que se litigar em tribunal, juízo ou conselho, no lugar onde servirem, ou a que se estender a sua autoridade".

sobre a coisa um ou alguns dos poderes inerentes ao domínio (uso, gozo, disposição etc.).

Do mesmo modo ocorre na conduta de "entrar em especulação de lucro", uma vez que a lei incrimina a mera negociação envolvendo um ou alguns dos sujeitos ativos descritos no tipo penal em estudo, não sendo necessária qualquer transferência de propriedade ou financeira.

Pouco importam o resultado da negociação, o preço pago ou o valor do bem para a existência do crime, configurando-se o delito até mesmo se houver benefício à massa ou aos credores.

As condutas aqui descritas também encontram semelhante definição na legislação criminal falimentar norte-americana, que pune a aquisição, direta ou indireta, por agentes estatais envolvidos no processo falimentar, de qualquer bem componente da propriedade do devedor sujeito a um processo em que tais agentes exerçam suas funções (*US Code, title 18, part I, chapter 9, § 154[1]*).[84]

Daí por que aplicável o ensinamento de Stephanie Wickouski, para quem: "A seção 154[1] é análoga às proibições de *insider trading*. Administradores, servidores das cortes, devedores, comitês, e guardiães estão numa posição única para tirar proveito de informações internas. Além do mais, há freqüentemente a oportunidade de um agente estatal manipular, ou ao menos influenciar, os processos de oferta e anúncio. Se não houvesse proibições contra a autonegociação nada haveria para prevenir um agente oficial de estruturar o processo de venda de tal forma a aumentar a probabilidade de que não houvesse outros ofertantes ou, ao menos, que o agente fosse o ofertante vencedor. O potencial para a redução do valor da propriedade seria evidente".[85]

A legislação estadunidense, porém, vai além das disposições da Lei 11.101/2005 quando, no mesmo dispositivo, pune também a negativa, por parte dos agentes estatais, da faculdade de exame dos documentos, contas e outros dados de interesse do devedor pelos credores ou mesmo por outras autoridades públicas (*US Code, title 18, part I, chapter 9, § 154[2] e [3]*).[86]

---

84. "A person who, being a custodian, trustee, marshal, or other officer of the court – [1] knowingly purchases, directly or indirectly, any property of the estate of which the person is such an officer in a case under title 11."

85. Stephanie Wickouski, *Bankruptcy Crimes*. cit., p. 75 (tradução livre).

86. "A person who, being a custodian, trustee, marshal, or other officer of the court – [2] knowingly refuses to permit a reasonable opportunity for the inspection by parties in interest of the documents and accounts relating to the affairs of estates

15.10.5 Tipo subjetivo

Tipo doloso (dolo genérico).

15.10.6 Consumação e tentativa

Consuma-se com a aquisição ou realização de ato de especulação lucrativa. Entendemos plenamente cabível a tentativa (por exemplo, na hipótese de um servidor judicial tentar adquirir bem da massa, sendo impedido pelo administrador judicial ou pelo magistrado).

15.10.7 Classificação

Trata-se de crime:

(1) *Pós-falimentar ou pós-recuperação*, uma vez que só pode ocorrer depois da decretação da falência ou concessão da recuperação judicial ou extrajudicial.

(2) *Próprio*, embora o sujeito ativo não seja somente o falido, pois o delito só pode ser cometido pelo juiz, representante do Ministério Público, administrador judicial, gestor judicial, perito, avaliador, escrivão, oficial de justiça ou leiloeiro. Exige-se, portanto, uma qualidade especial do sujeito ativo.

(3) *Formal*, por não exigir qualquer resultado naturalístico (por exemplo, dano ou prejuízo à massa ou aos credores) para sua consumação.

(4) *De perigo*, pois se contenta o legislador com o mero risco à administração da justiça pela aquisição ou especulação.

(5) *De forma livre*, por não exigir a lei qualquer meio especial para a atuação do agente.

15.11 Da omissão dos documentos contábeis obrigatórios

O crime do art. 178 da Lei 11.101/2005 ("omissão dos documentos contábeis obrigatórios") prevê a conduta de deixar de elaborar, escriturar ou autenticar, antes ou depois da sentença que decretar a falência,

in the person's charge by parties when directed by the court to do so; or [3] knowingly refuses to permit a reasonable opportunity for the inspection by the United States Trustee of the documents and accounts relating to the affairs of an estate in the person's charge".

conceder a recuperação judicial ou homologar o plano de recuperação extrajudicial, os documentos de escrituração contábil obrigatórios.

O Decreto-lei 7.661/1945 previa conduta similar, embora com razoáveis diferenças da atual legislação.

O quadro comparativo pode ser visto a seguir:

Tabela 12: Quadro comparativo do crime de omissão de documentos contábeis obrigatórios na legislação anterior

Redação da legislação anterior (Decreto-lei 7.661/1945)	Redação da Lei 11.101/2005
Art. 186. (...). VI – inexistência dos livros obrigatórios ou sua escrituração atrasada, lacunosa, defeituosa ou confusa; Art. 188. (...). VI – falsificação material, no todo ou em parte, da escrituração obrigatória ou não, ou alteração da escrituração verdadeira; (...). VII – omissão, na escrituração, obrigatória ou não, de lançamento que dela devia constar, ou lançamento falso ou diverso do que nela devia ser feito; VIII – destruição, inutilização ou supressão, total ou parcial, dos livros obrigatórios;	Art. 178. Deixar de elaborar, escriturar ou autenticar, antes ou depois da sentença que decretar a falência, conceder a recuperação judicial ou homologar o plano de recuperação extrajudicial, os documentos de escrituração contábil obrigatórios: Pena – detenção, de um a dois anos, e multa, se o fato não constitui crime mais grave.

Verifica-se, portanto, que a Lei 11.101/2005 não repetiu como crime autônomo as condutas de *falsificação material e alteração de escrituração ou lançamento, destruição, inutilização ou supressão de livros obrigatórios, atrasos, confusões e defeitos na escrituração*. Estas condutas são incriminadas apenas no § 1º do art. 168 da Lei 11.101/2005 como causas de aumento de pena do delito de fraude a credores. Neste ponto a Lei 11.101/2005 é norma mais benéfica (*lex mitior*), devendo ser aplicada retroativamente.[87]

87. Entendemos que o art. 178 da Lei 11.101/2005 continua a incriminar a inexistência de livros ou a escrituração lacunosa ou defeituosa, esta última quando haja omissão de lançamentos (condutas que eram previstas no art. 186, IV, do Decreto-lei 7.661/1945). Isto porque, não existindo livros escriturados (em qualquer meio material) ou havendo lacunas e defeitos omissivos na escrituração, deixou-se de escriturar efetivamente, o que continua a ser previsto no art. 178 da Lei 11.101/2005 como crime falimentar. Acórdão recente do TJSP, porém, veio a proclamar que a inexistência de livros escriturados juntamente com a escrituração atrasada não constituem mais crimes falimentares autônomos, reconhecendo uma *abolitio criminis* no caso em tela (v. a ementa seguinte e o extrato que retiramos do inteiro teor do acórdão

respectivo): TJSP, 13ª Câmara Criminal, ACr. 932.119.3/5-0000-000, São Paulo, rel. Des. Renê Ricupero, j. 16.11.2006, v.u., Voto 10.986: "*Ementa:* Crime falimentar – Escrituração irregular ou inexistência de livros obrigatórios – Art. 186, inciso VI, do Decreto-lei n. 7.661/1945 – *Abolitio criminis* – Ocorrência – Hipóteses não recepcionadas pela Lei n. 11.101/2005 como ilícitos penais autônomos, mas somente como causas de aumento de pena do crime de fraude a credores (art. 168, § 1º, incisos I, II, III e V) – Entendimento – Aplicação imediata da *lex mitior* aos processos penais em curso – Cabimento – Recurso improvido quanto à condenação do acusado pelo crime de desvio de bens, sendo parcialmente provido o apelo para absolvê-lo, com fundamento no art. 386, inciso III, do CPP, do delito capitulado no art. 186, inciso VI, do Decreto-lei n. 7.661/1945". *Extrato do inteiro teor do acórdão*: "Quanto à outra imputação, sem adentrar o mérito de sua procedência ou improcedência, ocorreu a *abolitio criminis*, vez que a Lei n. 11.101, de 9.2.2005, não recepcionou a escrituração atrasada e/ou a inexistência dos livros obrigatórios como ilícitos penais autônomos, mas somente os relacionou como causa de aumento [*da pena*] do crime de fraude a credores (art. 168, § 1º, incisos I, II, III e V). 'A lei penal não retroagirá, salvo para beneficiar o réu', reza a garantia inscrita no art. 5º, inciso XL, da CF. A *lex mitior*, que revoga, abranda ou, de qualquer forma, beneficia o agente, alcança até a sentença condenatória passada em julgado (parágrafo único do art. 2º do CP) , aplicando-se imediatamente aos processos penais em curso. Sendo a nova lei, neste particular, mais favorável ao apelante que o Decreto-lei n. 7.661, de 21.6.1945, que foi revogado expressamente (art. 200 do novo diploma legal), é de cancelar-se a sua condenação pelo crime previsto no art. 188, inciso VI, da antiga Lei de Falências".

Contrariamente a esse entendimento (posição com a qual concordamos): TJSP, 12ª Câmara do 6º Grupo da Seção Criminal, HC 1.069.164-3/5, São Caetano do Sul, rel. Des. Eduardo Pereira, j. 30.5.2007, v.u., Voto 14.304: "*Ementa:* Ação penal – Trancamento – *Abolitio criminis* – Inocorrência. A conduta incriminadora imputada às pacientes (art. 186, VI, do Decreto-lei n. 7.661/1945) não restou suprimida pela nova Lei de Falências (Lei n. 11.101/2005). Aliás, não só foi contemplada como agravada (art. 178 da referida lei). À evidência, ademais, o que ocorreu foi *novatio legis in pejus*. Assim, a lei nova não poderá retroagir, diante do princípio da irretroatividade da lei mais severa; ou seja, a lei antiga, por ser mais benéfica, tem sua eficácia preservada mesmo após cessada sua vigência. É o que a doutrina chama de fenômeno da ultratividade – Ordem denegada".

TJSP, HC 1.101.954-3/2, Campinas: "*Ementa:* Crime falimentar – Competência do juízo universal da falência, nos termos do disposto na Lei estadual n. 3.947/1983 – Matéria que diz com a organização judiciária – Competência suplementar dos Estados-membros – Suspensão condicional do processo – Atribuição exclusiva do Ministério Público para propô-la, sem qualquer possibilidade de que o magistrado possa fazê-lo – Aplicação analógica do art. 28 do CPP para a hipótese de recusa injustificada do promotor de justiça – Crime definido no art. 186, VI, do Decreto-lei n. 7.661/1945. Não houve *abolitio criminis*, uma vez que a figura está contemplada no art. 178 (crime subsidiário) e foi erigida, também, como causa especial de agravamento de pena pelo art. 168, § 1º, I, ambos da Lei 11.101/2005 – Ordem denegada".

Pela revogação do disposto no art. 188, VII, a seguinte decisão: TJSP, 5ª Câmara da Seção Criminal, ACr 915.631-3/7, São Paulo, rel. Des. Tristão Ribeiro, j. 20.7.2006, v.u., Voto 7.562: "*Ementa:* Extinção da punibilidade – *Abolitio cri-*

15.11.1 Sujeito ativo

Trata-se de crime próprio do devedor falido ou em recuperação.

Muito comum a existência de concurso de agentes com contabilistas,[88] administradores ou outros responsáveis pela escrituração. Não exclui a responsabilidade criminal do devedor, entretanto, a mera alegação de que a escrituração estava a cargo de terceiros,[89-90] ne-

minis – Ocorrência – Condenação como incurso no art. 188, VIII, do Decreto-lei n. 7.661/1945 – Condutas que não foram recepcionadas pelo novo diploma legal falimentar (Lei n. 11.101/2005) – Extinção da punibilidade (art. 107, III, do CP) – Evidência – De ofício, declara-se extinta a punibilidade, prejudicado o exame do recurso".

88. TJSP, 2ª Câmara Criminal, HC 251.917-3, Ribeirão Preto, rel. Des. Ângelo Gallucci, j. 6.4.1998, v.u.: *"Ementa:* Crime falimentar – Art. 186, VI, do Decreto-lei n. 7.661/1945 – Não apresentação do livro 'Diário' – Contador da empresa – Responsabilidade *in eligendo* e *in vigilando* – Ordem denegada".

89. TJSP, 2ª Câmara Criminal, ACr 242.746-3, São Paulo, rel. Des. Silva Pinto, j. 9.3.1998, v.u.: *"Ementa:* Crime falimentar – Arts. 186, incisos VI e VII, e 188, incisos I e III, do Decreto-lei n. 7.661/1945 – Escrituração atrasada e falta de rubrica judicial nos balanços – Negligência do contador – Circunstância que não afasta a culpa do falido – Crimes de mera conduta – Recurso não provido".

TJSP, 6ª Câmara Criminal, ACr 220.882-3, São Paulo, rel. Des. Augusto César, j. 22.5.1997, v.u.: *"Ementa:* Crime falimentar – Ausência de livro de 'Registro de Duplicatas' – Art. 186, VI, da Lei n. 7.661/1945 – Alegação de que tal escrituração estava a cargo do contador – Fato que não afasta a responsabilidade – Condenação – Recurso provido".

TJSP, 5ª Câmara Criminal, ACr 178.458-3, São Paulo, rel. Des. Cardoso Perpétuo, j. 3.8.1995, v.u.: *"Ementa:* Crime falimentar – Supressão de livros obrigatórios – Alegada culpa do contador – Fato que não aproveita aos seus sócios – Responsabilidade do comerciante, na modalidade da culpabilidade *in eligendo* e *in vigilando* – Recurso não provido. O comerciante não pode se eximir da responsabilidade penal, a título de culpa, em sentido estrito, na modalidade da culpabilidade *in eligendo* e *in vigilando*".

TJSP, ACr 137.604-3, São Paulo, rel. Des. Segurado Braz, j. 4.4.1994: *"Ementa:* Crime falimentar – Caracterização – Escrituração lacunosa – Irrelevância de que ocorrido por culpa do contador – Fato que não elide a responsabilidade do acusado – Recurso não provido".

90. A tendência mundial é no sentido de exigir conhecimento e ciência das demonstrações contábeis por parte dos gestores. Nesse sentido, é interessante o comentário de Marcos Peters a respeito dessa exigência perante a Lei Sarbanes Oxley (EUA), que regula a matéria de governança corporativa de sociedades com ações negociadas no mercado: "Especificamente, os diretores-presidente (CEO – *Chief Executive Officer*) e financeiro (CFO – *Chief Financial Officer*) têm que apresentar à SEC, além dos relatórios já correntemente previstos, declaração certificando que tanto o relatório da administração quanto as demonstrações financeiras indicam a real situação financeira e de resultado operacional da empresa e estão em conformi-

cessitando prova cabal da efetiva falta de conhecimento ou participação do devedor em relação à escrituração.[91]

15.11.2 Sujeito passivo

A comunidade de credores e a administração da justiça, privados de informações, pela ausência de escrituração.

15.11.3 Objeto jurídico

Protege-se a regular existência de informações contábeis, possibilitando-se aos credores e ao Poder Judiciário a correta verificação do patrimônio (ativo, passivo e patrimônio líquido) e do resultado contábil do devedor.

dade com as normas da SEC, com sanções, a quem não atender a esses requisitos, pecuniárias de US$ 1,000,000.00 a US$ 5,000,000.00 e/ou penais de 10 a 20 anos de reclusão. Em outras palavras, os referidos administradores não poderão alegar ignorância a respeito de erros e fraudes em relatórios financeiros de sua responsabilidade" (*Implantando e Gerenciando a Lei Sarbanes Oxley*, São Paulo, Atlas, 2007).
    91. TJSP, ACr 121.556-3, Atibaia, rel. Des. Luiz Pantaleão, j. 26.4.1993): "*Ementa:* Crime falimentar – Não caracterização – Inexistência de livros e escrituração atrasada ou lacunosa – Presença de profissional contratado pela empresa para elaboração da contabilidade – Responsabilidade do contador – Recurso provido para absolver o réu. A inexistência de livros ou sua escrituração atrasada ou lacunosa não são de responsabilidade do comerciante quando este tem contrato com profissional regularmente habilitado e credenciado para a supervisão e elaboração da contabilidade da empresa".
    TJSP, 1ª Câmara Criminal, ACr 212.620-3, Serra Negra, rel. Des. Andrade Cavalcanti, j. 23.9.1996, v.u.: "*Ementa:* Crime falimentar – Inexistência do livro 'Diário' – Pretendida absolvição – Admissibilidade – Réus que foram mal orientados pelo contador – Afirmação deste de que tratava-se de microempresa sob o sistema de lucro presumido – Ausência de dolo – Absolvição decretada – Recurso provido. Quanto mais anormais as circunstâncias concomitantes, mais tênue a culpabilidade; em certos casos, esta anormalidade pode ser tão decisiva que ao agente já não lhe é possível, em termos gerais, adequar-se às prescrições do ordenamento; nestas hipóteses, não lhe poderá ser feita nenhuma censura, posto que não cabe exigir-lhe uma conduta distinta".
    TJSP, ACr 151.896-3, Osasco, rel. Des. Djalma Lofrano, j. 30.6.1994). "*Ementa:* Crime falimentar – Não caracterização – Hipótese de contador responsável pela escrituração – Serviços que se davam fora da empresa – Ausência, ademais, de convivência próxima e íntima – Critérios condenatórios meramente presuntivos – Recurso provido. Para o grave efeito de imposição de sanção criminal é necessário o levantamento de prova de certeza da participação desejada e consciente ou, ao menos, de caráter culposo, por parte do agente, pois do contrário estar-se-ia admitindo responsabilidade penal por conjecturas".

15.11.4 Tipo objetivo

As condutas incriminadas são exclusivamente omissivas, consistentes basicamente em deixar de *elaborar* ("omitir-se", "não fazer ou criar", "não preparar pelo trabalho"), *escriturar* ("realizar lançamentos contábeis") ou *autenticar* ("submeter à certificação de autenticidade por parte das autoridades competentes")[92] os documentos de escrituração contábil obrigatórios.

A conduta deve recair sobre *documentos de escrituração contábil obrigatórios*.

Inclui-se aqui tanto a escrituração obrigatória pela legislação empresarial quanto pela legislação fiscal ou tributária.[93]

---

92. A autenticação dos documentos de escrituração obrigatória é de competência da Junta Comercial de cada Estado.

93. Essa mesma interpretação constou do acórdão proferido pelo TJDF na ACr 20000110125665-DF, 2ª Turma Criminal, Acórdão 156.576, rel. Des. Vaz de Mello, j. 23.5.2002, *DJE* 7.8.2002, p. 98, cuja ementa ora transcrevemos parcialmente: "O delito previsto no art. 186, inciso VI, da Lei Falimentar exige não só a comprovação do atraso na escrituração dos livros obrigatórios, ou que seja esta lacunosa, defeituosa, ou ainda, a inexistência dos livros comerciais obrigatórios. É necessário também guardar relação com a quebra (condição de punibilidade do crime falimentar), coexistindo com ela. O comerciante é obrigado a ter seus livros comerciais e fiscais registrados na Junta Comercial, além de manter a escrituração deles de forma clara e uniforme, conservando em boa guarda toda a escrituração. O apelado alegou ter entregue todos os livros da empresa. Não produzida pela acusação a prova plena, indispensável à caracterização do delito em tela, deve prevalecer a decisão absolutória quanto a este crime. Por outro lado, o conjunto probatório carreado aos autos não deixa dúvidas quanto à dissolução irregular da sociedade realizada pelo acusado, com o intuito de obter vantagens. A sociedade falida, ao encerrar suas atividades sem providenciar a baixa nos registros da junta comercial, além de não terem sido encontrados bens ou direitos a serem arrecadados, acarretou efetivo prejuízo aos credores. A conduta estatuída no art. 187 da referida lei não exige a ocorrência de efetivo prejuízo aos credores, sendo suficiente a simples possibilidade de sua incidência. *In casu*, o prejuízo restou evidente diante da não localização do patrimônio da falida. A interdição para o exercício do comércio constitui efeito da condenação por crime falimentar. Considerando-a pena acessória, não se acha revogada e não pode ser confundida com a restritiva de direitos do art. 47, inciso II, do CP, sendo perfeitamente cabível na espécie – Rejeitada a preliminar e negado provimento aos recursos. Unânime".

No mesmo sentido, TJSP, 1ª Câmara Criminal, ACr 128.333-3, São Paulo, rel. Des. Ivan Marques, j. 20.9.1993: "*Ementa*: Crime falimentar – Caracterização – Balanço – Ausência de rubrica judicial – Crime de perigo – Desnecessidade de perquirição de prejuízo – Réu que exercia efetivamente a direção e a gerência de sociedade, sendo sua a responsabilidade pela escrituração fisco-contábil – RNP. Em se tratando

Cuida-se, pois, de *norma penal em branco*, uma vez que a escrituração obrigatória será definida pela legislação empresarial e tributária.[94]

Dentre essas obrigações se inclui, para todos os comerciantes, a de escriturar o livro "Diário" (art. 1.180 do CC).[95]

Para os empresários que emitam duplicatas é obrigatória a escrituração do livro de "Registros de Duplicatas" (art. 19 da Lei 5.474/1968).

Às sociedades anônimas, além dos livros antes referidos, é ainda obrigatória a escrituração dos livros de "Atas de Assembléias-Gerais", "Atas e Pareceres do Conselho Fiscal", "Atas das Reuniões da Diretoria", "Presença dos Acionistas", "Registro de Ações Nominativas", "Transferências de Ações Nominativas".

---

de delitos formais, irrelevante indagar se da omissão decorreu ou não prejuízo concreto para a empresa e seus credores".

94. Isso tem repercussão imediata na questão da retroatividade da norma penal. Sobre o tema remetemos o leitor ao que já discorremos anteriormente sobre a aplicabilidade das leis penais no tempo, quanto à discussão doutrinária existente a respeito da revogação do complemento da norma penal em branco e sua aplicação retroativa. No caso do crime do art. 178 da Lei 11.101/2005 o problema que poderá ocorrer será saber se a revogação das leis anteriores que exigiam (ou não isentavam) escrituração empresarial e fiscal do pequeno empresário individual (Código Comercial, Lei 8.864/1994, Lei 9.841/1999 e Lei 9.317/1999), ora revogadas pelo Código Civil e pela Lei Complementar 123/2006 (que dispensam este da escrituração empresarial quando sua receita bruta alcançar, no máximo, R$ 36.000,00 anuais) é retroativa, ou não. Por outras palavras: a dispensa do Código Civil e da Lei Complementar 123/2006 em relação à escrituração dos pequenos empresários individuais é retroativa, operando-se *abolitio criminis*? Entendemos que sim, uma vez que neste caso a norma, que complementa o preceito penal em branco, importa real modificação da figura abstrata nele prevista ou se assenta em motivo permanente, insuscetível de modificar-se por circunstâncias temporárias ou excepcionais.

95. O "Diário" é o livro empresarial por excelência. Consubstancia o que se costuma denominar *escrituração empresarial completa*, por abranger o controle e os lançamentos que envolvem todas as rubricas (patrimoniais e de resultado) estabelecidas no plano de contas elaborado pelo empresário. No "Diário" deverão ser lançados, dia a dia, os atos ou operações da atividade empresarial, bem como aqueles que modifiquem ou possam vir a modificar a situação patrimonial do empreendimento. Excepcionalmente os lançamentos no "Diário" podem ser somente dos saldos mensais (no caso de contas cujas operações sejam numerosas ou realizadas fora da sede do estabelecimento). Para isso, entretanto, deverão ser escriturados livros auxiliares destinados à escrita das transações correspondentes efetuadas no mês. São requisitos dos lançamentos no livro "Diário" ("partidas de Diário") os seguintes: (1) data e local da operação econômica; (2) Nome, código, título ou rubrica das contas envolvidas a débito e a crédito; (3) histórico da transação; (4) valores envolvidos, expressos em moeda nacional.

Para o microempresário há distintas obrigações legais de escrituração.[96]

Primeiramente, entendemos que o Código Civil dispensou o pequeno empresário da escrituração empresarial completa, no art. 1.179, § 2º, desse diploma.[97]

Interpretando o dispositivo supracitado quanto à definição de *pequeno empresário*, a Lei Complementar 123/2006 somente previu dispensa de escrituração aos empresários individuais, ressaltando em seu art. 68 que se considera "pequeno empresário, para efeito de aplicação do disposto nos arts. 970 e 1.179 da Lei n. 10.406, de 10 de janeiro de 2002, o empresário individual caracterizado como microempresa na forma desta Lei Complementar que aufira receita bruta anual de até R$ 36.000,00 (trinta e seis mil reais)".

Não houve, portanto, dispensa de escrituração para sociedades empresárias que se constituam como microempresas e empresas de pequeno porte.

96. Historicamente, as microempresas e empresas de pequeno porte passaram por inúmeros regimes de escrituração. Ainda antes da Constituição Federal de 1988 foi regulada a dispensa, para as micro e pequenas empresas, da escrituração de livros contábeis pela Lei 7.256/1984. Referida lei, em seu art. 15, dispensava-as completamente dos deveres escriturais (comerciais e fiscais). A isenção mencionada durou até a sobrevinda da Lei 8.864/1994, que não previu dispensa de escrituração, ressaltando apenas que esta seria simplificada (art. 11). Confirmando a necessidade de escrituração do micro e pequeno empresário, por nada excepcionar ao regime geral de obrigatoriedade de escrituração, a Lei 9.841/1999 não dispôs sobre qualquer dispensa. Finalmente, o Código Civil dispensou o pequeno empresário dos deveres escriturais (mercantis) e a Lei Complementar 123/2006 previu dispensas apenas para os empresários individuais.

97. Aliás, esse último entendimento também é esposado pelo professor Haroldo Malheiros Duclerc Verçosa: "Quanto ao *pequeno empresário*, fica dispensado das exigências de escrituração previstas no art. 1.170 do NCC (...). No entanto, o alcance dessa dispensa não ficou claro, na medida em que a obrigatoriedade do 'Diário' está prevista no art. 1.180, em relação ao qual tal favor legal não estaria abrangido. Mas esta seria uma interpretação contraditória. Se o pequeno comerciante não está obrigado a seguir um sistema de contabilidade, então, não haveria motivo para estar sujeito à utilização de um livro voltado para tal finalidade. (...)" (*Curso de Direito Comercial*, 2ª ed., vol. 1, São Paulo, Malheiros Editores, 2008, p. 215). No mesmo sentido, antes da vigência da Lei Complementar 123/2006 mas já na vigência do Código Civil, em estudos interpretativos do Código Civil de 2002, as *Jornadas de Direito Civil* do STJ, na comissão referente ao "Direito de Empresa", fixaram o Enunciado 235, nos seguintes termos: "Art. 1.179: O pequeno empresário, dispensado da escrituração, é aquele previsto na Lei n. 9.841/1999. Fica cancelado o Enunciado n. 56".

Em relação à escrita fiscal, a Lei Complementar 123/2006 estabeleceu na Seção VII, sob o título "Das Obrigações Fiscais Acessórias", os deveres escriturais das microempresas e empresas de pequeno porte (art. 26 e §§).

Para tanto, foram estabelecidas duas espécies de obrigações escriturais, conforme haja ou não opção pela tributação no sistema SIMPLES:[98]

(1) *Em relação às microempresas e empresas de pequeno porte optantes pelo SIMPLES, devem apresentar declaração unificada de informações socioeconômicas e fiscais, além de manter os documentos exigidos pela Lei Complementar 123/2006.*

(2) *Em relação àquelas não optantes ficou mantida a exigência de escrituração fiscal através da elaboração de livro 'Caixa', suprimida a necessidade do livro 'Registro de Inventário'.*

Não é necessário que o delito concorra ou se constitua em causa da falência ou recuperação, bastando a falta de elaboração, escrituração ou autenticação.[99]

Entendemos que o crime falimentar só existirá em relação à escrituração cuja manutenção seja ainda obrigatória pelo falido ou pelo devedor em recuperação. Caso este não mais tenha, por força de lei, a obrigação de manter a escrituração (por exemplo, após a prescrição das obrigações escrituradas, nos termos do art. 1.194 do CC),[100] o fato será penalmente atípico.[101]

---

98. O SIMPLES é um sistema tributário aplicável ao microempresário e ao empresário de pequeno porte, instituído pelos órgãos de fiscalização tributária da União (Receita Federal do Brasil), que dispõe de alíquotas reduzidas (normalmente incidentes sobre o faturamento bruto) para pagamento unificado de diversos tributos, incluindo exações estaduais e municipais, além de sistema simplificado de escrituração contábil.

99. TJSP, 4ª Câmara Criminal, ACr 215.020-3, Diadema, rel. Des. Bittencourt Rodrigues, j. 1.7.1997, v.u.: "*Ementa:* Crime falimentar – Inexistência de livros obrigatórios – Delito de mera conduta – Artigo 186, VI, da Lei de Falências – Configuração. O crime do art. 186, VI, da Lei de Falências configura-se independentemente de se saber se a inexistência dos livros obrigatórios concorreu, ou não, para a quebra, por se tratar de infração de mera conduta, culposa".

100. "Art. 1.194. O empresário e a sociedade empresária são obrigados a conservar em boa guarda toda a escrituração, correspondência e mais papéis concernentes à sua atividade, enquanto não ocorrer prescrição ou decadência no tocante aos atos neles consignados."

101. TJSP, 2ª Câmara Criminal, ACr 262.697-3, São Paulo, rel. Des. Silva Pinto, j. 23.11.1998, v.u.: "*Ementa:* Crime falimentar – Supressão de livros obrigatórios – Não caracterização – Denúncia que se refere a livros antigos – Escrituração anterior mais de cinco anos da falência – Recurso parcialmente provido".

A menção a furto dos livros, por parte do acusado, como alegação de força maior ou caso fortuito para a ausência de escrituração não tem sido ordinariamente admitida pela jurisprudência,[102] principalmente sem prova cabal a respeito e sem a comprovação das publicações devidas.[103]

A jurisprudência sempre entendeu que o delito em tela se configurava em espécie de crime de perigo abstrato ou presumido, sendo desnecessária a prova do prejuízo concreto decorrente da omissão da escrituração.[104]

Note-se que o delito em estudo é *expressamente subsidiário*, somente sendo punido se o fato não constituir crime mais grave.

---

102. TJSP, ACr 136.349-3, São Paulo, rel. Des. Celso Limongi, j. 24.4.94: "*Ementa:* Crime falimentar – Suprimento de livros comerciais – Apresentação tardia após o encerramento da falência – Alegação de furto dos mesmos – Não caracterização – Furto que não traria vantagem econômica – Ademais, único furto ocorrido na empresa no qual não foram levados livros – Recurso não provido".

103. A perda ou extravio, total ou parcial, da escrituração empresarial deve sempre ser sucedida de publicidade, para que se faça prova da boa-fé de seu titular. Assim é que dispõe a Instrução Normativa do Departamento Nacional de Registro do Comércio/DNRC-107, de 23.5.2008, a seguir transcrita:

"Art. 26. Ocorrendo extravio, deterioração ou destruição de qualquer dos instrumentos de escrituração, o empresário ou a sociedade empresária fará publicar, em jornal de grande circulação do local de seu estabelecimento, aviso concernente ao fato e deste fará minuciosa informação, dentro de quarenta e oito horas, à Junta Comercial de sua jurisdição.

"§ 1º. Recomposta a escrituração, o novo instrumento receberá o mesmo número de ordem do substituído, devendo o Termo de Autenticação ressalvar, expressamente, a ocorrência comunicada.

"§ 2º. A autenticação de novo instrumento de escrituração só será procedida após o cumprimento do disposto no *caput* deste artigo."

104. Como ressaltamos anteriormente, essa categoria de crimes vem sofrendo sérias críticas de boa parte da doutrina, a qual reputa os crimes de perigo presumido como inconstitucionais, por consagrarem espécie de responsabilidade penal objetiva. V. os seguintes acórdãos no sentido de o crime se configurar pelo perigo abstrato ou presumido:

TJSP, *RT* 796/589: "*Ementa:* Crime falimentar – Caracterização – Inexistência de alguns livros obrigatórios e apresentação de escrituração lacunosa ou defeituosa daqueles existentes – Irrelevância de que tais fatos não tenham concorrido para a decretação da falência – Delito de mera conduta e de perigo presumido – Inteligência do art. 186, VI, do Decreto-lei n. 7.661/1945".

TJSP, 3ª Câmara Criminal, ACr 428.341-3/8, São Paulo, rel. Des. Leme de Campos, j. 28.4.2004, v.u.: "*Ementa:* Crime falimentar – Art. 186, VI, do Decreto-lei federal n. 7.661/1945 – Escrituração lacunosa de livros comerciais – Ausência de dolo – Irrelevância – Crime de mera conduta – Perigo presumido – Condenação mantida – Recurso não provido".

15.11.5 Tipo subjetivo

Na doutrina e na jurisprudência, como vimos anteriormente, encontram-se ainda manifestações no sentido de que o presente delito seria punível a título de culpa. Não concordamos com referida postura, pelos motivos anteriormente já expendidos neste trabalho, razão pela qual entendemos que o crime falimentar em questão somente é punível a título de dolo.

15.11.6 Consumação e tentativa

O crime consuma-se com a omissão da escrituração, da elaboração ou da autenticação a partir do momento em que se tornam obrigatórias. Tratando-se de crime omissivo próprio, impossível a tentativa.

15.11.7 Classificação

Trata-se de crime:

(1) *Ante ou pós-falimentar (ou recuperação)*, uma vez que pode ocorrer anteriormente ou depois da decretação da falência ou concessão da recuperação judicial ou extrajudicial.

(2) *Próprio*, pois o sujeito ativo é o devedor falido ou em recuperação, sem excluir o concurso de agentes.

(3) *Formal*, por não exigir qualquer resultado naturalístico (por exemplo, dano advindo da ausência de escrituração) para sua consumação.

(4) *De perigo*, pois se contenta o legislador com o mero risco à comunidade dos credores ou à administração da justiça, derivado da ausência de escrituração.[105]

(5) *De forma livre*, por não exigir a lei qualquer meio especial para a atuação do agente.

Para facilitar o entendimento e a consulta, trazemos, a seguir, quadro sinótico dos crimes falimentares descritos na Lei 11.101/2005.

---

[105]. TJSP, 1ª Câmara Criminal, ACr 213.538-3, São Paulo, rel. Des. David Haddad, j. 5.5.1997, v.u.: "*Ementa:* Crime falimentar – Escrituração da empresa – Inexistência de livros – Crime de perigo contra o comércio – Caracterização – Alegação de furto – Ausência de provas – Fraude comprovada – Recurso não provido".

Tabela 13: Quadro-resumo dos crimes falimentares tipificados na Lei 11.101/2005

Crime	Sujeito ativo e passivo	Descrição típica	Tipo subjetivo	Consumação e tentativa
Fraude a credores	Ativo: devedor (admitido o concurso de agentes) Passivo: coletividade de credores e administração da justiça	Praticar, antes ou depois da sentença que decretar a falência, conceder a recuperação judicial ou homologar a recuperação extrajudicial, ato fraudulento de que resulte ou possa resultar prejuízo aos credores, com o fim de obter ou assegurar vantagem indevida para si ou para outrem	Dolo. É necessário elemento subjetivo do tipo (dolo específico), consistente na finalidade de prejudicar credores e obter vantagem.	Com a prática do ato fraudulento capaz de gerar prejuízo. Inadmissível a tentativa.
Violação de sigilo empresarial	Ativo: qualquer pessoa Passivo: devedor, coletividade de credores e administração da justiça	Violar, explorar ou divulgar, sem justa causa, sigilo empresarial ou dados confidenciais sobre operações ou serviços, contribuindo para a condução do devedor a estado de inviabilidade econômica ou financeira	Dolo genérico, consistente na vontade de violar, explorar ou divulgar, sem justa causa, sigilo ou dados confidenciais.	Entendemos que estará consumado o crime com o evento econômico-financeiro da inviabilidade do devedor. Diverge-se quanto à tentativa. Opinamos por sua inadmissibilidade.
Divulgação de informações falsas	Ativo: qualquer pessoa Passivo: devedor, coletividade de credores e administração da justiça	Divulgar ou propalar, por qualquer meio, informação falsa sobre devedor em recuperação judicial, com o fim de levá-lo à falência ou de obter vantagem	Dolo. É necessário elemento subjetivo do tipo (dolo específico), consistente na finalidade de levar o devedor à falência ou obter vantagem.	Com a ciência da informação falsa por parte de terceiros. Admissível a tentativa quando a divulgação não se fizer oralmente em único ato.

Crime	Sujeito ativo e passivo	Descrição típica	Tipo subjetivo	Consumação e tentativa
Indução a erro	Ativo: qualquer pessoa, desde que envolvida no processo falimentar Passivo: administração da justiça, coletividade de credores etc.	Sonegar ou omitir informações ou prestar informações falsas no processo de falência, de recuperação judicial ou de recuperação extrajudicial, com o fim de induzir a erro o juiz, o Ministério Público, os credores, a assembléia-geral de credores, o comitê ou o administrador judicial	Dolo. É necessário elemento subjetivo do tipo (dolo específico), consistente na finalidade de induzir a erro.	Com a prestação ou omissão de informações, independentemente do resultado. Nas formas omissivas não se pode cogitar de tentativa.
Favorecimento de credores	Ativo: devedor Passivo: coletividade de credores e administração da justiça	Praticar, antes ou depois da sentença que decretar a falência, conceder a recuperação judicial ou homologar plano de recuperação extrajudicial, ato de disposição ou oneração patrimonial ou gerador de obrigação, destinado a favorecer um ou mais credores em prejuízo dos demais	Dolo. É necessário elemento subjetivo do tipo (dolo específico), consistente na finalidade de prejudicar a coletividade dos credores em benefício de um ou alguns.	Com a disposição ou oneração dos elementos do patrimônio. Inadmissível a tentativa.
Desvio, ocultação ou apropriação de bens	Ativo: qualquer pessoa Passivo: coletividade de credores e Administração da Justiça	Apropriar-se, desviar ou ocultar bens pertencentes ao devedor sob recuperação judicial ou à massa falida, inclusive por meio da aquisição por interposta pessoa	Dolo genérico.	Com a ocultação, desvio ou apropriação. Admissível a tentativa.

Crime	Sujeito ativo e passivo	Descrição típica	Tipo subjetivo	Consumação e tentativa
Aquisição, recebimento ou uso ilegal de bens	Ativo: qualquer pessoa Passivo: coletividade de credores e Administração da Justiça	Adquirir, receber, usar, ilicitamente, bem que sabe pertencer à massa falida ou influir para que terceiro, de boa-fé, o adquira, receba ou use	Dolo genérico.	Com a aquisição, recebimento, uso ou influência para a aquisição de terceiros. Admissível a tentativa nas modalidades de aquisição, recebimento e uso. Inadmissível na conduta de influenciar terceiro para a aquisição do bem.
Habilitação ilegal de crédito	Ativo: qualquer pessoa, incluindo o credor, o devedor ou pessoa que se passe por tal Passivo: coletividade de credores e Administração da Justiça	Apresentar, em falência, recuperação judicial ou recuperação extrajudicial, relação de créditos, habilitação de créditos ou reclamação falsas, ou juntar a elas título falso ou simulado	Dolo genérico.	Com a apresentação ou juntada. Inadmissível a tentativa.
Exercício ilegal de atividade	Ativo: somente o indivíduo atingido pela decisão judicial de inabilitação Passivo: Administração da Justiça	Exercer atividade para a qual foi inabilitado ou incapacitado por decisão judicial, nos termos desta Lei	Dolo genérico.	Com a prática de atos inerentes à atividade, de forma habitual. Inadmissível a tentativa, por se tratar de crime habitual.

Crime	Sujeito ativo e passivo	Descrição típica	Tipo subjetivo	Consumação e tentativa
Violação de impedimento	Ativo: somente o juiz, o representante do Ministério Público, o administrador judicial, o gestor judicial, o perito, o avaliador, o escrivão, o oficial de justiça ou o leiloeiro (crime próprio) Passivo: Administração da Justiça e coletividade de credores	Adquirir o juiz, o representante do Ministério Público, o administrador judicial, o gestor judicial, o perito, o avaliador, o escrivão, o oficial de justiça ou o leiloeiro, por si ou por interposta pessoa, bens de massa falida ou de devedor em recuperação judicial, ou, em relação a estes, entrar em alguma especulação de lucro, quando tenham atuado nos respectivos processos	Dolo genérico.	Na primeira modalidade, com a aquisição do bem; na segunda; com a prática de atos de especulação. Admissível a tentativa.
Omissão de documentos contábeis obrigatórios	Ativo: crime próprio cometido somente pelo devedor (admitido o concurso de agentes) Passivo: coletividade de credores e Administração da Justiça	Deixar de elaborar, escriturar ou autenticar, antes ou depois da sentença que decretar a falência, conceder a recuperação judicial ou homologar o plano de recuperação extrajudicial, os documentos de escrituração contábil obrigatórios	Divergência: alguns entendem que tal crime é punido a título de dolo (de perigo), outros admitem a punição a título de culpa.	Com a omissão da escrituração, quando a lei a impõe como necessária. Tratando-se de delito omissivo ou (para alguns) culposo, é inadmissível a tentativa.

16
DA COMINAÇÃO DAS PENAS E SUA APLICAÇÃO NOS CRIMES FALIMENTARES

16.1 Considerações gerais. 16.2 Aplicação da pena aos casos concretos.

16.1 Considerações gerais

Como já dissemos anteriormente, percebe-se um endurecimento nas sanções penais referentes aos tipos penais falimentares em relação à legislação anterior.

Nas tabelas seguintes podem ser comparadas as penas cominadas para os delitos falimentares na legislação anterior (Decreto-lei 7.661/1945) e na atual (Lei 11.101/2005).

Tabela 14: Penas cominadas aos delitos falimentares no Decreto-lei 7.661/1945

Crime	Pena privativa de liberdade cominada no tipo penal falimentar		Multa cominada cumulativamente
Crimes do art. 186 do Decreto-lei 7.661/1945	Detenção	seis meses a três anos	NÃO
Crime do art. 187 do Decreto-lei 7.661/1945 (fraude a credores)	Reclusão	um a quatro anos	NÃO
Crimes do art. 188 do Decreto-lei 7.661/45	Reclusão	um a quatro anos	NÃO
Crimes do art. 189 do Dec. Lei 7.661/1945	Reclusão	um a três anos	NÃO
Crime do art. 190 do Decreto-lei 7.661/11945	Detenção	um a dois anos	NÃO

Tabela 15: Penas cominadas aos delitos falimentares na Lei 11.101/2005

Crime	Pena privativa de liberdade cominada no tipo penal falimentar		Multa cominada cumulativamente
Fraude a credores	Reclusão	três a seis anos	SIM
Violação de sigilo empresarial	Reclusão	dois a quatro anos	SIM
Divulgação de informações falsas	Reclusão	dois a quatro anos	SIM
Indução a erro	Reclusão	dois a quatro anos	SIM
Favorecimento de credores	Reclusão	dois a cinco anos	SIM
Desvio, ocultação ou apropriação de bens	Reclusão	dois a quatro anos	SIM
Aquisição, recebimento ou uso ilegal de bens	Reclusão	dois a quatro anos	SIM
Habilitação ilegal de crédito	Reclusão	dois a quatro anos	SIM
Exercício ilegal de atividade	Reclusão	um a quatro anos	SIM
Violação de impedimento	Reclusão	dois a quatro anos	SIM
Omissão de documentos contábeis obrigatórios	Detenção	um a dois anos	SIM

Na primeira análise das tabelas anteriormente transcritas resta claro o intuito do legislador de atribuir maior rigor à punição dos delitos falimentares, havendo majoração de pena em quase todos os casos dos crimes mantidos na legislação atual.

A título de exemplo, poder-se-ia visualizar a cominação de pena ao delito de fraude a credores (art. 187 do Decreto-lei 7.661/1945 e art. 168 da Lei 11.101/2005). Antes apenado com reclusão de um a quatro anos, tal delito recebeu clara exasperação de pena mínima (três anos de reclusão) e máxima (seis anos de reclusão), com causas de aumento de 1/3 a 1/6, caso em que a pena mínima facilmente ultrapassará quatro anos de reclusão, impossibilitando, inclusive, a conversão em penas restritivas de direitos.

Há quem argumente que a exacerbação de pena dos delitos falimentares efetivada na Lei 11.101/2005 gera distorção comparativa entre a resposta penal destes crimes e aquela prevista no Código Penal para crimes patrimoniais similares (como o furto, a apropriação indébita e o estelionato, que têm sua pena mínima fixada em um ano de reclusão). Critica-se, portanto, a falta de harmonia dentro do sistema legislativo penal como um todo.

Aponta-se ainda um paradoxo, consistente no fato de que, por um lado, a Lei 11.101/2005 adota postura favorável ao devedor em crise, possibilitando sua recuperação, e, por outro, pune severamente o devedor quando comete um crime.

Não concordamos com essas críticas.

Primeiramente, não é correto dizer que os delitos patrimoniais comuns devam ter o mesmo parâmetro de resposta penal que os crimes falimentares. Isso porque usualmente os delitos patrimoniais contam com poucas vítimas (certas e determinadas), enquanto o delito falimentar é cometido contra toda uma coletividade de credores e também contra a administração da justiça. Assim, justo que tenha apenamento mais rigoroso, estando correto o tratamento diverso.

Do mesmo modo, não existe qualquer paradoxo na concessão de maiores benefícios à preservação da atividade empresarial e a punição criminal do empresário falido ou em recuperação.

Com efeito, o que a legislação falimentar deseja é a *manutenção da atividade* ou *preservação da empresa* (geradora de renda, tributos, empregos etc.), o que não se confunde com a *manutenção do empresário* que a dirige. Ao contrário do que argumentam os defensores de menor punição criminal, deve a lei, como princípio básico da continuidade do negócio, buscar sempre privilegiar a atividade, punindo o mau gestor, mantendo nítida separação entre a figura da empresa (atividade) e a do empresário.[1]

---

1. Como já salientamos anteriormente, a falta de maiores considerações em relação à separação entre atividade empresarial (empresa) e aquele que a exerce (empresário) já levou a inúmeras distorções na legislação anterior e continua exercendo certa influência na atual. V., por exemplo, o art. 111 do revogado Decreto-lei 7.661/1945, que preceituava que "o recebimento da denúncia ou da queixa obstará, até sentença penal definitiva, à concordata suspensiva da falência", punindo a continuidade da atividade em virtude das mazelas criminais de seu titular (empresário), ao invés de separá-los para fins respectivos (preservação da empresa e punição do empresário). O mesmo equívoco ainda é cometido, por exemplo, pelo art. 48, IV, da Lei 11.101/2005, que condiciona a admissibilidade do pedido de recuperação judicial ao fato de o empresário "não ter sido condenado ou não ter, como administrador ou sócio-controlador, pessoa condenada por qualquer dos crimes previstos

Note-se também que a experiência acumulada durante o tempo de vigência do Decreto-lei 7.661/1945 e da legislação que o antecedeu, com penas brandas e prazos de prescrição curtos, demonstrou claramente a grave situação de impunidade ocorrida em casos de falências fraudulentas.

Por fim, diga-se que a Lei 11.101/2005, em termos de severidade das penas cominadas, não se afasta da tendência geral dos ordenamentos estrangeiros.

Na Itália a fraude falimentar com desvio de bens e diminuição do ativo é punida com penas de 3 a 10 anos de prisão, cominando-se penas de prisão de até 5 anos para a habilitação falsa de crédito e de até 6 anos para delitos equiparados à violação de impedimento. Pune-se também a omissão ou irregularidade escritural com penas de até 2 anos de prisão.

Na Alemanha punem-se com até cinco anos de prisão a fraude, o desvio de bens e a habilitação ilegal de crédito, mesma situação que ocorre com a legislação portuguesa.

Nas legislações francesa e norte-americana à maioria dos delitos falimentares são cominadas penas de até cinco anos de prisão.

Em conclusão, entendemos que a cominação de penas contida na Lei 11.101/2005 está razoavelmente adequada à necessária prevenção e à repressão dos delitos falimentares, seguindo a tendência presente no Direito Comparado.

16.2 Aplicação da pena aos casos concretos

Diante do emprego do Código Penal como fonte subsidiária da Lei 11.101/2005 aos crimes falimentares (CP, art. 12), serão aplicadas as penas a tais delitos nos mesmos termos preconizados por aquele diploma legal. Assim, será cabível a aplicação de penas privativas de liberdade, restritivas de direito (em substituição às privativas de liberdade) e de multa (art. 32 do CP).

Ao aplicar as penas privativas de liberdade obedecerá o juiz ao critério trifásico (proposto por Nelson Hungria), nos termos do art. 58 do CP, considerando, sucessivamente:

na Lei Falimentar", punindo a atividade, a riqueza e os empregos gerados pela falta criminal do gestor.

(1) **Na primeira fase da aplicação da pena:** *a fixação da pena-base, nos termos das circunstâncias judiciais definidas no art. 59 do CP.*

(2) **Na segunda fase de aplicação da pena:** *as circunstâncias atenuantes e agravantes, definidas nos arts. 61 e ss. do CP, sem extrapolar os limites mínimos e máximos definidos em cada tipo penal.*[2]

(3) **Na terceira fase de aplicação da pena:** *as causas de aumento e diminuição de pena, constantes no Código Penal (por exemplo, no caso de crime tentado, a causa de diminuição constante do art. 14, II, do CP) e na legislação falimentar (por exemplo, as causas de aumento de pena constantes do art. 168, § 1º, da Lei 11.101/2005).*

Conforme o caso, será cabível também a conversão ou substituição de penas privativas de liberdade cominadas ao crime falimentar em restritivas de direitos ou multa, desde que presentes seus requisitos legais.

Para a conversão de pena privativa de liberdade em restritiva de direitos são necessários, nos termos do art. 44 do CP (com redação dada pela Lei 9.714, de 25.11.1998), os seguintes requisitos: "I – aplicada pena privativa de liberdade não superior a quatro anos e o crime não for cometido com violência ou grave ameaça à pessoa ou, qualquer que seja a pena aplicada, se o crime for culposo; II – o réu não for reincidente em crime doloso;[3] III – a culpabilidade, os antecedentes, a conduta social e a personalidade do condenado, bem como os motivos e as circunstâncias, indicarem que essa substituição seja suficiente".

A conversão de pena privativa de liberdade em restritiva de direitos, se presentes os requisitos subjetivos particulares ao acusado (não reincidente, bons antecedentes etc.), aplicar-se-á a praticamente todos os crimes falimentares (ressalvadas algumas das formas qualificadas do art. 168 da Lei 11.101/2005), se considerarmos a aplicação usual pelo Poder Judiciário de penas mínimas ou próximas a esse patamar.

A Lei 11.101/2005 também passou a prever pena de multa (pecuniária) aos delitos falimentares, de forma cumulativa à pena privativa de liberdade, o que não ocorria no regramento anterior.

2. Súmula 231/STJ: "A incidência da circunstância atenuante não pode conduzir à redução da pena abaixo do mínimo legal".

3. "Se o condenado for reincidente, o juiz poderá aplicar a substituição, desde que, em face de condenação anterior, a medida seja socialmente recomendável e a reincidência não se tenha operado em virtude da prática do mesmo crime" (art. 44, § 3º, do CP).

Entendemos, porém, que o legislador perdeu uma grande oportunidade para introduzir modificações significativas no modelo de penas de multa aplicável aos crimes falimentares, que continua seguindo a metodologia geral dos demais delitos.

Com efeito, em legislações de países desenvolvidos a pena de multa cominada aos delitos falimentares usualmente contém vinculação direta ao montante do ganho ou perda gerado pela prática criminosa, circunstância que não está devidamente explicitada no ordenamento nacional.[4]

Do mesmo modo, a Lei 11.101/2005 não trouxe qualquer distinção entre penas de multa aplicáveis aos pequenos empresários individuais ou aos sócios/acionistas de pessoas jurídicas de elevado porte econômico.[5]

É certo que referidos critérios (vinculação ao dano e distinção de penas pelo porte econômico do empresário) podem ser levados em consideração pelo juiz no caso concreto, porém entendemos que seria recomendável maior clareza na legislação falimentar a esse respeito, até mesmo para limitar a discricionariedade judicial.

Para a dosimetria das penas de multa estabelecidas aos crimes falimentares deverá ser aplicado o critério de dias-multa (CP, art. 49), no qual será estabelecido inicialmente o número de dias-multa,[6] de acordo com os critérios do art. 59 do CP, e, posteriormente, o valor do dia-multa,[7] conforme o porte econômico do acusado.

---

4. O *US Code* preconiza, em seu § 3.571, aos crimes falimentares (crimes classe "D" – *class "D" felony*) penas de multa a empresários individuais no montante máximo de US$ 250,000.00 e às organizações US$ 500,000.00. No entanto, vincula expressamente a penalidade de multa ao ganho ou perda causados pelo crime, nos seguintes termos: "(d) **Alternative Fine Based on Gain or Loss.** – If any person derives pecuniary gain from the offense, or if the offense results in pecuniary loss to a person other than the defendant, the defendant may be fined not more than the greater of twice the gross gain or twice the gross loss, unless imposition of a fine under this subsection would unduly complicate or prolong the sentencing process".

5. Ressalte-se que a redução de 1/3 a 2/3, prevista no art. 168, § 4º, para os microempresários ou empresários de pequeno porte, diz respeito tão-somente à pena de reclusão, não havendo qualquer menção à pena de multa que também é cominada no tipo penal.

6. No mínimo de 10 e no máximo de 360 dias-multa.

7. Fixado pelo juiz, não podendo ser inferior a 1/30 do maior salário mínimo mensal vigente ao tempo do fato nem superior a cinco vezes esse salário (CP, art. 49, § 1º).

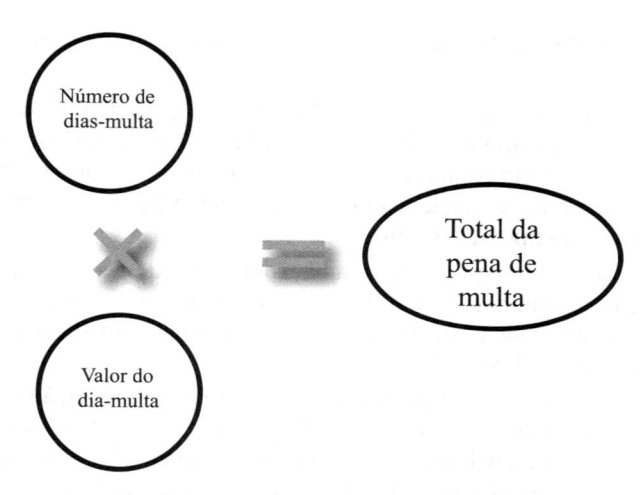

Figura 15: Esquema gráfico da fixação da pena de multa

Além da multa cominada em cada tipo penal, pode haver também, conforme o caso, a conversão ou substituição da pena privativa de liberdade por multa.

Em relação à conversão de pena privativa de liberdade em multa dispõe o art. 44, § 2º, do CP no seguinte sentido:[8] "Na condenação *igual ou inferior a um ano, a substituição pode ser feita por multa* ou por uma pena restritiva de direitos; se superior a um ano, a pena privativa de liberdade pode ser substituída por uma pena restritiva de direitos e multa ou por duas restritivas de direitos" (grifos nossos).

Como ressaltamos, na vigência do Decreto-lei 7.661/1945 não havia pena de multa abstratamente cominada nos tipos penais falimentares, razão pela qual cabia apenas a aplicação de multa substitutiva à pena

---

8. Também o art. 60, § 2º, do CP dispõe sobre a conversão de pena privativa de liberdade em multa, nos seguintes termos: "A pena privativa de liberdade aplicada, não superior a seis meses, pode ser substituída pela de multa, observados os critérios dos incisos II e III do art. 44 deste Código". Parte abalizada da doutrina, porém, entende que o limite de seis meses imposto no artigo citado está derrogado. Nesse sentido Júlio Fabbrini Mirabete: "Pela Lei 9.714, de 25.11.1998, que deu nova redação ao art. 44, permite-se a substituição por pena de multa quando for aplicada pena privativa de liberdade inferior a um ano e o sentenciado preencher os demais requisitos exigidos em lei, ou seja, os previstos nos incisos II e III e § 2º do referido art. 44 do CP, tal como na substituição pelas penas restritivas de direitos. Derrogada, pois, a parte do dispositivo do art. 60, § 2º, que limita a substituição à pena não superior a seis meses" (*Código Penal Interpretado*, São Paulo, Atlas, 2003).

privativa de liberdade, e não a aplicação da pena pecuniária, autonomamente.

Já, na vigência da Lei 11.101/2005 a multa passou a ser cominada abstratamente em todos os tipos penais definidos nessa legislação, razão pela qual se poderia cogitar da aplicação de uma multa por conversão da pena privativa de liberdade[9] e outra correspondente àquela abstratamente cominada no tipo penal falimentar.

Mas justamente por essa cominação abstrata de pena de multa nos tipos penais definidos na Lei 11.101/2005 surge um problema doutrinário e jurisprudencial quanto à aplicação de multa em substituição de pena privativa de liberdade.

Isto porque reina séria divergência sobre se a conversão ou substituição da pena privativa de liberdade por pena pecuniária, nos termos previstos no Código Penal, seria aplicável à legislação penal especial (por exemplo, legislação de tóxicos, crimes definidos na antiga Lei de Imprensa ou na Lei Falimentar) quando esta já cominasse abstratamente a pena de multa nos tipos penais definidos em seu corpo.

Por outras palavras, podemos resumir o dissenso: quando o delito definido em lei penal especial já cominar multa cumulativamente à pena privativa de liberdade (por exemplo, um ano de reclusão *e* multa), pode o juiz converter a pena corporal também em multa, para somá-la à pena pecuniária abstratamente prevista no tipo penal?

Para maior compreensão, demonstramos graficamente, a seguir, a operação de aplicação da pena cuja viabilidade se discute à luz do entendimento jurisprudencial:

Pena privativa de liberdade inferior a um ano, convertida em multa (art. 44, § 2º, do CP) **+** Pena de multa cominada no tipo penal falimentar **=** Pena de multa cominada no tipo penal falimentar

Figura 16: Esquema ilustrativo da operação de conversão de pena privativa de liberdade em multa e soma com a multa cominada no tipo penal falimentar

---

9. Analisando apenas pela quantidade de pena, deixando de fora outros requisitos, a conversão da pena privativa de liberdade em pena de multa, havendo aplicação de pena mínima de um ano de reclusão no caso concreto, seria cabível, em tese, nos delitos de exercício ilegal de atividade e omissão de documentos contábeis obrigatórios (arts. 176 e 178 da Lei 11.101/2005).

Antigo acórdão do TJSP entendeu aplicável a conversão na forma supracitada à legislação falimentar.[10]

No entanto, a jurisprudência do STJ parece ter-se firmado em sentido oposto, ao editar a Súmula 171, segundo a qual "cominadas cumulativamente, em lei especial, penas privativa de liberdade e pecuniária, é defeso a substituição da prisão por multa".

Assim, se seguida esta última orientação, mesmo que nos crimes definidos na Lei 11.101/2005 a pena privativa de liberdade seja fixada em patamares que permitam a conversão (v.g., a fixação de pena de um ano de reclusão pelo cometimento dos delitos dos arts. 176 ou 178 da Lei 11.101/2005), será vedada a conversão da pena privativa de liberdade, por se tratar de legislação especial em que a multa é cominada no tipo penal em conjunto com aquela.

Como verificamos anteriormente, a Lei 11.101/2005 não mais prevê a figura do perdão judicial[11] ou escusa absolutória para o caso de omissão na escrituração e não apresentação de demonstrações à rubrica judicial quando haja a exploração de comércio exíguo e instrução insuficiente (art. 186, parágrafo único, do Decreto-lei 7.661/1945).

Tem-se agora, em substituição ao instituto previsto na legislação anterior, uma causa de diminuição de pena (art. 168, § 4º, da Lei 11.101/05), aplicável tão-somente ao delito definido no art. 168, conforme o caso.

---

10. TJSP, *JTJ* 157/310-311: "*Ementa:* A pena privativa de liberdade não superior a seis meses, aplicada em decorrência de crime falimentar, pode ser substituída por multa, eis que o diploma especial não contém disposição diversa das regras gerais do Código Penal".

11. Instituto pelo qual o juiz pode deixar de aplicar a pena no caso concreto, presentes determinados requisitos definidos na lei penal.

17
DA PRESCRIÇÃO DO CRIME FALIMENTAR

17.1 Da prescrição na vigência do Decreto-lei 7.661/1945. 17.2 Da prescrição na vigência da Lei 11.101/2005.

Entende-se por prescrição a perda do direito de punir (prescrição da pretensão punitiva) ou de executar a pena (prescrição da pretensão executória), pelo decurso de prazo e inércia do Estado, titular exclusivo da persecução penal em juízo.

Como as regras de prescrição anteriormente vigentes passaram por grandes reformulações, traremos, a seguir, a regulamentação do instituto da prescrição do crime falimentar no ordenamento anterior (Decreto-lei 7.661/1945) e no atual (Lei 11.101/2005), para possibilitar a comparação de ambos os sistemas.

17.1 Da prescrição na vigência do Decreto-lei 7.661/1945

No regramento anterior a prescrição do crime falimentar vinha estabelecida no art. 199 do Decreto-lei 7.661/1945, que dispunha:

"Art. 199. A prescrição extintiva da punibilidade de crime falimentar opera-se em dois anos.

"Parágrafo único. O prazo prescricional começa a correr da data em que transitar em julgado a sentença que encerrar a falência ou que julgar cumprida a concordata."

A prescrição no sistema anterior, portanto, não se vinculava à quantidade de pena cominada abstratamente ao delito falimentar, sendo a mesma (dois anos), qualquer que fosse a gravidade do crime atribuída pelo legislador.

Nesse ponto a legislação nacional seguia genericamente a orientação estabelecida em alguns diplomas de países mais desenvolvidos, como o que ocorre no ordenamento norte-americano, que define em regra o prazo máximo de persecução penal (para crimes cuja pena cominada não seja capital) em cinco anos após o cometimento do delito, independentemente da quantidade da pena aplicada ou cominada.[1] Conta-se de forma específica referido prazo no caso de crimes falimentares considerados como ofensas continuadas, tal como a ocultação de ativos (concealment of assets).[2]

A prática nacional das falências, entretanto, demonstrava que dificilmente um processo falimentar encontrava-se finalizado em dois anos, tramitando usualmente por tempo muito superior até seu encerramento.

Diante disso, o STF editou a Súmula 147, que preconizava: "A prescrição de crime falimentar começa a correr da data em que deveria estar encerrada a falência, ou do trânsito em julgado da sentença que a encerrar ou que julgar cumprida a concordata".

A prescrição na legislação falimentar anterior, portanto, contava-se em dois estágios: (1) da decretação da falência até o encerramento ou data em que deveria existir o encerramento do processo falimentar; (2) do encerramento da falência (ou da data em que deveria se encerrar) até o fim do prazo prescricional de dois anos. A rigor, aliás, somente o segundo estágio era propriamente prescricional, pois o primeiro era apenas o prazo de encerramento da falência, servindo como termo a quo para a contagem do prazo.

Em termos práticos, portanto, dada a quase inexistência de processos falimentares encerrados em dois anos ou menos, a prescrição penal dos crimes falimentares no regime da lei pretérita ocorria no máximo em quatro anos após a decisão de falência.

O esquema seguinte bem exemplifica a contagem do prazo:

---

1. *US Code, title 18, part II, chapter 213, § 3.282*: "(a) **In General.** – Except as otherwise expressly provided by law, no person shall be prosecuted, tried, or punished for any offense, not capital, unless the indictment is found or the information is instituted within five years next after such offense shall have been committed".

2. *US Code, title 18, part II, chapter 213, § 3.284*: "The concealment of assets of a debtor in a case under title 11 shall be deemed to be a continuing offense until the debtor shall have been finally discharged or a discharge denied, and the period of limitations shall not begin to run until such final discharge or denial of discharge".

DA PRESCRIÇÃO DO CRIME FALIMENTAR 221

```
[Sentença que decreta a falência / Início do prazo máximo de 2 anos para encerramento]
    →
[Início do prazo prescricional de 2 anos / Data de encerramento ou data em que devia a falência estar encerrada (fim do prazo de 2 anos para encerramento)]
    →
[Fim do prazo prescricional / 2 anos depois do fim do prazo de encerramento ou, no máximo, 4 anos depois da quebra]
```

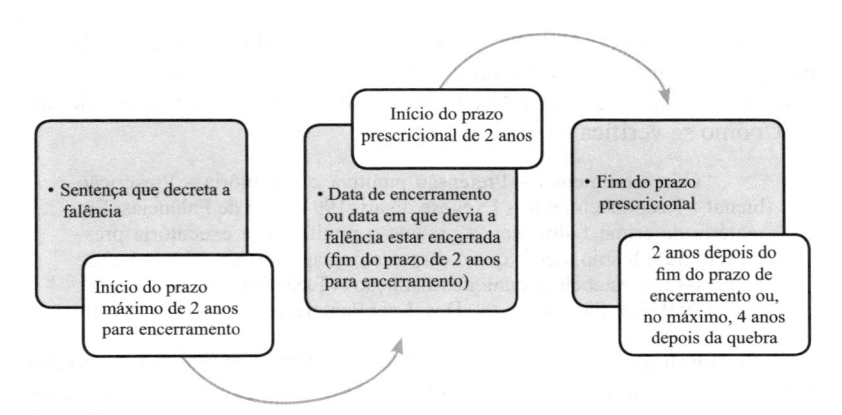

Figura 17: Fluxograma da contagem do prazo prescricional no Decreto-lei 7.661/1945. Veja-se que se a falência se encerrasse em menos de dois anos o prazo total de quatro anos seria menor, o que raramente ocorria na prática

A prescrição contada da forma supracitada, por se iniciar somente após o encerramento do feito falencial ou da data em que deveria estar encerrado, aplicava-se tanto aos crimes pré-falimentares quanto aos pós-falimentares.[3]

Divergia-se quanto ao reconhecimento da prescrição retroativa no crime falimentar,[4] sendo tal possibilidade discutível na vigência do Decreto-lei 7.661/1945, diante da sistemática vigente.[5]

---

3. Como bem ressalta Trajano de Miranda Valverde, em comentário ao art. 199 do Decreto-lei 7.661/1945: "O dispositivo não distingue os crimes falimentares praticados antes da sentença declaratória de falência dos que o foram depois dela" (*Comentários à Lei de Falências*, Rio de Janeiro, Forense, 196, p. 101).

4. Entende-se por *prescrição retroativa* a contagem retrospectiva do prazo prescricional pela pena fixada em concreto na sentença condenatória ou acórdão, após a decisão ter transitado em julgado para a acusação ou ser improvido seu recurso. A forma de operacionalização de tal prescrição ocorre da seguinte forma: pela pena fixada na sentença obtém-se o prazo prescricional nos termos do art. 109 do CP; verificando-se, a partir de então, entre um dos lapsos temporais anteriores, situados entre marcos interruptivos da prescrição (por exemplo, sentença de quebra até o recebimento da denúncia, recebimento da denúncia até a sentença etc.), se houve prazo superior ao estatuído pelo Código Penal. Por ser calculada pela pena fixada em sentença (normalmente inferior à pena máxima cominada em lei), a prescrição retroativa ocorre normalmente em prazo inferior à calculada pela pena máxima cominada em abstrato.

5. Intensa era a divergência doutrinária e jurisprudencial quanto ao reconhecimento da prescrição retroativa em crimes falimentares na vigência do Decreto-lei

Em relação à prescrição da pretensão executória a jurisprudência interpretava que esta ocorria também em dois anos, qualquer que fosse a pena aplicada em sentença. O entendimento derivava da exegese do art. 199, como se verifica na decisão seguinte:

> "Crime falimentar – Pretensão punitiva e executória – Prescrição bienal – Reconhecimento – Exegese do art. 199 da Lei de Falências. Em matéria de crime falimentar, a pretensão punitiva e a executória prescrevem num biênio, desde que o disposto no caput do art. 199 da Lei de Falências não estabelece qualquer distinção" (TJSP, 3ª Câmara Criminal, RSE 179.947-3, São Paulo, rel. Des. Luiz Pantaleão, j. 18.9.1995, v.u.).

No que tange às causas de interrupção da prescrição na lei anterior o STF editou a Súmula 592, que dispôs: "Nos crimes falimentares, aplicam-se as causas interruptivas da prescrição previstas no Código Penal". Contando as causas de interrupção previstas no Código Penal (art. 117) aplicáveis aos crimes falimentares, teríamos o seguinte:

Data de **encerramento** ou em que deveria **estar encerrado** o processo falimentar (início do prazo prescricional)

Sentença ou acórdão condenatórios recorríveis (nova interrupção do prazo prescricional, que volta a ser contado por inteiro)

Recebimento da denúncia (interrupção do prazo prescricional, que volta a ser contado por inteiro)

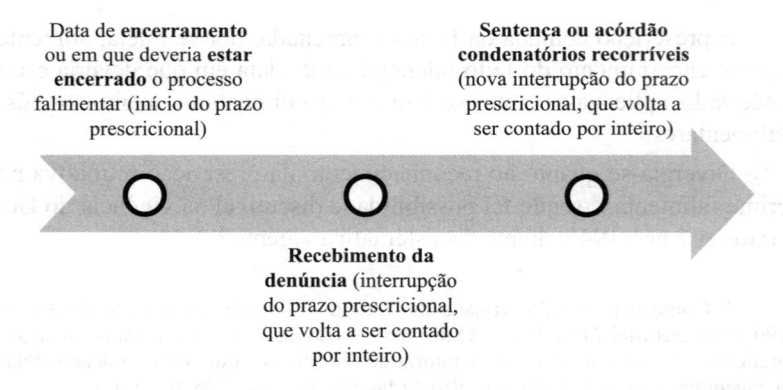

Figura 18: Marcos interruptivos de prescrição nos crimes falimentares

17.2 Da prescrição na vigência da Lei 11.101/2005

A Lei 11.101/2005, no art. 182, cuidou da prescrição de forma nova, determinando a aplicação integral do Código Penal.

7.661/1945. Os que não a admitiam – a nosso ver, com toda razão – argumentavam que sempre o prazo prescricional do crime falimentar seria de dois anos, qualquer que fosse a forma de contagem, não havendo razão, portanto, para a aplicação da prescrição retroativa a tais delitos (v., nessa linha, o julgamento do STF em *habeas corpus* inserto na *RT* 678/331, rel. Min. Francisco Rezek).

Agora, ao contrário do prazo anterior, sempre fixo em dois anos, independentemente da pena, é mister que para cada caso concreto e para cara crime de que se cogite seja analisada a pena máxima em abstrato, cotejando-a com os prazos definidos no art. 109 do CP.

Também inovando em relação ao ordenamento anterior, que iniciava a contagem do prazo prescricional na data de encerramento efetivo do processo falimentar ou naquela em que este deveria findar, a Lei 11.101/2005 estabeleceu que o começo da contagem do prazo de prescrição coincide com a data da decretação da falência, da concessão da recuperação judicial ou da homologação do plano de recuperação extrajudicial (art. 182, parte final, da Lei 11.101/2005). Determinou, ainda, que a decretação da falência do devedor interrompe a prescrição cuja contagem tenha iniciado com a concessão da recuperação judicial ou com a homologação do plano de recuperação extrajudicial.

Diante da estipulação da Lei Falimentar, ao contrário dos crimes comuns, não haverá para os crimes falimentares cometidos anteriormente à falência ou recuperação (crimes pré-falimentares) contagem de prazo prescricional a partir da data da consumação do fato.

E nem poderia ser diferente. Note-se que não seria justo contar o prazo prescricional a partir da data do fato quando não existe ainda para o Estado, através do Ministério Público ou de querelante particular, a possibilidade de pleitear a punição do delito em juízo. Com efeito, se a decisão de quebra ou recuperação é condição para que o Estado puna o criminoso (condição objetiva de punibilidade), não é lógico que a prescrição se inicie enquanto a possibilidade de punir ainda não existe, pela ausência da condição necessária para tanto.

Ora, se a possibilidade de punir criminalmente o agente ainda não nasceu quando da ocorrência do crime falimentar (sendo possível somente após a quebra ou a recuperação homologada ou concedida), não se pode cogitar de perda da pretensão pela inércia do titular.[6]

Bem ressalta tal fato o senador Ramez Tebet em seu parecer ao PLC-71/2003, nos seguintes termos:

"No que se refere à prescrição penal, o Substitutivo preferiu adotar uma postura mais cautelosa, ou seja, fixar a sentença que decreta a

---

6. Dispositivo que bem explica o fato de o prazo prescricional não se iniciar imediatamente com a prática do crime é o estatuído no art. 158 CP italiano, ora transcrito parcialmente: "Quando la legge fa dipendere la punibilità del reato dal verificarsi di una condizione, il termine della prescrizione decorre dal giorno in cui la condizione si è verificata".

falência ou a recuperação judicial como termo inicial da contagem do prazo prescricional. Ora, se a decisão judicial é condição indispensável para a persecução penal dos referidos crimes, nada mais razoável que a prescrição comece a correr a partir da data da publicação da sentença de falência ou da recuperação judicial.

"Parece-nos inconcebível que a contagem do referido prazo inicie-se com a consumação do fato, uma vez que, nesse momento, o Estado ainda não está habilitado a deduzir a pretensão punitiva em juízo. Como se sabe, um dos fundamentos do instituto da prescrição é justamente a demora do Estado em dar vazão ao poder punitivo. O raciocínio é simples: se não há demora, não pode haver prescrição."

Justamente por condicionarem o nascimento do direito de punir do Estado e, por conseguinte, serem necessárias ao início da contagem do prazo prescricional, na eventualidade de as decisões de falência ou recuperação terem seus efeitos suspensos por decisão em grau de recurso (por exemplo, por concessão de efeito suspensivo em agravo de instrumento, nos termos do art. 558 do CPC), o prazo prescricional do delito falimentar não poderá se iniciar ou, se já iniciado, restará suspenso (computando-se o tempo anterior na contagem), nos termos do art. 116, I, do CP, até que se resolva em definitivo a questão em grau recursal.[7]

Para a contagem do prazo, considerando os marcos interruptivos da prescrição previstos no art. 117 do CP e na Lei Falimentar, teremos o seguinte:

(1) Tratando-se de crime pré-falimentar ou pré-recuperação, na data do fato não se iniciará a contagem do prazo prescricional, pois não ocor-

---

7. TJSP, *JTJ* 110/509: "*Ementa:* Crime falimentar – Prescrição da ação penal – Inocorrência – Sentença declaratória que teve seus efeitos suspensos em razão da concessão de mandado de segurança em favor da falida, dando ao agravo interposto efeito suspensivo – Ordem denegada".

TJSP, 12ª Câmara Criminal, RSE 1.019.658-3/9, Piraçununga, rel. Des. João Morenghi, j. 30.5.2007, m.v., Voto 11.526: "*Ementa:* Prescrição criminal – Crime falimentar – Suspensão dos efeitos da decretação da falência por força de liminar concedida em agravo de instrumento – Reinício da fluência do prazo prescricional de dois anos, previsto no Decreto-lei n. 7.661/1945, depois de resolvida a causa impeditiva ou suspensiva da prescrição da pretensão punitiva (no caso, após a decisão que negou provimento ao agravo), computando-se o tempo decorrido entre a decretação da falência e a concessão daquela liminar – Cabimento – Inteligência do art. 116, inciso I, do CP – Recurso provido para cassar os efeitos da decisão que recebeu a denúncia e declarar a extinção da punibilidade pela ocorrência da prescrição da pretensão punitiva, com fundamento no art. 199 do Decreto-lei n. 7.661/1945, sendo vencido o Relator".

reu a necessária condição objetiva de punibilidade (decisão de recuperação ou declaração de falência).

(2) Nos crimes supracitados, concedida a recuperação judicial, homologado o plano de recuperação extrajudicial ou decretada a falência, inicia-se a contagem do prazo prescricional.

(3) Se, depois de concedida a recuperação, esta é convolada em falência, tem-se novo marco interruptivo do prazo prescricional com a convolação. Se a falência não foi antecedida de recuperação, inicia-se a contagem do prazo prescricional com a decretação da quebra.

(4) A partir de então, aplicando-se as causas de interrupção do Código Penal, ter-se-ão novos marcos com o recebimento da denúncia, com a sentença e o acórdão condenatórios recorríveis.

O gráfico seguinte bem ilustra a questão:

```
Data do fato        Decretação da falência      Sentença
(não há início      (interrupção do prazo       ou acórdão
 do prazo           prescricional – se houver   condenatórios
 prescricional)     prévia recuperação          recorríveis
                    – ou início do prazo        (nova interrupção
                    prescricional nos casos     do prazo
                    de não ter havido prévia    prescricional)
                    recuperação convolada
                    em falência)

    O        O        O        O        O

           Concessão da              Recebimento
           recuperação               da denúncia
           judicial ou               (interrupção
           extrajudicial             do prazo
           (início do prazo          prescricional)
           prescricional)
```

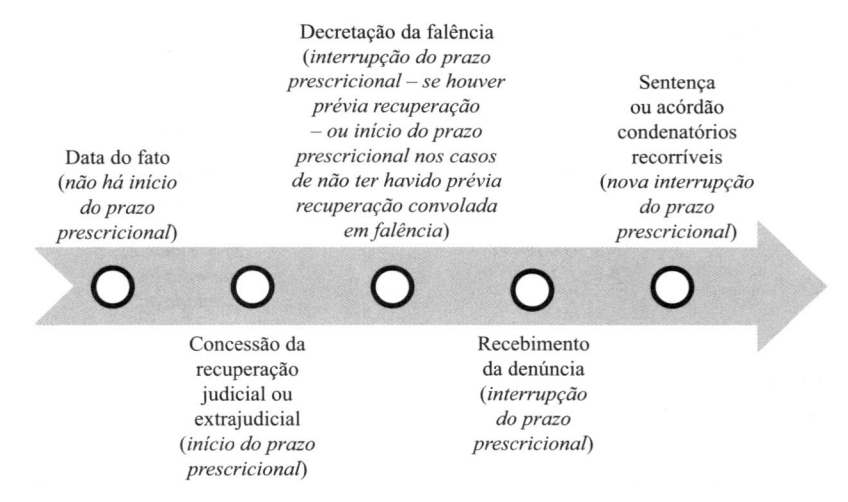

Figura 19: Forma de contagem do prazo de prescrição nos crimes pré-falimentares ou pré-recuperação na vigência da Lei 11.101/2005

Há de se aplicar a contagem acima, entretanto, unicamente para os delitos ocorridos anteriormente à recuperação ou à falência (crimes pré-falimentares ou pré-recuperação). Isto porque nos casos de crimes ocorridos posteriormente a estas (delitos pós-falimentares ou pós-recuperação), se começássemos a contagem da data da concessão da recuperação ou da decretação da quebra, chegaríamos ao absurdo de iniciar um lapso prescricional de crime que irá ocorrer somente no futuro.

Assim, entendemos que, ocorrendo o fato criminoso posteriormente à concessão da recuperação ou da declaração da falência, a prescrição deve se iniciar da data em que houve a consumação do delito ou daquela em que cessou a atividade criminosa (para as hipóteses de crime tentado), nos termos do art. 111, I e II, do CP.

Neste último caso, portanto, teríamos o seguinte:

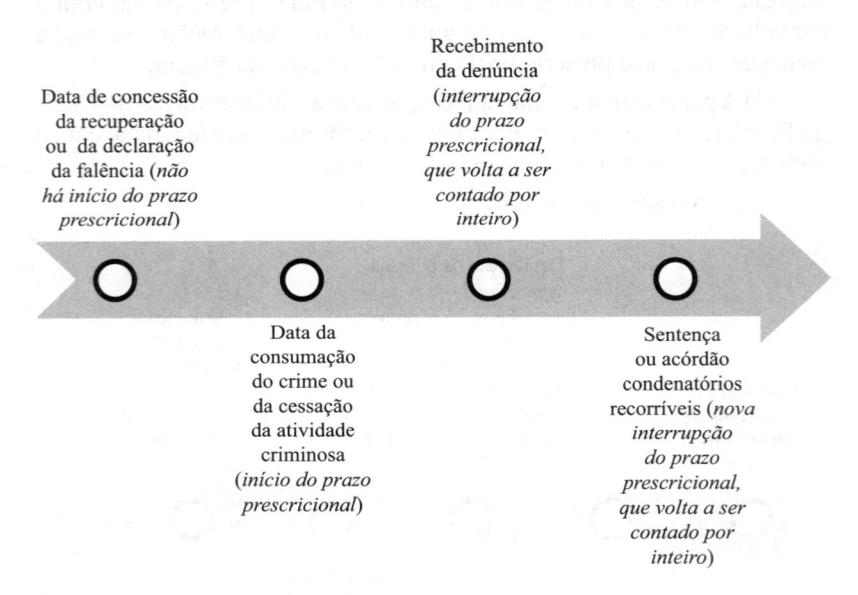

```
Data de concessão              Recebimento
da recuperação                 da denúncia
ou da declaração              (interrupção
da falência (não                do prazo
há início do prazo            prescricional,
prescricional)                que volta a ser
                              contado por
                                 inteiro)

    O            O              O              O

              Data da                       Sentença
            consumação                    ou acórdão
            do crime ou                  condenatórios
             da cessação                 recorríveis (nova
             da atividade                  interrupção
              criminosa                    do prazo
            (início do prazo             prescricional,
             prescricional)              que volta a ser
                                         contado por
                                            inteiro)
```

Figura 20: Contagem do prazo de prescrição nos crimes pós-falimentares ou pós-recuperação na vigência da Lei 11.101/2005

Dadas as penas maiores cominadas na Lei 11.101/2005 comparativamente àquelas fixadas no Decreto-lei 7.661/1945, em regra a prescrição se dará em maior espaço de tempo, o que é teoricamente prejudicial para o autor do crime. Nem sempre, porém, isso será verdadeiro. Como cogitamos anteriormente, pode haver hipóteses em que a situação contrária ocorra.

De fato, apesar de cominar penas mais severas, a Lei 11.101/2005 estabeleceu termo inicial de prescrição (com a declaração de falência ou a concessão de recuperação) em data anterior à prevista no Decreto-lei 7.661/1945 (com o encerramento do processo falimentar ou a data em que este deveria estar encerrado) – regra, esta, cuja aplicação retroativa pode ser benéfica ao agente, por implicar maior lapso de tempo para a contagem da prescrição.

Cada caso concreto, portanto, deve ser analisado em suas peculiaridades próprias, com o fim de se determinar a legislação a ser aplicada e a ocorrência de retroatividade da lei penal mais benigna em matéria prescricional.

Como já ressaltamos nesta obra, muito se tem discutido na jurisprudência quanto à possibilidade de combinação de leis falimentares em matéria prescricional para beneficiar o acusado. Há decisões que entendem possível aplicar o prazo prescricional mais favorável ao réu, constante do Decreto-lei 7.661/1945 (prazo de dois anos), em conjunto com o termo inicial de contagem da prescrição dos crimes pré-falimentares da Lei 11.101/2005 (a partir da decisão de falência). O resultado dessa combinação, portanto, seria um prazo prescricional de dois anos a contar da data da decretação da quebra.[8]

---

8. Sobre o tema é interessante a jurisprudência do TJRJ:

TJRJ, 1ª Câmara Criminal, ACr 2005.050.05372, rel. Des. Nildson Araújo da Cruz, j. 20.3.2007, v.u.: "*Ementa:* Crime falimentar – Prescrição retroativa – Extinção da punibilidade – Lei n. 11.101/2005 – Crime falimentar – Leis penais no tempo – Reconhecimento, de ofício, da prescrição da pretensão punitiva e declarada a extinção da punibilidade – Decisão unânime. No cruzamento de leis penais no tempo, deve ser investigado o que em cada uma existe em benefício do réu e o que em cada uma o prejudica. Pelo Decreto-lei n. 7.661/1945 e pela Súmula n. 147 do STF, a prescrição do crime falimentar ocorria em dois anos contados do encerramento da falência ou do dia em que deveria ser encerrada. Mas pela Lei n. 11.101/2005 o prazo passou a fluir da data da decretação da falência, o que é benéfico. Porém submeteu a prescrição aos prazos do Código Penal, no que foi mais rigorosa. Neste caso, deve ser considerado o prazo prescricional da regência anterior e o termo *a quo* da lei atual, com incidência do disposto no art. 110, §§ 1º e 2º, do CP – Recurso conhecido e acolhida, por unanimidade, a preliminar suscitada pelo Relator, de ofício, para reconhecer a prescrição retroativa da pretensão de punir a apelante, declarando-se a extinção da punibilidade – Decisão unânime".

TJRJ, 1ª Câmara Criminal, RESE 2007.051.00127, rel. Des. Nildson Araújo da Cruz, j. 31.7.2007, v.u.: "*Ementa:* Crime falimentar – Lei penal no tempo – Prescrição – Crime falimentar – Leis penais no tempo – Recurso ministerial de decisão que reconheceu a prescrição da pretensão punitiva e declarou a extinção da punibilidade – Conhecimento e não provimento – Unanimidade. No cruzamento de leis penais no tempo, deve ser investigado o que em cada uma existe em benefício do réu e o que em cada uma o prejudica. Pelo Decreto-lei n. 7.661/1945 e pela Súmula n. 147 do STF, a prescrição do crime falimentar ocorria em dois anos contados do encerramento da falência ou do dia em que deveria ser encerrada. Mas pela Lei n. 11.101/2005 o prazo passou a fluir da data da decretação da falência, o que é benéfico. Porém submeteu a prescrição aos prazos do Código Penal, no que foi mais rigorosa. Neste caso, foram corretamente considerados o prazo prescricional da regência anterior e

A prescrição retroativa nos crimes falimentares, cuja possibilidade era discutível na vigência do Decreto-lei 7.661/1945, não encontra mais qualquer óbice ao seu reconhecimento no sistema da Lei 11.101/2005, que adotou integralmente as normas do Código Penal a respeito da matéria, incluindo esta modalidade prescricional, disciplinada nas regras insertas no art. 110 e §§ do CP.[9]

o termo *a quo* da lei atual, com incidência do disposto no art. 110, §§ 1º e 2º, do CP – Recurso conhecido e não provido por unanimidade".

9. A jurisprudência também já reflete essa inovação. Nesse sentido o TJSP, 5ª Câmara Criminal, ACr 481.201-3/8, São Paulo, rel. Des. Tristão Ribeiro, j. 23.2.2006, v.u., Voto 7.327: "*Ementa:* Crime falimentar – Prescrição da pretensão punitiva – Advento da Lei n. 11.101/2005 – Regência pelo Código Penal – Ocorrência – Início do lapso prescricional da data da decretação da falência, da concessão da recuperação judicial ou da homologação do plano de recuperação extrajudicial – Inaplicabilidade do art. 111, I, do CP – Extinção, de ofício, da punibilidade pela ocorrência da prescrição retroativa da pretensão punitiva, prejudicado o exame do recurso".

18
DISPOSIÇÕES PROCESSUAIS PENAIS

> *18.1 Da competência jurisdicional para o processo e julgamento dos crimes falimentares. 18.2 Da apuração do crime falimentar: inquérito judicial e inquérito policial: 18.2.1 Da apuração dos crimes falimentares na vigência do Decreto-lei 7.661/1945: o inquérito judicial – 18.2.2 Da apuração dos crimes falimentares na Lei 11.101/2005. 18.3 A ação penal nos crimes falimentares. 18.4 O rito processual nos crimes falimentares. 18.5 A prisão cautelar (processual) em crimes falimentares. 18.6 Medidas despenalizadoras previstas na Lei 9.099/1995 no processo penal falimentar: transação penal e suspensão condicional do processo. 18.7 Efeitos da sentença condenatória penal e reabilitação.*

Um dos aspectos mais inovadores da Lei 11.101/2005 foi o relativo ao processo penal.

De fato, em relação à legislação anterior, o atual diploma falimentar trouxe inovações de monta, desde o início da *persecutio criminis* até os efeitos processuais de uma condenação por crime falimentar.

Assim sendo, passaremos, nos tópicos seguintes, ao comentário específico dos aspectos mais importantes de referido regramento.

Diante das modificações ocorridas, a primeira questão importante a respeito das disposições processuais penais relaciona-se com o Direito Intertemporal diante do advento da Lei 11.101/2005. Note-se que em relação às normas processuais penais, salvo se de natureza mista (processual e penal), não se apresenta toda a problemática relativa à retroatividade da norma mais benigna ao acusado, tal qual ocorre com as normas de direito penal material.

Não se aplicam aqui, portanto, as normas sobre a vigência de leis penais no tempo.

Dessa forma, duas soluções podem ser viáveis diante do ordenamento posto para resolver o problema da aplicação das normas processuais penais falimentares no tempo:

(1) *Aplica-se às disposições processuais penais o disposto no art. 2º do CPP, segundo o qual "a lei processual penal aplicar-se-á desde logo, sem prejuízo da validade dos atos realizados sob a vigência da lei anterior".*

(2) *Incide o art. 192 da Lei 11.101/2005, que determina que referida lei não se aplica aos processos de falência ou de concordata ajuizados anteriormente ao início de sua vigência, que serão concluídos nos termos do Decreto-lei 7.661, de 21.6.1945. Assim, os dispositivos processuais penais aplicáveis aos pedidos de falências ajuizados até 9.6.2005 seriam os constantes do Decreto-lei 7.661, de 21.6.1945. Aos processos de falência e recuperação ajuizados posteriormente a 9.6.2005 aplicar-se-iam as normas processuais penais da Lei 11.101/2005.*

Inclinamo-nos pela solução que aponta a aplicação do art. 2º do CPP, uma vez que nos parece que o disposto no art. 192 da Lei 11.101/2005 somente se aplica às normas de natureza cível/empresarial dos feitos falimentares, e não àquelas regras de caráter processual penal.

Não obstante nosso entendimento, há decisões no sentido da aplicabilidade do art. 192 da Lei 11.101/2005 às normas de processo penal falimentar (segunda corrente supracitada) no que diz respeito, por exemplo, à continuidade de inquérito judicial iniciado sob a vigência do Decreto-lei 7.661/1945, bem como da aplicação do rito processual dos arts. 503 a 512 do CPP aos casos anteriores à sua revogação.[1]

1. TJRS, 6ª Câmara Cível, ACi 70014719850, rel. Des. Osvaldo Stefanello, j. 5.10.2006: "*Ementa:* Apelação cível – Inquérito judicial – Crime falimentar – Legislação aplicável – Regras de transição. O inquérito judicial instaurado antes da vigência da Lei n. 11.101/2005, tendo em vista as regras de transição (art. 192, *caput* e § 4º), deve seguir o procedimento disposto no Decreto-lei n. 7.661/1945 – Apelo ministerial provido – Apelo da massa falida provido".

TJRS, 6ª Câmara Cível, AI 70013111547, rel. Des. Antônio Corrêa Palmeiro da Fontoura, j. 18.5.2006: "*Ementa:* Agravo de instrumento – Falência – Inquérito judicial – Nova Lei de Falências. Tratando-se de falência decretada antes da vigência da Lei n. 11.101/2005, o inquérito judicial, também iniciado anteriormente, segue o disposto no Decreto-lei n. 7.661/1945 – Agravo de instrumento provido por decisão do Relator".

TJRS, 6ª Câmara Cível, AI 70013682612, rel. Des. Ubirajara Mach de Oliveira, j. 26.1.2006: "*Ementa:* Agravo de instrumento – Falência – Inquérito judicial – Nova Lei de Falências – Regra de transição – Hipótese em que a sentença de quebra foi proferida antes da vigência da Lei n. 11.101/2005. Nesse caso, o inquérito judicial rege-se pelas disposições do Decreto-lei n. 7.661/1945 – Agravo provido".

STJ, 5ª Turma, HC 88.000-SP (2007/0177669-0), rel. Min. Arnaldo Esteves Lima, j. 6.5.2008, *DJe* 23.6.2008:

Passaremos, a seguir, a examinar as disposições processuais penais falimentares.

18.1 Da competência jurisdicional para o processo e julgamento dos crimes falimentares

A competência para o processo e julgamento dos processos criminais falimentares é da Justiça Comum Estadual.[2]

"*Ementa:* Penal e processual penal – *Habeas corpus* – Crime falimentar – Negativa de autoria – Reexame e valoração de provas – Inviabilidade na via eleita – Delito cometido anteriormente à edição da Lei n. 11.101/2005.

"Rito ordinário – Legalidade – Intimação de advogado constituído – Imprensa Oficial – Inteligência do art. 370, § 1º, do CPP – Não-apresentação das alegações finais – Inércia do defensor constituído, devidamente intimado – Nulidade – Extinção da punibilidade – Prescrição reconhecida – Ordem parcialmente concedida. 1. Analisar a argüição de negativa de autoria implicaria o reexame e a valoração do conjunto fático-probatório produzido durante toda a instrução criminal, desiderato vedado na estreita via eleita pelo impetrante. 2. Aos delitos falimentares cometidos anteriormente à vigência da Lei n. 11.101/2005 aplica-se o rito previsto nos arts. 503 a 512 do CPP, por expressa disposição de seu art. 192 ('Esta Lei não se aplica aos processos de falência ou de concordata ajuizados anteriormente ao início de sua vigência, que serão concluídos nos termos do Decreto-lei n. 7.661, de 21 de junho de 1945'). 3. Nos termos do que estabelece o § 1º do art. 370 do CPP, a intimação do advogado constituído far-se-á pela publicação na Imprensa Oficial. 4. A apresentação das alegações finais pela defesa é imprescindível ao devido processo legal, motivo por que a prolação da sentença sem que tenha sido suprida a omissão ofende a ampla defesa e o contraditório. 5. Em caso de inércia do defensor constituído, faz-se mister a intimação do réu, a fim de constituir novo advogado ou, na impossibilidade de tal providência, para que seja assistido por defensor público ou dativo – Precedentes. 6. Transcorridos mais de dois anos desde o recebimento da denúncia, último marco interruptivo, deve ser reconhecida a extinção da punibilidade do paciente, pelo transcurso do prazo prescricional. 7. Ordem parcialmente concedida para anular o processo, desde a fase do art. 500 do CPP, pela não apresentação das alegações finais, e, por conseguinte, para declarar a extinção da punibilidade quanto ao crime imputado ao impetrante/paciente (...), em face da prescrição da pretensão punitiva, nos termos do art. 107, inciso IV, c/c o art. 199, do Decreto-lei n. 7.661/1945."

2. Cumpre salientar, aqui, uma exceção ao princípio da competência estadual em matéria falimentar, diante de um caso concreto em que um dos sócios da falida ostentava a condição de deputado federal, cujo foro por prerrogativa de função em processos criminais traz caso de competência originária do STF (art. 53, § 1º, da CF). Em tal hipótese, a Procuradoria-Geral de Justiça de São Paulo entendeu que a convicção caberia unicamente ao Procurador-Geral da República, o qual poderia ingressar com ação penal perante o Pretório Excelso, se fosse o caso. A decisão encontra-se assim ementada: Protocolado n. 101.212/2008, CPP, art. 28, processo

No âmbito de competência jurisdicional estadual, cumpre verificar qual o foro e o juízo competentes para julgamento dos crimes falimentares.

Na vigência do Decreto-lei 7.661/1945 havia disposição específica no art. 109, § 2º, desse regramento no sentido de que o juízo criminal seria o competente para julgamento de eventual processo por crime falimentar.

Estabelecia referida norma que, recebendo a denúncia ou queixa, o juiz falimentar, em despacho fundamentado, determinaria a remessa imediata dos autos ao juízo criminal competente para prosseguimento da ação, nos termos da lei processual penal.

Essa regra, entretanto, não impediu que a legislação estadual e as disposições internas dos Tribunais de Justiça dos Estados determinassem que a competência para processo e julgamento dos delitos falimentares permaneceria com o juiz da falência, como foi o caso do Estado de São Paulo[3] e do Distrito Federal.[4] Sob a vigência do diploma falimentar

---

falimentar, AP 583.00.2001.074.201-1/361: "*Ementa:* CPP, art. 28 – Ação penal falimentar – Denúncia oferecida em face de 66 réus – Omissão quanto a um dos sócios, que é parlamentar federal – Prerrogativa de função – Promotor natural – Remessa à Procuradoria-Geral da República. 1. A omissão quanto a um dos sócios da empresa na denúncia por crime falimentar pode ensejar a aplicação do art. 28 do CPP, muito embora o administrador judicial (requerente) possa, ele próprio, ingressar com ação penal privada subsidiária, nos termos do art. 184, parágrafo único, da Lei n. 11.101/2005. 2. A sócia da empresa, segundo consta das informações trazidas pelo peticionário, seria deputada federal. A *opinio delicti*, portanto, é de atribuição do eminente Procurador-Geral da República – Solução: descabimento de designação de outro membro ministerial e remessa de cópia do protocolado à Procuradoria-Geral da República".

3. TJSP, 5ª Câmara Criminal, ACr 178.458-3, São Paulo, rel. Des. Cardoso Perpétuo, j. 3.8.1995, v.u.: "*Ementa:* Competência – Crime falimentar – Arts. 186, VI e VII, e 188, VIII, da Lei de Falências – Alegada incompetência do juízo cível – Inadmissibilidade – Aplicação da Lei estadual n. 3.947/1983, art. 15 – Competência do juízo universal da quebra – Preliminar repelida".

4. TJDF, 2ª Turma Criminal, APR ACr 1.233.492-DF, Acórdão 63.648, rel. Des. Lécio Resende, j. 22.4.1993, *DJE* 26.5.1993, p. 20.021: "*Ementa:* Crime falimentar – Falsidade ideológica – Preliminares – Incompetência do juízo – Cerceamento do direito de defesa – Nulidade do processo – Rejeição – Sentença fundamentada sucintamente – Materialidade e autoria provadas – Recurso desprovido. Nos termos do art. 33, item IV, da Lei de Organização Judiciária local (Lei n. 8.185/1991), o juiz da Vara de Falências e Concordatas é competente para o processo e julgamento dos delitos falimentares, sendo constitucional o preceito, conforme já decidiu o excelso Tribunal Federal (RHC n. 63.787-6). Não se anula a sentença quando fundamentada, ainda que sucinta e deficiente a fundamentação".

anterior a constitucionalidade das normas estaduais que estabeleciam a competência do juízo da falência foi reconhecida, inclusive, pelo STF.[5]

Já a Lei 11.101/2005 determina: "Art. 183. Compete ao juiz criminal da jurisdição onde tenha sido decretada a falência, concedida a recuperação judicial ou homologado o plano de recuperação extrajudicial conhecer da ação penal pelos crimes previstos nesta Lei".

Verifica-se, portanto, que ambos os diplomas legais determinavam a competência do juízo criminal para processo e julgamento dos crimes falimentares, com a única diferença de que o art. 109, § 2º, do Decreto-lei 7.661/1945 estipulava que a competência do juízo criminal se iniciava *após o recebimento da denúncia pelo juízo falimentar*, enquanto o art. 183 da Lei 11.101/2005 estabelece a competência do juízo criminal desde o início da persecução penal em juízo.

Na doutrina, porém, o art. 183 da Lei 11.101/2005 sofreu elogios e críticas.

As críticas são por conta de sua eventual inconstitucionalidade. Observa-se em Fábio Ulhoa Coelho a seguinte lição: "Essa norma, na verdade, é inconstitucional. Cabe à lei estadual de organização judiciária definir a competência para a ação penal por crimes falimentares. Na distribuição de competência que a Constituição estabelece, não é da União, mas sim dos Estados, a de estruturar os serviços judiciários, definindo que órgãos serão criados e com qual competência jurisdicional".[6]

Os elogios, fundados na separação de funções entre o juízo criminal e o falimentar, podem ser encontrados nos comentários de Antônio Sérgio A. de Moraes Pitombo: "O devido processo penal impunha que as ações penais fossem julgadas por magistrado com neutralidade e independência, o qual não estivesse em contato com o processo falimentar ou de recuperação. No caso da lei atual esse aspecto se acentua, na medida em que várias infrações penais se destinam à tutela do próprio processo falimentar, protegendo a administração da justiça. Seria um ab-

---

5. STF, RHC 63.787, j. 27.8.1986: "*Ementa:* Processo por crime falimentar – Atribuição de competência ao juízo da falência – Matéria de organização judiciária – Competência legislativa estadual. A atribuição de competência ao juízo de falência para a ação penal por crime falimentar, acrescendo-lhe essa competência criminal em razão da matéria, é típica norma de organização judiciária reservada, privativamente, ao legislador estadual (art. 144, § 5º), sem invasão da área de competência federal para a edição de normas de processo (art. 8º, XVII, 'b') – Recurso de *habeas corpus* improvido".

6. Fábio Ulhoa Coelho, *Comentários à Nova Lei de Falências e Recuperação de Empresas*, São Paulo, Saraiva, 2005.

surdo deixar que o acusado de prestar informações falsas no processo de falência, com o fim de induzir a erro o juiz (art. 171 da Lei 11.101/2005), viesse a ser julgado pelo mesmo juiz que se sentiu enganado".[7]

Esta última foi também a postura adotada pelo senador Ramez Tebet no parecer ao PLC-71/2003: "Ao contrário da visão acolhida no PLC n. 71, de 2003, julgamos excessiva a acumulação, por parte do juiz da falência, das funções de persecução criminal. Na verdade, nas comarcas que possuem Varas Criminais especializadas é desejável que estas assumam plenamente o processo penal. É que os objetivos da ação penal e da ação de falência são muito distintos. No primeiro caso o órgão julgador está preocupado em verificar a consistência da acusação, avaliar provas, fazer observar as garantias constitucionais e, se for o caso, condenar. Nos processos de recuperação judicial ou de falência o juiz, o quanto possível, deve envidar esforços para o soerguimento da empresa e satisfação dos credores habilitados. São lógicas distintas e que, não raro, podem entrar em rota de colisão. Ademais, o comportamento do falido como devedor no processo de falência pode afetar a sua condição de réu, o que favorece toda sorte de prejulgamentos".

No Estado de São Paulo, local em que tradicionalmente se entendeu pela competência do juízo falimentar para conhecer dos processos envolvendo crimes falimentares, foi editada pelo TJSP a Resolução 200/2005, de 31.3.2005, em que se manteve a competência das Varas de Falência e Recuperações para "processar, julgar e executar os feitos relativos a falência, recuperação judicial e extrajudicial, principais, acessórios e seus incidentes, disciplinados pela Lei federal n. 11.101/2005, *incluídas as ações penais*" (art. 15 da Lei estadual 3.947/1983).[8]

7. Antônio Sérgio A. de Moraes Pitombo, in Francisco Satiro de Souza Jr. e Antônio Sérgio A. de Moraes Pitombo (coords.), *Comentários à Lei de Recuperação de Empresas e Falência: Lei 11.101/2005*, São Paulo, Ed. RT, 2005.

8. "O Tribunal de Justiça do Estado de São Paulo, por seu Órgão Especial, no uso de suas atribuições legais, considerando o advento da Lei federal n. 11.101, de 9 de fevereiro de 2005, que alterou substancialmente o processo falimentar e introduziu o instituto da recuperação judicial e extrajudicial; considerando a necessidade de especialização do serviço judiciário do Estado; considerando o disposto no art. 40 da Lei Complementar estadual n. 762, de 30 de setembro de 1994, que permite ao Tribunal de Justiça remanejar a competência de Varas da mesma comarca; considerando, por fim, o decidido pelo egrégio Órgão Especial nos autos do Processo n. COJ-1.062-CXXIII, resolve:

"Art. 1º. As 48ª, 49ª e 50ª Varas Cíveis do Foro Central da comarca de São Paulo, criadas pelo art. 32, inciso II, letra 'a', da Lei Complementar estadual n. 762/1994, ficam remanejadas, respectivamente, em 1ª, 2ª e 3ª Varas de Falências e Recuperações Judiciais da referida comarca, com competência para processar, julgar

Sobre a matéria já há decisões do TJSP em conflitos entre juízo falimentar e criminal, decidindo pela competência do primeiro.[9] Duas exceções devem ser admitidas à competência do juízo falimentar ou criminal para processo e julgamento dos crimes falimentares: (1) quando o agente tenha foro por prerrogativa de função em virtude de disposições constitucionais (por exemplo, se o crime falimentar for cometido por juízes, deputados, promotores etc.), caso que será de competência originária dos tribunais; (2) quando o agente for menor de 18 anos de idade (por exemplo, ato infracional falimentar cometido por menor emancipado que exerça atividade empresarial), hipótese em que a competência deverá tocar ao Juízo da Infância e Juventude, nos termos do art. 148, I, da Lei 8.069/1990.

e executar os feitos relativos a falência, recuperação judicial e extrajudicial, principais, acessórios e seus incidentes, disciplinados pela Lei federal n. 11.101/2005, incluídas as ações penais (art. 15 da Lei estadual n. 3.947/1983).

"Art. 2º. As 58ª, 59ª e 60ª Varas Cíveis do Foro Central da comarca de São Paulo, criadas pelo art. 45, inciso I, letra 'a', da Lei Complementar estadual n. 877/2000, ficam renumeradas em 48ª, 49ª e 50ª Varas Cíveis do Foro Central da referida comarca, respectivamente.

"Art. 3º. O acervo de feitos referentes a falências e concordatas, que tramita sob a égide do Decreto-lei n. 7.661/1945, permanecerá nas Varas Cíveis do Foro Central da comarca de São Paulo.

"Art. 4º. Esta Resolução entrará em vigor em trinta dias, a partir de sua publicação.

"São Paulo, 23 de março de 2005 – *Luiz Tâmbara*, Presidente do Tribunal de Justiça."

9. TJSP, Câmara Especial, CJ 166.799 0/7-00, suscitante: Juiz de Direito da Vara do Juizado Especial Criminal da Capital, suscitado: Juiz de Direito da 2ª Vara de Falências e Recuperações Judiciais da Capital, Voto 5.960: "*Ementa:* Conflito negativo de jurisdição – Ação penal falimentar – Competência do juízo universal da falência conforme o art. 15 da Lei estadual n. 3.947, de 8.12.1983. Não há conflito com a Lei federal n. 11.101, de 9.2.2005, pois o juízo criminal, para a ação penal falimentar no Estado de São Paulo, é o juízo universal da falência, conforme o item 14 e respectivos subitens do Capítulo VII das NSCGJ – Entendimento do Parecer n. 653/2005-J, Prot. CG n. 36.366/2005 (DEGE 1.3), da Corregedoria-Geral de Justiça – Competência do juízo universal da falência – Precedentes desta egrégia Câmara Especial – Competência do Juízo suscitado".

TJSP, CJ 166.800-0/3-00, suscitante: Juiz de Direito do Juizado Especial Criminal da Capital, suscitado: Juiz de Direito da 2ª Vara de Falências e Recuperações Judiciais: "*Ementa:* Conflito de jurisdição – Crime falimentar – Competência do juízo universal da falência – Inteligência da Lei estadual n. 3.947/1983, do Parecer n. 653/2005-J, Prot. CG n. 36.366/2005, da egrégia Corregedoria-Geral de Justiça, e da Resolução n. 200/2005 do egrégio Órgão Especial do Tribunal de Justiça – Conflito procedente – Competência do Juízo suscitado".

Havendo concomitância de delito comum e falimentar reunidos por conexão ou continência, caberá o julgamento do crime comum ao juiz competente para julgar o crime falimentar, estendendo-se a competência deste último.[10] Nesses casos o juiz competente para o julgamento do crime falimentar (seja este o mesmo juiz da recuperação ou da falência ou o juiz criminal) detém competência para o recebimento da denúncia abrangendo ambos os crimes, quando reunidos em processo único.[11]

10. STJ, 5ª Turma, RHC 865/ES (199000114241), j. 14.11.1990:
"*Ementa:* Processual penal – Falência – Delitos comuns – Concurso formal – Competência. Para o concurso conceituado pelo art. 192 da Lei de Falências, requisito básico da competência do juízo universal da falência, é imprescindível, *a contrario sensu*, que o fato típico comum também constitua crime falimentar. [V. também, em nota posterior, STJ, HC 83.837]

"*Decisão:* Por unanimidade, negar provimento ao recurso."

TJSP, ACr 104.887-3, São Paulo, rel. Des. Carlos Bueno, j. 20.12.1991: "*Ementa:* Crimes conexos – Inocorrência. De acordo com o art. 15 da Lei n. 3.947/1983, as ações por crime falimentar e as que lhe sejam conexas passam para a competência do respectivo juízo universal da falência. Referida norma pressupõe, porém, que exista ação penal por crime falimentar, em relação ao qual possam ser dadas como conexas outras ações penais. Na hipótese, foi comprovado que inexistia ação penal correndo pelo juízo falimentar à época do estelionato, inocorrendo, pois, a conexão pretendida – Recurso não provido".

11. Essa regra já era válida sob a égide do Decreto-lei 7.661/1945, que previa a competência do juízo falimentar até o recebimento da denúncia, com posterior remessa ao juízo criminal. No regime da Lei 11.101/2005 o recebimento da denúncia deve se dar pelo juízo competente para julgar o crime falimentar (seja o juízo da falência ou recuperação, como ocorre ainda no Estado de São Paulo, ou juízo criminal próprio).

V. a decisão seguinte, ainda na vigência do Decreto-lei 7.661/1945: STJ, 5ª Turma, RHC 18.643-MG (2005/0191062-0), rel. Min. Gilson Dipp, j. 19.4.2007, *DJU* 4.6.2007, p. 376: "*Ementa:* Criminal – Recurso de *habeas corpus* – Estelionato – Recebimento da denúncia – Incompetência do juízo falimentar – Não ocorrência – Delito praticado na administração da empresa falida – Conexão – Determinação de remessa dos autos ao juízo criminal após o recebimento da exordial – Ausência de prejuízos à defesa – Possibilidade de retificação do despacho – Inquérito judicial realizado – Ofensa à ampla defesa não caracterizada – Imprescindibilidade do procedimento inquisitorial – Trancamento da ação penal – Inépcia da denúncia – Requisitos do art. 41 do CPP – Falta de descrição das condutas praticadas por duas rés – Crime societário – Fumaça do bom direito que deve ser abrandada – Réus que não praticaram atos em nome da empresa falida – Impropriedade – Questões controvertidas que devem ser submetidas à instrução criminal – Falta de justa causa não evidenciada – Recurso desprovido. A regra inserta no art. 79, *caput*, do CPP prevê a unidade de processo e julgamento em caso de conexão. O juízo universal da falência detém competência para receber a denúncia também quanto aos crimes conexos aos falimentares, como o estelionato praticado, em tese, pelos acusados em período imediatamente anterior à decretação da falência da empresa da qual eram sócios.

No caso de existirem, entretanto, outros crimes de competência da Justiça Federal em concurso com o crime falimentar, como delitos contra o sistema financeiro nacional (Lei 7.492/1986), a jurisprudência vem decidindo no sentido da manutenção de processos separados para julgamento de cada crime, atuando separadamente o juízo competente para julgamento do delito falimentar e o juízo federal, sem reunião de feitos pela conexão ou continência.[12]

O § 2º do art. 109 da Lei de Falências prevê a competência do juízo falimentar para o recebimento da inicial acusatória, com a determinação de remessa imediata do feito ao juízo criminal, que dará prosseguimento à ação penal. Os pacientes não estão expostos a nenhum constrangimento ilegal, tendo em vista a ausência de prejuízos no recebimento da denúncia pelo magistrado falimentar – Evidenciado que a denúncia foi precedida de inquérito judicial, restando afastada a alegação de ofensa à ampla defesa. Nos crimes societários, em que a autoria nem sempre se mostra claramente comprovada, a fumaça do bom direito deve ser abrandada, dentro do contexto fático de que dispõe o *Parquet* no limiar da ação penal. A fase da instrução criminal presta-se para dirimir dúvidas sobre a participação do réu nos delitos, permitindo ampla discussão de fatos e provas a respeito da eventual atipicidade da conduta e ilegitimidade dos pacientes para figurar no pólo passivo do feito. Prematuro o trancamento da ação penal, bem como a profunda análise da argumentação do *writ*, o que somente poderá ser permitido após a correta instrução criminal, com a devida análise dos fatos e provas, oportunidade em que se procederá à oitiva das testemunhas, bem como de todos os acusados. A alegação de ausência de justa causa para o prosseguimento do feito só pode ser reconhecida quando, sem a necessidade de exame aprofundado e valorativo dos fatos, indícios e provas, restar inequivocamente demonstrada, pela impetração, a atipicidade flagrante do fato, a ausência de indícios a fundamentarem a acusação ou, ainda, a extinção da punibilidade – Recurso desprovido".

12. STJ, 5ª Turma, RHC 6.546-MG (1997/0039927-3), rel. Min. José Arnaldo da Fonseca, j. 4.11.1997, *DJU* 9.12.1997, p. 64.748, *RSTJ* 106/381: "*Ementa:* Recurso em *habeas corpus* – Processual penal – Crime atentatório ao sistema financeiro nacional – Justiça Federal – Competência – Juízo universal da falência – Afastabilidade, no caso. Consoante o art. 1º, parágrafo único, da Lei n. 7.492/1986, a administradora de consórcio é equiparada a instituição financeira. Ainda que comprovasse a decretação da quebra, afastar-se-á a universalidade do juízo falimentar, porquanto a Lei n. 7.492/1986, que dispõe sobre os crimes contra o sistema financeiro, estabelece no art. 26 competir à Justiça Federal processar e julgar esses crimes, a que se acresce o disposto no art. 109, IV, da lei fundamental – Recurso conhecido, mas desprovido".

STJ, 3ª Seção, CComp 29.658-SP (2000/0047004-0), rel. Min. Félix Fischer, j. 28.2.2001, *DJU* 26.3.2001, p. 363, *JBC* 40/304: "*Ementa:* Processual penal – Conflito positivo de competência – Crimes falimentares e crimes contra o sistema financeiro nacional. I – A Justiça Federal é competente para julgar os crimes contra o sistema financeiro nacional (arts. 109, inciso VI, da CF e 26 da Lei n. 7.492/1986). II – Inexiste conexão necessária entre crimes falimentares e aqueles contra o sistema financeiro nacional – Conflito conhecido, mantendo-se a competência da Justiça Federal para apreciar os crimes da Lei 7.492/1986".

Questiona-se aqui se, decretada a extinção da punibilidade do crime falimentar (*v.g.*, pela superveniência de prescrição), continuará competente o juízo falimentar, ou se os autos devem ser remetidos ao juízo comum, por falecer competência ao primeiro, uma vez que inexistiria a causa determinante de sua atuação.

Nos termos do que dispõe o art. 81 do CPP,[13] a resposta parece ser negativa. E assim também segue a posição vencedora na jurisprudência.[14] No entanto, há decisões no sentido de que em tais casos o processo deve ser remetido ao juízo criminal comum, por inexistir ulteriormente a causa que determinou a competência do juízo falimentar.[15]

18.2 Da apuração do crime falimentar: inquérito judicial e inquérito policial

Importante novidade inserida pela Lei 11.101/2005, em seu art. 187, foi a previsão do inquérito policial em detrimento do inquérito judicial para a apuração do crime falimentar.

Assim se justificou o senador Ramez Tebet ao propor o fim desse procedimento inquisitivo judicial: "De modo correlato, propomos a extinção do 'inquérito judicial', forte resquício de inquisitorialismo e que, ademais, burocratiza a investigação dos crimes falimentares. Per-

---

13. "Art. 81. Verificada a reunião dos processos por conexão ou continência, ainda que no processo da sua competência própria venha o juiz ou tribunal a proferir sentença absolutória ou que desclassifique a infração para outra que não se inclua na sua competência, continuará competente em relação aos demais processos."

14. STJ, 5ª Turma, HC 83.837-SP (2007/0122841-1), rela. Min. Jane Silva (Desembargadora convocada do TJMG), j. 25.10.2007, *DJU* 12.11.2007, p. 261: "*Ementa: Habeas corpus* – Crimes falimentares – Decreto-lei n. 7.661/1945 – Formação de quadrilha – Conexão – Lei estadual paulista que atribuiu ao juízo falimentar competência para julgar o crime dessa natureza – Competência que se estende para o julgamento do crime comum, em virtude da conexão – Constitucionalidade da lei estadual afirmada pelo STF – Ordem denegada. I – A Lei de Organização Judiciária do Estado de São Paulo, que atribuiu ao juízo universal da falência a competência para julgar crimes falimentares sob a égide do Decreto-lei n. 7.661/1945, foi considerada constitucional pelo egrégio STF. II – Portanto, havendo conexão entre o crime comum e o falimentar, ainda que a prescrição venha a ser futuramente declarada em relação a este último, o juízo universal da falência é competente para processá-lo e julgá-lo – III. Ordem denegada".

15. TJSP, *JTJ* 124/433: "*Ementa:* Competência – Conexão – Crime comum autônomo, cometido com fraude, e crime falimentar – Extinção da punibilidade deste, em razão da prescrição – Efeito que não se estende ao crime conexo – Cessação, ademais, da causa determinante da competência do juízo cível, em relação a este delito – Desapensamento dos autos, para remessa ao juízo criminal de origem – Ordem denegada".

guntamos: por que esse modelo apenas em relação aos crimes falimentares? Sobram-nos dúvidas quanto à constitucionalidade da proposta, pois afasta a polícia judiciária da apuração de fatos criminosos (art. 144, § 4º, da CF) (...). Numa direção diametralmente oposta, o Substitutivo propõe um modelo que preza pela simplicidade: decretada a falência ou deferida a recuperação judicial (condições de procedibilidade), intima-se o Ministério Público, que, verificando a ocorrência de crime, promoverá a ação penal ou solicitará a abertura de inquérito policial. Com o término deste, o Ministério Público deve observar os prazos para o oferecimento da denúncia disciplinados no art. 46 do CPP. No entanto, para fortalecer sua convicção, o órgão acusador terá a faculdade de aguardar a exposição circunstanciada do administrador judicial (art. 191 do PLC n. 71/2003). Quanto ao mais, aplicar-se-ão subsidiariamente as disposições do estatuto processual penal".

Para melhor análise da transição entre as regras e do modo com que atualmente deve tramitar a investigação pré-processual dos crimes falimentares, comentaremos, a seguir, em tópicos separados, os instrumentos do inquérito judicial e do inquérito policial, com as conclusões respectivas.

18.2.1 Da apuração dos crimes falimentares na vigência do Decreto-lei 7.661/1945: o inquérito judicial

Durante a vigência do Decreto-lei 7.661/1945 o inquérito judicial era o meio por excelência para a persecução penal dos delitos falimentares em sua fase investigativa.

Além de se constituir em investigação presidida pelo juiz falimentar, o inquérito judicial consistia particularmente num desmembramento dos autos principais da falência, correndo paralelamente a estes.

Com efeito, ele se iniciava com a exposição (ou primeiro relatório) do síndico nos autos da falência (na qual este indicava os eventuais fatos que poderiam ter repercussões criminais) e seu encerramento condicionava o início da venda de bens em liquidação e até mesmo, conforme existisse recebimento de eventual denúncia ou queixa por crime falimentar, a concessão ou vedação da concordata suspensiva.

Seu procedimento era regulado nos arts. 103 a 113 desse diploma, em um rito que previa fases de requerimento de credores, do membro do Ministério Público e do falido, sendo que, após eventual decisão do juiz sobre requerimentos de produção de prova, o Ministério Público poderia oferecer denúncia ou requerer o apensamento do inquérito judicial aos autos principais da falência.

O rito procedimental é trazido a seguir:

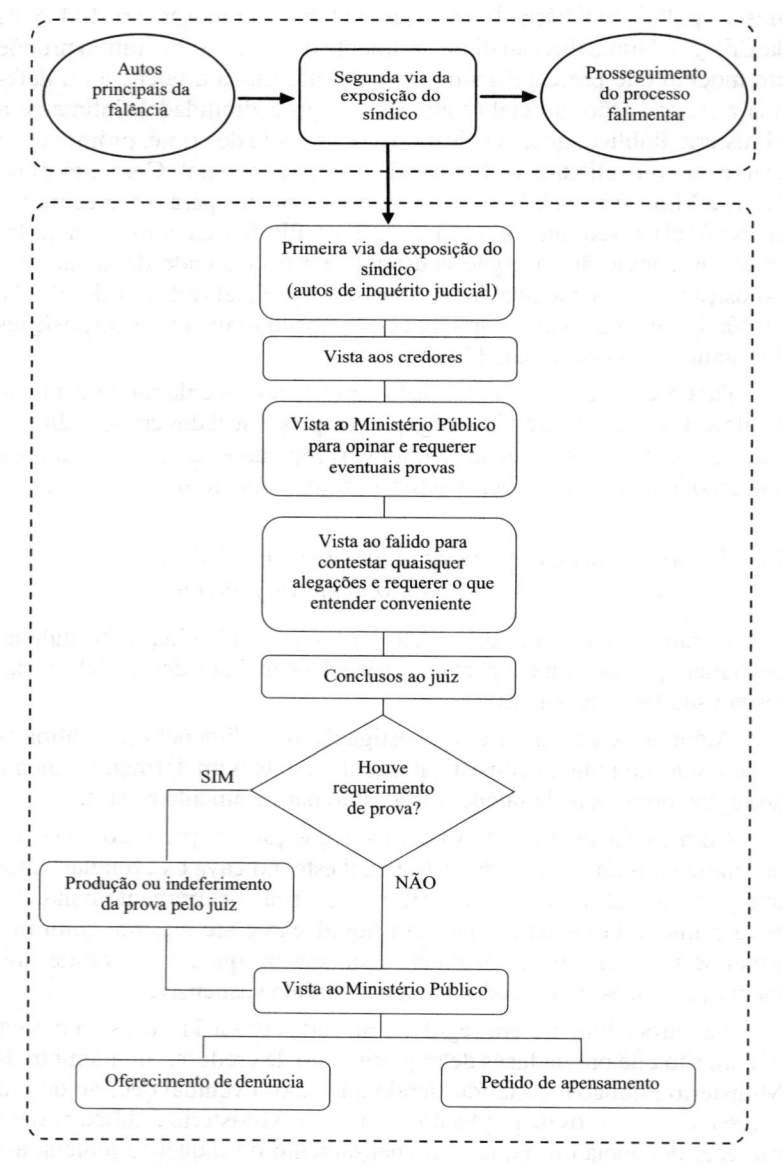

```
┌─────────────────────────────────────────────────────────────────┐
│   ( Autos      )      ┌─────────────┐      ( Prosseguimento )   │
│   ( principais da ) → │ Segunda via da │ → ( do processo    )   │
│   ( falência   )      │ exposição do │      ( falimentar    )   │
│                       │   síndico    │                          │
│                       └─────────────┘                           │
└─────────────────────────────────────────────────────────────────┘
                               │
┌──────────────────────────────▼──────────────────────────────────┐
│              ┌─────────────────────────────┐                    │
│              │ Primeira via da exposição do│                    │
│              │          síndico            │                    │
│              │ (autos de inquérito judicial)│                   │
│              └─────────────────────────────┘                    │
│                    ┌──────────────────┐                         │
│                    │ Vista aos credores│                        │
│                    └──────────────────┘                         │
│              ┌─────────────────────────┐                        │
│              │ Vista ao Ministério Público │                    │
│              │ para opinar e requerer   │                       │
│              │    eventuais provas      │                       │
│              └─────────────────────────┘                        │
│              ┌─────────────────────────┐                        │
│              │  Vista ao falido para    │                       │
│              │   contestar quaisquer    │                       │
│              │  alegações e requerer o que │                    │
│              │   entender conveniente   │                       │
│              └─────────────────────────┘                        │
│                    ┌──────────────────┐                         │
│                    │  Conclusos ao juiz│                        │
│                    └──────────────────┘                         │
│                            ◇                                    │
│              SIM      ╱ Houve    ╲                              │
│         ◄────────────╱ requerimento╲                            │
│                      ╲  de prova? ╱                             │
│                       ╲          ╱                              │
│                            │ NÃO                                │
│   ┌──────────────────────┐ │                                    │
│   │ Produção ou indeferimento│                                  │
│   │   da prova pelo juiz │                                      │
│   └──────────────────────┘                                      │
│              │                                                  │
│              └─────►┌──────────────────────────┐                │
│                     │ Vista ao Ministério Público│              │
│                     └──────────────────────────┘                │
│                    ┌──────┴───────┐                             │
│   ┌────────────────────────┐  ┌──────────────────────┐          │
│   │ Oferecimento de denúncia│  │ Pedido de apensamento│         │
│   └────────────────────────┘  └──────────────────────┘          │
└─────────────────────────────────────────────────────────────────┘
```

Figura 21: Trâmite do inquérito judicial na vigência do Decreto-lei 7.661/1945

A exposição do síndico deveria vir instruída com laudo pericial contábil, que na maioria das vezes constituía o exame de corpo de delito concernente à prova do crime falimentar.

Ao oferecer denúncia ou requerer o apensamento dos autos o membro do Ministério Público não se vinculava, obviamente, ao conteúdo da exposição do síndico, formando sua convicção livremente, de acordo com a prova dos autos.

Até a finalização do inquérito judicial, com a decisão de recebimento de denúncia ou apensamento, os autos principais da falência não podiam seguir seu trâmite prosseguindo na fase de liquidação ou concordata suspensiva (segundo alguns, o processo ficava "em compasso de espera"). Isso ocasionava, muitas vezes, grandes atrasos no processamento da falência, com deterioração e perda de bens arrecadados pela massa.

Na vigência do ordenamento falimentar anterior o inquérito judicial, mesmo se constituindo em peça meramente informativa destinada à investigação criminal, suscitou dúvidas sobre se estaríamos diante de procedimento submetido ao princípio do contraditório. A esta questão a quase unanimidade da jurisprudência respondeu negativamente, mas divergências severas existiram.[16]

16. TJSP, 6ª Câmara Criminal, HC 272.275-3, São Paulo, rel. Des. Debatin Cardoso, j. 21.1.1999, v.u.: "*Ementa:* Crime falimentar – Inquérito judicial – Peça meramente informativa, não sujeita às rígidas regras do contraditório, não havendo necessidade de se atender a todos os pedidos de prova – Cerceamento de defesa inocorrente – Ordem denegada".
TJSP, ACr 68.113-3, São Paulo, rel. Des. Djalma Lofrano, j. 27.9.1989: "*Ementa:* Crime falimentar – Inquérito judicial – Peça meramente informativa, não sujeita às rígidas regras do contraditório – Vício ou defeito que não atinge a ação penal – Preliminar rejeitada".
TJSP, 5ª Câmara Criminal, HC 261.153-3, São Paulo, rel. Des. Celso Limongi, j. 27.8.1998, m.v.: "*Ementa:* Falência – Inquérito judicial – Cerceamento de defesa – Ocorrência – Não dada a oportunidade de defesa do art. 106 da Lei de Falências – Ausência de intimação para tal – Procedimento contraditório e não meramente investigatório, anulação desde o início – Ordem concedida para esse fim".
TJSP, 4ª Câmara Criminal, ACr 215.020-3, Diadema, rel. Des. Bittencourt Rodrigues, j. 1.7.1997, v.u.: "*Ementa:* Crime falimentar – Inquérito policial – Caráter meramente inquisitório e não contraditório – Eventual irregularidade, que não contamina a ação penal. O inquérito judicial, no crime falimentar, é peça meramente informativa e não sujeita ao contraditório, motivo por que eventual vício, nessa fase, não contamina a ação penal".

18.2.2 Da apuração dos crimes falimentares na Lei 11.101/2005

Como vimos anteriormente, com o advento da Lei 11.101/2005 buscou-se encerrar a sistemática que envolvia a apuração do crime falimentar através de inquérito judicial, substituindo este pelo tradicional inquérito policial (investigação inquisitiva presidida pela polícia judiciária).

Não poucas vozes na doutrina, entretanto, levantaram-se contra essa supressão na forma de investigar o crime falimentar, preconizando que essa investigação ainda pode ser feita através de investigação presidida por juiz de direito ou diretamente pelo órgão do Ministério Público mesmo na vigência da Lei 11.101/2005.

Nesse sentido Arthur Migliari Jr.: "A inexistência de disposição específica da manutenção do inquérito judicial não será motivo para sua extirpação total (...). Assim, poderá o órgão do Ministério Público instaurar inquérito civil sob sua presidência (art. 8º, § 1º, da Lei 7.347/1985) ou, o que nos parece mais sensato, a manutenção do inquérito judicial".[17]

Também Manoel Justino Bezerra Filho: "Portanto, nada impede que se formem autos nos quais sejam coletados dados, à semelhança do que ocorria com o inquérito judicial da lei anterior. Caso oferecida e aceita a denúncia ou queixa subsidiária, o inquérito transforma-se em processo; não sendo aceita a denúncia, o inquérito poderá ser arquivado. Observe-se que, no presente caso (inquérito judicial para crime falimentar), embora se trate de inquérito, é ele conduzido sob a direção do juiz da falência, com a atuação do Ministério Público e do administrador judicial. Assim, embora inquérito, não há qualquer interferência da autoridade policial".[18]

Concordamos com a manutenção do inquérito judicial na vigência da Lei 11.101/2005, mesmo que sem os trâmites regulados no Decreto-lei 7.661/1945, para a investigação de crimes falimentares.

De fato, há vários pontos negativos na investigação dos delitos falimentares por autoridades policiais.

---

17. A investigação criminal direta pelo Ministério Público, embora venha cada vez mais se firmando como hipótese viável (e que conta com nosso irrestrito apoio), encontrou sérias resistências em parte da doutrina e até em alguns julgados do STF. Concordando com a hipótese de investigação direta pelo Ministério Público a opinião citada no texto, de Migliari Jr. (*Crimes de Recuperação de Empresas e de Falências*, São Paulo, Quartier Latin, 2006, pp. 187-188). Contra: Pitombo (Antônio Sérgio A. de Moraes Pitombo, in Francisco Satiro de Souza Jr. e Antônio Sérgio A. de Moraes Pitombo (coords.), *Comentários à Lei de Recuperação de Empresas e Falência: Lei 11.101/2005*, cit., p. 565).

18. Manoel Justino Bezerra Filho, *Lei de Recuperação de Empresas e Falências Comentada*, São Paulo, Ed. RT, 2008, p. 413.

Primeiramente, a prática demonstra que os servidores da polícia judiciária não estão, em regra, familiarizados com a matéria comercial e falimentar, de modo a bem conduzirem a investigação policial. Não terão, na mesma forma da autoridade judiciária, contato com o processo falimentar e seus apensos, o que os privará da informação necessária para a correta investigação do crime.

Tais circunstâncias certamente contribuirão, na grande maioria dos casos, para uma precária apuração dos delitos e, por conseqüência, para o aumento da impunidade dos autores desses crimes.

Efetivamente, não há qualquer óbice na continuidade da investigação dos delitos falimentares pela autoridade judiciária, uma vez que, por sua natureza, o inquérito policial constitui-se em peça meramente informativa e dispensável; ou seja, é apenas um dos meios pelos quais o membro do Ministério Público poderá formar sua convicção e apresentar denúncia ao juízo. Tanto assim que o próprio art. 187 da Lei 11.101/2005 faculta ao Ministério Público o oferecimento direto da denúncia ao ter ciência do relatório do administrador judicial, dispensando, conforme o caso, a instauração de inquérito policial.

Ora, se desnecessária e dispensável se apresenta a instauração do inquérito policial para o convencimento do promotor de justiça, nada impede que a apuração do crime falimentar se dê por outros meios, inclusive por inquérito judicial.

Também não se nos afigura correta a menção do senador Ramez Tebet, em seu parecer, em relação à inconstitucionalidade do inquérito judicial, por retirar da polícia judiciária suas atribuições de investigação (CF, art. 144, § 4º). Com efeito, essas atribuições não foram dadas à polícia judiciária com exclusividade, não impedindo que outros órgãos estatais venham a investigar o crime.

Parece-nos, pois, que a instauração de inquérito policial ou judicial ou, mesmo, a investigação direta pelo Ministério público serão alternativas viáveis, conforme o caso concreto, para a apuração do delito falimentar.

Qualquer que seja a forma de apuração, porém, alguns méritos devem ser apontados na sistemática da Lei 11.101/2005:

(1) *Se instaurado inquérito judicial sob a vigência da Lei 11.101/2005, este não terá mais de obedecer aos trâmites estabelecidos no Decreto-lei 7.661/1945, ficando as diligências necessárias a critério do juiz de direito e do promotor de justiça.*

(2) *Não haverá, portanto, ulterior necessidade de manifestação do falido e dos credores e sucessivos pedidos de prova.* A instrução do feito terá como critério a conveniência e a oportunidade estabelecida pela autoridade judiciária.

(3) *Se instaurado inquérito policial, igualmente não haverá necessidade de trâmites preestabelecidos,* uma vez que referido procedimento investigativo não contém rito sacramental estabelecido em lei, ficando as diligências a critério da autoridade policial.

(4) *Não haverá mais razão, qualquer que seja a forma de investigação do crime falimentar, para alguma dúvida sobre a subsistência da necessidade de contraditório durante o trâmite apuratório.* Tal princípio processual já não se aplicava ao inquérito judicial (conforme jurisprudência reiterada), nem tampouco se aplicará ao inquérito policial.

(5) *Qualquer que seja a forma de investigação do delito falimentar,* esta **não terá mais repercussão no trâmite do processo principal de falência ou de recuperação**. De fato, não há mais condicionamento da concessão de concordata suspensiva (instituto que já não mais subsiste na vigência da Lei 11.101/05) ao recebimento de denúncia, nem mesmo subordinação do início de liquidação e venda de bens ao término da investigação criminal. Portanto, não haverá mais o "compasso de espera" dos autos principais da falência, aguardando o fim da apuração criminal. Por outras palavras, a investigação e o eventual processo criminal tramitarão de forma independente dos autos de falência ou recuperação, o que proporcionará maior agilidade procedimental e benefícios à massa e aos credores.

18.3 A ação penal nos crimes falimentares

No que toca à ação penal, a Lei 11.101/2005 manteve a tradição do ordenamento pátrio, dispondo em seu art. 184 que os delitos falimentares são apurados mediante ação penal pública incondicionada.[19]

19. Apenas para rememorarmos as lições da doutrina, a principal classificação das ações penais se faz de acordo com a legitimidade ativa para o exercício da pretensão punitiva em juízo. Nesses termos, a ação penal pode ser *pública*, quando o legitimado para promover a pretensão punitiva estatal seja o Ministério Público, e *privada*, quando legalmente se defira legitimidade tanto à vítima, ao ofendido ou a seus representantes. A ação penal pública pode ser *incondicionada*, quando o exercício da ação penal pelo Ministério Público não esteja subordinado a qualquer *condição de procedibilidade* (representação da vítima ou requisição do Ministro da Justiça), ou *condicionada*, se o Ministério Público somente puder iniciar a ação penal quando cumprida(s) alguma(s) da(s) condições de procedibilidade mencionadas.

Entendemos correto referido posicionamento, uma vez que o crime falimentar atinge bens jurídicos de interesse de toda a sociedade (direitos da coletividade de credores, administração da justiça, crédito público etc.), e não só de vítimas determinadas. Sendo o objeto jurídico do delito de natureza pública, assim também deverá ser a ação penal.

Do mesmo modo, não seria cabível a exigência de representação condicionante da ação penal pública, uma vez que na maior parte dos crimes falimentares a vítima é toda a sociedade, o Estado ou, mesmo, uma coletividade formada por número indeterminado de pessoas. Além disso, não há justificativa nos delitos falimentares para impedir a publicidade do processo (*strepitus judici*) em garantia da privacidade da vítima, subordinando a persecução penal em juízo à vontade desta última, como ocorre, por exemplo, em alguns crimes contra os costumes.

Diante disso, entendemos sem qualquer justificativa eventual persecução penal em juízo mediante ação penal privada (salvo se subsidiária da ação penal pública) ou mesmo por meio de ação penal pública condicionada. Elogiável, portanto, a postura do legislador no tocante ao art. 184 da Lei 11.101/2005.

Quando se diz que a ação penal nos delitos falimentares é pública e incondicionada tem-se em vista a ausência de *condições de procedibilidade* subordinando o exercício da pretensão punitiva estatal em juízo, através da ação penal. Por outras palavras, cuidando-se de ação penal pública incondicionada, afirma-se que o ajuizamento da ação pelo Ministério Público não se condiciona à manifestação de vontade positiva ou aquiescência de eventuais ofendidos (representação) ou, mesmo, à requisição de quaisquer autoridades (por exemplo, requisição do Ministro da Justiça).

Com isso não se deseja afirmar que o direito de punir estatal (*ius puniendi*) nos crimes falimentares não possa estar sujeito a *condições objetivas de punibilidade*, como efetivamente está, uma vez que nesses delitos o surgimento do poder punitivo do Estado depende de decisão judicial declaratória da falência ou concessiva da recuperação judicial ou extrajudicial (art. 180 da Lei 11.101/2005).

Dessa forma, podemos dizer claramente que a ação penal nos crimes falimentares é pública incondicionada no sentido de que a persecução penal em juízo não está subordinada a restrições inerentes à aquiescência de eventuais ofendidos (representação) ou de autoridades públicas (requisição). O surgimento do direito de punir estatal, porém, está condicionado à decretação da quebra, à concessão da recuperação judicial ou à homologação do plano de recuperação extrajudicial.

Cabe, entretanto, um questionamento sobre a ação penal no delito de habilitação ilegal de crédito (art. 175 da Lei 11.101/2005).

O ponto que se deve discutir é sobre a necessidade de declaração da falsidade da habilitação em si, ou do título que a acompanha, nos autos de verificação ou habilitação de crédito para que se possa iniciar a ação penal. Em outros termos: é necessária, como condição objetiva de punibilidade (ou mesmo como mera questão prejudicial), a decisão judicial definitiva do juiz falimentar sobre a falsidade ou simulação da habilitação para que se possa punir criminalmente o agente como incurso no art. 175 da Lei 11.101/2005?[20]

Na doutrina, Trajano de Miranda Valverde, ainda comentando quanto ao art. 189, II, do Decreto-lei 7.661/1945, que tem, neste ponto, identidade com o art. 175 da Lei 11.101/2005, opina favoravelmente: "Sem que haja uma sentença cível excluindo o falso credor da falência, não pode haver ação penal contra o declarante do crédito (...). Verdadeira questão prejudicial à iniciativa da ação penal pelo crime do n. II do art. 189 é a decisão do juiz comercial sobre as declarações de créditos

---

20. Veja-se que o caso do art. 175 da Lei 11.101/2005 não é único na legislação penal. Em relação aos delitos contra a ordem tributária o STF firmou jurisprudência no sentido de que *o julgamento definitivo da exigibilidade do tributo na esfera administrativa é condição objetiva de punibilidade quanto a essa espécie de crime.* Nesse sentido (com grifos nossos), STF, 2ª Turma, HC 86.032-RS, rel. Min. Celso de Mello, j. 4.9.2007, *DJe* 107, divulg. 12.6.2008, publ. 13.6.2008, *Ement.* 02323-02/00360: "*Ementa: Habeas corpus* – Delito contra a ordem tributária – Sonegação fiscal – Procedimento administrativo-tributário ainda em curso – Ajuizamento prematuro, pelo Ministério Público, da ação penal – Impossibilidade – Ausência de justa causa para a válida instauração da *persecutio criminis* – Invalidação do processo penal de conhecimento, desde o oferecimento da denúncia, inclusive – Crime de quadrilha – Prescrição penal da pretensão punitiva do Estado reconhecida pela Procuradoria-Geral da República – Configuração – Declaração de extinção, quanto a tal crime, da punibilidade dos pacientes – Pedido deferido. Tratando-se dos delitos contra a ordem tributária tipificados no art. 1º da Lei n. 8.137/1990, a instauração da concernente persecução penal depende da existência de decisão definitiva, proferida em sede de procedimento administrativo, na qual se haja reconhecido a exigibilidade do crédito tributário (*an debeatur*), além de definido o respectivo valor (*quantum debeatur*), sob pena de, em inocorrendo essa *condição objetiva de punibilidade*, não se legitimar, por ausência de tipicidade penal, a válida formulação de denúncia pelo Ministério Público – Precedentes. Enquanto não se constituir, definitivamente, em sede administrativa o crédito tributário, não se terá por caracterizado, no plano da tipicidade penal, o crime contra a ordem tributária, tal como previsto no art. 1º da Lei n. 8.137/1990. Em consequência, e por ainda não se achar configurada a própria criminalidade da conduta do agente, sequer é lícito cogitar-se da fluência da prescrição penal, que somente se iniciará com a consumação do delito (CP, art. 111, I) – Precedentes".

apresentadas na falência ou concordata preventiva. Com efeito, somente após a sentença irrecorrível do juiz ou tribunal que, por fundamento de fraude, falsidade ou simulação, excluir da falência ou da concordata preventiva qualquer pretenso credor, ou que, por motivo igual, reduzir o crédito de qualquer credor legítimo, é que poderá ser promovida contra o declarante do crédito, o falido ou o concordatário e seus cúmplices a respectiva ação penal. Mandará o juiz ou o tribunal, na mesma sentença, que o escrivão tire cópias das peças principais dos autos e da sentença ou acórdão a fim de, no prazo de 10 dias, serem encaminhadas ao representante do Ministério Público, por ofício, para ser contra o criminoso ou criminosos instaurada a ação penal".[21]

Excepcionalmente, porém, dadas as peculiaridades envolvidas no caso concreto, o TJSP já admitiu o ajuizamento de ação penal antes do pronunciamento definitivo sobre a falsidade na esfera cível.[22]

Se adotada a linha doutrinária acima mencionada, que preconiza a necessidade de julgamento definitivo da falsidade na esfera cível previamente ao ajuizamento da ação penal, entendemos que não correrá (ou ficará suspensa) a prescrição do crime falimentar, nos termos do art. 116, I, do CP, uma vez que a pretensão punitiva estatal estará subordinada à decisão do juízo falimentar a respeito da veracidade do crédito. Fosse o contrário, aliás, fácil seria ao criminoso protelar a decisão definitiva de habilitação, lançando mão de expedientes e recursos procrastinatórios, com o fim de atingir a prescrição do delito falimentar.

Visto isso, cuidemos dos prazos de ajuizamento da ação penal nos crimes falimentares.

Nos termos do art. 187 § 1º, da Lei 11.101/2005, o prazo para oferecimento da denúncia pelo Ministério Público regula-se pelo art. 46 do Decreto-lei 3.689, de 3.10.1941 (Código de Processo Penal),[23] salvo se o membro do Ministério Público, estando o réu solto ou afiançado, decidir

---

21. Trajano de Miranda Valverde, *Comentários à Lei de Falências*, Rio de Janeiro, Forense, 1962, pp. 92-93.

22. TJSP, *JTJ* 120/555: "*Ementa:* Ação penal – Justa causa – Declarações e reclamações falsas no processo de falência – Possibilidade de ser intentada a ação antes do pronunciamento definitivo pelo Tribunal sobre a fraude, ante as peculiaridades que revestem o caso – Ordem denegada".

23. "Art. 46. O prazo para oferecimento da denúncia, estando o réu preso, será de cinco dias, contado da data em que o órgão do Ministério Público receber os autos do inquérito policial, e de quinze dias, se o réu estiver solto ou afiançado. No último caso, se houver devolução do inquérito à autoridade policial (art. 16), contar-se-á o prazo da data em que o órgão do Ministério Público receber novamente os autos.

aguardar a apresentação da exposição circunstanciada de que trata o art. 186 dessa lei, devendo, em seguida, oferecer a denúncia em 15 dias.

Em qualquer hipótese, caso o órgão do Ministério Público, para a obtenção de maiores informações ou provas do crime, venha a optar por, ao invés do oferecimento de denúncia, requisitar inquérito policial ou requerer a abertura de inquérito judicial, o prazo para o oferecimento de denúncia somente se contará a partir do recebimento definitivo de tais procedimentos investigatórios pelo *Parquet*, após sua conclusão, nos termos do art. 46 do CPP.[24]

Teremos, portanto, a seguinte sistemática:

```
              Decisão que declara a falência
              ou concede a recuperação
              judicial ou extrajudicial
       ┌─────────────────┼─────────────────┐
       ▼                 ▼                 ▼
 Ministério Público  Ministério Público   Ministério Público
 oferece denúncia desde  aguarda a exposição  requisita inquérito
 logo no prazo de 5 dias circunstanciada (art. 186  policial, requer a
 (réu preso) ou 15 dias  da Lei 11.101/2005),  abertura de inquérito
 (réu solto), nos termos oferecendo denúncia no  judicial ou requer
 do art. 46 do CPP       prazo de 15 dias       diligências. Prazo para a
                                                denúncia nos termos do
                                                art. 46 do CPP, ao
                                                receber novamente os
                                                autos
```

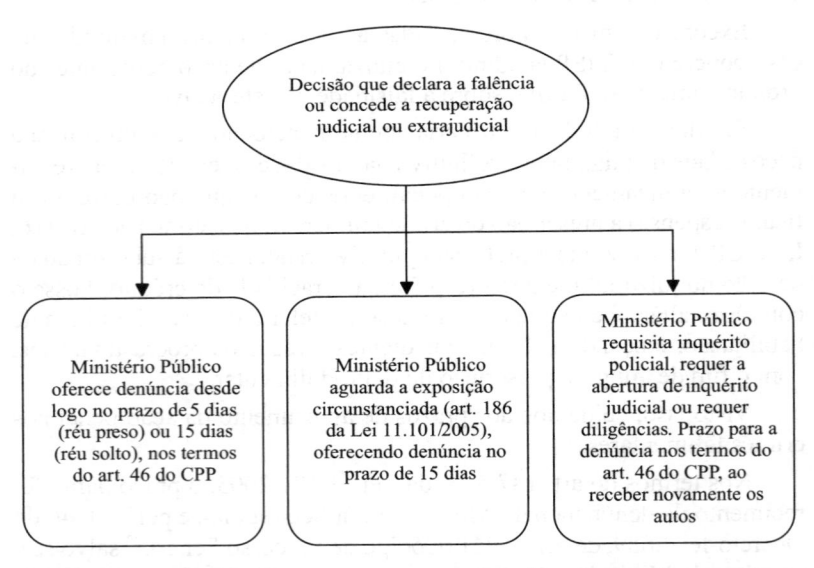

Figura 22: Possibilidades e prazos no exercício da ação penal por parte do Ministério Público

"§ 1º. Quando o Ministério Público dispensar o inquérito policial, o prazo para o oferecimento da denúncia contar-se-á da data em que tiver recebido as peças de informações ou a representação."

24. Também em apoio a esta contagem de prazo o art. 508 do CPP, que, embora revogado pela Lei 11.101/2005, serve de importante base doutrinária, ao salientar: "O prazo para denúncia começará a correr do dia em que o órgão do Ministério Público receber os papéis que devem instruí-la. *Não se computará, entretanto, naquele prazo o tempo consumido posteriormente em exames ou diligências requeridos pelo Ministério Público ou na obtenção de cópias ou documentos necessários para oferecer a denúncia*" (grifos nossos).

Decorrido o prazo a que se refere o art. 187, § 1º, da Lei 11.101/2005 sem que o representante do Ministério Público ofereça denúncia ou requeira alguma medida, qualquer credor habilitado ou o administrador judicial poderá oferecer ação penal privada subsidiária da pública, observado o prazo decadencial de seis meses.[25]

É de se salientar que a ação penal de iniciativa privada somente é cabível se houver *inércia* do representante do Ministério Público. Caso este venha a requerer o arquivamento ou o apensamento de procedimento investigatório (policial ou judicial) ou de peças de informação recebidas, não caberá ação privada subsidiária.

Se ajuizada ação penal subsidiária, caberá ao representante do Ministério Público, nos termos do art. 29 do CPP, aditar a queixa, repudiá-la e oferecer denúncia substitutiva, intervir em todos os termos do processo, fornecer elementos de prova, interpor recurso e, a todo tempo, no caso de negligência do querelante, retomar a ação como parte principal.

Somente têm legitimidade para o oferecimento de ação penal privada subsidiária o *credor habilitado* e o *administrador judicial*.

Em relação ao credor habilitado, somente a decisão definitiva a respeito da habilitação do credor, em princípio, o legitimará ao exercício da ação penal subsidiária em juízo. Não importam, porém, o valor ou a natureza do crédito para conferir-lhe legitimidade.

Se o crédito for objeto de impugnação e estiver sendo discutido em juízo, duas situações podem ocorrer, e devem ser objeto de ponderação por parte do juiz quanto ao recebimento da ação penal subsidiária ajuizada pelo credor: (1) a impugnação versa sobre a totalidade do crédito, podendo, se procedente, causar a completa exclusão do suposto credor da falência ou recuperação; (2) a impugnação é parcial, ou tem por objeto apenas características secundárias do crédito cuja habilitação se pretende (por exemplo, valor, natureza, inclusão de juros e correção monetária etc.), não tendo o condão de afetar o crédito como um todo, ainda que procedente.

---

25. Interessante notar que o prazo para oferecimento da ação penal privada subsidiária foi largamente estendido na Lei 11.101/2005, uma vez que na vigência do Decreto-lei 7.661/1945 (art. 108, parágrafo único) o prazo para tanto era apenas de três dias. O prazo decadencial de seis meses, no caso, destina-se somente ao querelante, não impedindo, mesmo que decorrido, o oferecimento de posterior denúncia por parte do representante do Ministério Público.

Na primeira hipótese entendemos que o credor não deva ser admitido como parte legítima para o ajuizamento de ação penal privada subsidiária até decisão definitiva a respeito de seu crédito; na segunda entendemos que o credor é parte legítima, sem que seja necessário aguardar a decisão definitiva quanto à sua habilitação.[26]

18.4 O rito processual nos crimes falimentares

Em relação ao procedimento, no regramento anterior (arts. 503-512 do CPP) os crimes falimentares seguiam procedimento especial, cuja regulamentação remetia ao rito dos crimes apenados com reclusão.

A Lei 11.101/2005, mudando o rito aplicável, determinou, em seu art. 185, a aplicação aos crimes falimentares do rito sumário previsto nos arts. 531 a 540 do CPP, qualquer que seja a pena aplicável ao crime.

Diante dessa disposição específica, entendemos que o rito sumário será aplicável aos delitos falimentares independentemente da pena cominada ao crime, mesmo com a atual redação do art. 394, II, do CPP, dada pela Lei 11.719/2008, que ressalta que o procedimento comum será sumário apenas quando tiver por objeto crime cuja sanção máxima cominada seja de pena privativa de liberdade inferior a quatro anos. Isso porque a disposição especial da Lei Falimentar afasta a aplicação do Código de Processo Penal, que se constitui em lei geral sobre a matéria.

Dúvida poderá surgir quanto a saber qual o rito aplicável no caso do crime do art. 178 da Lei 11.101/2005, cuja pena máxima de dois anos poderia atrair a competência do Juizado Especial Criminal. Duas questões podem surgir a respeito: (1) De qual juízo é a competência para o julgamento do crime falimentar de menor potencial ofensivo, mormente nos Estados em que a lei de organização judiciária atribui o julgamento do crime falimentar ao juízo da falência? (2) Se determinada a competência do juízo falimentar, qual será o rito aplicável?

A primeira questão, como vimos anteriormente, vem sendo decidida pelo TJSP no sentido de se entender competente o juízo falimentar (CJ 166.799-0/7-00 e 166.800-0/3-00).

---

26. Reforça nosso posicionamento o disposto no art. 16, parágrafo único, da Lei 11.101/2005, segundo o qual, "sendo parcial, a impugnação não impedirá o pagamento da parte incontroversa". Ora, se o crédito objeto de impugnação parcial pode ser pago na parte incontroversa, a lei, antes do julgamento definitivo da impugnação, reconhece seu titular como credor, deferindo-lhe, ao menos, a satisfação parcial de seu direito. Se assim é, não há motivo para recusar-lhe legitimidade para o ajuizamento de ação penal subsidiária.

Na esteira da orientação supracitada, se determinada a competência do juízo falimentar, entendemos que deverá haver a aplicação do rito sumário aos mencionados crimes de menor potencial ofensivo, sem prejuízo da possibilidade de aplicação de institutos despenalizadores, como a transação penal e a suspensão condicional do processo, previstos na Lei 9.099/1995.[27]

As únicas exceções quanto à aplicação do rito sumário, em nosso entender, seriam a hipótese do art. 177 da Lei 11.101/2005 (violação de impedimento) quando esse delito for cometido por quem tenha prerrogativa de foro (por exemplo, os juízes de direito, deputados estaduais e federais, promotores de justiça etc.), atraindo, então, a incidência do rito definido na Lei 8.038/1990 (aplicável por força do art. 1º da Lei 8.658/1993), que define o rito aplicável aos casos de competência criminal originária dos tribunais; bem como a hipótese de ato infracional falimentar praticado por menor de 18 anos, que atrairia a competência do Juízo da Infância e Juventude e o rito inerente a tais processos.

Foram expressamente revogados os artigos que regulavam o procedimento especial dos crimes falimentares no Código de Processo Penal (arts. 503-512 do CPP), nos termos do art. 200 da Lei 11.101/2005.

Recentemente o rito sumário passou por reforma com o advento da Lei 11.719/2008.

Nos termos da legislação de regência, o rito procedimental dos crimes falimentares se iniciará com o oferecimento da denúncia pelo Ministério Público ou pelo ajuizamento de ação penal privada subsidiária por parte do administrador judicial ou credor habilitado, sendo permitido à parte acusatória arrolar até cinco testemunhas (art. 532 do CPP).

27. A questão não é pacífica. Anotamos, desse modo, a opinião parcialmente divergente da exposta no texto proveniente do ilustre magistrado Jayme Walmer de Freitas, publicada no *site* da Escola da Magistratura do Estado de São Paulo. Referido Magistrado entende que o rito deverá ser o do Juizado Especial, concordando com a aplicação dos institutos despenalizadores previstos na Lei 9.099/1995: "O crime de omissão dos documentos contábeis obrigatórios, punido com detenção de um a dois anos e multa, é infração de menor potencial ofensivo, em face da derrogação do art. 61 da Lei 9.099/1995 provocada pela redação do art. 2º, parágrafo único, da Lei 10.259/2001, que instituiu os Juizados Federais no Brasil, razão pela qual o rito adotável é o estatuído naquela, com os institutos despenalizadores pertinentes (composição civil de danos – se for o caso –, transação penal e *sursis* processual), admitindo-se até cinco testemunhas" (texto constante do *site http://www.epm.sp.gov.br/SiteEPM/Artigos/Artigo+39.htm*, acesso em 17.7.2009).

Oferecida a denúncia ou queixa, o juiz, se não a rejeitar liminarmente, recebê-la-á e ordenará a citação do acusado para responder à acusação, por escrito, no prazo de 10 dias (art. 396 do CPP).

Deve-se questionar, diante do novo rito aplicável, se ainda resta subsistente a Súmula 564 do STF, cujo teor determina que a "ausência de fundamentação do despacho de recebimento de denúncia por crime falimentar enseja nulidade processual, salvo se já houver sentença condenatória".

Entendemos que, não obstante a mudança de rito e a jurisprudência que não exige fundamentação para a decisão de recebimento da denúncia fora da hipótese da Súmula 564 do STF, subsiste a necessidade de fundamentação da decisão de recebimento, uma vez que, como decisão que é, rege-se pelo art. 93, IX, da CF.[28] No entanto, sob a vigência da Lei 11.101/2005 já se decidiu pela desnecessidade de fundamentação em referida decisão.[29]

Na resposta à acusação o acusado poderá argüir preliminares e alegar tudo o que interesse à sua defesa, oferecer documentos e justificações, especificar as provas pretendidas e arrolar testemunhas (máximo de cinco), qualificando-as e requerendo sua intimação, quando necessário.

---

28. Mais uma razão para que se continue a fundamentar a decisão é a possibilidade de o juiz, ao receber a denúncia, determinar o formal indiciamento do acusado. Nesse sentido, TJSP, 1ª Câmara Criminal, HC 408.939-3/0, São Paulo, rel. Des. Péricles Piza, j. 24.3.2003, v.u.: "*Habeas corpus* – Crime falimentar – Formal indiciamento – Determinação pelo magistrado ao receber a denúncia – Constrangimento ilegal – Não caracterização – Providência que não se restringe ao inquérito policial – Hipótese, ademais, em que o procedimento investigatório não é efetuado pela polícia judiciária – Ordem denegada". Assim, se o magistrado tomar tal providência, deverá fundamentar a decisão, por ser esta causadora de gravame.

29. TJRS, 4ª Câmara Criminal, HC 70020979076, rel. Des. José Eugênio Tedesco, j. 30.8.2007: "*Ementa*: Crime – *Habeas corpus* – Crime falimentar – Denúncia – Recebimento – Fundamentação – Extinção da punibilidade – Prescrição – Inocorrência – Ordem denegada. Na nova disciplina dos denominados crimes falimentares (Lei n. 11.101/2005) não há preceito que torne obrigatória a fundamentação do despacho que recebe a denúncia. Nos crimes falimentares o prazo prescricional é de dois anos independentemente da pena, conforme preceituava o art. 199 do Decreto-lei n. 7.661/45, revogado pela Lei n. 11.101/2005, mas aplicável aos fatos praticados em sua vigência, por ser norma mais favorável. A contagem da prescrição inicia-se da data do trânsito em julgado da sentença que declarar encerrada a falência ou de quando deveria estar encerrada (Súmula n. 147/STF), ou seja, dois anos de sua decretação – Ordem denegada".

Como em todo processo penal, o réu em crime falimentar deve ser defendido por advogado, sob pena de nulidade, seja o causídico constituído pelo acusado, dativo ou *ad hoc*, estes últimos mediante nomeação do Poder Público. No entanto, não é cabível a nomeação do administrador judicial, ainda que advogado, como defensor do acusado, dada a incompatibilidade entre a tarefa de defender o acusado e as funções de administrador.[30]

Após o oferecimento da resposta do acusado, o juiz deverá absolvê-lo sumariamente quando verificar: I – a existência manifesta de causa excludente da ilicitude do fato; II – a existência manifesta de causa excludente da culpabilidade do agente, salvo inimputabilidade; III – que o fato narrado evidentemente não constitui crime; ou IV – a extinção da punibilidade do agente.

Recebida a denúncia ou queixa, o juiz designará dia e hora para a audiência, ordenando a intimação do acusado, de seu defensor, do Ministério Público e, se for o caso, do querelante e do assistente.[31]

Na audiência de instrução e julgamento, a ser realizada no prazo máximo de 30 dias, proceder-se-á à tomada de declarações do ofendido, se possível, à inquirição das testemunhas arroladas pela acusação e pela defesa (até cinco testemunhas arroladas pela acusação e cinco pela defesa), nesta ordem, bem como aos esclarecimentos dos peritos, às acareações e ao reconhecimento de pessoas e coisas, interrogando-se, em seguida, o acusado e procedendo-se, finalmente, ao debate.

Já se questionou na doutrina se poderia o credor ser testemunha no processo criminal, ou se seu interesse o tornaria suspeito para tanto. A mesma questão deve ser enfrentada em relação ao depoimento do ad-

---

30. TJSP, 6ª Câmara Criminal, ACr 153.642-3, São Paulo, rel. Des. Pereira da Silva, j. 30.3.1995, v.u.: "*Ementa:* Processo crime – Nulidade – Ocorrência – Crime falimentar – Nomeação do síndico da massa falida como defensor dativo do réu – Incompatibilidade de atividades – Posições antagônicas – Inteligência do art. 103 da Lei de Falências – Presunção de prejuízo ao réu – Processo anulado – Preliminar acolhida – Recurso provido. A atividade de síndico revela-se incompatível com a atividade de defensor. São posições antagônicas no contexto processual, posto que, se, de um lado, como defensor dativo, compete-lhe defender o réu, de outro lado, na qualidade de síndico da massa falida, compete-lhe apontar a ocorrência de crimes falimentares e indicar seus possíveis autores, além de defender os interesses da massa em juízo, inclusive nas ações penais podendo intervir como assistente".

31. A doutrina tem admitido como assistentes do Ministério Público o administrador judicial e o credor habilitado.

ministrador judicial como testemunha no processo que verse sobre crime falimentar.

Responde à questão, examinando a doutrina da época, J. X. Carvalho de Mendonça: "Pensava o Dr. Holanda Cavalcante que não, porque os credores, de ordinário queixosos, ainda que em muitos casos com razão, não podem proceder com a imparcialidade necessária nessas circunstâncias. Além disso, os credores são partes no processo da falência e, como tais, têm interesses opostos aos do falido. O conselheiro Aquino e Castro não opinava tão radicalmente. Os credores são, sem dúvida, interessados, diz ele, na parte do falido e de ordinário ou afeiçoados ou inimigos do devedor, conforme as relações individuais e de comércio que com ele entretêm, ou depõem muito ou nada. Mas o que é verdade é que são os únicos que com perfeito conhecimento podem depor sobre os fatos submetidos à apreciação do juiz. O art. 89 do Código de Processo Criminal não proíbe o credor de ser testemunha em matéria penal; como, pois, criar uma suspeição que não existe? Quem poderá apresentar melhores informações que os credores, eles que estiveram com o falido em estreitas relações comerciais? Ao juiz cabe dar o valor devido aos depoimentos que lhe parecem eivados de parcialidade, mas não há razão para excluir em absoluto a audiência dos credores".[32]

No regramento falimentar anterior essas lições aplicavam-se ao síndico quando escolhido entre os maiores credores (art. 60 do Decreto-lei 7.661/1945). Na vigência da Lei 11.101/2005, que profissionalizou a figura do administrador judicial, tornando-o pessoa alheia às relações creditícias do devedor, com maior razão deve ser admitido o testemunho daquele, por não estar imbuído da parcialidade atribuível aos credores.

As alegações finais em audiência serão orais, concedendo-se a palavra, respectivamente, à acusação e à defesa, pelo prazo de 20 minutos, prorrogáveis por mais 10, proferindo o juiz, a seguir, sentença. Havendo mais de um acusado, o tempo previsto para a defesa de cada um será individual. Ao assistente do Ministério Público (se houver), após a manifestação deste, serão concedidos 10 minutos, prorrogando-se por igual período o tempo de manifestação da defesa.

O fluxograma do rito processual é exemplificado a seguir:

---

32. J. X. Carvalho de Mendonça, *Tratado de Direito Comercial Brasileiro*, vol. VIII, Rio de Janeiro, Freitas Bastos, p. 590.

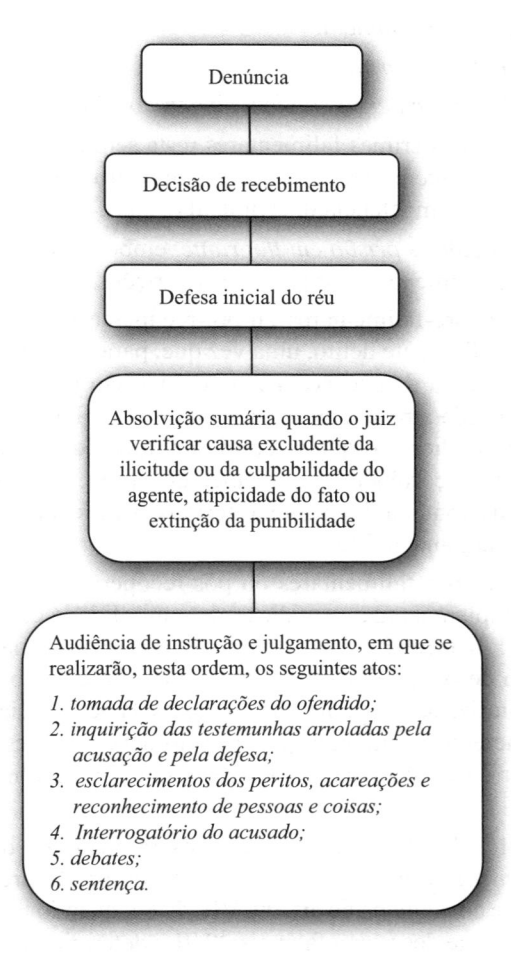

```
                    ┌─────────────┐
                    │  Denúncia   │
                    └──────┬──────┘
                           │
                    ┌──────┴──────────┐
                    │ Decisão de recebimento │
                    └──────┬──────────┘
                           │
                    ┌──────┴──────────┐
                    │ Defesa inicial do réu │
                    └──────┬──────────┘
                           │
        ┌──────────────────┴──────────────────┐
        │ Absolvição sumária quando o juiz    │
        │ verificar causa excludente da       │
        │ ilicitude ou da culpabilidade do    │
        │ agente, atipicidade do fato ou      │
        │ extinção da punibilidade            │
        └──────────────────┬──────────────────┘
                           │
┌──────────────────────────┴──────────────────────────┐
│ Audiência de instrução e julgamento, em que se      │
│ realizarão, nesta ordem, os seguintes atos:         │
│ 1. tomada de declarações do ofendido;               │
│ 2. inquirição das testemunhas arroladas pela        │
│    acusação e pela defesa;                          │
│ 3. esclarecimentos dos peritos, acareações e        │
│    reconhecimento de pessoas e coisas;              │
│ 4. Interrogatório do acusado;                       │
│ 5. debates;                                         │
│ 6. sentença.                                        │
└─────────────────────────────────────────────────────┘
```

Figura 23: Fluxograma do rito processual sumário

18.5 A prisão cautelar (processual) em crimes falimentares

Como é sabido, as prisões processuais, que se constituem em medidas cautelares no processo penal, podem ser resumidas em cinco tipos principais:

(1) *Prisão em flagrante.*

(2) *Prisão preventiva.*

(3) *Prisão por pronúncia.*
(4) *Prisão temporária.*
(5) *Prisão por sentença condenatória recorrível.*

Em relação aos crimes falimentares resta sem interesse doutrinário a *prisão por pronúncia*, uma vez que esta é restrita aos crimes dolosos contra a vida, de competência do Tribunal do Júri.

De igual modo, a *prisão em flagrante*, embora teoricamente possível nos crimes falimentares, sofre sérias restrições.

Em crimes pré-falimentares ou pré-recuperação torna-se impossível a prisão em flagrante delito, uma vez que, para que tais delitos sejam puníveis, dependem da superveniência de decisão judicial que decrete a falência, conceda a recuperação judicial ou homologue o plano de recuperação extrajudicial, o que se configura, quando da prática da ação criminosa, numa ocorrência futura e incerta. Assim, não sendo puníveis no momento da conduta do agente, referidos crimes não são suscetíveis de prisão em flagrante delito.

Nos crimes pós-falimentares ou pós-recuperação, uma vez que já se encontra implementada a condição de punibilidade constante do art. 180 da Lei 11.101/2005, torna-se possível a prisão em flagrante delito (*v.g.*, no caso de o devedor ser surpreendido alienando bens da massa falida sem autorização judicial) e há hipóteses da ocorrência de tal prisão em casos concretos examinados pela jurisprudência.[33] Mesmo assim, na prática a ocorrência de prisão em flagrante em crimes falimentares costuma ser rara.

A Lei 11.101/2005 ainda prevê a possibilidade da decretação da *prisão preventiva* do devedor. A viabilidade da prisão preventiva vem expressamente consignada no art. 99, VII, da lei, quando trata do conteúdo da sentença que decretar a falência: "VII – determinará as diligências

---

33. TJSP, 2ª Câmara Criminal, HC 248.985-3, Jundiaí, rel. Des. Silva Pinto, j. 16.2.1998, v.u.: "*Ementa: Habeas corpus* – Prisão em flagrante – Crime falimentar – Constrangimento ilegal – Caracterização – Não vislumbrada a conduta fraudulenta – Rompimento do lacre e abertura das portas que ocorreu à luz do dia – Denúncia que não descreveu o prejuízo à massa, afirmando somente que continuavam as atividades da empresa, ausente o dano ao patrimônio de terceiro – Não aperfeiçoado o art. 187 da Lei de Falências. O simples fato de ter o falido tirado o lacre do estabelecimento, continuando a comerciar, por si só, não importa em ato fraudulento, principalmente quando os acusados agiram debaixo da luz solar e deixaram as portas do estabelecimento para o público em geral ostensivamente abertas".

necessárias para salvaguardar os interesses das partes envolvidas, *podendo ordenar a prisão preventiva do falido ou de seus administradores quando requerida com fundamento em provas da prática de crime definido nesta Lei*" (grifos nossos).

Nesse aspecto a Lei 11.101/2005 manteve a mesma linha do Decreto-lei 7.661/1945, que permitia, em seu art. 14, parágrafo único, VI, a prisão preventiva do devedor, decretada pelo juízo cível na decisão que decretava a falência, sem a prévia necessidade de inquérito ou instrução em regular processo penal.

Comentando este último dispositivo na legislação revogada, Trajano de Miranda Valverde ressalta: "Ocorre, assim, exceção à regra do art. 311 do CPP, que só autoriza a decretação da prisão preventiva no curso do inquérito policial ou da instrução criminal. Por isso mesmo, o juiz do cível não poderá decretá-la senão quando se tratar de crime falimentar".[34]

É de se notar que esta particularidade dos crimes falimentares, consistente na possibilidade de decretação da prisão preventiva pelo juiz falimentar (cível), ao prolatar a decisão de falência (independentemente da prévia ou concomitante investigação do crime falimentar em inquérito judicial ou policial), tem sido considerada constitucional pela jurisprudência.[35]

Tal medida prisional, entretanto, deve ser adotada com cautela, uma vez que se cuida de crimes cometidos sem violência ou ameaça à pessoa. Além disso, na fase inicial de decretação da quebra ainda não haverá, ordinariamente, apuração suficiente dos fatos, que permita colher elementos necessários à decretação da prisão.

---

34. Trajano de Miranda Valverde, *Comentários à Lei de Falências*, cit., p. 88.

35. Nesse sentido, STJ, 6ª Turma, RHC 1.756-PR (199200014631), rel. Min. Adhemar Maciel, j. 8.3.1993:

"*Ementa:* Constitucional, processual penal e comercial – Recurso de *habeas corpus* – Falência – Prisão cautelar decretada no bojo da sentença da quebra – Possibilidade – Não violação do inciso LXI do art. 5º da Constituição – Desnecessidade de se aguardar inquéritos – Recurso improvido. I – O recorrente, sócio-gerente da falida, teve sua prisão cautelar decretada no bojo da sentença que declarou a quebra da falida. A prisão cautelar é instituto de direito processual e não do direito penal. Por outro lado, a sentença, por ser proferida por juiz cível (falências), não maltrata o inciso LXI do art. 5º da Constituição, uma vez que decretada por autoridade judicial. II – Recurso ordinário improvido.

"*Decisão:* Por unanimidade, negar provimento ao recurso."

Justamente por isso (insuficiência de investigação criminal na fase de decretação da falência), a prisão preventiva em crimes falimentares, quando ocorre, freqüentemente sucede após o encerramento de inquérito policial ou judicial, mediante representação da autoridade policial, ouvido o membro do Ministério Público, ou mesmo por pedido expresso deste último.

Em todo caso, hão de estar sempre presentes os requisitos cautelares da prisão preventiva, que consubstanciam o *fumus boni juris* e o *periculum in mora* (ou *periculum in libertatis*) necessários à medida, previstos no art. 312 do CPP, quais sejam:

(1) *Garantia da ordem pública, da ordem econômica, conveniência da instrução criminal ou para assegurar a aplicação da lei penal.*

(2) *Prova da existência do crime e indício suficiente de autoria.*

De qualquer forma, se decretada de forma temerária, a prisão ensejará constrangimento ilegal, sanável por via de *habeas corpus*.[36]

É necessário dizer que nos crimes falimentares punidos com pena de detenção (caso único do art. 178 da Lei 11.101/2005) não serão suficientes os requisitos do art. 312 do CPP para a decretação da prisão preventiva, sendo necessária ainda a presença de um ou mais dos requisitos

---

36. TJPR, 4ª Câmara Cível, Acórdão 12.818, Maringá/3ª Vara Cível, rel. Des. Wilson Reback, *DJE* 1.12.1997:

"*Ementa: Habeas corpus* – Indícios de delito falimentar – Prisão de sócia da empresa – Necessidade de aprofundamento investigatório para o fito de viabilizar a decretação da prisão preventiva – Eventual conduta ilícita praticada que somente gera efeitos em relação à rescisão da concordata, sem implicar em prática de crime falimentar – Concessão da ordem para cassar a decisão que decretou a prisão da impetrante, ratificando-se a liminar inicialmente deferida.

"*Decisão:* Acordam os Juízes integrantes da 4ª Câmara Cível do Tribunal de Justiça do Estado do Paraná, por unanimidade de votos, em conceder a ordem para cassar o decreto de prisão da impetrante, ratificando a liminar concedida."

Já se admitiu a responsabilidade civil do Estado no pagamento de indenização a pessoa presa por engano em virtude de confusão com acusado de crime falimentar. Nesse sentido, TJSP, 1ª Câmara de Direito Público, ACi 32.784-5, São Paulo, rel. Des. Luís Ganzerla, j. 13.4.1999, v.u.: "*Ementa:* Indenização – Erro judiciário – Prisão indevida – Autor preso indevidamente, em razão de nome assemelhado com pessoa envolvida em processo crime falimentar – Encerramento por cerca de três dias – Dano moral comprovado – Sentença de procedência mantida – Reexame necessário e recurso voluntário da Fazenda desprovidos. Responde o Estado pelos danos morais sofridos por cidadão injustamente preso, confundido indevidamente com pessoa envolvida em processo crime falimentar com prisão decretada".

do art. 313, II ou III, do mesmo diploma – quais sejam: a circunstância de se apurar que o devedor é vadio ou, havendo dúvida sobre sua identidade, não fornecer ou não indicar elementos para esclarecê-la, ou ainda se o devedor tiver sido condenado por outro crime doloso, em sentença transitada em julgado, ressalvado o disposto no art. 64, I, do CP.[37]

Cumpre não confundir a prisão preventiva do falido com a prisão administrativa prevista no Decreto-lei 7.661/1945 (art. 35, *caput* e parágrafo único) e já abandonada na Lei 11.101/2005, que não mais deferiu esta possibilidade ao magistrado. Tal medida, aliás, era entendida como revogada pela ordem constitucional de 1988, antes mesmo da vigência da nova Lei Falimentar.

Nesse sentido, anteriormente à vigência da Lei 11.101/2005, a Súmula 280 do STJ já preconizava: "O art. 35 do Decreto-lei n. 7.661/1945, que estabelece a prisão administrativa, foi revogado pelos incisos LXI e LXVII do art. 5º da CF de 1988".

A Lei 11.101/2005 silenciou quanto à possibilidade de prisão preventiva do devedor em recuperação judicial ou extrajudicial. Não obstante, a medida parece-nos possível, desde que obedecidos os requisitos constitucionais e legais para tanto, principalmente no que tange ao preenchimento da condição objetiva de punibilidade do art. 180 da Lei 11.101/2005.

Também não há menção na Lei 11.101/2005 a respeito da possibilidade de *prisão temporária* (Lei 7.960/1989) do falido ou do devedor em recuperação judicial ou extrajudicial.

A prisão temporária, segundo sua legislação de regência (art. 1º), é cabível: "I – quando imprescindível para as investigações do inquérito policial; II – quando o indicado não tiver residência fixa ou não

---

[37]. STJ, 5ª Turma, HC 57.697-RO (2006/0081309-3), rel. Min. Arnaldo Esteves Lima, j. 13.2.2007, *DJU* 12.3.2007, p. 274: "*Ementa: Habeas corpus* – Crime falimentar – Prisão preventiva – Legalidade – Prescrição – Questão não suscitada nas instâncias ordinárias – Supressão de instância – Ordem parcialmente conhecida e, nessa extensão, concedida. 1. Nos crimes apenados com detenção não é suficiente a presença dos requisitos do art. 312 do CPP para o decreto de prisão preventiva, sendo ainda necessária a concorrência de uma das hipóteses previstas nos incisos II e III do art. 313 do mesmo diploma legal. 2. A questão da prescrição não foi suscitada perante o Tribunal *a quo*, não tendo sido, por esse motivo, apreciada. Desse modo, esta Corte Superior não tem competência, neste momento, para examiná-la, sob pena de indevida supressão de instância. 3. Ordem parcialmente conhecida e, nessa extensão, concedida".

fornecer elementos necessários ao esclarecimento de sua identidade; III – quando houver fundadas razões, de acordo com qualquer prova admitida na legislação penal, de autoria ou participação do indiciado nos seguintes crimes: a) homicídio doloso (art. 121, *caput*, e seu § 2º); b) seqüestro ou cárcere privado (art. 148, *caput*, e seus §§ 1º e 2º); c) roubo (art. 157, *caput*, e seus §§ 1º, 2º e 3º); d) extorsão (art. 158, *caput*, e seus §§ 1º e 2º); e) extorsão mediante seqüestro (art. 159, *caput*, e seus §§ 1º, 2º e 3º); f) estupro (art. 213, *caput*, e sua combinação com o art. 223, *caput*, e parágrafo único); g) atentado violento ao pudor (art. 214, *caput*, e sua combinação com o art. 223, *caput*, e parágrafo único); h) rapto violento (art. 219, e sua combinação com o art. 223, *caput*, e parágrafo único); i) epidemia com resultado de morte (art. 267, § 1º); j) envenenamento de água potável ou substância alimentícia ou medicinal qualificado pela morte (art. 270, *caput*, combinado com o art. 285); l) quadrilha ou bando (art. 288), todos do CP; m) genocídio (arts. 1º, 2º e 3º da Lei n. 2.889, de 1º de outubro de 1956), em qualquer de suas formas típicas; n) tráfico de drogas (art. 12 da Lei n. 6.368, de 21 de outubro de 1976); o) crimes contra o sistema financeiro (Lei n. 7.492, de 16 de junho de 1986)".

Como se verifica, o rol de crimes supracitados não inclui os delitos falimentares, razão pela qual resta impossível a decretação da prisão temporária somente em relação a tais delitos. No entanto, vale aqui citar a observação de Arthur Migliari Jr., que anota a possibilidade de decretação da prisão temporária caso o crime falimentar venha a ser julgado em conexão com outros presentes no rol do art. 1º, III, da Lei 7.960/1989, como o delito de quadrilha ou bando (art. 288 do CP), bem como no caso de ser decretada a prisão pelo juízo federal em casos em que conjuntamente com o crime falimentar existam crimes contra o sistema financeiro nacional.[38]

Por fim, a chamada *prisão por sentença condenatória recorrível*, anteriormente prevista no art. 594 do CPP,[39] sofreu substancial mudan-

---

38. Arthur Migliari Jr., *Crimes de Recuperação de Empresas e de Falências*, cit., p. 227.

39. A redação inicial do art. 594 do CPP era: "O réu não poderá apelar sem recolher-se à prisão, ou prestar fiança, salvo se condenado por crime de que se livre solto". Posteriormente, a Lei 5.941, de 22.11.1973 (apelidada de "Lei Fleury"), veio a dar a seguinte redação ao artigo: "O réu não poderá apelar sem recolher-se à prisão, ou prestar fiança, salvo se for primário e de bons antecedentes, assim reconhecido na sentença condenatória, ou condenado por crime de que se livre solto".

ça pela superveniência da Lei 11.719/2008, que revogou a disposição do artigo mencionado, acrescendo parágrafo único ao art. 387 do CPP, determinando que o juiz decida, na sentença condenatória, fundamentadamente, sobre a manutenção ou, se for o caso, imposição de prisão preventiva ou de outra medida cautelar, sem prejuízo do conhecimento da apelação que vier a ser interposta.

Assim, a figura da anterior prisão por sentença condenatória recorrível restou, com o advento da Lei 11.719/2008, substituída pela decisão judicial, em sentença, de decretação da prisão preventiva do réu ou manutenção de tal custódia cautelar.

Deve-se lembrar, porém, que anteriormente a esta modificação legislativa, a jurisprudência do STJ já era pacífica no sentido de que a situação prisional do acusado, decidida em sentença condenatória, não influencia ou condiciona o conhecimento de eventual recurso interposto pelo acusado ou por seu defensor. Assim, o não recolhimento do réu à prisão, mesmo que imposto pela sentença condenatória recorrível, não prejudica o exame do apelo defensivo pelo órgão jurisdicional *ad quem*. Nesse sentido a Súmula 347/STJ: "O conhecimento de recurso de apelação do réu independe de sua prisão".[40]

---

40. A súmula em questão baseou-se também nas decisões do STF sobre a matéria, lastreadas na violação do princípio do duplo grau de jurisdição e em convenção internacional de direitos humanos (Pacto de San José da Costa Rica). Nesse sentido: "*Ementa*: *Habeas corpus* – Processo penal – Sentença condenatória – Recurso de apelação – Processamento – Possibilidade – Desnecessidade de recolhimento do réu à prisão – Decreto de custódia cautelar não prejudicado – Prisão preventiva subsistente enquanto perdurarem os motivos que a motivaram – Ordem concedida. I – Independe do recolhimento à prisão o regular processamento de recurso de apelação do condenado. II – O decreto de prisão preventiva, porém, pode subsistir enquanto perdurarem os motivos que justificaram a sua decretação. III – A garantia do devido processo legal engloba o direito ao duplo grau de jurisdição, sobrepondo-se à exigência prevista no art. 594 do CPP. IV – O acesso à instância recursal superior consubstancia direito que se encontra incorporado ao sistema pátrio de direitos e garantias fundamentais. V – Ainda que não se empreste dignidade constitucional ao duplo grau de jurisdição, trata-se de garantia prevista na Convenção Interamericana de Direitos Humanos, cuja ratificação pelo Brasil deu-se em 1992, data posterior à promulgação do Código de Processo Penal. VI – A incorporação posterior ao ordenamento brasileiro de regra prevista em tratado internacional tem o condão de modificar a legislação ordinária que lhe é anterior. VII – Ordem concedida" (HC 88.420-PR, rel. Min. Ricardo Lewandowski, j. 17.4.2007, *DJe* 32, divulg. 6.6.2007, public. 8.6.2007, *DJU* 8.6.2007, p. 37).

18.6 Medidas despenalizadoras previstas na Lei 9.099/1995 no processo penal falimentar: transação penal[41] e suspensão condicional do processo[42]

Cumpre saber, ainda, se seriam aplicáveis as medidas despenalizadoras previstas na Lei 9.099/1995 (transação penal[43] e suspensão condicional do processo) aos delitos falimentares.

Durante a vigência do Decreto-lei 7.661/1945 a aplicação de referidas medidas na hipótese foi extremamente divergente.

Argumentava-se que, além de as medidas despenalizadoras supracitadas não serem adaptadas à necessidade de graves punições aos de-

---

41. Lei 9.099/1995:
"Art. 76. Havendo representação ou tratando-se de crime de ação penal pública incondicionada, não sendo caso de arquivamento, o Ministério Público poderá propor a aplicação imediata de pena restritiva de direitos ou multa, a ser especificada na proposta.

"§ 1º. Nas hipóteses de ser a pena de multa a única aplicável, o juiz poderá reduzi-la até a metade.

"§ 2º. Não se admitirá a proposta se ficar comprovado: I – ter sido o autor da infração condenado, pela prática de crime, à pena privativa de liberdade, por sentença definitiva; II – ter sido o agente beneficiado anteriormente, no prazo de cinco anos, pela aplicação de pena restritiva ou multa, nos termos deste artigo; III – não indicarem os antecedentes, a conduta social e a personalidade do agente, bem como os motivos e as circunstâncias, ser necessária e suficiente a adoção da medida."

42. Lei 9.099/1995:
"Art. 89. Nos crimes em que a pena mínima cominada for igual ou inferior a um ano, abrangidas ou não por esta Lei, o Ministério Público, ao oferecer a denúncia, poderá propor a suspensão do processo, por dois a quatro anos, desde que o acusado não esteja sendo processado ou não tenha sido condenado por outro crime, presentes os demais requisitos que autorizariam a suspensão condicional da pena (art. 77 do Código Penal).

"§ 1º. Aceita a proposta pelo acusado e seu defensor, na presença do juiz, este, recebendo a denúncia, poderá suspender o processo, submetendo o acusado a período de prova, sob as seguintes condições: I – reparação do dano, salvo impossibilidade de fazê-lo; II – proibição de freqüentar determinados lugares; III – proibição de ausentar-se da comarca onde reside, sem autorização do juiz; IV – comparecimento pessoal e obrigatório a juízo, mensalmente, para informar e justificar suas atividades.

"§ 2º. O juiz poderá especificar outras condições a que fica subordinada a suspensão, desde que adequadas ao fato e à situação pessoal do acusado."

43. Quanto à transação penal, durante a vigência do Decreto-lei 7.661/1945, dada a pena máxima dos delitos dos arts. 186, 187, 188 e 189 (respectivamente três, quatro, quatro e três anos), sua admissibilidade, condicionada à pena máxima de dois anos, ficou restrita unicamente ao delito do art. 190 de referido diploma legal, de rara ocorrência prática. Assim, poucas foram as discussões na doutrina e na jurisprudência quanto à sua admissibilidade aos delitos falimentares.

litos falimentares, estariam excluídas do âmbito dessa espécie delitiva, uma vez que, nos termos do art. 61 da Lei 9.099/1995, seu campo de aplicação não se estendia aos crimes para os quais estivessem previstos ritos processuais especiais.

Outro problema ainda havia, qual seja, aquele relativo aos reflexos de tais medidas na possibilidade de o devedor impetrar concordata suspensiva (art. 200, §§ 6º e 7º, do Decreto-lei 7.661/1945). Se aplicada a suspensão do processo[44] antes do recebimento da denúncia por delito falimentar, a concordata suspensiva restava viabilizada; caso contrário, impossibilitada.

A jurisprudência era divergente sobre a hipótese, ora concedendo, ora negando a aplicação dos benefícios mencionados.[45]

44. Essas medidas despenalizadoras, conforme pacificou a jurisprudência, são efetivadas por proposta exclusiva do Ministério Público. Nesse sentido, STJ, 5ª Turma, RHC 17.242-SP (2005/0015165-6), rel. Min. José Arnaldo da Fonseca, j. 17.3.2005, *DJU* 11.4.2005, p. 336: "*Ementa:* Recurso ordinário em *habeas corpus* – Crime falimentar – Exclusividade do Ministério Público para propor a suspensão condicional do processo – Cabimento – Aplicação do art. 28 do CPP. O legislador outorgou ao Ministério Público, e somente a ele, a faculdade de propor ou não o benefício da suspensão condicional do processo. Portanto, não cabe ao juiz se sobrepor àquele órgão quando não é feita a proposta. Quando o promotor de justiça, seja qual for o motivo, deixa de oferecer a oportunidade do benefício, o juiz deve encaminhar os autos ao Procurador-Geral de Justiça, aplicando, por analogia, o disposto no art. 28 do CPP – Recurso provido".

45. TJSP, 4ª Câmara Criminal, ACr 402.686-3-1/00, São Paulo, rel. Des. Bittencourt Rodrigues, j. 8.4.2003, v.u.: "*Ementa:* Suspensão condicional do processo – *Sursis* processual – Concessão – Crime falimentar – Inadmissibilidade – Crime que prevê procedimento especial – Vedação pelo art. 61 da Lei federal n. 9.099/1995 – Delitos falimentares, ademais, que são plúrimos, atingindo um universo de vítimas, o crédito e a economia populares – Decisão cassada – Recurso provido".

TJSP, ACr 352.221-3/2, São Paulo, rel. Des. Bittencourt Rodrigues, j. 25.6.2002, v.u.: "*Ementa:* Suspensão condicional do processo – *Sursis* processual – Crime falimentar – Inadmissibilidade – Inaplicabilidade do art. 89 da Lei federal n. 9.099/1995 aos crimes cujo procedimento esteja disciplinado em lei especial – Prosseguimento do feito – Recurso provido".

TJSP, 3ª Câmara Criminal Extraordinária, HC 370.016-3/9, São Paulo, rel. Des. Tristão Ribeiro, j. 23.5.2002, m.v.: "*Ementa:* Suspensão condicional do processo – *Sursis* processual – Crime falimentar – Possibilidade de concessão em tese – Recusa fundamentada pelo Ministério Público – Acolhimento pelo juiz – Poder discricionário do *Parquet* em recusar – Somatória das penas, ademais, que supera o limite máximo – Ordem denegada".

TJSP, 3ª Câmara Criminal, ACr 217.048-3, São Paulo, rel. Des. Oliveira Ribeiro, j. 27.4.1999, v.u.: "*Ementa:* Suspensão condicional do processo – Lei n. 9.099/1995 – Crime falimentar – Reparação de dano provocado pela falência ante todos os credores – Inadmissibilidade – Exigência legal da administração da massa

No regime da Lei 11.101/2005 os óbices relativos à concordata suspensiva desapareceram, uma vez que não mais existe referido instituto. Outrossim, entendemos que também os impedimentos relativos ao rito processual especial não mais existem, por se adotar agora o rito sumário previsto no Código de Processo Penal. Além disso, a Lei 11.313/2006, dando nova redação ao art. 61 da Lei 9.099/1995, excluiu o óbice de aplicação desta última lei quando ao delito fosse estipulado rito especial.[46]

falida – Impossibilidade, porém, de arcarem os sócios com todo o débito falencial com recursos próprios – Condição afastada – Cancelamento de ofício".
TJSP, 2ª Câmara Criminal, ACr 237.289-3, São Paulo, rel. Des. Silva Pinto, j. 20.10.1997, v.u.: "*Ementa:* Suspensão condicional do processo – Art. 89 da Lei 9.099/1995 – Crime falimentar – Art. 188, I, da Lei de Falências – Admissibilidade – Princípio da unicidade – Prevalência nos delitos falimentares – Sujeição a uma só pena – Conversão do julgamento em diligência para integral cumprimento do referido dispositivo legal".
Também a Procuradoria Geral de Justiça do Estado de São Paulo, Protocolado 64.385/2000, art. 28 do CPP, Processo 514.654-2, 34ª Vara Cível da Capital:
"*Ementa:* Crime falimentar – Art. 186, VI, da Lei de Falências – Promotor de justiça que recusa a proposta de suspensão condicional do processo, argumentando que o procedimento especial e a natureza da infração penal são incompatíveis com o benefício. Os motivos que ensejaram a negativa de suspensão prendem-se, em última análise, a critérios exclusivamente abstratos, só deferidos ao legislador. A eleição puramente objetiva de determinados crimes não passíveis de suspensão condicional do processo cria mais um regra limitante ao poder discricionário atribuído ao Ministério Público, além daquelas já legalmente estabelecidas (art. 89, *caput*, da Lei federal n. 9.099/1995), o que não é desejável. O juízo restritivo traçado pelo *dominus litis* não pode estar vinculado a critérios abstratos, mas, ao reverso, aferir as peculiaridades e circunstâncias do caso concreto.
"Friso que a Lei n. 9.099/1995 não prevê nenhum óbice objetivo à concessão da suspensão condicional do processo por crime falimentar, desde que atendidos os requisitos objetivos e subjetivos dispostos no art. 89. A regra que impede a transação penal para os delitos com procedimento especial somente tem aplicação nas infrações penais de menor potencial ofensivo, assim previstas no art. 61 da Lei n. 9.099/1995. Essa disposição – que o crime não preveja rito especial – não se estende à análise da viabilidade da suspensão condicional do processo.
"*Decisão:* Diante do exposto, designo um outro promotor de justiça para oferecer a proposta de suspensão condicional do processo em relação ao réu Cassiano Ricardo Froes Sutherland e prosseguir nos ulteriores termos do feito e insisto no prosseguimento da ação penal no tocante ao co-réu Roberto Luiz Froes Sutherland. Expeça-se portaria."
No mesmo sentido: Protocolado 65.265/2000.
46. Lei 9.099/1995: "Art. 61. Consideram-se infrações penais de menor potencial ofensivo, para os efeitos desta Lei, as contravenções penais e os crimes a que a lei comine pena máxima não superior a dois anos, cumulada ou não com multa". Na redação anterior tinha-se o seguinte texto (com grifos nossos): "Art. 61. Consi-

Assim, entendemos que os institutos despenalizadores previstos na Lei 9.099/1995 serão aplicáveis aos delitos falimentares desde que presentes os requisitos objetivos e subjetivos previstos na referida lei.

Diante das penas cominadas aos crimes falimentares pela Lei 11.101/2005, houve uma séria restrição ao âmbito de cabimento da transação penal e da suspensão condicional do processo. Mesmo assim, há algumas hipóteses em que essas medidas continuam cabíveis, como se pode visualizar na tabela seguinte.

Tabela 16: Cabimento, em tese, das medidas despenalizadoras de suspensão condicional do processo e transação penal de acordo com as penas cominadas aos delitos falimentares na Lei 11.101/2005

Crime	Pena privativa de liberdade cominada no tipo penal falimentar		Cabimento da suspensão condicional do processo	Cabimento da transação penal
Fraude a credores	Reclusão	três a seis anos	NÃO	NÃO
Violação de sigilo empresarial	Reclusão	dois a quatro anos	NÃO	NÃO
Divulgação de informações falsas	Reclusão	dois a quatro anos	NÃO	NÃO
Indução a erro	Reclusão	dois a quatro anos	NÃO	NÃO
Favorecimento de credores	Reclusão	dois a cinco anos	NÃO	NÃO
Desvio, ocultação ou apropriação de bens	Reclusão	dois a quatro anos	NÃO	NÃO
Aquisição, recebimento ou uso ilegal de bens	Reclusão	dois a quatro anos	NÃO	NÃO
Habilitação ilegal de crédito	Reclusão	dois a quatro anos	NÃO	NÃO
Exercício ilegal de atividade	Reclusão	um a quatro anos	SIM	NÃO
Violação de impedimento	Reclusão	dois a quatro anos	NÃO	NÃO
Omissão de documentos contábeis obrigatórios	Detenção	um a dois anos	SIM	SIM

deram-se infrações penais de menor potencial ofensivo, para os efeitos desta Lei, as contravenções penais e os crimes a que a lei comine pena máxima não superior a um ano, *excetuados os casos em que a lei preveja procedimento especial*".

Para as hipóteses em que seja cabível a aplicação dos benefícios da suspensão condicional do processo e da transação penal aos crimes falimentares, cumprirá examinar as seguintes questões:

(1) *É possível que o juiz homologue transação penal proposta pelo Ministério Público ao sócio ou empresário individual suspeito de crime falimentar consistente em pena restritiva de direitos de prestação pecuniária (art. 43, I, e art. 45, § 1º, ambos do CP), determinando o pagamento total ou parcial dos créditos deduzidos na recuperação ou falência?*

(2) *Na mesma linha, é possível que o juiz homologue suspensão condicional do processo em que o pagamento total ou parcial dos créditos deduzidos na recuperação ou falência seja colocado como condição a ser cumprida pelo sócio ou empresário individual?*

Entendemos que em ambos os casos a resposta deve ser negativa.

Para bem entendermos os motivos da impossibilidade das duas hipóteses aventadas, devemos distinguir se o caso é de recuperação ou de falência, bem como se o acusado ou investigado por delito falimentar é empresário individual, sócio de sociedade cuja responsabilidade dos sócios pelas dívidas sociais é limitada, ou sócio com responsabilidade ilimitada pelos débitos societários.[47]

Em caso de recuperação judicial ou extrajudicial entendemos que se o pagamento dos créditos violar as condições estabelecidas no plano de recuperação a hipótese será vedada.

Com efeito, a exigência de pagamentos por parte do devedor em desacordo com o plano de recuperação poderia acabar se constituindo, por via indireta, em forma oblíqua de o juiz inserir condições ao próprio plano ou, mesmo, revogá-lo, o que é matéria de exclusiva alçada da assembléia de credores (em recuperação judicial) ou do acordo firmado entre credores e devedor (em recuperação extrajudicial).

Por outro lado, se os pagamentos propostos em transação penal ou suspensão condicional do processo repetem as mesmas condições do plano de recuperação, tais medidas acabam por ser inócuas e desnecessárias.

---

47. Obviamente que as hipóteses ressaltadas só guardam interesse prático se o investigado ou réu por crime falimentar ostentar a condição de empresário individual ou sócio, pois só quanto a estes poder-se-ia cogitar de alguma responsabilidade pelas dívidas oriundas da atividade empresarial. Quando o delito falimentar tenha como sujeito ativo outra pessoa que não as mencionadas (*v.g.*, o administrador judicial, o serventuário, o empregado etc.), nenhum interesse haverá na questão.

De qualquer forma, portanto, entendemos ilegal a fixação de pagamentos de créditos em transação penal ou suspensão condicional do processo no caso de devedor em recuperação judicial ou extrajudicial.

Nos casos de falência devemos fazer uma distinção entre dois casos: (1) se o réu é sócio limitadamente responsável pelas dívidas sociais; (2) se o réu é empresário individual ou sócio ilimitadamente responsável pelo débito societário.

Na primeira hipótese a imposição de pagamentos de créditos ao sócio seria uma forma indireta de o juiz competente para o julgamento do crime falimentar desconsiderar a personalidade jurídica, obrigando o sócio (pessoa física) a honrar os débitos da sociedade (pessoa jurídica), o que claramente está fora do âmbito e do escopo do processo criminal, principalmente se considerarmos que usualmente a transação penal e a suspensão condicional do processo são efetivadas antes da produção de qualquer prova em regular instrução criminal.[48]

No caso de réu empresário individual ou sócio ilimitadamente responsável pelos débitos societários não haverá o óbice da separação de patrimônios oriunda da personalidade jurídica da sociedade como forma de evitar que se ingresse no patrimônio do devedor pessoa física.

Mesmo assim, entendemos inviável a exigência de pagamento de créditos em transação ou suspensão condicional do processo. De fato, ressalvadas as raras vezes em que o patrimônio pessoal do réu seja suficiente para a quitação das dívidas,[49] a exigência parece-nos inócua, e acabará simplesmente por inviabilizar as medidas despenalizadoras, uma vez que ou o acusado não aceita a obrigação imposta (dada sua insolvência), e o processo penal prossegue em seus ulteriores termos, ou o

---

48. TJSP, 3ª Câmara Criminal, ACr 217.048-3, São Paulo, rel. Des. Oliveira Ribeiro, j. 27.4.1999, v.u.: "*Ementa:* Suspensão condicional do processo – Lei n. 9.099/1995 – Crime falimentar – Reparação de dano provocado pela falência ante todos os credores – Inadmissibilidade – Exigência legal da administração da massa falida – Impossibilidade, porém, de arcarem os sócios com todo o débito falencial com recursos próprios – Condição afastada – Cancelamento de ofício".

49. Exemplo dessa hipótese consta no seguinte acórdão do TJSP, 4ª Câmara Criminal, RSE 345.387-3/2, Diadema, rel. Des. Canellas de Godoy, j. 18.6.2002, v.u.: "*Ementa:* Suspensão condicional do processo – *Sursis* processual – Crime falimentar – Concessão do benefício por prazo determinado, condicionando-se ao pagamento do débito falimentar em parcelas – Extinção da punibilidade decretada com base no pagamento antecipado do débito – Inadmissibilidade – Período de prova que deverá ser cumprido – Imposição legal – Art. 89, § 5º, da Lei federal n. 9.099/1995 – Recurso provido".

acusado aceita a condição imposta, e, também insolvente, acaba por não cumpri-la, resultando na revogação do benefício.

Assim sendo, em todos os casos entendemos que a imposição de pagamento integral ou parcial do débito falimentar como condição para a transação penal ou suspensão condicional do processo não deve ser admitida.

18.7 Efeitos da sentença condenatória penal e reabilitação

Estabelecem os arts. 91 e 92 do CP os efeitos da sentença condenatória criminal, nos seguintes termos:

"**Efeitos genéricos e específicos**

"Art. 91. São efeitos da condenação: I – tornar certa a obrigação de indenizar o dano causado pelo crime; II – a perda em favor da União, ressalvado o direito do lesado ou de terceiro de boa-fé: a) dos instrumentos do crime, desde que consistam em coisas cujo fabrico, alienação, uso, porte ou detenção constitua fato ilícito; b) do produto do crime ou de qualquer bem ou valor que constitua proveito auferido pelo agente com a prática do fato criminoso.

"Art. 92. São também efeitos da condenação: I – a perda de cargo, função pública ou mandato eletivo: a) quando aplicada pena privativa de liberdade por tempo igual ou superior a um ano, nos crimes praticados com abuso de poder ou violação de dever para com a Administração Pública; b) quando for aplicada pena privativa de liberdade por tempo superior a quatro anos nos demais casos; II – a incapacidade para o exercício do pátrio poder, tutela ou curatela, nos crimes dolosos, sujeitos à pena de reclusão, cometidos contra filho, tutelado ou curatelado; III – a inabilitação para dirigir veículo, quando utilizado como meio para a prática de crime doloso.

"Parágrafo único. Os efeitos de que trata este artigo não são automáticos, devendo ser motivadamente declarados na sentença."

Para o tema discutido na presente obra, cumpre cingir a análise da matéria aos efeitos da sentença condenatória em crimes falimentares e, principalmente, suas repercussões na aptidão do devedor para voltar a exercer sua atividade empresarial.

Na vigência do Decreto-lei 7.661/1945, preconizava o art. 195: "Art. 195. Constitui efeito da condenação por crime falimentar a interdição do exercício do comércio".

A jurisprudência já se encontrava razoavelmente pacificada no sentido de que tal dispositivo não fora revogado pela reforma da Parte Geral do Código Penal ocorrida com o advento da Lei 7.204/1989. Antes dessa reforma havia alguma divergência sobre se a natureza da medida seria de efeito da condenação ou pena acessória, prevalecendo finalmente a posição de que se cuidava de efeito da condenação, ante a abolição das penas acessórias na nova Parte Geral do Código Penal.[50]

O regime desse efeito da condenação era, entretanto, considerado pela jurisprudência como de aplicação imediata e obrigatória quando da prolação da sentença condenatória definitiva por crime falimentar.[51]

---

50. STF, RECr 113.318, j. 18.10.1988: *"Ementa:* Recurso extraordinário – Interdição para o exercício do comércio – Crime falimentar – Decreto-lei n. 7.661/1945, arts. 195, 196 e 197 – Pena acessória e efeito da condenação. Abolidas as penas acessórias no regime da Lei n. 7.209/1984, que reformou a Parte Geral do Código Penal, discute-se se subsiste a interdição do exercício do comércio, prevista no art. 195 da Lei de Falências, no caso de condenação por crime falimentar – Natureza dessa interdição: pena acessória ou efeito da condenação – Posições doutrinárias e jurisprudenciais divergentes. O acórdão recorrido entendeu tratar-se de pena acessória e, assim, confirmou o cancelamento da interdição do exercício do comércio, embora mantida a condenação por crime falimentar. O recurso extraordinário interpôs-se, apenas, com fundamento na alínea 'a' do permissivo constitucional – Aplicação da Súmula n. 400 – Inviabilidade, dessa maneira, de conhecer do apelo extremo, por dissídio pretoriano (Emenda Constitucional n. 1/1969, art. 119, III, letra 'd') – Recurso extraordinário não conhecido".

STJ, 6ª Turma, REsp 11.193-SP (199100100013), j. 20.8.1991:

"Ementa: Penal – Lei de Falências – Interdição para o exercício do comércio. O art. 195 da Lei de Falências, respeitante à interdição para o exercício do comércio, subsiste, não tendo sido revogado pela Lei n. 7.209/1984, que modificou a Parte Geral do Código Penal. À luz da nova Constituição, a interdição em tela deve ser vista como pena acessória, e não como efeito da condenação – Recurso conhecido e provido.

"Decisão: Por maioria, dar provimento ao recurso, nos termos do voto do Sr. Min. Costa Leite, que foi acompanhado pelos Srs. Mins. Vicente Cernicchiaro e José Cândido. Vencido o Sr. Min. Carlos Thibau."

TJSP, 4ª Câmara Criminal, ACr 215.020-3, Diadema, rel. Des. Bittencourt Rodrigues, j. 1.7.1997, v.u.: *"Ementa:* Crime falimentar – Interdição do exercício do comércio – Prazo – Termos *a quo* e *ad quem*. A interdição do exercício do comércio, prevista pelo art. 195 da Lei de Falências como efeito da condenação, e não como pena acessória, tem seu termo *a quo* correspondente ao dia em que termina a execução da pena privativa de liberdade (art. 196) e o dia *ad quem* na data da extinção da interdição pela reabilitação, que somente pode ser concedida após o decurso de três ou cinco anos após o cumprimento da pena privativa de liberdade (art. 197)".

TJSP, 5ª Câmara Criminal, ACr 282.590-3, São Paulo, rel. Des. Gomes de Amorim, j. 21.10.1999, v.u.: *"Ementa:* Crime falimentar – Condenação – Interdição ao exercício do comércio – Art. 195 da Lei de Falências – Efeito da condenação, e não pena acessória – Abolição desta pela Lei n. 7.209/1984 - Recurso provido".

51. TJSP, 1ª Câmara Criminal, ACr 281.655-3, São Paulo, rel. Des. David Haddad, j. 20.9.1999, v.u.: *"Ementa:* Crime falimentar – Condenação – Interdição

Na vigência do Decreto-lei 7.661/1945 havia decisões que vedavam a imposição de inabilitação para o exercício do comércio quando houvesse meramente aplicação de pena de multa, uma vez que tal interdição teria como pressuposto o cumprimento de pena privativa de liberdade.[52]

Com o advento da Lei 11.101/2005 a matéria sofreu significativa modificação.

Primeiramente, os efeitos da condenação não são mais os mesmos, sendo razoavelmente ampliados no art. 181, que assim preceitua: "Art. 181. São efeitos da condenação por crime previsto nesta Lei: I – a inabilitação para o exercício de atividade empresarial; II – o impedimento para o exercício de cargo ou função em conselho de administração, diretoria ou gerência das sociedades sujeitas a esta Lei; III – a impossibilidade de gerir empresa por mandato ou por gestão de negócio".

Além disso, os efeitos da condenação passaram a não mais ser de aplicação automática, devendo ser declarados na sentença. Adotou-se ainda a limitação temporal dos efeitos da condenação por cinco anos após a extinção da punibilidade, ou até a reabilitação criminal.

É o que dispõe o art. 181, § 1º: "§ 1º. Os efeitos de que trata este artigo não são automáticos, devendo ser motivadamente declarados na

---

do exercício do comércio – Afastamento – Inadmissibilidade – Efeito da sentença condenatória – Recurso não provido".

TJSP, 4ª Câmara Criminal, ACr 267.545-3, São Paulo, rel. Des. Passos de Freitas, j. 16.3.1999, v.u.: "*Ementa:* Crime falimentar – Interdição para o exercício do comércio (art. 195 da lei federal) – Efeito da condenação – Manutenção – Prazo – Efeito subsistente até a reabilitação – Apelos parcialmente providos".

TJSP, 6ª Câmara Criminal, ACr 226.596-3, São Paulo, rel. Des. Augusto César, j. 25.6.1998, v.u.: "*Ementa:* Crime falimentar – Arts. 195 e 197 da Lei de Falências – Interdição do exercício do comércio – Obrigatoriedade – Efeito da condenação – Desaparecimento apenas com a reabilitação penal – Restrição determinada – Recurso parcialmente provido para este fim".

TJSP, 4ª Câmara Criminal, ACr 210.171-3, São José do Rio Preto, rel. Des. Hélio de Freitas, j. 27.5.1997, v.u.: "*Ementa:* Crime falimentar – Condenação – Interdição ao exercício do comércio – Art. 195 da Lei de Falências – Imposição automática – Admissibilidade – Efeito da condenação, e não pena acessória – Não revogação pela Reforma Penal de 1984 – Recurso provido. A interdição para o comércio é conseqüência necessária da condenação, decorrendo da eficácia da sentença condenatória, que nem precisa fazer expressa menção a ela".

52. TJSP, ACr 134.500-3, São Paulo, rel. Des. Luiz Pantaleão, j. 21.3.1994: "*Ementa:* Crime falimentar – Pena – Multa – Cumulação com interdição ao exercício do comércio – Inadmissibilidade – Exegese dos arts. 195 a 197 do Decreto-lei n. 7.661/1945 – Recurso parcialmente provido Em matéria de crime falimentar, se aplicada somente pena pecuniária, incabível a interdição do direito de comércio, cujo pressuposto é o cumprimento de pena privativa de liberdade".

sentença, e perdurarão até cinco anos após a extinção da punibilidade, podendo, contudo, cessar antes pela reabilitação penal".

Entendemos que, no que toca à ampliação do rol dos efeitos da condenação, trata-se de norma penal mais gravosa, portanto irretroativa na parte que foi incluída pela Lei 11.101/2005 (incisos II e III do art. 181, supracitados). No entanto, em relação à circunstância de os efeitos da condenação não serem mais automáticos, devendo ser expressos na sentença, parece-nos que a norma penal é benéfica ao acusado, aplicando-se retroativamente.

É de se ressaltar que os efeitos da condenação por crime falimentar não se resumem tão-somente às situações expressas no art. 181 da Lei 11.101/2005, ou mesmo àquelas hipóteses narradas nos arts. 91 e 92 do CP, antes transcritos.

De fato, além dos efeitos genéricos (civis e penais) de uma condenação criminal (*v.g.*, indução de reincidência, criação de título executivo na esfera cível quanto à obrigação de indenizar a vítima, restrição à concessão de benefícios penais como *sursis*, livramento condicional, suspensão condicional do processo etc.), a condenação por crime falimentar ainda acarretará outros efeitos específicos, tais como a proibição futura de obter recuperação judicial (art. 48, IV, da Lei 11.101/2005) ou extrajudicial (art. 161, combinado com o art. 48, IV, ambos da Lei 11.101/2005), além do aumento do prazo para a extinção das obrigações do falido, que somente poderá ocorrer após 10 anos do encerramento da falência se houver condenação por crime falimentar (art. 158, IV, da Lei 11.101/2005).

Há possibilidade, entretanto, de que os efeitos da condenação cessem antes do período de cinco anos após a extinção da punibilidade, se o condenado promover sua reabilitação.[53]

A reabilitação é medida prevista nos arts. 93 e ss. do CP, nos seguintes termos:

"Art. 93. A reabilitação alcança quaisquer penas aplicadas em sentença definitiva, assegurando ao condenado o sigilo dos registros sobre o seu processo e condenação.

"Parágrafo único. A reabilitação poderá, também, atingir os efeitos da condenação, previstos no art. 92 deste Código, vedada reintegração na situação anterior, nos casos dos incisos I e II do mesmo artigo.

---

53. Não se confunde a reabilitação criminal com a extinção das obrigações para efeitos civis, constante do art. 102 da Lei 11.101/2005.

"Art. 94. A reabilitação poderá ser requerida, decorridos dois anos do dia em que for extinta, de qualquer modo, a pena ou terminar sua execução, computando-se o período de prova da suspensão e o do livramento condicional, se não sobrevier revogação, desde que o condenado: I – tenha tido domicílio no país no prazo acima referido; II – tenha dado, durante esse tempo, demonstração efetiva e constante de bom comportamento público e privado; III – tenha ressarcido o dano causado pelo crime ou demonstre a absoluta impossibilidade de o fazer, até o dia do pedido, ou exiba documento que comprove a renúncia da vítima ou novação da dívida.

"Parágrafo único. Negada a reabilitação, poderá ser requerida, a qualquer tempo, desde que o pedido seja instruído com novos elementos comprobatórios dos requisitos necessários.

"Art. 95. A reabilitação será revogada, de ofício ou a requerimento do Ministério Público, se o reabilitado for condenado, como reincidente, por decisão definitiva, a pena que não seja de multa."

Importante frisar que a reabilitação, no ordenamento pátrio atual, não é causa de extinção de punibilidade. Assim sendo, mesmo concedida a reabilitação, restará íntegro o pronunciamento judicial condenatório, alterando-se meramente seus efeitos e a publicidade em relação a terceiros.[54]

O pedido de reabilitação é processado perante o próprio juízo da condenação. Nos casos em que o juízo falimentar tenha competência para o processo criminal envolvendo delitos falimentares, por força de legislação estadual de organização judiciária, este será o competente para tanto.

O prazo para a reabilitação é contado da extinção da pena, e não se sua declaração nos autos. Computa-se o período de prova do *sursis* ou do livramento condicional concedidos.

Quanto à prova de bom comportamento, parece-nos suficiente que o sentenciado demonstre a inexistência de outros antecedentes criminais, podendo ainda juntar documentos e declarações de testemunhas.

Do mesmo modo, poderá comprovar sua residência por documentos idôneos para tanto, também em conjunto com declarações de testemunhas.

---

54. Note-se que a legislação italiana (R.D. 267, de 16.3.1942, art. 241), admitindo os delitos falimentares culposos (*bancarrota semplice*), estabelece claramente que em tais casos a reabilitação extingue a punibilidade do delito falimentar, *verbis*: "**Riabilitazione**. La riabilitazione civile del fallito estingue il reato di bancarotta semplice. Se vi è condanna, ne fa cessare l'esecuzione e gli effetti".

Quanto ao ressarcimento do dano causado, pressuposto para a reabilitação, muito reclamado pela doutrina, é necessária uma maior análise do assunto.

Primeiramente devemos fazer uma breve distinção entre a extinção das obrigações na esfera civil, através do rateio e pagamento aos credores do que lhes seja devido por parte do devedor, e o ressarcimento de eventual dano diretamente causado pelo crime falimentar. Com efeito, uma coisa é pagar ao credor, dando-lhe aquilo que lhe cabia receber pelo contratualmente avençado; outra é ressarcir um valor a este mesmo credor ou à(s) vítima(s) do dano causado pelo crime falimentar em decorrência de uma diminuição patrimonial causada pela prática delitiva.

Exemplo disso pode se encontrar na conduta do devedor que, além de suas dívidas originárias, buscando fraudar credores e em prejuízo à massa falida, saca fraudulentamente duplicatas simuladas contra seus credores ou contra terceiros, protestando-as, vindo a causar-lhe inegáveis danos materiais (derivados dos custos para sustação de protesto, depósitos judiciais e despesas com advogado) e morais (perda de credibilidade no mercado, desconfiança de fornecedores quanto a seu estado patrimonial etc.).

Cumpre saber, portanto, se será necessário, para a obtenção da reabilitação, o mero rateio ou pagamento das dívidas, ou também o ressarcimento do eventual dano causado pelo crime falimentar. Em outras palavras, discutir se, nos termos do art. 94, III, do CP, a exigência de reparação do dano causado pela ação criminosa cuida apenas da responsabilidade civil contratual (por ilícito civil relativo), ou se abrange também a responsabilidade civil extracontratual (por ilícito civil absoluto).

No que tange à necessidade de comprovação da prévia extinção das obrigações na esfera cível como pressuposto para a reabilitação criminal, a Lei 11.101/2005 silenciou a respeito. No entanto, entendemos que permanece obrigatório, como ocorria na vigência do Decreto-lei 7.661/1945 (art. 198), que o requerimento de reabilitação venha acompanhado de certidão de sentença declaratória da extinção das obrigações. A doutrina era assente quanto à necessidade dessa comprovação documental para instruir o pedido de reabilitação.

Nesse sentido, anotava o mestre Waldemar Ferreira: "Processa-se a reabilitação penal perante o juiz que proferiu a sentença condenatória;

e o pedido instrui-se com a certidão da sentença que tenha declarado extintas as obrigações do falido".[55]

Igualmente, há decisões nesse sentido durante a vigência da Lei 11.101/2005.[56]

Lembramos que a extinção das obrigações não pressupõe necessariamente o pagamento integral aos credores, mas a ocorrência de uma das causas do art. 158 da Lei 11.101/2005, a seguir transcrito, dentre as quais o pagamento total dos créditos é apenas uma das alternativas: "Art. 158. Extingue as obrigações do falido: I – o pagamento de todos os créditos; II – o pagamento, depois de realizado todo o ativo, de mais de 50% dos créditos quirografários, sendo facultado ao falido o depósito da quantia necessária para atingir essa porcentagem se para tanto não bastou a integral liquidação do ativo; III – o decurso do prazo de cinco anos, contado do encerramento da falência, se o falido não tiver sido condenado por prática de crime previsto nesta Lei; IV – o decurso do prazo de dez anos, contado do encerramento da falência, se o falido tiver sido condenado por prática de crime previsto nesta Lei".

Com relação ao dano extracontratual derivado do crime falimentar, parece-nos que a exigência também está abrangida pelo art. 94, III, do CP, aplicável efetivamente aos crimes falimentares de dano, sendo inviável, em princípio, sua incidência em relação aos crimes falimentares meramente de perigo.

Dessa forma, o devedor, se condenado por crime falimentar de dano, deverá provar documentalmente o ressarcimento do dano à vítima (ou a impossibilidade de o fazer) para obter a reabilitação e voltar a exercer a atividade empresarial.

Ressaltamos que, com a reforma do Código de Processo Penal efetivada pela Lei 11.719/2008, o juiz, na sentença penal condenatória por crime falimentar, deverá fixar, desde logo, valor mínimo para reparação dos danos causados pela infração, considerando os prejuízos sofridos pelo ofendido (art. 387, IV, do CPP). Diante disso, o condenado por delito falimentar deverá comprovar o pagamento do valor indenizatório fi-

---

55. Waldemar Ferreira, *Instituições de Direito Comercial*, vol. 5, São Paulo, Max Limonad, 1955, p. 463.

56. TJSP, ACr 609.336-4/8-00: "*Ementa:* Falência – Pedido de reabilitação – Extinção do feito sem apreciação do mérito – Cabimento – Ausência de encerramento do processo falimentar – Impossibilidade de reconhecimento da extinção das obrigações do falido – Apelo improvido".

xado na sentença penal para a obtenção do benefício da reabilitação, independentemente da propositura de ação civil de reparação pela vítima.

Deve-se salientar que será inexigível, a nosso ver, qualquer ressarcimento ou pagamento quando já houver prescrição, seja nos termos do art. 158, IV, da Lei 11.101/2005 (10 anos) ou nos termos do prazo prescricional para a reparação civil, firmado no art. 206, § 3º, V, do CC (três anos).[57]

---

57. TJSP, *RT* 531/314: "*Ementa:* Crime falimentar – Reabilitação criminal – Deferimento – Requisitos legais preenchidos – Não ressarcimento do dano que, na espécie, não constitui óbice ao pedido – Créditos já atingidos pela prescrição – Decisão mantida – Inteligência dos arts. 119 do CP e 135, III e IV, da Lei de Falências".

REFERÊNCIAS BIBLIOGRÁFICAS

ABRÃO, Nelson. *Curso de Direito Falimentar*. São Paulo, Ed. RT, 1993.

AKERLOF, George. "The market for 'lemons': quality uncertainty and the market mechanism". *Quarterly Journal of Economics* 84/488-500. 1970.

BEZERRA FILHO, Manoel Justino. *Lei de Recuperação de Empresas e Falências Comentada*. São Paulo, Ed. RT, 2008.

BRIGHAM, Eugene F., *et al. Administração Financeira: Teoria e Prática*. São Paulo, Atlas, 2001.

CARVALHO DE MENDONÇA, J. X. *Tratado de Direito Comercial Brasileiro*. vol. VIII. Rio de Janeiro, Freitas Bastos, 1955.

COELHO, Fábio Ulhoa. *Comentários à Nova Lei de Falências e Recuperação de Empresas*. São Paulo, Saraiva, 2005.

_____. In: PITOMBO, Antônio Sérgio A. de Moraes, e SOUZA JR., Francisco Satiro de (coords.). *Comentários à Lei de Recuperação de Empresas e Falência: Lei 11.101/2005*. São Paulo, Ed. RT, 2005.

COOTER, Robert, e ULLEN, Thomas. *Law and Economics*. Nova York, Addison Wesley Longman, 2000.

FERREIRA, Waldemar. *Instituições de Direito Comercial*. vol. 5. São Paulo, Max Limonad, 1955.

FREITAS, Jayme Walmer de. "Direito criminal na recuperação de empresas e falência – Lei 11.101/2005". Disponível em *http://www.epm.sp.gov.br/SiteEPM/Artigos/Artigo+39.htm* (acesso em 17.6.2009).

FRONTINI, Paulo Salvador. "Da apuração do crime falimentar". *Justitia* 71. São Paulo, APMP, 4º trimestre de 1970.

FÜHRER, Maximilianus Cláudio Américo. *Crimes Falimentares*. São Paulo, Ed. RT, 1972.

GITMAN, Lawrence J. *Princípios de Administração Financeira*. São Paulo, Harbra, 1997.

GRATERON, Ivan Ricardo Guevara, e SANTOS, Ariovaldo dos. "Contabilidade criativa e responsabilidade dos auditores". *Revista Contabilidade & Finanças* 32/7-22. São Paulo, USP, maio-agosto/2003.

GRECO FILHO, Vicente. *Direito Processual Civil Brasileiro*. São Paulo, Saraiva, 1995.

_____. *Manual de Processo Penal*. São Paulo, Saraiva, 1993.

GUSMÃO, Sady Cardoso de. "Crime de falência". *Repertório Enciclopédico de Direito Brasileiro*. vol. XIII.

HITT, Michael A. *Administração Estratégica*. São Paulo, Atlas, 2003.

HOOG, Wilson Alberto Zappa, e SÁ, Antônio Lopes de. *Corrupção, Fraude e Contabilidade*. Curitiba, Juruá, 2005.

JESUS, Damásio E. de. *Direito Penal*. São Paulo, Saraiva, 1988.

LISZT, Franz von. *Tratado de Direito Penal Alemão*. Brasília, Senado Federal/ Conselho Editorial, STJ, 2006.

MACHADO, Antônio Cláudio da Costa. *A Intervenção do Ministério Público no Processo Civil Brasileiro*. São Paulo, Saraiva, 1998.

MARQUES, José Frederico. *Elementos de Direito Processual Penal*. vol. III. Campinas/SP, Bookseller, 1997.

MAZZILLI, Hugo Nigro. *A Defesa dos Interesses Difusos em Juízo*. São Paulo, Saraiva, 1995.

_____. *Regime Jurídico do Ministério Público*. São Paulo, Saraiva, 1995.

MIGLIARI JR., Arthur. *Crimes de Recuperação de Empresas e de Falências*. São Paulo, Quartier Latin, 2006.

_____. "Os crimes falenciais no Direito Intertemporal". Disponível em http://www5.mp.sp.gov.br:8080/caocivel/caocivel.htm (acesso em 10.4.2006).

MIRABETE, Júlio Fabrinni. *Código Penal Interpretado*. São Paulo, Atlas, 2003.

_____. *Processo Penal*. São Paulo, Atlas, 2004.

NUVOLONE, Pietro. *Il Diritto Penale del Falimento e delle Altre Procedure Consursuali*. Milão, 1995.

PENTEADO, Mauro R. *Comentários à Lei de Recuperação de Empresas e Falência*. São Paulo, Ed. RT, 2006.

PETERS, Marcos. *Implantando e Gerenciando a Lei Sarbanes Oxley*. São Paulo, Atlas, 2007.

PITOMBO, Antônio Sérgio A. de Moraes, e SOUZA JR., Francisco Satiro de (coords.). *Comentários à Lei de Recuperação de Empresas e Falência: Lei 11.101/2005*. São Paulo, Ed. RT, 2005.

PONTANI, Maurizio. *Pre-Bankruptcy Crimes and Entrepreneurial Behavior. Some Insights from American and Italian Bankruptcy Laws*. German Working Papers in Law and Economics, 2004.

PONTES DE MIRANDA, F. C. *Tratado de Direito Privado*. t. 30. São Paulo, Ed. RT, 1984.

REQUIÃO, Rubens. *Curso de Direito Falimentar*. vol. 2. São Paulo, Saraiva, 1992.

ROMITA, Arion Sayão. "Atuação do Ministério Público no processo de falência e concordata". *Justitia* 89. São Paulo, APMP, 2º trimestre de 1975.

ROSS, Stephen A., *et al*. *Administração Financeira – "Corporate Finance"*. São Paulo, Atlas, 1995.

SÁ, Antônio Lopes de, e HOOG, Wilson Alberto Zappa. *Corrupção, Fraude e Contabilidade*. Curitiba, Juruá, 2005.

SAMPAIO DE LACERDA, J. C. *Manual de Direito Falimentar*. Rio de Janeiro, Freitas Bastos, 1978.

SANTOS, Ariovaldo dos, e GRATERON, Ivan Ricardo Guevara. "Contabilidade criativa e responsabilidade dos auditores". *Revista Contabilidade & Finanças* 32/7-22. São Paulo, USP, maio-agosto/2003.

SAUAIA, Antônio Carlos Aidar. *Laboratório de Gestão: Simulador Organizacional, Jogo de Empresas e Pesquisa Aplicada*. São Paulo, Manole, 2008.

SILVA FRANCO, Alberto, *et al*. *Código Penal e sua Interpretação Jurisprudencial*. vol. 2. São Paulo, Ed. RT, 1997.

SOUZA JR., Francisco Satiro de, e PITOMBO, Antônio Sérgio A. de Moraes (coords.). *Comentários à Lei de Recuperação de Empresas e Falência: Lei 11.101/2005*. São Paulo, Ed. RT, 2005.

STEVENSON, Oscar. *Do Crime Falimentar*. São Paulo, Saraiva, 1939.

TAVARES, Juarez. *Teoria do Injusto Penal*. Belo Horizonte, Del Rey, 2000.

TOURINHO FILHO, Fernando da Costa. *Prática de Processo Penal*. São Paulo, Saraiva, 1994.

ULLEN, Thomas, e COOTER, Robert. *Law and Economics*. Nova York, Addison Wesley Longman, 2000.

VALVERDE, Trajano de Miranda. *Comentários à Lei de Falências*. Rio de Janeiro, Forense, 1962.

VERÇOSA, Haroldo Malheiros Duclerc. *Curso de Direito Comercial*. vol. 1. 2ª ed. São Paulo, Malheiros Editores, 2008.

WICKOUSKI, Stephanie. *Bankruptcy Crimes*. Washington, Beard Books, 2007.

APÊNDICE

1. Direito Estrangeiro

1.1 Direito Português

Arts. 227º a 229º-A do Código Penal Português

Art. 227º. Insolvência dolosa

1 – O devedor que com intenção de prejudicar os credores: a) destruir, danificar, inutilizar ou fizer desaparecer parte do seu património; b) diminuir ficticiamente o seu activo, dissimulando coisas, invocando dívidas supostas, reconhecendo créditos fictícios, incitando terceiros a apresentá-los, ou simulando, por qualquer outra forma, uma situação patrimonial inferior à realidade, nomeadamente por meio de contabilidade inexacta, falso balanço, destruição ou ocultação de documentos contabilísticos ou não organizando a contabilidade apesar de devida; c) criar ou agravar artificialmente prejuízos ou reduzir lucros; ou d) para retardar falência, comprar mercadorias a crédito, com o fim de as vender ou utilizar em pagamento por preço sensivelmente inferior ao corrente; é punido, se ocorrer a situação de insolvência e esta vier a ser reconhecida judicialmente, com pena de prisão até cinco anos ou com pena de multa até seiscentos dias.

2 – O terceiro que praticar algum dos factos descritos no n. 1 deste artigo, com o conhecimento do devedor ou em benefício deste, é punido com a pena prevista nos números anteriores, conforme os casos, especialmente atenuada.

3 – Sem prejuízo do disposto no art. 12º, é punível nos termos dos ns. 1 e 2 deste artigo, no caso de o devedor ser pessoa colectiva, sociedade ou mera associação de facto, quem tiver exercido de facto a respectiva gestão ou direcção efectiva e houver praticado algum dos factos previstos no n. 1.

Art. 227º-A. Frustração de créditos

1 – O devedor que, após prolação de sentença condenatória exequível, destruir, danificar, fizer desaparecer, ocultar ou sonegar parte do seu património, para dessa forma intencionalmente frustrar, total ou parcialmente, a satisfação

de um crédito de outrem, é punido se, instaurada a acção executiva, nela não se conseguir satisfazer inteiramente os direitos do credor, com pena de prisão até três anos ou com pena de multa.

2 – É correspondentemente aplicável o disposto nos ns. 2 e 3 do artigo anterior.

Art. 228º. Insolvência negligente

1 – O devedor que: a) por grave incúria ou imprudência, prodigalidade ou despesas manifestamente exageradas, especulações ruinosas, ou grave negligência no exercício da sua actividade, criar um estado de insolvência; ou b) tendo conhecimento das dificuldades económicas e financeiras da sua empresa, não requerer em tempo nenhuma providência de recuperação; é punido, se ocorrer a situação de insolvência e esta vier a ser reconhecida judicialmente, com pena de prisão até um ano ou com pena de multa até cento e vinte dias.

2 – É correspondentemente aplicável o disposto no n. 3 do art. 227º.

Art. 229º. Favorecimento de credores

1 – O devedor que, conhecendo a sua situação de insolvência ou prevendo a sua iminência e com intenção de favorecer certos credores em prejuízo de outros, solver dívidas ainda não vencidas ou as solver de maneira diferente do pagamento em dinheiro ou valores usuais, ou der garantias para suas dívidas a que não era obrigado, é punido com pena de prisão até dois anos ou com pena de multa até duzentos e quarenta dias, se vier a ser reconhecida judicialmente a insolvência.

2 – É correspondentemente aplicável o disposto no n. 3 do art. 227º.

Art. 229º-A. Agravação

As penas previstas no n. 1 do art. 227º, no n. 1 do art. 227º-A, no n. 1 do art. 228º e no n. 1 do art. 229º são agravadas de um terço, nos seus limites mínimo e máximo, se, em consequência da prática de qualquer dos factos ali descritos, resultarem frustrados créditos de natureza laboral, em sede de processo executivo ou processo especial de insolvência.

1.2 Direito Italiano

R.D. 267, de 16.3.1942, arts. 216 e ss.

Art. 216. **Bancarotta fraudolenta.** È punito con la reclusione da tre a dieci anni, se è dichiarato fallito, l'imprenditore che: 1) ha distratto, occultato, dissimulato, distrutto o dissipato in tutto o in parte i suoi beni ovvero, allo scopo di recare pregiudizio ai creditori, ha esposto o riconosciuto passività inesistenti; 2) ha sottratto, distrutto o falsificato, in tutto o in parte, con lo scopo di procurare a sé o ad altri un ingiusto profitto o di recare pregiudizi ai creditori, i libri o le altre scritture contabili o li ha tenuti in guisa da non rendere possibile la ricostruzione del patrimonio o del movimento degli affari. La stessa pena si applica all'imprenditore, dichiarato fallito, che, durante la procedura fallimentare, commette alcuno dei fatti preveduti dal n. 1 del comma precedente ovvero sottrae, distrugge o falsifica i libri o le altre scritture contabili. È punito con la reclusione da uno a cinque anni il fallito che, prima o durante la procedura fallimentare, a scopo di favorire, a danno dei creditori, taluno di essi, esegue pagamenti o simula titoli di prelazione. Salve le altre pene accessorie, di cui al capo III, titolo II, libro I del codice penale, la condanna per uno dei fatti previsti nel presente articolo importa per la durata di dieci anni l'inabilitazione all'esercizio di una impresa commerciale e l'incapacità per la stessa durata ad esercitare uffici direttivi presso qualsiasi impresa.

Art. 217. **Bancarotta semplice.** È punito con la reclusione da sei mesi a due anni, se è dichiarato fallito, l'imprenditore che, fuori dai casi preveduti nell'articolo precedente: 1) ha fatto spese personali o per la famiglia eccessive rispetto alla sua condizione economica; 2) ha consumato una notevole parte del suo patrimonio in operazioni di pura sorte o manifestamente imprudenti; 3) ha compiuto operazioni di grave imprudenza per ritardare il fallimento; 4) ha aggravato il proprio dissesto, astenendosi dal richiedere la dichiarazione del proprio fallimento o con altra grave colpa; 5) non ha soddisfatto le obbligazioni assunte in un precedente concordato preventivo o fallimentare. La stessa pena si applica al fallito che, durante i tre anni antecedenti alla dichiarazione di fallimento ovvero dall'inizio dell'impresa, se questa ha avuto una minore durata, non ha tenuto i libri e le altre scritture contabili prescritti dalla legge o li ha tenuti in maniera irregolare o incompleta. Salve le altre pene accessorie di cui al capo III, titolo II, libro I, del codice penale, la condanna importa l'inabilitazione all'esercizio di un'impresa commerciale e l'incapacità ad esercitare uffici direttivi presso qualsiasi impresa fino a due anni.

Art. 218. **Ricorso abusivo al credito.** Salvo che il fatto costituisca un reato più grave, è punito con la reclusione fino a due anni l'imprenditore esercente un'attività commerciale che, ricorre o continua a ricorrere al credito, dissimulando il proprio dissesto. Salve le altre pene accessorie di cui al capo III, titolo II, libro I, del codice penale, la condanna importa l'inabilitazione all'esercizio di un'impresa commerciale e l'incapacità ad esercitare uffici direttivi presso qualsiasi impresa fino a tre anni.

Art. 219. **Circostanze aggravanti e circostanza attenuante.** Nel caso in cui i fatti previsti negli artt. 216, 217 e 218 hanno cagionato un danno patrimoniale di rilevante gravità, le pene da essi stabilite sono aumentate fino alla metà. Le pene stabilite negli articoli suddetti sono aumentate: 1) se il colpevole ha commesso più fatti tra quelli previsti in ciascuno degli articoli indicati; 2) se il colpevole per divieto di legge non poteva esercitare un'impresa commerciale. Nel caso in cui i fatti indicati nel primo comma hanno cagionato un danno patrimoniale di speciale tenuità, le pene sono ridotte fino al terzo.

Art. 220. **Denuncia di creditori inesistenti e altre inosservanze da parte del fallito.** È punito con la reclusione da sei a diciotto mesi il fallito il quale, fuori dei casi preveduti all'art. 216, nell'elenco nominativo dei suoi creditori denuncia creditori inesistenti od omette di dichiarare l'esistenza di altri beni da comprendere nell'inventario, ovvero non osserva gli obblighi imposti dagli art. 16, nn. 3 e 49. Se il fatto è avvenuto per colpa, si applica la reclusione fino ad un anno.

Art. 221. **Fallimento con procedimento sommario.** Se al fallimento si applica il procedimento sommario le pene previste in questo capo sono ridotte fino al terzo.

Art. 222. **Fallimento delle società in nome collettivo e in accomandita semplice.** Nel fallimento delle società in nome collettivo e in accomandita semplice le disposizioni del presente capo si applicano ai fatti commessi dai soci illimitatamente responsabili.

Capo II – Reati commessi da persone diverse dal fallito

Art. 223. **Fatti di bancarotta fraudolenta.** Si applicano le pene stabilite nell'art. 216 agli amministratori, ai direttori generali, ai sindaci e ai liquidatori di società dichiarate fallite, i quali hanno commesso alcuno dei fatti preveduti nel suddetto articolo. Si applica alle persone suddette la pena prevista dal primo comma dell'art. 216, se: 1) hanno cagionato, o concorso a cagionare, il dissesto della società, commettendo alcuno dei fatti previsti dagli artt. 2.621, 2.622, 2.626, 2.627, 2.628, 2.629, 2.632, 2.633 e 2.634 del codice civile; 2) hanno cagionato con dolo o per effetto di operazioni dolose il fallimento della società. Si applica altresì in ogni caso la disposizione dell'ultimo comma dell'art. 216.

Art. 224. **Fatti di bancarotta semplice.** Si applicano le pene stabilite nell'art. 217 agli amministratori, ai direttori generali, ai sindaci e ai liquidatori di società dichiarate fallite, i quali: 1) hanno commesso alcuno dei fatti preveduti nel suddetto articolo; 2) hanno concorso a cagionare od aggravare il dissesto della società con inosservanza degli obblighi ad essi imposti dalla legge.

Art. 225. **Ricorso abusivo al credito.** Si applicano le pene stabilite nell'art. 218 agli amministratori ed ai direttori generali di società dichiarate fallite, i quali hanno commesso il fatto in esso previsto.

Art. 226. **Denuncia di crediti inesistenti.** Si applicano le pene stabilite nell'art. 220 agli amministratori, ai direttori generali e ai liquidatori di società dichiarate fallite, che hanno commesso i fatti in esso indicati.

Art. 227. **Reati dell'institore.** All'institore dell'imprenditore, dichiarato fallito, il quale nella gestione affidatagli si è reso colpevole dei fatti preveduti negli artt. 216, 217, 218 e 220 si applicano le pene in questi stabilite.

Art. 228. **Interesse privato del curatore negli atti del fallimento.** Salvo che al fatto non siano applicabili gli artt. 315, 317, 318, 319, 321, 322 e 323 del codice penale, il curatore che prende interesse privato in qualsiasi atto del fallimento direttamente o per interposta persona o con atti simulati è punito con la reclusione da due a sei anni e con la multa non inferiore a lire 400.000. La condanna importa l'interdizione dai pubblici uffici.

Art. 229. **Accettazione di retribuzione non dovuta.** Il curatore del fallimento che riceve o pattuisce una retribuzione, in danaro o in altra forma, in aggiunta di quella liquidata in suo favore dal tribunale o dal giudice delegato, è punito con la reclusione da tre mesi a due anni e con la multa da lire 200.000 a 1.000.000. Nei casi più gravi alla condanna può aggiungersi l'inabilitazione temporanea all'ufficio di amministratore per la durata non inferiore a due anni.

Art. 230. **Omessa consegna o deposito di cose del fallimento.** Il curatore che non ottempera all'ordine del giudice di consegnare o depositare somme o altra cosa del fallimento, ch'egli detiene a causa del suo ufficio, è punito con la reclusione fino a due anni e con la multa fino a lire 2.000.000. Se il fatto avviene per colpa, si applica la reclusione fino a sei mesi o la multa fino a lire 600.000.

Art. 231. **Coadiutori del curatore.** Le disposizioni degli artt. 228, 229 e 230 si applicano anche alle persone che coadiuvano il curatore nell'amministrazione del fallimento.

Art. 232. **Domande di ammissione di crediti simulati o distrazioni senza concorso col fallito.** È punito con la reclusione da uno a cinque anni e con la multa da lire 100.000 a 1.000.000, chiunque fuori dei casi di concorso di bancarotta anche per interposta persona presenta domanda di ammissione al passivo del fallimento per un credito fraudolentemente simulato. Se la domanda è ritirata prima della verificazione dello stato passivo, la pena è ridotta alla metà. È punito con la reclusione da uno a cinque anni chiunque: 1) dopo la dichiarazione di fallimento, fuori dei casi di concorso in bancarotta o di favoreggiamento, sottrae, distrae, ricetta ovvero in pubbliche o private dichiarazioni dissimula beni del fallito; 2) essendo consapevole dello stato di dissesto dell'imprenditore distrae o ricetta merci o altri beni dello stesso o li acquista a prezzo notevolmente inferiore al valore corrente, se il fallimento si verifica. La pena, nei casi previsti ai nn. 1 e 2, è aumentata se l'acquirente è un imprenditore che esercita un'attività commerciale.

Art. 233. **Mercato di voto.** Il creditore che stipula col fallito o con altri nell'interesse del fallito vantaggi a proprio favore per dare il suo voto nel concordato o nelle deliberazioni del comitato dei creditori è punito con la reclusione da sei mesi a tre anni e con la multa non inferiore a lire 200.000. La somma o le cose ricevute dal creditore sono confiscate. La stessa pena si applica al fallito e a chi ha contrattato col creditore nell'interesse del fallito.

Art. 234. **Esercizio abusivo di attività commerciale.** Chiunque esercita un'impresa commerciale, sebbene si trovi in stato di inabilitazione ad esercitarla per effetto di condanna penale, è punito con la reclusione fino a due anni e con la multa non inferiore a lire 200.000.

Art. 235. **Omessa trasmissione dell'elenco dei protesti cambiari.** Il pubblico ufficiale abilitato a levare protesti cambiari che, senza giustificato motivo, omette di inviare nel termine prescritto al presidente del tribunale gli elenchi dei protesti cambiari per mancato pagamento, o invia elenchi incompleti, è punito con la sanzione amministrativa da lire 500.000 a lire 3.000.000. La stessa pena si applica al procuratore del registro che nel termine prescritto non trasmette l'elenco delle dichiarazioni di rifiuto di pagamento a norma dell'art. 13, secondo comma, o trasmette un elenco incompleto.

1.3 Direito Espanhol

Código Penal, Capítulo VII do Título XIII

Art. 257.1. Será castigado con las penas de prisión de uno a cuatro años y multa de doce a veinticuatro meses: El que se alce con sus bienes en perjuicio de sus acreedores. Quien con el mismo fin realice cualquier acto de disposición patrimonial o generador de obligaciones que dilate, dificulte o impida la eficacia de un embargo o de un procedimiento ejecutivo o de apremio, judicial, extrajudicial o administrativo, iniciado o de previsible iniciación. 2. Lo dispuesto en el presente artículo será de aplicación cualquiera que sea la naturaleza u origen de la obligación o deuda cuya satisfacción o pago se intente eludir, incluidos los derechos económicos de los trabajadores, y con independencia de que el acreedor sea un particular o cualquier persona jurídica, pública o privada. 3. Este delito será perseguido aun cuando tras su comisión se iniciara una ejecución concursal.

Art. 258. El responsable de cualquier hecho delictivo que, con posterioridad a su comisión, y con la finalidad de eludir el cumplimiento de las responsabilidades civiles dimanantes del mismo, realizare actos de disposición o contrajere obligaciones que disminuyan su patrimonio, haciéndose total o parcialmente insolvente, será castigado con la pena de prisión de uno a cuatro años y multa de doce a veinticuatro meses.

Art. 259. Será castigado con la pena de uno a cuatro años de prisión y multa de doce a veinte y cuatro meses el deudor que, una vez admitida a trámite la solicitud de concurso, sin estar autorizado para ello ni judicialmente ni por los administradores concursales, y fuera de los casos permitidos por la ley, realice cualquier acto de disposición patrimonial o generador de obligaciones, destinado a pagar a uno o varios acreedores, privilegiados o no, con posposición del resto.

Art. 260. 1. El que fuere declarado en concurso será castigado con la pena de prisión de dos a seis años y multa de ocho a veinte y cuatro meses, cuando la situación de crisis económica o la insolvencia sea causada o agravada dolosamente por el deudor o persona que actúe en su nombre. 2. Se tendrá en cuenta para graduar la pena la cuantía del perjuicio inferido a los acreedores, su número y condición económica. 3. Este delito y los delitos singulares relacionados con él, cometidos por el deudor o persona que haya actuado en su nombre, podrán perseguirse sin esperar a la conclusión del proceso civil y sin perjuicio de la continuación de este. El importe de la responsabilidad civil derivada de dichos delitos deberá incorporarse, en su caso, a la masa. 4. En ningún caso la calificación de la insolvencia en el proceso civil vincula a la jurisdicción penal.

Art. 261. El que en procedimiento concursal presentare, a sabiendas, datos falsos relativos al estado contable, con el fin de lograr indebidamente la declaración de aquel, será castigado con la pena de prisión de uno a dos años y multa de seis a doce meses.

1.4 Direito Francês

Code de Commerce, Livro V, Capítulo IV ("De la Banqueroute et des Autres Infractions"), com as modificações introduzidas pela "Ordonnance 2008-1.345", de 18.12.2008

De la banqueroute

Art. L654-1. Les dispositions de la présente Section sont applicables:

1º. A toute personne exerçant une activité commerciale ou artisanale, à tout agriculteur et à toute personne physique exerçant une activité professionnelle indépendante, y compris une profession libérale soumise à un statut législatif ou réglementaire ou dont le titre est protégé.

2º. A toute personne qui a, directement ou indirectement, en droit ou en fait, dirigé ou liquidé une personne morale de droit privé.

3º. Aux personnes physiques représentants permanents de personnes morales dirigeants des personnes morales définies au 2º ci-dessus.

Art. L654-2. En cas d'ouverture d'une procédure de redressement judiciaire ou de liquidation judiciaire, sont coupables de banqueroute les personnes mentionnées à l'art. L654-1 contre lesquelles a été relevé l'un des faits ci-après:

1º. Avoir, dans l'intention d'éviter ou de retarder l'ouverture de la procédure de redressement judiciaire ou de liquidation judiciaire, soit fait des achats en vue d'une revente au-dessous du cours, soit employé des moyens ruineux pour se procurer des fonds.

2º. Avoir détourné ou dissimulé tout ou partie de l'actif du débiteur.

3º. Avoir frauduleusement augmenté le passif du débiteur.

4º. Avoir tenu une comptabilité fictive ou fait disparaître des documents comptables de l'entreprise ou de la personne morale ou s'être abstenu de tenir toute comptabilité lorsque les textes applicables en font obligation.

5º. Avoir tenu une comptabilité manifestement incomplète ou irrégulière au regard des dispositions légales.

Art. L654-3. La banqueroute est punie de cinq ans d'emprisonnement et de 75000 euros d'amende.

Art. L654-4. Lorsque l'auteur ou le complice de banqueroute est un dirigeant d'une entreprise prestataire de services d'investissement, les peines sont portées à sept ans d'emprisonnement et 100 000 euros d'amende.

Art. L654-5. Les personnes physiques coupables des infractions prévues par les arts. L654-3 et L654-4 encourent également les peines complémentaires suivantes:

1º. L'interdiction des droits civiques, civils et de famille, suivant les modalités de l'art. 131-26 du code pénal.

2º. L'interdiction, suivant les modalités prévues par l'art. 131-27 du code pénal, soit d'exercer une fonction publique ou d'exercer l'activité professionnelle ou sociale dans l'exercice ou à l'occasion de l'exercice de laquelle l'infraction a été commise, soit d'exercer une profession commerciale ou industrielle, de diriger, d'administrer, de gérer ou de contrôler à un titre quelconque, directement ou indirectement, pour son propre compte ou pour le compte d'autrui, une entreprise commerciale ou industrielle ou une société commerciale. Ces interdictions d'exercice peuvent être prononcées cumulativement.

3º. L'exclusion des marchés publics pour une durée de cinq ans au plus.

4º. L'interdiction, pour une durée de cinq ans au plus, d'émettre des chèques autres que ceux qui permettent le retrait de fonds par le tireur auprès du tiré ou ceux qui sont certifiés.

5º. L'affichage ou la diffusion de la décision prononcée dans les conditions prévues par l'art.e 131-35 du code pénal.

Art. L654-6. La juridiction répressive qui reconnaît l'une des personnes mentionnées à l'art. L654-1 coupable de banqueroute peut, en outre, dans les conditions prévues au premier alinéa de l'art. L653-11, prononcer soit la faillite personnelle de celle-ci, soit l'interdiction prévue à l'art. L653-8, à moins qu'une juridiction civile ou commerciale ait déjà prononcé une telle mesure par une décision définitive prise à l'occasion des mêmes faits.

Art. L654-7. Les personnes morales déclarées responsables pénalement des infractions prévues par les arts. L654-3 et L654-4 encourent les peines suivantes:

1º. L'amende, suivant les modalités prévues par l'art. 131-38 du code pénal.

2º. Les peines mentionnées à l'art. 131-39 du code pénal.

L'interdiction mentionnée au 2º de l'art. 131-39 du code pénal porte sur l'activité dans l'exercice ou à l'occasion de l'exercice de laquelle l'infraction a été commise.

1.5 Direito Alemão,

Código Penal Alemão (StGB – Strafgesetzbuch) – Seção Vigésima Quarta (Insolvenzstraftaten – Insolvenzdelikt)

Vierundzwanzigster Abschnitt – Insolvenzstraftaten

§ 283. Bankrott

(1) Mit Freiheitsstrafe bis zu fünf Jahren oder mit Geldstrafe wird bestraft, wer bei Überschuldung oder bei drohender oder eingetretener Zahlungsunfähigkeit

1. Bestandteile seines Vermögens, die im Falle der Eröffnung des Insolvenzverfahrens zur Insolvenzmasse gehören, beiseite schafft oder verheimlicht oder in einer den Anforderungen einer ordnungsgemäßen Wirtschaft widersprechenden Weise zerstört, beschädigt oder unbrauchbar macht,

2. in einer den Anforderungen einer ordnungsgemäßen Wirtschaft widersprechenden Weise Verlust- oder Spekulationsgeschäfte oder Differenzgeschäfte mit Waren oder Wertpapieren eingeht oder durch unwirtschaftliche Ausgaben, Spiel oder Wette übermäßige Beträge verbraucht oder schuldig wird,

3. Waren oder Wertpapiere auf Kredit beschafft und sie oder die aus diesen Waren hergestellten Sachen erheblich unter ihrem Wert in einer den Anforderungen einer ordnungsgemäßen Wirtschaft widersprechenden Weise veräußert oder sonst abgibt,

4. Rechte anderer vortäuscht oder erdichtete Rechte anerkennt,

5. Handelsbücher, zu deren Führung er gesetzlich verpflichtet ist, zu führen unterläßt oder so führt oder verändert, daß die Übersicht über seinen Vermögensstand erschwert wird,

6. Handelsbücher oder sonstige Unterlagen, zu deren Aufbewahrung ein Kaufmann nach Handelsrecht verpflichtet ist, vor Ablauf der für Buchführungspflichtige bestehenden Aufbewahrungsfristen beiseite schafft, verheimlicht, zerstört oder beschädigt und dadurch die Übersicht über seinen Vermögensstand erschwert,

7. entgegen dem Handelsrecht

a) Bilanzen so aufstellt, daß die Übersicht über seinen Vermögensstand erschwert wird, oder

b) es unterläßt, die Bilanz seines Vermögens oder das Inventar in der vorgeschriebenen Zeit aufzustellen, oder.

8. in einer anderen, den Anforderungen einer ordnungsgemäßen Wirtschaft grob widersprechenden Weise seinen Vermögensstand verringert oder seine wirklichen geschäftlichen Verhältnisse verheimlicht oder verschleiert.

(2) Ebenso wird bestraft, wer durch eine der in Absatz 1 bezeichneten Handlungen seine Überschuldung oder Zahlungsunfähigkeit herbeiführt.

(3) Der Versuch ist strafbar.

(4) Wer in den Fällen

1. des Absatzes 1 die Überschuldung oder die drohende oder eingetretene Zahlungsunfähigkeit fahrlässig nicht kennt oder

2. des Absatzes 2 die Überschuldung oder Zahlungsunfähigkeit leichtfertig verursacht, wird mit Freiheitsstrafe bis zu zwei Jahren oder mit Geldstrafe bestraft.

(5) Wer in den Fällen

1. des Absatzes 1 Nr. 2, 5 oder 7 fahrlässig handelt und die Überschuldung oder die drohende oder eingetretene Zahlungsunfähigkeit wenigstens fahrlässig nicht kennt oder

2. des Absatzes 2 in Verbindung mit Absatz 1 Nr. 2, 5 oder 7 fahrlässig handelt und die Überschuldung oder Zahlungsunfähigkeit wenigstens leichtfertig verursacht, wird mit Freiheitsstrafe bis zu zwei Jahren oder mit Geldstrafe bestraft.

(6) Die Tat ist nur dann strafbar, wenn der Täter seine Zahlungen eingestellt hat oder über sein Vermögen das Insolvenzverfahren eröffnet oder der Eröffnungsantrag mangels Masse abgewiesen worden ist.

§ 283a. Besonders schwerer Fall des Bankrotts

In besonders schweren Fällen des § 283 Abs. 1 bis 3 wird der Bankrott mit Freiheitsstrafe von sechs Monaten bis zu zehn Jahren bestraft. Ein besonders schwerer Fall liegt in der Regel vor, wenn der Täter

1. aus Gewinnsucht handelt oder

2. wissentlich viele Personen in die Gefahr des Verlustes ihrer ihm anvertrauten Vermögenswerte oder in wirtschaftliche Not bringt.

§ 283b. Verletzung der Buchführungspflicht

(1) Mit Freiheitsstrafe bis zu zwei Jahren oder mit Geldstrafe wird bestraft, wer

1. Handelsbücher, zu deren Führung er gesetzlich verpflichtet ist, zu führen unterläßt oder so führt oder verändert, daß die Übersicht über seinen Vermögensstand erschwert wird,

2. Handelsbücher oder sonstige Unterlagen, zu deren Aufbewahrung er nach Handelsrecht verpflichtet ist, vor Ablauf der gesetzlichen Aufbewahrungsfristen beiseite schafft, verheimlicht, zerstört oder beschädigt und dadurch die Übersicht über seinen Vermögensstand erschwert,

3. entgegen dem Handelsrecht

a) Bilanzen so aufstellt, daß die Übersicht über seinen Vermögensstand erschwert wird, oder

b) es unterläßt, die Bilanz seines Vermögens oder das Inventar in der vorgeschriebenen Zeit aufzustellen.

(2) Wer in den Fällen des Absatzes 1 Nr. 1 oder 3 fahrlässig handelt, wird mit Freiheitsstrafe bis zu einem Jahr oder mit Geldstrafe bestraft.

(3) § 283 Abs. 6 gilt entsprechend.

§ 283c. Gläubigerbegünstigung

(1) Wer in Kenntnis seiner Zahlungsunfähigkeit einem Gläubiger eine Sicherheit oder Befriedigung gewährt, die dieser nicht oder nicht in der Art oder nicht zu der Zeit zu beanspruchen hat, und ihn dadurch absichtlich oder wissentlich vor den übrigen

Gläubigern begünstigt, wird mit Freiheitsstrafe bis zu zwei Jahren oder mit Geldstrafe bestraft.

(2) Der Versuch ist strafbar.

(3) § 283 Abs. 6 gilt entsprechend.

§ 283d. Schuldnerbegünstigung

(1) Mit Freiheitsstrafe bis zu fünf Jahren oder mit Geldstrafe wird bestraft, wer

1. in Kenntnis der einem anderen drohenden Zahlungsunfähigkeit oder

2. nach Zahlungseinstellung, in einem Insolvenzverfahren oder in einem Verfahren zur Herbeiführung der Entscheidung über die Eröffnung des Insolvenzverfahrens eines anderen Bestandteile des Vermögens eines anderen, die im Falle der Eröffnung des Insolvenzverfahrens zur Insolvenzmasse gehören, mit dessen Einwilligung oder zu dessen Gunsten beiseite schafft oder verheimlicht oder in einer den Anforderungen einer ordnungsgemäßen Wirtschaft widersprechenden Weise zerstört, beschädigt oder unbrauchbar macht.

(2) Der Versuch ist strafbar.

(3) In besonders schweren Fällen ist die Strafe Freiheitsstrafe von sechs Monaten bis zu zehn Jahren. Ein besonders schwerer Fall liegt in der Regel vor, wenn der Täter

1. aus Gewinnsucht handelt oder

2. wissentlich viele Personen in die Gefahr des Verlustes ihrer dem anderen anvertrauten Vermögenswerte oder in wirtschaftliche Not bringt.

(4) Die Tat ist nur dann strafbar, wenn der andere seine Zahlungen eingestellt hat oder über sein Vermögen das Insolvenzverfahren eröffnet oder der Eröffnungsantrag mangels Masse abgewiesen worden ist.

2. DIREITO ANTERIOR

2.1 Decreto 917, de 24.11.1890

Reformou o Código Comercial na Parte III, relativa às falências – Título VII (Classificação da falência e os crimes que dela decorrem)

Título VII – Da Classificação da Fallencia e dos Crimes que Della Decorrem

Art. 77. O processo criminal contra o fallido correrá em auto apartado, distincto e independente do commercial; não poderá, porém, ser iniciado antes de declarada a fallencia.

Art. 78. É competente para qualificar a fallencia o juiz que a declarou.

§ 1º. O curador fiscal promoverá perante elle o processo contra o fallido, seus cumplices e mais pessoas culpadas com relação á fallencia.

§ 2º. A petição inicial preencherá os requisitos da denuncia exigidos pelo Codigo do Processo Criminal, e será instruida com o relatorio e mais documentos que tiverem sido exhibidos na primeira reunião dos credores, e com certidão da sentença de declaração da fallencia.

§ 3º. Autoadas essas peças, o processo será o da formação da culpa nos crimes communs, com todos os recursos e garantias individuaes estabelecidos no Codigo do Processo Criminal e mais leis.

§ 4º. Qualquer credor poderá e o promotor publico deverá requerer o que for a bem da justiça.

§ 5º. As autoridades policiaes remetterão ao juiz processante os inqueritos a que procederem durante o summario.

§ 6º. Findo o interrogatorio do fallido e produzida a defesa no summario, o curador fiscal e o promotor publico emittirão parecer sobre a qualificação da fallencia.

§ 7º. Conclusos os autos ao juiz, este poderá ordenar as diligencias que julgar necessarias e, cumpridas, qualificará a fallencia casual, ou culposa, ou fraudulenta; nos dous ultimos casos pronunciará os indiciados, dando-lhes recurso para o superior competente.

APÊNDICE

Art. 79. A fallencia será qualificada: a) casual, quando proceder de accidentes, casos fortuitos ou força maior, ou não concorrer circumstancia pela qual deva ser qualificada culposa ou fraudulenta; b) culposa, quando occorrer algum dos seguintes factos: I – excesso de despezas no tratamento pessoal do fallido em relação ao seu cabedal, numero de pessoas de familia e especie do negocio; II – venda por menos do preço corrente de effeitos comprados nos seis mezes anteriores á epoca legal da fallencia e ainda não pagos, si foi feita com intenção de retardar a declaração da fallencia; III – emprego de meios ruinosos para obter recursos e retardar e declaração da fallencia; IV – abuso de acceites, endosos e responsabilidades de mero favor; c) fraudulenta, quando occorrer algum dos seguintes factos: I – despezas ou perdas ficticias, falta de justificação do emprego de todas as receitas; II – occultação no balanço de qualquer somma de dinheiro, de quaesquer bens ou titulos, inclusão de dividas acitvas pagas ou prescriptas; III – desvio ou applicação de fundos ou valores de que seja depositario ou mandatario; IV – vendas, negociações ou doações feitas ou dividas contrahidas com simulação ou fingimento; V – compra de bens em nome de terceira pessoa, ainda que conjuge, ascendentes e descendentes e irmãos; VI – falta pelo menos do 'Diario', ainda sem as formalidades legaes, uma vez que tal omissão não induza fraude ou intuito de prejudicar os credores; VII – falsificação ou truncamento do 'Diario' ou do 'Copiador'; VIII – falta de archivamento e lançamento no registro do commercio, dentro de quinze dias subsequentes á celebração do casamento (art. 31 do Cod. Comm.), do contracto ante-nupcial, sendo o marido commerciante ao tempo do casamento; desse contracto e dos titulos dos bens incommunicaveis da mulher, dentro de quinze dias subsequentes ao começo do exercicio do commercio, quanto ao contracto ante-nupcial, e, dentro de trinta dias subsequentes á acquisição, quanto aos referidos bens; e dos titulos de acquisição de bens que não possam ser obrigados por dividas nos prazos aqui indicados; IX – perdas avultadas em jogos de qualquer especie e sob qualquer fórma, inclusive os chamados da Bolsa; X – o officio de corretor ou agente de leilões, embora tenha o fallido deixado de exercer taes funcções, uma vez que a fallencia proceda do tempo em que as tiver exercido; XI – o exercicio do commercio sob firma ou razão commercial que não pudesse ser inscripta no registro.

Paragrapho unico. As regras da cumplicidade estabelecidas no codigo penal prevalecerão em toda a sua extensão e effeitos no caso de fallencia fraudulenta.

Art. 80. Incorrerá nas penas de fallencia culposa, salvo a fraude, caso em que serão applicadas as da fraudulenta: I – o fallido que, deposi da declaração da fallencia ou do sequestro, praticar algum acto nullo ou annullavel; II – o fallido que tiver os livros escripturados de fórma a difficultar ou tornar obscura a verificação ou a liquidação quer do activo quer do passivo; III – o devedor que no prazo legal não se declarar fallido, si da omissão resultar que fique fóra da influencia da epoca legal da fallencia algum acto que dentro dessa epoca seria nullo ou annullavel; IV – o fallido que, occultando-se, ausentando-se, não comparecendo, negando informações ou esquivando-se de auxiliar os syndicos e o curador fiscal, crear embaraços de qualquer especie ao andamento ao processo commercial; V – o concordatario e o que tiver obtido moratoria, si por negligencia, descuido ou algum outro acto de culpa concorrer para a deterioração da massa e consequente rescisão da concordata e declaração de fallencia.

Art. 81. Incorrerá nas penas de fallencia fraudulenta: I – o devedor que por meio de fraude ou simulação obtiver moratoria, concordata preventiva da fallencia ou o beneficio da cessão de bens; II – o devedor que obtiver moratoria, concordata ou cessão de bens, prevalecendo-se de algum facto que qualifica de fraudulenta a fallencia; III – qualquer pessoa, inclusive guarda-livros, que se mancommunar com o devedor para fraudar os credores ou o auxiliar para occultar ou desviar bens, seja qual for a sua especie, quer antes quer depois da declaração da fallencia; IV – qualquer pessoa que se apresentar com credito simulado; V – qualquer pessoa que occultar ou recusar aos syndicos ou curador fiscal a entrega de bens, creditos ou titulos que tenha do fallido; admittir, depois de publicada a declaração da fallencia, cessão ou endossos do fallido ou com elle celebrar algum contracto ou transacção; VI – o credor legitimo que fizer concerto com o devedor em prejuizo da massa ou transigir com o seu voto para obter vantagens para si nas deliberações e actos de concordata, preventiva ou não, cessão de bens, moratoria, quitação e rehabilitação; VII – o corretor que intervier em qualquer operação mercantil do fallido depois de declarada e publicada a fallencia.

Art. 82. Os crimes de que tratam os arts. 79-b até 84 serão julgados pelo juiz de direito criminal do districto da séde do estabelecimento do fallido, e por dous adjuntos deputados da Junta Commercial, sorteados pelo juiz na vespera do julgamento, e de cuja suspeição conhecerá o mesmo juiz de direito.

§ 1º. Nos logares que não forem séde de Junta Commercial, mas onde houver Associação Commercial, esta, de seis em seis mezes, elegerá, dentre os seus membros brazileiros, vinte e quatro jurados, e dous destes, sorteados de vespera pelo juiz de direito, com elle procederão como adjuntos ao julgamento, observado o disposto sobre suspeição.

§ 2º. Nos demais logares, o julgamento competirá exclusivamente ao juiz de direito.

§ 3º. A suspeição será opposta por petição. Ouvido o recusado por quarenta e oito horas, dar-se-ha ao recusante igual prazo para prova, findo o qual o juiz julgará sem recurso. Si a sentença reconhecer a suspeição, será, do mesmo modo, sorteado outro adjunto.

Art. 83. A fórma do processo do julgamento será a do Decreto n. 707, de 9 de outubro de 1850.

§ 1º. Quando o julgamento tiver de ser proferido pelo juiz de direito com os dous adjuntos, deputados da Junta Commercial ou membros da Associação Commercial, farão elles conferencia secreta, e lavrarão sentença conforme o voto da maioria.

§ 2º. Da sentença poderão appellar o réo e o promotor publico, nos effeitos regulares.

Art. 84. A sentença criminal condemnatoria em fallencia fraudulenta ou por crime a ella equiparado, além dos effeitos estabelecidos no Codigo Penal, produzirá: a) o de annullar a quitação dada ao fallido; b) o de rescindir a concordata por pagamento, preventiva ou não, ainda não cumprida, e a moratoria; c) o de annullar, independente de sentença civel ou commercial, os actos criminados e de obrigar á restituição dos bens a que se referirem.

Art. 85. O curador fiscal, os syndicos e os membros da commissão fiscal ficarão sujeitos á responsabilidade civil e criminal pelos actos que praticarem em opposição aos interesses a seu cargo, sendo equiparados para os effeitos da penalidade aos empregados publicos.

2.2 Lei 859, de 16.8.1902

Título VII (classificação das falências e os crimes que dela decorrem)

Título VII – Da Classificação da Fallencia e dos Crimes que Della decorrem

Art. 84. O processo criminal contra o fallido correrá em auto apartado, distincto e independente do commercial; não poderá, porém, ser iniciado antes de declarada a fallencia.

Art. 85. É competente para qualificar a fallencia o juiz que a declarou.

§ 1º. O curador das massas fallidas promoverá perante este o processo contra o fallido, seus cumplices e mais pessoas culpadas.

§ 2º. Quando o syndico provisorio e a commissão fiscal em seu relatorio mencionarem qualquer dos factos enumerados nos ns. 1 e 2 do art. 50, o syndico definitivo é obrigado, sob pena de destituição, a promover o processo contra o fallido, nos termos do paragrapho antecedente, si o não fizer o curador fiscal.

§ 3º. A petição inicial preencherá todos os requisitos exigidos pelas leis do processo criminal, será instruida com a cópia de todo o processado até a concessão ou denegação da concordata, e apresentada dentro do prazo de quinze dias, a contar do recebimento dessa cópia.

§ 4º. Autoadas essas peças, o processo será o da formação da culpa nos crimes communs, com todos os recursos e garantias individuaes estabelecidos nas respectivas leis.

§ 5º. Qualquer credor poderá, e o promotor publico deverá requerer o que for a bem da justiça.

§ 6º. As autoridades policiaes remetterão ao juiz processante os inqueritos a que procederem durante o summario.

§ 7º. Findo o interrogatorio do fallido e produzida a defesa no summario, o curador fiscal e o promotor publico emittirão parecer sobre a qualificação da fallencia.

§ 8º. Conclusos os autos ao juiz, este poderá ordenar as diligencias que julgar necessarias e, cumpridas, qualificará a fallencia casual, culposa, ou fraudulenta; nos dous ultimos casos pronunciará os indiciados, dando-lhes recursos para o superior competente.

Art. 86. A fallencia será qualificada: a) casual, quando proceder de accidentes, casos fortuitos ou força maior, ou não concorrer circumstancia pela qual deva ser qualificada culposa ou fraudulenta; b) culposa, quando occorrer algum dos seguintes factos: I – excesso de despezas no tratamento pessoal do fallido em relação ao seu cabedal, numero de pessoas de familia e especie do negocio; II – venda por menos do preço corrente de effeitos comprados nos seis mezes anteriores á época legal da fallencia e ainda não pagos, si foi feita com intenção de retardar a declaração da fallencia; III – emprego de meios ruinosos para obter recursos e retardar a declaração da fallencia; IV – abuso de acceites, endossos e responsabilidades de mero favor; V – quando o fallido não tiver os livros e sua escripturação na fórma exigida pelo Codigo Commercial, ou a tiver em atrazo; salvo si a exiguidade do commercio e a falta de habilitações litterarias rudimentares do fallido o relevem do cumprimento daquelles preceitos; c) fraudulenta, quando occorrer: I – despezas ou perdas ficticias, falta de justificação do emprego de todas as receitas e gastos para fins reprovados; II – occultação no balanço de qualquer somma de dinheiro, de quaesquer bens ou titulos, inclusão de dividas activas pagas ou prescriptas; III – desvio ou applicação de fundos ou valores de que seja depositario ou mandatario; IV – vendas, negociações ou doações feitas ou dividas contrahidas com simulação ou fingimento; V – compra de bens em nome de terceira pessoa, ainda que conjuge, ascendentes e descendentes e irmãos; VI – falta pelo menos do 'Diario' visado na fórma do art. 134; VII – falsificação ou truncamento do 'Diario' ou do 'Copiador'; VIII – falta de archivamento e lançamento no registro do commercio, dentro de quinze dias subsequentes á celebração do casamento (art. 31 do Codigo Commercial), do contracto ante-nupcial, sendo o marido commerciante ao tempo do casamento; desse contracto e dos titulos dos bens incommunicaveis da mulher, dentro de quinze dias subsequentes ao começo do exercicio do commercio, quanto ao contracto ante-nupcial, e, dentro de trinta dias subsequentes á acquisição, quanto aos referidos bens; e dos titulos de acquisição de bens que não possam ser obrigados por dividas nos prazos aqui indicados; IX – perdas avultadas em jogos de qualquer especie e sob qualquer fórma, inclusive os chamados da Bolsa; X – o officio de corretor ou agente de leilões, embora tenha o fallido deixado de exercer taes funcções, uma vez que a fallencia proceda do tempo em que as tiver exercido; XI – o exercicio do commercio sob firma ou razão commercial que não pudesse ser inscripta no registro.

Paragrapho unico. As regras da cumplicidade estabelecidas no Codigo Penal prevalecerão em toda a sua extensão e effeitos no caso de fallencia fraudulenta.

Art. 87. Incorrerá nas penas de fallencia culposa, salvo a fraude, caso em que serão applicadas as da fraudulenta: I – o fallido que, depois da declaração da fallencia ou do sequestro, praticar algum acto nullo ou annullavel; II – o fallido que tiver os livros escripturados de fórma a difficultar ou tornar obscura a verificação ou a liquidação, quer do activo, quer do passivo; III – o devedor que, no prazo legal, não se declarar fallido, si da omissão resultar que fique fóra da influencia da época legal da fallencia algum acto que, dentro dessa época, seria nullo ou annullavel; IV – o fallido que, occultando-se, ausentando-se, não comparecendo, negando informações ou esquivando-se de auxiliar os syndicos e a commissão fiscal, crear embaraços de qualquer especie ao andamento do processo commercial; V – o concordatario, si por negligencia, descuido ou algum outro acto de culpa concorrer para a deterioração da massa e consequente rescisão da concordata e declaração de fallencia.

Art. 88. Incorrerá nas penas de fallencia fraudulenta: I – o devedor que, por meio de fraude ou simulação, obtiver de seus credores accordo preventivo da fallencia; II – o devedor que obtiver o dito accordo prevalecendo-se de algum facto que qualifica de fraudulenta a fallencia; III – qualquer pessoa, inclusive guarda-livros, que se mancommunar com o devedor para fraudar os credores, ou o auxiliar para occultar ou desviar bens, seja qual for a sua especie, quer antes, quer depois da declaração da fallencia; IV – qualquer pessoa que se apresentar com credito simulado; V – qualquer pessoa que occultar ou recusar aos syndicos ou á commissão fiscal a entrega dos bens, creditos ou titulos que tenha do fallido; admittir, depois de publicada a declaração da fallencia, cessão ou endosso do fallido, ou com elle celebrar algum contracto ou transacção; VI – o credor legitimo que fizer concerto com o devedor em prejuizo da massa ou transigir com o seu voto para obter vantagens para si nas deliberações e actos da concordata, preventiva ou não, quitação e rehabilitação; VII – o corretor que intervier em qualquer operação mercantil do fallido depois de declarada e publicada a fallencia.

Art. 89. Os crimes do que tratam os arts 86-b até 88 serão julgados pelo juiz de direito criminal do districto da séde do estabelecimento do fallido.

Art. 90. A fórma do processo do julgamento será a do Decreto n. 707, de 9 de outubro de 1850.

Paragrapho unico. Da sentença poderão appellar o réo e o promotor publico, nos effeitos regulares.

Art. 91. A sentença criminal condemnatoria, em fallencia fraudulenta ou por crime a ella equiparado, além dos effeitos estabelecidos no Codigo Penal, produzirá: a) o de annullar a quitação dada ao fallido; b) o de rescindir a concordata, ou o accordo extra-judicial; c) o de annullar, independente de sentença civil ou commercial, os actos criminosos e de obrigar á restituição dos bens a que se referirem.

Art. 92. Os syndicos e os membros da commissão fiscal ficarão sujeitos á responsabilidade civil e criminal pelos actos que praticarem em opposição aos interesses a seu cargo, sendo equiparados, para os effeitos da penalidade e respectivo processo, aos empregados publicos.

2.3 Lei 2.024/1908

Arts. 167 a 173

Art. 167. A fallencia será culposa quando occorrer algum dos seguintes factos: 1º) excesso de despeza no tratamento pessoal do fallido em relação ao seu cabedal e numero de pessoas de familia; 2º) despezas geraes do negocio ou da empresa superiores ás que deveriam ser em relação ao capital, movimento da casa e outras circumstancias analogas; 3º) venda por menos do preço corrente de mercadoria compradas nos seis mezes anteriores á época legal da fallencia e ainda não pagas, si foi realizada com intenção de retardar a declaração da fallencia; 4º) emprego de meios ruinosos para obter recursos e retardar a declaração da fallencia; 5º) abuso de acceites, de endossos e de responsabilidades de mero favor; 6º) emprego de grande parte do patrimonio ou dos fundos ou empreza em operações arriscadas ou de puro acaso ou manifestamente imprudentes; 7º) falta de livros e de sua escripturação na fórma exigida pelo Codigo Commercial, ou atrazo nessa escripturação, salvo si a exiguidade do commercio e a falta de habilitações litterarias rudimentares do fallido o relevarem do cumprimento do preceito legal.

Art. 168. A fallencia será fraudulenta quando o devedor, com o fim de crear vantagens para si ou para outrem, conhecendo o seu máo estado economico, concorre para peiorar a posição dos credores na fallencia imminente, e especialmente si elle: 1º) faz constar dos livros e balanços despezas, dividas e perdas simuladas ou falsas; 2º) paga antecipadamente a uns credores em prejuizo dos outros; 3º) diminue o activo ou augmenta o passivo, inclusivamente si declara no balanço creditos pagos e prescriptos; 4º) aliena, negocia ou faz doação o contrahe dividas, hypothecas, penhores ou retenção com simulação ou fingimento; 5º) não tem absolutamente livros nem escripturação em livros apropriados ou tem escripturação confusa e difficil de ser entendida, de modo a embaraçar a verificação dos creditos e a liquidação do activo e passivo; 6º) deixa intervallos em branco nos livros commerciaes, falsifica-os, rasura ou risca os lançamentos ou altera o seu conteúdo; 7º) compra bens em nome de terceira pessoa, ainda que o conjuge, ascendentes, descendentes e irmãos.

Paragrapho unico. As regras da cumplicidade estabelecidas no Codigo Penal prevalecem em toda a extensão e effeitos no caso da fallencia fraudulenta.

Art. 169. Incorrerão nas penas da fallencia culposa, salvo a prova de fraude, caso em que serão applicadas as penas da fallencia fraudulenta: 1º) o devedor que tiver exercido o commercio sob firma ou razão commercial que não podia ser inscripta no Registro do Commercio; 2º) o devedor que, depois de declarada a fallencia ou decretado o sequestro, praticar algum acto nullo (art. 44 § 1º); 3º) o devedor que, no prazo legal, não se declarar fallido, si da omissão resultar que fique fóra da influencia do termo legal da fallencia algum acto que, dentro desse termo, seria revogavel em beneficio da massa; 4º) o fallido que se occultar, ausentar, negar informações e auxilio ao juiz e aos syndicos ou crear embaraços de qualquer especie ao bom andamento da fallencia; 5º) o concordatario que por negligencia, descuido ou outro acto de culpa concorrer para a deterioração da massa e consequente rescisão da concordata.

Art. 170. Incorrerão nas penas da fallencia fraudulenta: 1º) o devedor que tiver empregado os fundos da casa commercial ou da empreza em despezas para fins reprovados, como jogos de qualquer especie, inclusive os chamados de Bolsa; 2º) o devedor que tiver desviado ou applicado a fins diversos do seu destino os valores de que era depositario, administrador ou mandatario; 3º) o devedor que não proceder ao archivamento e lançamento no Registro do Commercio, dentro dos quinze dias subsequentes á celebração do seu casamento (Codigo Commercial, art. 31), do contracto ante-nupcial, sendo o marido commerciante ao tempo do casamento; desse contracto e dos titulos dos bens incommunicaveis da mulher, dentro de quinze dias subsequentes ao começo do exercicio do commercio, quanto ao contracto ante-nupcial, e dentro de trinta dias subsequentes á acquisição, quanto aos referidos bens; e dos titulos de acquisição de bens que não possam ser obrigados por dividas nos prazos aqui mencionados; 4º) os corretores ou leiloeiros officiaes que tenham fallido, embora deixassem de exercer as suas funcções, uma vez que a fallencia se funde em actos que, nessa qualidade, praticaram; 5º) o devedor que por meio de qualquer acto fraudulento ou de simulação fizer conluio com um ou mais credores para obter concordata preventiva ou concordata na fallencia; 6º) o fallido que reconhecer, como verdadeiros, creditos falsos, suppostos ou simulados, por occasião do processo de verificação de creditos; 7º) quem quer que por si ou interposta pessoa ou por procurador apresentar declarações ou reclamações falsas ou fraudulentas, ou juntar a ellas titulos falsos, simulados ou menos verdadeiros, pedindo a sua inclusão na fallencia (art. 82) ou na concordata preventiva, ou a reivindicação de bens (art. 139); 8º) qualquer pessoa, inclusive os syndicos, liquidatarios e guarda-livros, que se mancommunar com o devedor para, por qualquer fórma, fraudar os credores ou auxiliar a occultar ou desviar bens, seja qual fôr a sua especie, quer antes, quer depois da declaração da fallencia; 9º) qualquer pessoa que occultar ou recusar aos syndicos e liquidatarios a entrega dos bens, creditos ou titulos que tenha do fallido; que admittir, depois de publicada a fallencia, cessão ou endosso do fallido ou com elle celebrar algum contracto ou ajuste sobre objecto que se prenda a interesses da massa; 10) o credor legitimo que fizer com o devedor, ou com terceiro, qualquer concerto em prejuizo da massa, ou transigir com o seu voto para obter vantagens para si nas deliberações e actos de concordata preventiva ou formada na fallencia, na quitação e rehabilitação; 11) o corretor que intervier em qualquer operação mercantil do fallido, depois de publicada a fallencia.

Art. 171. No caso de fallencia de sociedade anonyma, os seus administradores ou liquidantes serão punidos com as penas da fallencia culposa si por sua culpa ou negligencia a sociedade foi declarada fallida, ou si praticaram os actos definidos no art. 167 e no art. 169, ns. 2 a 5; e com as penas da fallencia fraudulenta, si se tratar de actos comprehendidos nos arts. 168 e 170, ns. 1, 2, 5, 6, 8 e 9.

Paragrapho unico. Os administradores das sociedades anonymas e em commandita por acções serão, tambem, punidos com as penas da fallencia fraudulenta si: 1) deixarem de archivar e publicar, no prazo legal, qualquer das resoluções ou deliberações da sociedade, comprehendidas no art. 91 do Decreto n. 434, de 4 de julho de 1891; 2) derem indicações inexactas sobre a importancia do capital subscripto e effectivamente entrado para a sociedade; 3) distribuirem aos accionistas dividendos manifestamente ficticios, diminuindo, assim, o capital social.

Art. 172. Serão punidos com a pena do art. 232 do Codigo Penal os juizes, syndicos e liquidatarios, avaliadores, peritos e officiaes de justiça que praticarem qualquer dos crimes ahi definidos.

§ 1º. Os syndicos e liquidatarios incorrerão nas penas da fallencia fraudulenta, si: 1) derem informações e pareceres falsos ou inexactos, ou apresentarem relatorio contrario á verdade dos factos; 2) derem extractos dos livros do fallido contrarios aos assentos ou lançamentos delles constantes.

§ 2º. Além destes crimes, os syndicos e liquidatarios responderão pelos actos que praticarem em opposição aos interesses a seu cargo, sendo equiparados, para os effeitos da penalidade e respectivo processo, aos funccionarios publicos.

Art. 173. Todos os crimes, de que trata esta Lei, têm acção publica, podendo ser iniciado o processo por denuncia do Ministerio Publico ou por queixa dos liquidatarios ou de qualquer credor. Em todos os termos da acção intentada por queixa, será ouvido o representante do Ministerio Publico, e em os daquella que fôr por denuncia poderão intervir os liquidatarios ou qualquer credor para auxilial-o.

2.4 Decreto 5.746, de 9.12.1929,
que trouxe alterações na legislação falimentar

Título XIII – Dos Crimes em Materia de Fallencia e de Concordata Preventiva e do Respectivo Processo

Art. 168. A fallencia será culposa quando occorrer algum dos seguintes factos: 1º) excesso de despeza no tratamento pessoal do fallido em relação ao seu cabedal e numero de pessoas de familia; 2º) despezas geraes do negocio ou da empreza superiores ás que deveriam ser em relação ao capital, movimento da casa e outras circumstancias analogas; 3º) venda por menos do preço corrente de mercadorias compradas nos seis mezes anteriores á época legal da fallencia e ainda não pagas, si fôr realizada com intenção de retardar a declaração da fallencia; 4º) emprego de meios ruinosos para obter recursos o retardar a declaração da fallencia; 5º) abuso de acceites, de endossos e de responsabilidades de méro favor; 6º) emprego de grande parte do patrimonio ou dos fundos em empreza ou em operações arriscadas ou de puro acaso ou manifestamente imprudentes; 7º) falta de livros e de sua escripturação na fórma exigida pelo Codigo Commercial, ou atrazo nessa escripturação, salvo si a exiguidade do commercio e a falta de habilitações litterarias rudimentares do fallido o relevarem do cumprimento do preceito legal; 8º) existencia de duplicatas que não representem operações reaes.

Art. 169. A fallencia será fraudulenta quando o devedor, com o fim de crear vantagens para si ou para outrem, conhecendo o seu máo estado economico, concorrer para peorar a posição dos credores na fallencia imminente, e especialmente si elle: 1º) faz constar, dos livros e balanços, despezas, dividas activas e passivas e perdas simuladas ou falsas; 2º) paga antecipadamente a uns credores em prejuizo de outros; 3º) diminue o activo ou augmenta o passivo, inclusivamente si declara no balanço creditos pagos e prescriptos; 4º) alinea, negocia ou faz doação ou contrahe dividas, hypothecas, penhores ou retenção com simulação ou fingimento; 5º) não tem absolutamente livros nem escripturação em livros apropriados ou tem escripturação confusa e difficil de ser entendida, de modo a embaraçar a verificação dos creditos e a liquidação do activo e passivo; 6º) deixa intervallos em branco nos livros commerciaes, falsifica-os, rasura ou risca os lançamentos ou altera o seu conteúdo; 7º) compra bens em nome de terceira pessoa, ainda que conjuge, ascendentes, descendentes e irmãos; 8º) simula o capital individual, ou social, para a obtenção de maior credito, como quando o declarado é maior do que o realizado.

Paragrapho unico. As regras da cumplicidade estabelecidas no Codigo Penal prevalecem em toda a extensão e effeitos no caso da fallencia fraudulenta.

Art. 170. Incorrerão nas penas da fallencia culposa, salvo a prova de fraude, caso em que serão applicaveis as penas da fallencia fraudulenta: 1º) o devedor que tiver exercido o commercio sob firma ou razão social que não podia ser inscripta no Registro do Commercio; 2º) o devedor que, depois de declarada a fallencia ou decretado o sequestro, praticar algum acto nullo (art. 44, § 1º): 3º) o devedor que, no prazo legal, não se declarar fallido, si da omissão resultar que fique fóra da influencia do termo legal da fallencia algum acto que dentro desse termo seria revogavel em beneficio da massa; 4º) o fallido que se occultar, ausentar, negar informações e auxilio ao juiz e ao syndico ou crear embaraços de qualquer especie ao bom andamento da fallencia; 5º) o concordatario que, por negligencia, descuido ou outro acto de culpa, concorrer para a deterioração da massa e consequente rescisão da concordata.

Art. 171. Incorrerão nas penas da fallencia fraudulenta: 1º) o devedor que tiver empregado os fundos da casa commercial ou da empreza em despezas para fins reprovados, como jogos de qualquer especie, inclusive os chamados de Bolsa; 2º) o devedor que tiver desviado ou applicado a fins diversos do seu destino os valores de que era depositario, administrador ou mandatario; 3º) o devedor que não proceder ao archivamento e lançamento no Registro do Commercio, dentro de quinze dias, subsequentes á celebração do seu casamento (Codigo Commercial, art. 31), do contracto ante-nupcial, sendo o marido commerciante ao tempo do casamento; desse contracto e dos titulos dos bens incommunicaveis da mulher, dentro de quinze dias subsequentes ao começo do exercicio do commercio, quanto ao contracto ante-nupcial, e dentro de trinta dias subsequentes á acquisição, quanto aos referidos bens; e dos títulos de acquisição de bens que não possam ser obrigados por dividas nos prazos aqui mencionados; 4º) os corretores ou leiloeiros officiaes que tenham fallido, embora deixassem de exercer as suas funcções, uma vez que a fallencia se funde em actos que, nessa qualidade, praticaram; 5º) o devedor que, por meio de qualquer acto fraudulento ou de simulação, fizer conluio com um ou mais credores para obter concordata preventiva ou concordata na fallencia; 6º) o fallido que reconhecer, como verdadeiros, creditos falsos, suppostos ou simulados, por occasião do processo de verificação de creditos; 7º) quem quer que por si ou interposta pessoa ou por procurador apresentar declarações ou reclamações falsas ou fraudulentas, ou juntar a ellas titulos falsos, simulados ou menos verdadeiros, pedindo a inclusão na fallencia (art. 82), ou na concordata preventiva, ou a reivindicação de bens (art. 139); 8º) qualquer pessoa, inclusive o syndico, liquidatario e guarda-livros, que se mancommunar com o devedor para, por qualquer fórma, fraudar os credores ou auxiliar a occultar ou desviar bens, seja qual fôr a sua especie, quer antes, quer depois da declaração da fallencia; 9º) qualquer pessoa que occultar ou recusar ao syndico e liquidatario a entrega dos bens, creditos ou titulos que tenha do fallido; que admitir, depois de publicada a fallencia, cessão ou endosso do fallido ou com elle celebrar algum contracto ou ajuste sobre objecto que se prenda a interesse da massa; 10) o credor legitimo que fizer com o devedor ou com terceiro qualquer concerto em prejuizo da massa, ou transigir com o seu voto para obter vantagens para si nas deliberações e actos de concordata preventiva ou formada na fallencia, na quitação e rehabilitação; 11) o corretor que intervier em qualquer operação mercantil do fallido, depois de publicada a fallencia.

Art. 172. No caso de fallencia de sociedade anonyma, os seus administradores ou liquidantes serão punidos com as penas da fallencia culposa si por sua culpa ou negligencia a sociedade foi declarada fallida, ou si praticarem os actos definidos no art. 168 e no art. 170, ns. 2 a 5; e com as penas de fallencia fraudulenta, si se tratar de actos comprehendidos nos arts. 169 e 171, ns. 1, 2, 5, 6, 8 e 9.

Paragrapho unico. Os administradores das sociedades anonymas e em commandita por acções serão tambem punidos com as penas da fallencia fraudulenta, si: 1º) deixarem de archivar e publicar, no prazo legal, qualquer das resoluções ou deliberações da sociedade, comprehendidas no art. 91 do Decreto n. 434, de 4 de julho de 1891; 2º) derem indicações inexactas sobre a importancia do capital subscripto e effectivamente entrado para a sociedade; 3º) distribuirem aos accionistas dividendos manifestamente ficticios, diminuindo, assim, o capital social.

Art. 173. Serão punidos com a pena do art. 232 do Codigo Penal os juizes, syndico e liquidatario, avaliadores, peritos e officiaes de justiça que praticarem qualquer dos crimes ahi definidos.

§ 1º. O syndico e o liquidatario incorrerão nas penas da fallencia fraudulenta, si: 1º) derem informações e pareceres falsos ou inexactos, ou apresentarem relatorio contrario á verdade dos factos; 2º) derem extractos dos livros do fallido contrarios aos assentos ou lançamentos delles constantes.

§ 2º. Além destes crimes, o syndico e o liquidatario responderão pelos actos que praticarem em opposição aos interesses a seu cargo, sendo equiparados, para os effeitos da penalidade e respectivo processo, aos funccionarios publicos.

Art. 174. Todos os crimes de que trata esta Lei teem acção publica, podendo ser iniciado o processo por denuncia do Ministerio Publico, ou por queixa do liquidatario ou de qualquer credor.

Em todos os termos de acção intentada por queixa, será ouvido o representante do Ministerio Publico, e em os daquella que o fôr por denuncia poderá intervir o liquidatario ou qualquer credor para auxilial-o.

Art. 175. O processo penal contra o fallido, seus cumplices e demais pessoas punidas pela presente Lei correrá em auto apartado, distincto e independente do commercial, e não poderá ser iniciado antes de declarada a fallencia.

§ 1º. O processo correrá até a pronuncia ou não pronuncia perante o juiz que declarou aberta a fallencia.

§ 2º. A queixa ou denuncia conterá o nome do fallido, a firma de que era socio solidario, e o local onde foi estabelecido, sendo instruida com o relatorio do syndico, as cópias necessarias do processo da fallencia ou com documentos si os houver.

§ 3º. Quarenta e oito horas depois da primeira assembléa dos credores, o escrivão enviará ao representante do Ministerio Publico uma das cópias authenticas do relatorio do syndico e a cópia da acta da assembléa, com outros documentos que o juiz ordenar.

O representante do Ministerio Publico, dentro do prazo de quinze dias depois do recebimento desses papeis, requererá o archivamento delles ou promoverá o processo penal contra o fallido, seus cumplices ou outras pessoas sujeitas á penalidade.

O archivamento dos papeis, a requerimento do representante do Ministerio Publico, não prejudica a acção penal por parte do liquidatario ou dos credores.

§ 4º. O processo será o da formação da culpa nos processos communs, com todos os recursos e garantias individuaes, estabelecidos nas respectivas leis.

§ 5º. As autoridades policiaes remetterão ao juiz processante os inqueritos a que procederem.

§ 6º. Do despacho da pronuncia ou não pronuncia caberá recurso para o superior competente.

§ 7º. O juiz poderá decretar a prisão preventiva do fallido, seus cumplices ou outras pessoas sujeitas á penalidade, mediante representação do Ministerio Publico, ou a requerimento do syndico ou do liquidatario.

Art. 176. Os crimes de que trata esta Lei serão julgados pelo juizo criminal do districto da séde do estabelecimento principal do fallido.

§ 1º. A fórma do processo do julgamento será a do Decreto n. 707, de 9 de outubro de 1850.

§ 2º. Da sentença poderão appellar o réo, o representante do Ministerio Publico, a parte queixosa ou assistente, nos effeitos regulares.

Art. 177. A acção penal dos crimes definidos nesta Lei prescreve dous annos depois de encerrada a fallencia ou de cumprida a concordata.

ANEXOS

1. Questões de Concursos

1. CURITIBA/PR – XVII CONCURSO PÚBLICO PARA INGRESSO NA MAGISTRATURA DO TRABALHO – 1ª PROVA – ETAPA II – 16.9.2001

Assinale a alternativa CORRETA:
A prescrição extintiva de crime falimentar é de:
(a) 1 (um) ano.
(b) 2 (dois) anos.
(c) 3 (três) anos.
(d) 4 (quatro) anos.
(e) 5 (cinco) anos.

Resposta: Alternativa "(b)".

Verifica-se que a questão se refere aos prazos do Decreto-lei 7.661/1945, ainda aplicável às falências decretadas anteriormente à vigência da Lei 11.101/2005. Para esses casos preconizava o art. 199 de referido diploma que a prescrição extintiva da punibilidade de crime falimentar operava-se em dois anos. Cumpre salientar que no regime da Lei 11.101/2005 a prescrição será regulada nos termos do art. 109 do CP, sendo variável conforme a pena máxima de cada delito falimentar.

2. CURITIBA/PR – XVII CONCURSO PÚBLICO PARA INGRESSO NA MAGISTRATURA DO TRABALHO – 1ª PROVA – ETAPA II – 16.9.2001

Assinale a alternativa CORRETA:
O prazo prescricional alusivo à questão anterior começa a fluir:
(a) Da data em que transitar em julgado a sentença que declarar a falência.
(b) Da data em que for julgar cumprida a concordata.

(c) Da data em que algum credor tomar conhecimento de fato que possa ser enquadrado como crime falimentar.

(d) Da data em que o Ministério Público tomar conhecimento de fato que possa ser enquadrado como crime falimentar.

(e) Estão corretas as alternativas "(a)" e "(b)".

Resposta: Alternativa "(e)".

Novamente, a questão refere-se aos prazos do Decreto-lei 7.661/1945, ainda aplicável às falências decretadas anteriormente à vigência da Lei 11.101/2005. Para esses casos preconizava o art. 199, parágrafo único, do referido diploma que o prazo prescricional começava a correr da data em que transitasse em julgado a sentença que encerrasse a falência ou que julgasse cumprida a concordata. A matéria também foi disciplinada na Súmula 147/STF. Cumpre salientar que no regime da Lei 11.101/2005 o prazo prescricional se iniciará, no crime pré-falimentar (ou pré-recuperação), na data da decretação da falência, da concessão da recuperação judicial ou extrajudicial; e no crime pós-falimentar (ou pós-recuperação), quando da data de seu cometimento.

3. TJRJ – XLI CONCURSO PARA INGRESSO NA MAGISTRATURA DE CARREIRA/RJ

Sociedade empresária "X" ingressou com pedido de recuperação judicial. No curso da recuperação judicial ocorreu a convolação em falência. O administrador causou prejuízos ao patrimônio da sociedade, sendo promovida ação de responsabilidade civil em face dele.

Responda:

A condenação do administrador da empresa responsável pela prática de crime falimentar produzirá quais efeitos na falência, na recuperação judicial e na recuperação extrajudicial?

Resposta: *Primeiramente, o administrador aqui referido é o sócio-administrador ou o administrador externo ao quadro social nomeado pelos sócios, nos termos Código Civil e da Lei das Sociedades por Ações. Não se trata do administrador judicial. Os efeitos da condenação do administrador por crime falimentar implicam, além dos efeitos genéricos (civis e penais) de uma condenação criminal (v.g., indução de reincidência, criação de título executivo na esfera cível quanto à obrigação de indenizar a vítima, restrição à concessão de benefícios penais como* sursis, *livramento condicional, suspensão condicional do processo etc.), ainda a proibição futura de obter recuperação judicial (art. 48, IV, da Lei 11.101/2005) ou extrajudicial (art. 161, combinado com o art. 48, IV, ambos da Lei 11.101/2005), além do aumento do prazo para a extinção das obrigações do falido, que somente poderá ocorrer após 10 anos do encer-*

ramento da falência se houver condenação por crime falimentar (art. 158, IV, da Lei 11.101/2005).

4. JUIZ ESTADUAL/DF – CONCURSO PÚBLICO NOVEMBRO/2007

Assinale a alternativa CORRETA:

(a) Recebido o aditamento, que corresponde ao recebimento da inicial da denúncia, pode o magistrado voltar à capitulação anterior, já que isso não representa revogação do despacho que recebeu a denúncia original.

(b) A ausência de fundamentação do despacho de recebimento de denúncia por crime falimentar enseja nulidade processual, mesmo se já houver sentença condenatória.

(c) Omissão de formalidade essencial do ato, como o recebimento de denúncia sem manifestação e assinatura do juiz, induz a idéia de ato praticado por outrem, gerando, por isso, nulidade *ab initio* do processo.

(d) Depois de oferecida a denúncia e antes de decidir se a recebe, cabe ao juiz sobrestar a persecução até que o Ministério Público tenha vista de documento juntado pela defesa.

Resposta: Alternativa "(c)".

A questão refere-se ao Decreto-lei 7.661/1945, ainda aplicável às falências decretadas anteriormente à vigência da Lei 11.101/2005. A matéria vinha disciplinada na Súmula 564/STF, cujo teor determinava que a "ausência de fundamentação do despacho de recebimento de denúncia por crime falimentar enseja nulidade processual, salvo se já houver sentença condenatória". Assim, a alternativa "(b)" está incorreta. Cumpre salientar que há entendimentos segundo os quais na vigência da Lei 11.101/2005 a fundamentação da decisão que recebe a denúncia não é mais necessária.

5. OAB/SP – EXAME DE ORDEM – JANEIRO/2008 – 134º EXAME DE ORDEM/SP

Quanto aos crimes falimentares previstos na Lei 11.101/2005, assinale a opção CORRETA:

(a) Os efeitos da condenação, tais como inabilitação para o exercício de atividade empresarial, impossibilidade de gerir empresa por mandato, entre outros, devem ser aplicados automaticamente com a sentença condenatória.

(b) A fraude contra credores, descrita como conduta criminosa, só poderá ocorrer antes da sentença que decretar a falência.

(c) A redução ou substituição da pena privativa de liberdade prevista na lei dos crimes falimentares só poderá ser aplicada às microempresas e às empresas de médio porte.

(d) Praticam crime falimentar o juiz, o representante do Ministério Público, o administrador judicial, o gestor judicial, o perito, o avaliador, o escrivão, o oficial de justiça ou o leiloeiro, por si ou por interposta pessoa, que adquiram bens da massa falida ou de devedor em recuperação judicial.

Resposta: Alternativa "(d)".

Os efeitos da condenação constantes do art. 181, I, II e III, da Lei 11.101/2005 não são automáticos, devendo ser motivadamente declarados na sentença, e perdurarão até cinco anos após a extinção da punibilidade, podendo, contudo, cessar antes pela reabilitação penal (art. 181, § 1º, da Lei 11.101/2005), tornando incorreta a alternativa "(a)". O delito de fraude contra credores pode ser cometido antes ou depois da falência (art. 168 da Lei 11.101/2005), o que torna incorreta a alternativa "(b)". A alternativa "(c)" está errada, por se referir a "empresas de médio porte", quando o correto seria "empresas de pequeno porte", no que tange ao disposto no art. 168, § 4º, da Lei 11.101/2005. A alternativa "(d)" está correta, cuidando do crime do art. 177 da Lei 11.101/2005 (violação de impedimento).

6. OAB/PR – EXAME DE ORDEM – AGOSTO/2006

Sobre os crimes falimentares previstos na Lei 11.101/2005 (Lei de Recuperação Judicial), assinale a alternativa CORRETA:

(a) A prescrição extintiva da punibilidade de crime falimentar opera-se em dois anos a contar da data da consumação do crime.

(b) Compete ao juiz da Vara onde foi decretada a falência conhecer da ação penal pelos crimes previstos na Lei 11.101/2005 (Lei de Recuperação Judicial).

(c) Intimado da sentença que decreta a falência ou concede a recuperação judicial, o Ministério Público, imediata e obrigatoriamente, requisitará a abertura de inquérito policial.

(d) A sentença que decreta a falência é condição objetiva de punibilidade das infrações penais descritas na Lei 11.101/2005 (Lei de Recuperação Judicial).

Resposta: Alternativa "(d)".

A prescrição dos crimes falimentares operava-se em dois anos na vigência do Decreto-lei 7.661/1945. Como a questão faz referência ao disposto na Lei 11.101/2005, a alternativa "(a)" não está mais correta, pois nessa lei a prescrição é variável conforme a pena máxima cominada para o crime, seguindo o que dispõe o Código Penal. A alternativa "(b)", por seu turno, é incorreta no regime da Lei 11.101/2005, pois, nos termos do art. 183 do referido diploma, compete ao juiz criminal da jurisdição onde tenha sido decretada a falência, concedida a recuperação judicial ou homologado o plano de recuperação extrajudicial conhecer da ação penal pelos crimes previstos nessa lei. Consigne-se que em alguns Estados, como São Paulo, a matéria é ainda de competência do juízo falimentar, por força de Lei de Organização Judiciária e resolução do Tribunal de Justiça. A alternativa "(c)" está equivocada, pois o membro do Ministério Público poderá fornecer denúncia diretamente, prescindindo da requisição do inquérito policial, se já tiver elementos para tanto. Correta a alternativa "(d)", diante do que dispõe o art. 180 da Lei 11.101/2005.

7. OAB/SP – EXAME DE ORDEM – JANEIRO/2008 – 134º EXAME DE ORDEM/SP

Segundo a Lei 11.101/2005, a condenação por crime falimentar:

(a) Impede o exercício de qualquer atividade empresarial pelo prazo de cinco anos, a contar do decreto de falência.

(b) Não impossibilita o falido de gerir a empresa por mandato.

(c) Não impede exercício do cargo de gerência.

(d) Impede o falido de exercer cargo ou função em conselho de administração.

Resposta: Alternativa "(d)".

A alternativa "(a)" está incorreta, pois o impedimento à atividade empresarial perdura até cinco anos após a extinção da punibilidade, e não após a decretação da falência. As alternativas "(b)" e "(c)" estão incorretas, por ser efeito da condenação, nos termos do art. 181, II e III, da Lei 11.101/2005, o impedimento para o exercício de cargo ou função em conselho de administração, diretoria ou gerência das sociedades sujeitas a essa lei e a impossibilidade de gerir empresa por mandato ou por gestão de negócio. Pelo mesmo fundamento encontra-se correta a alternativa "(d)".

8. UnB/CESPE – CÂMARA DOS DEPUTADOS – PROVA 1 – OBJETIVA – 2ª PARTE – CONCURSO PÚBLICO – APLICAÇÃO: 29.9.2002 – CARGO: ANALISTA LEGISLATIVO/ASSISTENTE TÉCNICO – FC DE CONSULTOR LEGISLATIVO – ÁREA VII – 10/10

Ainda acerca dos crimes falimentares, JULGUE os itens seguintes:

(a) O empresário individual ou societário que promove a sucessiva reforma de títulos de crédito para obter recursos e retardar a declaração da quebra, ainda que a falência não ocorra, comete crime falimentar.

(b) À emissão de cheques sem fundos pelo falido aplica-se a regra do concurso material.

(c) Aplica-se a regra do concurso formal se com a falência ocorrer adulteração de livro mercantil.

(d) Na ocorrência das hipóteses legalmente capituladas como crimes falimentares, o juiz pode decretar a prisão preventiva do agente.

Resposta: Alternativa correta "(d)".

A alternativa "(a)" está incorreta, pois, sendo a decretação da falência (nos dias de hoje, também a concessão da recuperação) condição objetiva de punibilidade dos delitos falimentares, caso não sobrevenha a quebra o fato será impunível criminalmente. As alternativas "(b)" e "(c)" estão incorretas, pois a aplicação do concurso material ou formal se dará conforme a unicidade ou pluralidade de condutas, e não aprioristicamente. A alternativa "(d)" está correta, pois tanto no Decreto-lei 7.661/1945 (art. 14, IV) quanto na Lei 11.101/2005 (art. 99, VII) há autorização para que se decrete a prisão preventiva do agente.

9. MAGISTRATURA/SP – PROVA DE SELEÇÃO DO 167º CONCURSO

A prescrição extintiva da punibilidade de crime falimentar opera-se em dois anos, que fluirão:

(a) Do encerramento da falência.

(b) Do trânsito em julgado da sentença que julgou cumprida a concordata.

(c) Da data em que deveria estar encerrada a falência, ou do trânsito em julgado da sentença que a encerrar ou que julgar cumprida a concordata.

(d) Do recebimento da denúncia.

Resposta: Alternativa "(c)".

A questão refere-se aos prazos do Decreto-lei 7.661/1945, ainda aplicável às falências decretadas anteriormente à vigência da Lei 11.101/2005. Para esses casos preconizava o art. 199, parágrafo único, do referido diploma que o prazo prescricional começava a correr da data em que transitasse em julgado a sentença que encerrasse a falência ou que julgasse cumprida a concordata. A matéria também foi disciplinada na Súmula 147/STF. Cumpre salientar que no regime da Lei 11.101/2005 o prazo prescricional se iniciará, no crime pré-falimentar (ou pré-recuperação), na data da decretação da falência, da concessão da recuperação judicial ou extrajudicial; e no crime pós-falimentar (ou pós-recuperação), quando da data de seu cometimento.

10. MINISTÉRIO PÚBLICO/SC – 30º CONCURSO PÚBLICO DE INGRESSO NA CARREIRA – 2002 – PROCESSO SELETIVO PREAMBULAR – PRIMEIRA FASE – PERÍODO MATUTINO

I – Tratando-se de aplicação de pena, no concurso de circunstâncias qualificativas e atenuantes, deve o juiz considerar preponderantes, por exemplo, a reincidência, bem como aquelas que digam respeito à personalidade do agente.

II – O concurso material de crimes pode ser homogêneo ou heterogêneo, dependendo da tipificação dos crimes apurados.

III – É entendimento prevalente na jurisprudência brasileira o de que não se aplica o concurso material nos crimes falimentares, ainda que o falido cometa vários delitos.

IV – Em regra, pode haver continuidade delitiva entre crime e contravenção.

V – A extinção da punibilidade do agente, por qualquer de suas causas, exclui o efeito genérico principal da condenação, qual seja, a obrigação de indenizar o dano causado pelo crime.

(a) Apenas I, II e III estão corretos.

(b) Apenas I, III e IV estão corretos.

(c) Todos estão corretos.

(d) Apenas II e V estão corretos.

(e) Apenas II, IV e V estão corretos.

Resposta: Alternativa "(a)".

Comentando unicamente o item III, supra, referente aos crimes falimentares, há de se fazer uma breve explanação. Primeiramente, cabe observar que a questão faz referência ao Decreto-lei 7.661/1945. Nesses termos, devemos considerar que vigorou na doutrina e na jurisprudência, por muito tempo, o conceito de unidade ou unicidade dos crimes falimentares, segundo o qual, cometido pelo agente mais de um crime falimentar, a punição se daria apenas pelo mais gravemente apenado. Esse conceito, que somente se aplicava ao concurso de crimes falimentares (e não ao concurso entre crime falimentar e comum), vem sofrendo várias críticas com o advento da Lei 11.101/2005. Assim, pressupondo que a questão faça referência a concurso de crimes falimentares, não se aplicaria a regra do cúmulo material.

11. MINISTÉRIO PÚBLICO/MS – XIX CONCURSO PÚBLICO DE PROVAS E TÍTULOS PARA INGRESSO NA CARREIRA, NO CARGO DE PROMOTOR DE JUSTIÇA SUBSTITUTO

Assinale a alternativa CORRETA:

(a) É considerada crime falimentar, punido com pena de um a quatro anos, a ocorrência de gastos pessoais manifestamente excessivas.

(b) Só ao Ministério Público incumbe o requerimento destinado a requerer a prisão do falido e de outras pessoas sujeitas às penalidades estabelecidas na Lei Falimentar.

(c) Extinguem-se as obrigações do falido no decurso de 10 anos, contado a partir do encerramento de falência, quando o falido tiver sido condenado à pena de detenção por crime falimentar.

(d) O juiz não está obrigado a ouvir o Ministério Público para proferir sentença que reabilite o falido, desde que cumpridas pelo falido as formalidades legais.

Resposta: Alternativa "(c)".

A questão refere-se ao Decreto-lei 7.661/1945, aplicável às falências anteriores à entrada em vigor da Lei 11.101/2005. A alternativa "(a)" está incorreta, pois a pena antigamente cominada ao delito era de seis meses a três anos de detenção. Cumpre consignar que com a Lei 11.101/2005 tal tipo penal não mais subsiste, sofrendo abolitio criminis. *A alternativa "(b)" está equivocada, uma vez que a prisão preventiva pode ser decretada de ofício pelo magistrado ou a requerimento do Ministério Público, do síndico (hoje, administrador judicial) ou de qualquer credor. A alternativa "(c)" está correta, por corresponder ao que dispunha o art. 134, IV, do Decreto-lei 7.661/1945. Por sua vez, a alternativa "(d)" está errada, por contrariar o disposto no art. 137 do Decreto-lei 7.661/1945.*

12. OAB/MT – EXAME DE ORDEM – 1ª FASE – MARÇO/2005

Segundo a Lei 11.101/2005 (nova Lei de Falências), não se extinguem as obrigações do falido:

(a) Com o pagamento de todos os créditos.

(b) Com o decurso do prazo de cinco anos, contado do encerramento da falência, se o falido não tiver sido condenado por prática de crime falimentar.

(c) Com a sentença de encerramento, em qualquer hipótese.

(d) Com o decurso do prazo de 10 anos, contado do encerramento da falência, se o falido tiver sido condenado por prática de crime falimentar.

Resposta: Alternativa "(c)".

O pagamento de todos os créditos, obviamente, extingue as obrigações do falido, tornando incorreta a alternativa "(a)". As alternativas "(b)" e "(d)" correspondem, respectivamente, ao art. 158, III e IV, da Lei 11.101/2005, estando incorretas, por promoverem a extinção das obrigações. Está correta, para os fins pedidos, a alternativa "(c)", pois a mera sentença de encerramento da falência não extingue as obrigações do falido, por si só.

13. 133º EXAME DE ORDEM – 1ª FASE

Com relação ao procedimento criminal previsto na Lei de Falências:

(a) Compete ao juiz de falências conhecer da ação penal envolvendo crimes falimentares.

(b) O administrador judicial apresentará ao Ministério Público a exposição circunstanciada.

(c) Todos os crimes previstos na referida lei se processam mediante ação penal pública incondicionada.

(d) Não se exige a exposição circunstanciada por parte do administrador judicial.

Resposta: Alternativa "(c)".

Nos termos do art. 186 da Lei 11.101/2005, no relatório previsto na alínea "e" do inciso III do caput *do art. 22 de referida lei, o administrador judicial apresentará ao juiz da falência exposição circunstanciada. Isso torna incorretas as alternativas "(b)" (pois a exposição é apresentada ao juiz, e não ao Ministério Público), sendo exigível nos termos legais a apresentação de tal peça. A alternativa "(a)" é incorreta nos estritos termos da Lei 11.101/2005, pois, de acordo com o art. 183 de referido diploma, compete ao juiz criminal da jurisdição onde tenha sido decretada a falência, concedida a recuperação judicial ou homologado o plano de recuperação extrajudicial conhecer da ação penal pelos crimes previstos nessa lei. Consigne-se que em alguns Estados, como São Paulo, a matéria é ainda de competência do juízo falimentar, por força de Lei de Organização Judiciária e resolução do Tribunal de Justiça. Correta a alternativa "(c)", dentro do que dispõe o art. 184 da Lei 11.101/2005.*

14. MINISTÉRIO PÚBLICO/SP – EXAME ORAL – 4.4.2006

(fonte: *http://www.lfg.com.br/concursos/prova_oral_mp_sp_04_04.pdf*)

Na antiga Lei de Falências era fundamental a quebra para tipificar um crime falimentar; quanto à nova Lei de Falências isto permanece?

Resposta: *No regime do Decreto-lei 7.661/1945 a decretação da falência era imprescindível para a punição do crime falimentar. No atual ordenamento isso não mais ocorre. Nos termos da art. 180 da Lei 11.101/2005, além da decisão que decreta a falência, também as decisões que concedem a recuperação judicial ou a recuperação extrajudicial funcionam como condição objetiva de punibilidade das infrações penais descritas em referida lei. Desta forma, pode haver punição de crime falimentar mesmo antes de decretada a falência.*

15. OAB/SP – 127º EXAME DE ORDEM – PROVA 1ª FASE – TIPO 2

A Lei 11.101/2005, que disciplina a recuperação judicial e extrajudicial, bem como a falência:

(a) Não se aplica aos processos de falência e concordata ajuizados antes do início de sua vigência.

(b) Aplica-se aos processos de recuperação judicial desde que não vencidas as obrigações contraídas no âmbito da concordata.

(c) Aplica-se aos processos de falência e concordata ajuizados antes do início de sua vigência.

(d) Aplica-se aos processos de falência ajuizados antes do início de sua vigência apenas em relação aos crimes falimentares.

Resposta: Alternativa "(d)".

*Diante do que dispõe o art. 192 da Lei 11.101/2005, essa lei não se aplica aos processos de falência ou de concordata ajuizados anteriormente ao início de sua vigência, que serão concluídos nos termos do Decreto-lei 7.661, de 21.6. 1945. No entanto, no que tange aos crimes falimentares pode haver retroatividade benigna das normas penais quando venham a suprimir a figura criminal anteriormente existente (*abolitio criminis*) ou mesmo de qualquer modo beneficiar o acusado. As demais alternativas estão incorretas e/ou incompletas.*

16. MAGISTRATURA/SP – 170º CONCURSO – PROVA PREAMBULAR – 1ª FASE

Não pode impetrar concordata o devedor:

I – que há menos de cinco anos houver impetrado igual favor;
II – que exerce individualmente o comércio;
III – condenado por crime falimentar;
IV – condenado por contrabando.

Estão CORRETAS:

(a) As alternativas I, III e IV, apenas.
(b) Todas as alternativas.
(c) As alternativas I e III, apenas.
(d) As alternativas I, II e III, apenas.

Resposta: Alternativa "(a)".

As alternativas I, III e IV correspondiam ao art. 140, III e IV, do Decreto-lei 7.661/1945, sendo que a alternativa "(b)" está equivocada, por inexistir proibição na vigência do ordenamento anterior a que o comerciante individual requeresse sua concordata. Ressalte-se que não mais subsiste, na vigência da Lei 11.101/2005, o instituto da concordata, muito embora a condenação por crime falimentar ainda impeça o acesso ao benefício da recuperação judicial ou extrajudicial.

17. OAB/DF – EXAME DE ORDEM – ABRIL/2006

Segundo a atual Lei de Falências está INCORRETA a assertiva:

(a) Decretada a falência de uma sociedade comercial, a falta de livros contábeis obrigatórios caracterizará crime falimentar.

(b) Quando as instituições financeiras privadas estão sob liquidação extrajudicial, os seus administradores são solidariamente responsáveis com o prejuízo apurado.

(c) O credor com garantia real suficiente para a satisfação do seu crédito deve renunciar a essa garantia para pedir a falência do devedor.

(d) A habilitação de crédito ou apresentação de divergência no processo falimentar exige a intervenção de advogado, que postulará em nome dos credores.

Resposta: Alternativa "(d)".

A alternativa "(a)" está correta, pois a falta de livros obrigatórios poderá tipificar o delito falimentar do art. 178 da Lei 11.101/2005. A alternativa "(b)" está correta, pois corresponde ao art. 40 e parágrafo único da Lei 6.024/1974. No que tange ao credor com garantia real, é de se dizer que a Lei 11.101/2005, em seu art. 97, não exige mais a renúncia à garantia, muito embora esta medida ainda seja preconizada por alguma doutrina. A alternativa "(d)" está incorreta, segundo a doutrina, uma vez que não se exige advogado na representação do credor em habilitação de crédito ou divergência.

18. OAB/MG – EXAME DE ORDEM – DEZEMBRO/2001

Quando concorrer com a falência alguns dos fatos elencados, fica tipificado o crime falimentar. Assinale a proposição INCORRETA:

(a) Prejuízos em operações financeiras.

(b) Gastos pessoais, ou de família, manifestamente excessivos em relação ao seu cabedal.

(c) Despesas gerais do negócio ou da empresa injustificáveis, por sua natureza ou vulto, em relação ao capital ou gênero de negócio, ao movimento das operações e a outras circunstâncias análogas.

(d) O emprego de meios ruinosos para obter recursos e retardar a declaração da falência, como vendas, nos seis meses a ela anteriores, por menos do preço corrente ou a sucessiva reforma de títulos de crédito.

Resposta: Alternativa "(a)".

A questão refere-se ao Decreto-lei 7.661/1945. Cumpre salientar que com a entrada em vigor da Lei 11.101/2005 as condutas descritas nas alternativas supracitadas deixaram de ser crimes falimentares. Na vigência do Decreto-lei 7.661/1945 não se configurava crime falimentar o mero prejuízo em operações financeiras, devendo para tanto ocorrer "perdas avultadas em operações de puro acaso, como jogos de qualquer espécie", tornando incorreta a alternativa "(a)". As demais alternativas são corretas, correspondendo ao texto legal.

19. OAB/SP – EXAME DE ORDEM – AGOSTO/2006 – 130º EXAME DE ORDEM/SP

A inabilitação do falido para qualquer atividade empresarial se dá:

(a) A partir de sua condenação por crime falimentar e enquanto não se der a sua reabilitação penal.

(b) A partir da decretação da falência e até a sentença que extingue as suas obrigações, estendendo-se até cinco anos após a extinção da punibilidade, ou antes, pela reabilitação penal.

(c) A partir do oferecimento da denúncia ou queixa pelo juiz da jurisdição onde tenha sido decretada a falência.

(d) A partir do recebimento da denúncia ou queixa pelo juiz da jurisdição onde tenha sido decretada a falência.

Resposta: Alternativa "(b)".

A única hipótese que corresponde ao texto legal (art. 181, § 1º, da Lei 11.101/2005) é a alternativa "(b)". As demais não correspondem à dicção da Lei Falimentar.

20. JUIZ ESTADUAL/DF – CONCURSO PÚBLICO – NOVEMBRO/2007

Assinale a alternativa CORRETA:

(a) O crime habitual, cuja consumação se dá através da prática de várias condutas, como o delito de casa de prostituição, de acordo com o STF e STJ, não admite prisão em flagrante.

(b) Consoante entendimento do STF, são insuscetíveis de liberdade provisória os crimes de posse ou porte ilegal de arma de fogo de uso restrito, comércio ilegal de arma de fogo e tráfico internacional de arma de fogo.

(c) O juízo da falência, de acordo com o STJ, não possui competência para receber denúncia também quanto aos crimes conexos aos falimentares, como o estelionato praticado pelos sócios da empresa em período imediatamente anterior à decretação da falência.

(d) A remissão, prevista no ECA, não implica o reconhecimento ou comprovação de responsabilidade, bem como não prevalece para efeitos de antecedentes, equiparando-se ao instituto da transação previsto no âmbito dos Juizados Especiais Criminais.

Resposta: Alternativa "(d)".

Comentando tão-somente a alternativa "(c)", com referência aos crimes falimentares, a jurisprudência do STJ ressalta que o juízo universal da falência, quando seja competente para julgar o crime falimentar, detém competência para receber a denúncia também quanto aos crimes conexos aos falimentares, como o estelionato praticado, em tese, pelos acusados em período imediatamente anterior à decretação da falência da empresa da qual eram sócios (RHC 18643-MG, 5ª Turma, rel. Min. Dipp, j. 19.4.2007).

21. OAB/PR – EXAME DE ORDEM – AGOSTO/2007

Sobre os ritos especiais, assinale a alternativa INCORRETA:

(a) Segundo entendimento recente do STJ, em casos de crimes de responsabilidade de funcionário público é desnecessária a resposta preliminar de que trata o art. 514 do CPP se a inicial foi instruída com inquérito policial.

(b) Segundo a nova Lei de Falências, o rito a ser seguido em processos de crimes falimentares é o ordinário.

(c) O rito do Júri é bifásico, escalonado, possuindo uma primeira fase denominada de *jus accusationis*.

(d) Para os crimes cometidos através da imprensa, da decisão que receber ou rejeitar a inicial acusatória cabe recurso em sentido estrito e apelação, respectivamente.

Resposta: Alternativa "(b)".

Comentando tão-somente a alternativa "(b)", com referência aos crimes falimentares o rito a ser obedecido em tal espécie de crimes é o rito sumário (art. 185 da Lei 11.101/2005).

22. OAB/SP – EXAME DE ORDEM – JANEIRO/2005 – 125º EXAME DE ORDEM/SP

Em qual dos procedimentos abaixo é prevista defesa após a denúncia e antes de o juiz recebê-la?

(a) Dos crimes afiançáveis de responsabilidade dos funcionários públicos.
(b) Sumário dos crimes punidos com detenção.
(c) Dos crimes contra a propriedade imaterial.
(d) Dos crimes falimentares.

Resposta: Alternativa "(a)".

Comentando tão-somente a alternativa "(d)", com referência aos crimes falimentares, embora haja alguma divergência jurisprudencial e doutrinária com a recente reforma do Código de Processo Penal no ano de 2008, no rito sumário a defesa do acusado se dará após o recebimento da denúncia.

23. OAB/MG – EXAME DE ORDEM – ABRIL/2008

Para os crimes falimentares previstos na Lei 11.101/2005 será adotado o procedimento:

(a) Comum ordinário.
(b) Sumariíssimo.
(c) Especial.
(d) Comum sumário.

Resposta: Alternativa "(d)".

O rito a ser obedecido em tal espécie de crimes é o rito comum sumário (art. 185 da Lei 11.101/2005).

24. JUSTIÇA DO TRABALHO-14ª Região (RONDÔNIA E ACRE) – CONCURSO PÚBLICO – JUIZ DO TRABALHO SUBSTITUTO – MAIO/2006

É correto afirmar que a pessoa jurídica, na qualidade de sujeito ativo, pode ser denunciada, processada e condenada criminalmente por crime:

(a) Ambiental.
(b) De corrupção ativa e passiva.
(c) De lavagem de dinheiro.
(d) Falimentar.
(e) De imprensa.

Resposta: Alternativa "(a)".

Em relação aos crimes falimentares – alternativa "(d)" – não é cabível a condenação criminal da pessoa jurídica, uma vez que a legislação brasileira somente autoriza tal responsabilização nos crimes ambientais (Lei 9.605/1998) e contra a ordem econômica (Lei 8.137/1990). Consigne-se que na legislação francesa é permitida a responsabilização penal da pessoa jurídica por crime falimentar.

25. MINISTÉRIO PÚBLICO/RJ – PROCURADORIA-GERAL DE JUSTIÇA – XVIII CONCURSO PARA INGRESSO NA CLASSE INICIAL DA CARREIRA DO MINISTÉRIO PÚBLICO – PROVA ESCRITA PRELIMINAR – 28.5.1995

Caio e Núncio foram condenados, pela prática de crimes falimentares, a 1 ano de reclusão, em concurso material com o delito de estelionato, tipificado no art. 171, § 2º, VI, do CP, pelo qual foram apenados, igualmente, com 1 ano de reclusão e 10 dias-multa. A denúncia foi recebida em 28.3.1993. Os cheques foram emitidos em 18.8.1985. A sentença que encerrou a falência transitou em julgado em 3.4.1991. A sentença condenatória é de 14.11.1994. Não houve recurso da acusação. Caio e Núncio recorreram, alegando, como preliminar, a extinção da punibilidade dos crimes pela prescrição, invocando o disposto no art. 110, §§ 1º e 2º, do CP e no art. 199 da Lei Falimentar.

Como órgão do Ministério Público, você concordaria? Resposta objetivamente justificada.

Resposta: *A alegação dos réus é de prescrição retroativa (CP, art. 110, §§ 1º e 2º), a qual se regula pela pena aplicada, uma vez que a sentença condenatória já transitou em julgado para a acusação. Para a verificação de tal hipótese teremos de separar a contagem de prazo para o crime falimentar da contagem para o crime comum, dado que tais espécies delitivas seguiam sistemas diversos na vigência do Decreto-lei 7.661/1945, os quais foram unificados com a vigência da Lei 11.101/2005.*

Para o crime falimentar, temos: prescrição de dois anos, a contar da data do trânsito em julgado da decisão de encerramento da falência (3.4.1991), com marcos interruptivos quando do recebimento da denúncia (28.3.1993) e quando da sentença condenatória recorrível (14.11.1994).

Para o crime comum de estelionato, na modalidade de fraude no pagamento por emissão de cheques sem a devida provisão de fundos, temos: prescrição em quatro anos (CP, art. 109, V), a contar da data da consumação do delito (18.8.1985), com marcos interruptivos quando do recebimento da denúncia (28.3.1993) e quando da sentença condenatória recorrível (14.11.1994). Consigne-se que a multa prescreveria juntamente com a pena privativa de liberdade (CP, art. 114).

Assim, verifica-se que entre as datas que consignam marcos interruptivos do prazo prescricional do delito falimentar, 3.4.1991 – 28.3.1993 – 14.11.1994, não sobreveio um biênio, razão pela qual não existe prescrição.

Entretanto, entre as datas que consignam marcos interruptivos do prazo prescricional do delito de estelionato, 18.8.1985 – 28.3.1993 – 14.11.1994, houve o decurso de mais de quatro anos entre a data do cometimento do crime (18.5.1985) e a de recebimento da denúncia (28.3.1993), razão pela qual operou a prescrição retroativa.

Consigne-se que, mesmo sendo caso de concurso de crimes, a extinção da punibilidade pela prescrição incidirá sobre a pena de cada um, isoladamente, sem contar eventual aumento derivado do concurso (CP, art. 119).

Assim, como órgão do Ministério Público, é de se concordar apenas com a decretação da extinção da punibilidade pela prescrição do crime comum de estelionato, na modalidade de fraude no pagamento por meio de cheque sem fundo.

26. MINISTÉRIO PÚBLICO/SP – CONCURSO DE INGRESSO NA CARREIRA – 1986

Instaurada a ação penal relativa a crime falimentar, repercute, porventura, nela a reforma da sentença declaratória da falência?

Fundamente.

Resposta: *Sim. Seja qual for a natureza jurídica que se atribua à decisão que decreta a falência (condição de procedibilidade, condição objetiva de punibilidade ou elemento do tipo penal falimentar), o fato é que eventual reforma de referida decisão traz como conseqüência a impossibilidade de prosseguimento da ação penal falimentar, que deve ser extinta. Tal orientação constava da norma do art. 507 do CPP ("A ação penal não poderá iniciar-se antes de declarada a falência e extinguir-se-á quando reformada a sentença que a tiver decretado"), que, embora revogado por força da Lei 11.101/2005, continua a servir como embasamento doutrinário à matéria. É de se consignar, igualmente, que a doutrina e a jurisprudência são praticamente pacíficas a respeito da impossibilidade de continuação da ação penal quando reformada ou anulada a decisão que decretou a quebra.*

27. MINISTÉRIO PÚBLICO/SP – 77º CONCURSO DE INGRESSO NA CARREIRA – 1995 – TEMAS PARA DISSERTAÇÃO – TÓPICO FINAL

"Extinção da punibilidade: contagem do prazo prescricional no processo de falência e conseqüências quanto ao crime comum conexo."

Resposta: *A prescrição na legislação falimentar anterior (Decreto-lei 7.661/1945) contava-se em dois estágios: (1) da decretação da falência até o encerramento ou data em que deveria existir o encerramento do processo falimentar; (2) do encerramento da falência (ou da data em que deveria se encerrar) até o fim do prazo prescricional de dois anos. A rigor, aliás, somente o segundo estágio era propriamente prescricional, pois o primeiro era apenas o prazo de encerramento da falência, servindo como termo* a quo *para a contagem do prazo. Sobre a contagem desse prazo o STF editou a Súmula 147, que preconizava: "A prescrição de crime falimentar começa a correr da data em que deveria estar encerrada a falência, ou do trânsito em julgado da sentença que a encerrar ou que julgar cumprida a concordata". Como a falência deveria estar encerrada em dois anos, poder-se-ia contar o prazo máximo de prescrição englobadamente, em quatro anos a partir da decisão que decretava a quebra. Havendo crime comum conexo, suas regras de prescrição seguem a regra geral estabelecida no Código Penal, sendo que a prescrição de cada crime (comum e falimentar) deve ser contada separadamente, sem o aumento de pena derivado de eventual concurso de crimes (CP, art. 119). Conforme a jurisprudência majoritária (STJ, HC 83.837-SP, rela. Min. Jane Silva, j. 25.10.2007), sendo reconhecida a prescrição do crime falimentar, não se afasta a competência do juízo falimentar para julgamento do crime comum conexo, se assim for estabelecido na lei de organização judiciária local.*

28. MINISTÉRIO PÚBLICO/SP – 83º CONCURSO DE INGRESSO NA CARREIRA – 2002

Assinale a alternativa INCORRETA:

(a) A fiança poderá ser concedida desde a prisão em flagrante até o trânsito em julgado da sentença condenatória.

(b) O juiz de direito poderá determinar que se proceda, novamente, ao interrogatório do réu ou inquirição de testemunhas e do ofendido, se não houver presidido a esses atos na instrução criminal.

(c) O prazo da prisão temporária decretada pelo juiz de direito não se computa naquele que deve ser respeitado para a conclusão da instrução criminal.

(d) Conclusos os autos para sentença, o juiz de direito, no prazo de cinco dias, poderá ordenar diligências para sanar qualquer nulidade ou suprir falta que prejudique o esclarecimento da verdade.

(e) A ação penal poderá iniciar-se antes de declarada a falência e extinguir-se-á quando reformada a sentença que a tiver decretado.

Resposta: Alternativa "(e)".

Sendo a decisão que decreta a falência condição objetiva de punibilidade do crime falimentar, não pode a ação penal se iniciar antes dela, ressalvado, na vigência da Lei 11.101/2005 (legislação posterior à questão tratada), o caso dos crimes anteriores à falência mas posteriores à recuperação judicial ou extrajudicial concedida ou homologada. Assim, incorreta a alternativa "(e)".

29. MINISTÉRIO PÚBLICO/SP – CONCURSO DE INGRESSO NA CARREIRA – 1984

Qual é o momento consumativo do crime falimentar antefalimentar?

Resposta: *Há divergência quanto ao momento consumativo dos crimes pré-falimentares, ou seja, aqueles que ocorrem antes da decisão que decreta a quebra, bem como, após a vigência da Lei 11.101/2005, dos crimes que antecedem a concessão da recuperação judicial ou homologação do plano de recuperação extrajudicial (crimes pré-recuperação). O problema que se põe em tal espécie delitiva é a necessidade, ou não, de se considerar a superveniência da* conditio juris *referente à decisão que decreta a falência ou concede a recuperação judicial ou extrajudicial para a efetiva consumação do crime. Uma primeira linha doutrinária sustenta que o crime pré-falimentar ou pré-recuperação somente estará consumado com a sobrevinda das decisões acima mencionadas, uma vez que antes disso são condutas indiferentes ao ordenamento criminal, as quais podem simplesmente nunca receber punição se a quebra ou recuperação não lhes forem supervenientes. Para esta linha doutrinária, portanto, o momen-*

to da consumação do delito falimentar se daria quando da ocorrência da decisão judicial de falência ou de recuperação, e não quando, em momento anterior, houve a prática da conduta descrita no tipo penal pelo agente. Já uma segunda corrente, por entender que a decisão falimentar ou de recuperação é apenas uma condição de punibilidade externa ao tipo penal respectivo, que subordina apenas sua futura punição, entende que o crime falimentar estará consumado quando da prática da ação ou omissão descritas no tipo penal, e não quando, posteriormente, sobrevenha decisão judicial reconhecendo a bancarrota ou a crise empresarial.

30. MINISTÉRIO PÚBLICO/SP – CONCURSO DE INGRESSO NA CARREIRA – 1988

Qual a peculiaridade do despacho que recebe a denúncia ou queixa por crime falimentar?

Resposta: *A questão refere-se ao Decreto-lei 7.661/1945, ainda aplicável às falências decretadas anteriormente à vigência da Lei 11.101/2005. A matéria vinha disciplinada na Súmula 564/STF, cujo teor determinava que "a ausência de fundamentação do despacho de recebimento de denúncia por crime falimentar enseja nulidade processual, salvo se já houver sentença condenatória". Cumpre salientar que há entendimentos segundo os quais na vigência da Lei 11.101/2005 a fundamentação da decisão que recebe a denúncia não é mais necessária.*

31. MINISTÉRIO PÚBLICO/SP – CONCURSO DE INGRESSO NA CARREIRA – 1983

No processo crime falimentar o Ministério público fica vinculado à capitulação jurídica da infração feita no relatório do síndico? Por quê?

Resposta: *Não. A capitulação do fato dada pelo síndico (hoje, administrador judicial) em sua exposição circunstanciada ou primeiro relatório não vincula o órgão do Ministério Público, que fica livre, de acordo com a prova dos autos, para formar sua convicção (*opinio delicti*) a respeito da tipificação das condutas narradas.*

32. MINISTÉRIO PÚBLICO/SP – CONCURSO DE INGRESSO NA CARREIRA – 1983

Tratando-se de crime falimentar, o Ministério Público pode oferecer denúncia antes de encerrado o inquérito judicial? Por quê?

Resposta: *Sim. O oferecimento de denúncia por parte do membro do Ministério Público não se vincula sequer à existência de inquérito judicial (ou policial), que se configura em mero procedimento investigatório dispensável. Assim, basta que o membro do Ministério Público tenha peças de informação suficientes para dar justa causa à ação penal para que possa oferecer denúncia ao Poder Judiciário.*

33. MINISTÉRIO PÚBLICO – 85º CONCURSO DE INGRESSO NA CARREIRA – 2006 – ARGÜIÇÃO ORAL DOS CANDIDATOS – 7.5.2007
(fonte: *http://www.flaviotartuce.adv.br/secoes/concursos/mp_oral_07.doc.*)

A transferência de bens de uma comarca para outra comarca caracteriza algum crime falimentar?

Resposta: *Sim. Desde que feita com intuito de fraude e de prejudicar credores, de modo a tornar mais difícil o acesso destes aos bens, a conduta caracterizará crime falimentar de desvio e/ou ocultação de bens, capitulada anteriormente nos arts. 188, III, e 189, I, do Decreto-lei 7.661/1945, e hoje no art. 173 da Lei 11.101/2005.*

34. MINISTÉRIO PÚBLICO – 85º CONCURSO DE INGRESSO NA CARREIRA – 2006 – ARGÜIÇÃO ORAL DOS CANDIDATOS – 7.5.2007
(fonte: *http://www.flaviotartuce.adv.br/secoes/concursos/mp_oral_07.doc*)

Pode o Membro do Ministério Público realizar investigação de crime falimentar sem se valer de inquérito policial? Como faria isso? É pacífico na doutrina?

Resposta: *A investigação criminal direta pelo Ministério Público, mediante procedimento autônomo sob sua presidência, embora venha cada vez mais se firmando como hipótese viável (e que conta com nosso irrestrito apoio), encontrou sérias resistências em parte da doutrina e até em alguns julgados do STF. A matéria ainda é muito divergente na jurisprudência e na doutrina. Concordando com a hipótese a opinião, citada no texto, de Migliari Jr. (*Crimes de Recuperação de Empresas e de Falências*, São Paulo, Quartier Latin, 2006, pp. 187-188). Contra: Pitombo (in Antônio Sérgio A. de Moraes Pitombo e Francisco Satiro de Souza Jr. (coords.),* Comentários à Lei de Recuperação de Empresas e Falência: Lei 11.101/2005*, São Paulo, Ed. RT, 2005, p. 565).*

35. MINISTÉRIO PÚBLICO/RJ – XIII CONCURSO PARA INGRESSO NA CLASSE INICIAL DA CARREIRA – PROVA ESCRITA ESPECIALIZADA DA BANCA DE DIREITO PÚBLICO

Tem atribuição para impetrar *habeas corpus* em favor de denunciado em crime falimentar o membro do Ministério Público em exercício na Promotoria de Justiça junto ao juízo criminal processante?

Resposta justificada.

Resposta: *Sem dúvida. É pacífico na doutrina e na jurisprudência que o promotor de justiça pode impetrar* habeas corpus *contra ato judicial, ainda que seja em benefício do acusado. Vários acórdãos afirmam a viabilidade de tal procedimento (v.,por exemplo, TJSP, 6ª Câmara Criminal, HC 268.397-3, São Paulo, rel. Des. Debatin Cardoso, j. 21.1.1999, v.u.).*

36. MINISTÉRIO PÚBLICO/SP – 81º CONCURSO DE INGRESSO NA CARREIRA – 1ª FASE – 1999

O inquérito judicial para apurar crimes falimentares se inicia:

(a) Exclusivamente por requerimento do Ministério Público.

(b) Por determinação *ex officio* do juiz.

(c) Com a apresentação do relatório do síndico e seu requerimento.

(d) Por requerimento do falido.

(e) Por portaria do delegado de polícia.

Resposta: Alternativa "(c)".

A questão refere-se aos ditames do Decreto-lei 7.661/1945. Nos termos do art. 103, § 2º, de referido diploma legal, as primeiras vias da exposição (relatório do síndico) e do laudo e os documentos formarão os autos do inquérito judicial, e as segundas vias serão juntas aos autos da falência.

37. PROCURADORIA-GERAL DE JUSTIÇA/RJ – VIII CONCURSO PARA INGRESSO NA CLASSE INICIAL DA CARREIRA DO MINISTÉRIO PÚBLICO

Em determinado processo de falência, aprontado o quadro geral de credores, do qual teve vista o representante do Ministério Público, constatou ele, de plano, a existência de atos dos falidos caracterizadores de prática de crimes falimentares. Pode o representante do *Parquet*, desde logo, oferecer denúncia? Por quê?

Resposta objetivamente justificada.

Resposta: *Sim. O oferecimento de denúncia por parte do membro do Ministério Público não se vincula sequer à existência de inquérito judicial (ou policial), que se configura em mero procedimento investigatório dispensável.*

Assim, basta que o membro do Ministério Público possua peças de informação suficientes para dar justa causa à ação penal para que possa oferecer denúncia ao Poder Judiciário. No caso concreto, se houve nos autos elementos suficientes à formação do convencimento do órgão do Ministério Público, que dêem lastro probatório mínimo à ação penal, pode ocorrer o oferecimento de denúncia.

38. PROCURADORIA-GERAL DE JUSTIÇA/RJ – XIV CONCURSO PARA INGRESSO NA CLASSE INICIAL DA CARREIRA DO MINISTÉRIO PÚBLICO

A natureza jurídica do inquérito judicial para apuração de crime falimentar é a mesma do inquérito policial?

Resposta: *Sim. Na vigência do Decreto-lei 7.661/1945 houve alguma divergência na doutrina e na jurisprudência sobre se o inquérito judicial seria um procedimento em que se exigiria o respeito ao princípio do contraditório, diferentemente do inquérito policial, em que tal princípio é inaplicável. A ampla maioria dos julgados, entretanto, rechaçou a incidência do contraditório no inquérito judicial, afirmando que este tem a mesma natureza do inquérito policial, qual seja, de mero procedimento informativo destinado a dar justa causa à ação penal. V., nesse sentido, o julgado do TJSP nos ED 147.515-3, São Paulo, rel. Des. Silva Pinto, j. 24.10.1994.*

39. PROCURADORIA-GERAL DE JUSTIÇA/RJ – XI CONCURSO PARA INGRESSO NA CLASSE INICIAL DA CARREIRA DO MINISTÉRIO PÚBLICO

Em 15.8.1986, decretada a falência da Imobiliária Costa Branca S/A, na comarca de São Pedro d'Aldeia, foi instaurado o inquérito judicial, que apurou a ocorrência de crime capitulado no art. 188, inciso I, da Lei de Falências, além da falsidade ideológica de escrituras de compra e venda antedatadas, que visavam a excluir da massa os imóveis nelas referidos. Os autos do inquérito judicial foram com vista ao Promotor de Justiça da comarca, em 5.3.1991. Pergunta-se: que providência deverá adotar o representante do Ministério Público? Resposta objetivamente justificada.

Resposta: *De acordo com o art. 105 do Decreto-lei 7.661/1945, dada vista dos autos de inquérito judicial pela primeira vez ao representante do Ministério Público, este poderia, dentro de três dias, opinando sobre a exposição do síndico, as alegações dos credores e os requerimentos que hajam apresentado, alegar e requerer o que fosse conveniente à finalidade do inquérito, ainda que não requerido este pelo síndico ou por credor. Assim, poderia requerer a realização de provas (testemunhais, periciais, documentais etc.). Poderia, ainda, se já tivesse elementos de prova que dessem justa causa à ação penal, oferecer denúncia pelo delito de simulação de capital além da fraude falimentar visando* *a desviar bens da massa mediante falsidade de escrituras ou, se verificasse de plano que os fatos não ensejariam a propositura da ação penal, promover o apensamento do inquérito judicial.*

40. MINISTÉRIO PÚBLICO/RJ – PROCURADORIA-GERAL DE JUSTIÇA – XVI CONCURSO PARA INGRESSO NA CLASSE INICIAL DA CARREIRA DO MINISTÉRIO PÚBLICO

É possível a tentativa no crime falimentar?

Resposta fundamentada.

Resposta: *Com relação aos crimes pré-falimentares (ou pré-recuperação) vige ampla divergência quanto ao cabimento da tentativa, uma vez que para sua punibilidade é necessária a decisão decretando a falência, concedendo a recuperação judicial ou homologando plano de recuperação extrajudicial. Assim, ou bem já existe crime consumado com o advento destas decisões judiciais ou tratar-se-á de fato impunível, restando, na opinião de parcela da doutrina, impossível a ocorrência de tentativa de crime antefalimentar, principalmente nos casos em que se cuide de crimes sem resultado naturalístico ou em que haja apenas evento de perigo (e não dano) ao bem jurídico protegido. Parte da doutrina, porém, admite a tentativa mesmo em crimes pré-falimentares quando as decisões judiciais decretando a quebra ou a recuperação venham a colher o delito no curso de sua execução. Já, em relação aos crimes ocorridos após a decretação da quebra, concessão de recuperação judicial ou homologação de plano de recuperação extrajudicial (pós-falimentares) alguns doutrinadores inclinam-se pela admissibilidade da tentativa, como em casos de tentativa de subtração ou desvio de bens da massa cuja execução seja interrompida por circunstâncias alheias à vontade do agente. Recentemente, já na vigência da Lei 11.101/2005, o TJSP decidiu sobre possibilidade de tentativa de crime falimentar (ocultação de bens da massa falida).*

41. MINISTÉRIO PÚBLICO/RJ – PROCURADORIA-GERAL DE JUSTIÇA – XXIV CONCURSO PARA INGRESSO NA CLASSE INICIAL DA CARREIRA DO MINISTÉRIO PÚBLICO

Ao declarar a falência de DDC Ltda., verificando a existência de elementos que atestavam a prática de delito de bancarrota, o juiz falimentar decretou a prisão preventiva do sócio-gerente da falida. Irresignado, o sócio-gerente impetrou *habeas corpus*, alegando que a prisão preventiva, nos termos do disposto no art. 311 do CPP, somente pode ser ordenada quando já houver inquérito formalmente instaurado ou ação penal em andamento.

Manifeste-se acerca da legalidade da custódia cautelar. Resposta integralmente fundamentada.

Resposta: *A viabilidade da prisão preventiva vem expressamente consignada no art. 99, VII, da Lei 11.101/2005, quando trata do conteúdo da sentença que decretar a falência: "VII – determinará as diligências necessárias para salvaguardar os interesses das partes envolvidas, podendo ordenar a prisão preventiva do falido ou de seus administradores quando requerida com fundamento em provas da prática de crime definido nesta Lei". Nesse aspecto a Lei 11.101/2005 manteve a mesma linha do Decreto-lei 7.661/1945, que permitia, em seu art. 14, parágrafo único, VI, a prisão preventiva do devedor, determinada pelo juízo cível na decisão que decretava a falência, sem a prévia necessidade de inquérito ou instrução em regular processo penal. Comentando este último dispositivo na legislação revogada, Trajano de Miranda Valverde ressalta: "Ocorre, assim, exceção à regra do art. 311 do CPP, que só autoriza a decretação da prisão preventiva no curso do inquérito policial ou da instrução criminal. Por isso mesmo, o juiz do cível não poderá decretá-la senão quando se tratar de crime falimentar". Logo, para os casos de crimes falimentares não vige a regra de que a prisão preventiva somente possa ser decretada no curso de inquérito ou ação penal.*

42. MINISTÉRIO PÚBLICO/RJ – PROCURADORIA-GERAL DE JUSTIÇA – XVI CONCURSO PARA INGRESSO NA CLASSE INICIAL DA CARREIRA

A sociedade comercial "Z" impetrou, em 5.4.1997, concordata preventiva, que foi distribuída ao Juízo de Falências e Concordatas da comarca da Capital. Obteve o despacho de processamento e, posteriormente, a concessão da concordata. No entanto, em 20.6.1999, por descumprimento de norma do Decreto-lei 7.661/1945, teve a concordata rescindida, sendo decretada a sua falência. Em 25.10.2001 requereu a falida, no prazo legal, concordata suspensiva. Havendo no processo falimentar cópia da denúncia, com o despacho que a recebeu, oferecida diretamente pelo Curador de Massas Falidas no Juízo Criminal da comarca da Capital contra os sócios da requerente sem que ainda tenha sido julgada a correspondente ação penal, manifesta-se o síndico de acordo com o pedido de concordata suspensiva. Os autos são remetidos ao Ministério Público.

Opine o candidato a respeito, dispensada a forma de parecer. Resposta integralmente fundamentada.

Resposta: *Esse era um dos grandes problemas que existiam durante a vigência do Decreto-lei 7.661/1945 quando condicionava a concessão da concordata suspensiva à inexistência de decisão de recebimento da denúncia por crime falimentar (art. 111). Confundia-se, portanto, a empresa (atividade) com seu titular (empresário), punindo-se a atividade econômica (além das pessoas que dela dependiam e as riquezas geradas à sociedade) em virtude da conduta criminal de seu titular. No caso em tela, portanto, a concordata suspensiva não poderia ser concedida, devendo o membro do Ministério Público opinar contra-*

riamente ao seu deferimento, por força de texto expresso de lei. É de se lembrar que com a vigência da Lei 11.101/2005 não há mais o instituto da concordata, muito embora ainda haja condicionamento da concessão de recuperação à ausência de condenação criminal do empresário (art. 48, IV).

43. MINISTÉRIO PÚBLICO/RJ – PROCURADORIA-GERAL DE JUSTIÇA – XXV CONCURSO PARA INGRESSO NA CLASSE INICIAL DA CARREIRA DO MINISTÉRIO PÚBLICO

Encerrada há 10 anos a falência de determinada sociedade, requer o falido, condenado à pena de reclusão pela prática de crime falimentar, sejam declaradas extintas as suas obrigações. Junta a documentação que entende pertinente, deixando de comprovar a quitação dos tributos relativos à sua atividade mercantil. Os autos são remetidos ao Ministério Público.

Opine a respeito, dispensada a forma de parecer. Resposta integramente fundamentada.

Resposta: *Havendo condenação por crime falimentar, o prazo para que o falido possa obter a extinção de suas obrigações e exercer novamente a atividade empresarial é de 10 anos do encerramento da falência (art. 158, IV, da Lei 11.101/2005 e art. 135, IV, do Decreto-lei 7.661/1945). Ocorre que a medida de extinção de obrigações deve ser necessariamente acompanhada de prova de quitação de tributos (art. 191 do CTN). Dessa forma, não há como se declarar extintas as obrigações do falido sem tal comprovação.*

44. MINISTÉRIO PÚBLICO/DF E TERRITÓRIOS – 24º CONCURSO

Com relação à prescrição das condutas tipificadas nas leis especiais, assinale a opção INCORRETA:

(a) As causas interruptivas da prescrição previstas no Código Penal são aplicadas aos crimes falimentares, pois o Decreto-lei 7.661/1945 não disciplina referida matéria.

(b) A Lei de Imprensa prevê, expressamente, prazos para a prescrição da pretensão punitiva e para a prescrição da pretensão executória.

(c) Aos crimes tipificados na Lei 6.368/1976 não se aplicam os prazos prescricionais previstos no Código Penal, pois a lei especial citada regulamenta essa matéria de maneira diversa.

(d) Às condutas tipificadas penalmente no Código Eleitoral aplicam-se os prazos prescricionais previstos no Código Penal.

Resposta: Alternativa "(c)".

Comentando tão-somente a alternativa "(a)", relativa aos crimes falimentares, no que tange às causas de interrupção da prescrição na lei anterior, o

STF editou a Súmula 592, que dispôs: "Nos crimes falimentares, aplicam-se às causas interruptivas da prescrição previstas no Código Penal". No que toca ao delito falimentar, as causas interruptivas de prescrição são o recebimento da denúncia, a sentença e o acórdão condenatórios recorríveis. A situação permaneceu a mesma com a vigência da Lei 11.101/2005, aplicando-se as causas de interrupção da prescrição previstas no Código Penal.

45. MINISTÉRIO PÚBLICO/DF E TERRITÓRIOS – 24º CONCURSO

Julgue os itens que se seguem:

I – Os crimes falimentares podem ser antefalimentares ou pós-falimentares.

II – Crimes militares puros ou próprios são aquelas condutas definidas apenas no Código Penal Militar.

III – Crime plurissubjetivo é aquele que, por sua conceituação típica, exige dois ou mais agentes para a prática da conduta criminosa.

Assinale a opção CORRETA.

(a) Todos os itens estão certos.

(b) Apenas os itens I e II estão certos.

(c) Apenas os itens I e III estão certos.

(d) Apenas os itens II e III estão certos.

Resposta: Alternativa "(a)".

Comentando tão-somente a afirmação I, relativa aos crimes falimentares, uma de suas classificações, que leva em consideração o momento da ocorrência do delito em relação ao da decretação da quebra, subdivide os crimes falimentares em antefalimentares e pós-falimentares.

46. MINISTÉRIO PÚBLICO/RO – PROCURADORIA GERAL DE JUSTIÇA – XV CONCURSO DE INGRESSO NA CARREIRA DO MINISTÉRIO PÚBLICO

Assinale a alternativa INCORRETA:

(a) A função negativa da coisa julgada material é a de impedir a repetição do processo e julgamento para a lide penal em que incide a sentença que se tornou imutável.

(b) A deficiência na formulação de quesito é questão vedada em sede de recurso para nulificar o julgamento quando o fato não foi impugnado no momento que a lei processual concede à parte.

(c) Após o recebimento da denúncia por crime falimentar observar-se-á o procedimento ordinário comum, mas não haverá impedimento para concessão de concordata suspensiva.

(d) Pela correlação da sentença não pode o juiz decidir de modo diverso do que consta da denúncia ou da queixa.

(e) *A persecutio criminis in judicio* pertinente aos crimes de alçada privada possui implicações na promoção do inquérito policial.

Resposta: Alternativa "(c)".

Comentando somente a alternativa "(c)", relativa a crimes falimentares, ressaltamos novamente que esse era um dos grandes problemas que existiam durante a vigência do Decreto-lei 7.661/1945 quando condicionava a concessão da concordata suspensiva à inexistência de decisão de recebimento da denúncia por crime falimentar (art. 111). Confundia-se, portanto, a empresa (atividade) com seu titular (empresário), punindo-se a atividade, as pessoas que dela dependiam e as riquezas geradas à sociedade pela conduta criminal de seu titular. No caso em tela, portanto, a concordata suspensiva não pode ser concedida. É de se lembrar que com a vigência da Lei 11.101/2005 não há mais o instituto da concordata, muito embora ainda haja condicionamento da concessão de recuperação à ausência de condenação criminal do empresário (art. 48, IV). Ressalte-se também que no regime da Lei 11.101/2005 segue-se o rito sumário para o processo e julgamento dos crimes falimentares.

47. ESCOLA JUDICIAL DES. EDÉSIO FERNANDES – CONCURSO PARA JUIZ DE DIREITO SUBSTITUTO/MG – 2005 – PROVA DE DIREITO COMERCIAL

No processo falimentar de uma administradora de consórcio, o pedido de declaração da falência pode ser acolhido por sentença pelo juiz falimentar, mesmo se não houver indício de crime falimentar?

Resposta: *Devemos lembrar que as administradoras de consórcio são, para todos os efeitos legais, equiparadas às instituições financeiras. Assim sendo, estão excluídas do regime falimentar mediante pedido de eventual credor, nos termos expressos do art. 2º, II, da Lei 11.101/2005. Havendo dificuldades econômico-financeiras, as administradoras de consórcios sujeitam-se às medidas de intervenção e liquidação extrajudiciais previstas na Lei 6.024/1974. Isso não exclui a possibilidade de que tais sociedades venham a ter sua falência decretada pelo interventor, mediante autorização do Banco Central; mas isso não fica condicionado à existência, ou não, de indícios de crime falimentar.*

48. PROCURADORIA-GERAL DE JUSTIÇA/RS – XLIV CONCURSO PARA INGRESSO NA CARREIRA DO MINISTÉRIO PÚBLICO

Assinalar a alternativa CORRETA:

Não constitui crime falimentar:

(a) O devedor, concorrentemente com a falência, dar causa à inexistência dos livros obrigatórios.

(b) O devedor, concorrentemente com a falência, ter sua escrituração confusa.

(c) O devedor, concorrentemente com a falência, inutilizar parcialmente os livros obrigatórios.

(d) O síndico adquirir, indiretamente, bens da massa falida.

(e) Nenhuma das alternativas anteriores está correta.

Resposta: Alternativa "(e)".

A questão refere-se ao disposto na legislação falimentar anterior, Decreto-lei 7.661/1945, no qual as hipóteses veiculadas caracterizavam crime falimentar. Na vigência da Lei 11.101/2005 a existência de escrituração confusa – alternativa "(b)" –, segundo amplo entendimento doutrinário e jurisprudencial, não é mais, por si só, crime falimentar, podendo apenas agravar a pena do delito do art. 168 da Lei 11.101/2005 (fraude a credores). As hipóteses das demais alternativas continuam a ser incriminadas na Lei 11.101/2005.

49. PROCURADORIA-GERAL DE JUSTIÇA/RS – XLII CONCURSO PARA INGRESSO NA CARREIRA DO MINISTÉRIO PÚBLICO

Assinale a alternativa CORRETA:

Conforme a jurisprudência predominante do STF e do STJ:

(a) Constitui ofensa ao princípio do contraditório a falta de intimação do falido para manifestar-se e requerer o que entender conveniente no inquérito judicial.

(b) A ausência de fundamentação do despacho de recebimento da denúncia por crime falimentar enseja nulidade processual, salvo se já houver sentença condenatória.

(c) Nos crimes falimentares não se aplicam as causas interruptivas da prescrição previstas no Código Penal.

(d) Nos crimes falimentares o prazo prescricional começa a correr somente com o trânsito em julgado da sentença que encerrar a falência ou que julgar cumprida da concordata.

(e) Nenhuma das alternativas anteriores está correta.

Resposta: Alternativa "(b)".

A questão refere-se ao disposto na legislação falimentar anterior (Decreto-lei 7.661/1945). A matéria vinha disciplinada na Súmula 564/STF, cujo teor determinava que "a ausência de fundamentação do despacho de recebimento de denúncia por crime falimentar enseja nulidade processual, salvo se já houver sentença condenatória". Assim, a alternativa "(b)" está correta. Cumpre salientar que há entendimentos segundo os quais na vigência da Lei 11.101/2005 a fundamentação da decisão que recebe a denúncia não é mais necessária. A alternativa "(a)" está errada, pois, segundo a jurisprudência amplamente majoritária, não se aplicava o princípio do contraditório em inquérito judicial. A alternativa "(c)" está errada, pois as causas de interrupção da prescrição previstas no Código Penal aplicam-se aos crimes falimentares (Súmula 592/ STF). A alternativa "(d)" está incompleta, pois, nos termos da Súmula 147/ STF: "A prescrição de crime falimentar começa a correr da data em que deveria estar encerrada a falência, ou do trânsito em julgado da sentença que a encerrar ou que julgar cumprida a concordata".

50. MINISTÉRIO PÚBLICO/MS – XXI CONCURSO PÚBLICO DE PROVAS E TÍTULOS – PROMOTOR DE JUSTIÇA SUBSTITUTO – PROVA PREAMBULAR

Assinale a alternativa CORRETA em matéria falimentar:

(a) Será punido o devedor com detenção quando concorrerem com a falência, dentre outros fatos, gastos pessoais ou de família manifestamente excessivos em relação ao seu cabedal.

(b) Será punido o devedor com detenção quando concorrer com a falência, dentre outros fatos, simulação de capital para obtenção de maior crédito.

(c) Será punido o devedor com detenção quando concorrer com a falência, dentre outros fatos, desvio de bens, inclusive pela compra em nome de terceira pessoa, ainda que cônjuge ou parente.

(d) Todas as afirmativas anteriores estão corretas.

Resposta: Alternativa "(d)".

A questão refere-se ao disposto na legislação falimentar anterior (Decreto-lei 7.661/1945). Todas as condutas descritas nas alternativas "(a)", "(b)" e "(c)" eram consideradas crimes falimentares. Com a superveniência da Lei 11.101/2005 o excesso de gastos pessoais e familiares deixou de ser crime falimentar. A simulação de capital configura causa de aumento de pena do delito tipificado no art.168, IV, da Lei 11.101/2005. O desvio de bens é tipificado no art. 173 da Lei 11.101/2005.

51. MINISTÉRIO PÚBLICO/MS – XXI CONCURSO PÚBLICO DE PROVAS E TÍTULOS – PROMOTOR DE JUSTIÇA SUBSTITUTO – PROVA PREAMBULAR

Assinale a alternativa INCORRETA em matéria de falência e concordata:

(a) A prescrição relativa às obrigações do falido recomeça a correr no dia em que passar em julgado a sentença de encerramento da falência.

(b) Para a extinção das obrigações do falido é obrigatório o pagamento, não sendo permitida a novação dos créditos com garantia real.

(c) Extingue as obrigações do falido o decurso do prazo de CINCO anos, contado a partir do encerramento da falência, se o falido, ou o sócio-gerente da sociedade falida, não tiver sido condenado por crime falimentar.

(d) Extingue as obrigações do falido o decurso do prazo de 10 anos, contado a partir do encerramento da falência, se o falido, ou o sócio-gerente da sociedade falida, tiver sido condenado à pena de detenção por crime falimentar.

Resposta: Alternativa "(B)".

A questão refere-SE ao disposto na legislação falimentar anterior (Decreto-lei 7.661/1945). Nesse diploma era permitida expressamente pelo art. 135, I, a novação de créditos com garantia real. A Lei 11.101/2005, em seu art. 158, não repetiu a possibilidade. As demais alternativas estão corretas.

52. MINISTÉRIO PÚBLICO/MS – XXI CONCURSO PÚBLICO DE PROVAS E TÍTULOS – PROMOTOR DE JUSTIÇA SUBSTITUTO – PROVA PREAMBULAR

Assinale a alternativa CORRETA:

(a) Nos crimes de tráfico de entorpecentes com o exterior a competência será sempre da Justiça Federal, ainda que não exista no local sede de Vara da Justiça Federal.

(b) Nos crimes de imprensa o prazo prescricional para oferecimento da queixa ou representação é de seis meses.

(c) O foro competente para a ação penal concernente aos crimes falimentares é o juízo onde foi declarada a falência.

(d) Os crimes falimentares apenados com detenção têm procedimento diverso dos apenados com reclusão.

Resposta: Alternativa "(C)".

A questão refere-se ao disposto na legislação falimentar anterior (Decreto-lei 7.661/1945). Nesse diploma preconizava-se que até o recebimento da denúncia a competência era do juízo falimentar, sendo que após este os autos seriam remetidos ao juízo criminal competente (art. 109, § 2º). Tudo isso sem esquecer que em muitos Estados a legislação de organização judiciária estabeleceu que todo o processo deveria correr perante o juízo falimentar. A alternativa "(d)" está errada, pois tanto na vigência do Decreto-lei 7.661/1945 e dos dispositivos do Código de Processo Penal respectivos (que adotavam o rito ordinário para os crimes falimentares) quanto na vigência da Lei 11.101/2005 (que adota o rito sumário) não há distinção entre crimes falimentares apenados com reclusão e apenados com detenção.

53. MINISTÉRIO PÚBLICO/MS – XXI CONCURSO PÚBLICO DE PROVAS E TÍTULOS – PROMOTOR DE JUSTIÇA SUBSTITUTO – PROVA PREAMBULAR

Assinale a assertiva INCORRETA:

(a) A representação é irretratável após o oferecimento da denúncia, ainda que o juiz não a tenha recebido.

(b) Se o indiciado for menor de 21 anos é dispensável a nomeação de curador para a fase de inquérito policial, somente exigindo-se na fase judicial.

(c) Se o Ministério Público não oferecer denúncia nos crimes falimentares, o síndico ou qualquer credor poderá oferecer queixa.

(d) Na conexão há mais de um fato e mais de um crime. Na continência há um fato e mais de um crime.

Resposta: Alternativa "(b)".

A questão refere-se ao disposto na legislação falimentar anterior (Decreto-lei 7.661/1945). Comentando somente a alternativa "(c)", referente a crimes falimentares, o ajuizamento de ação penal privada subsidiária está permitido constitucionalmente (art. 5º, LIX, da CF) e vinha autorizado expressamente no art. 194 do Decreto-lei 7.661/1945. Com a vigência da Lei 11.101/2005 tal faculdade vem admitida no art. 184, parágrafo único, do referido diploma, estando legitimados para tanto o administrador judicial ou o credor habilitado.

54. MINISTÉRIO PÚBLICO/PR – CONCURSO PÚBLICO DE PROVAS E TÍTULOS – 1977

O não-oferecimento de denúncia no prazo do art. 108 da Lei Falimentar obsta à Justiça Pública propor ação penal por crime falimentar?

Resposta fundamentada.

Resposta: *Não. Nem na vigência da legislação falimentar anterior (Decreto-lei 7.661/1945, art. 108), nem na atual (Lei 11.101/2005), o decurso do prazo para oferecimento de denúncia obsta à posterior propositura da ação penal. As únicas conseqüências eventuais do decurso do prazo referido são a possibilidade de propositura de ação penal privada subsidiária da pública e a sujeição do promotor de justiça a sanções disciplinares, se cabíveis no caso.*

55. MINISTÉRIO PÚBLICO/GO – CONCURSO PÚBLICO DE PROVAS E TÍTULOS – PROMOTOR DE JUSTIÇA –1986

Enumere os elementos constitutivos do crime falimentar. Nessa enumeração poder-se-ia incluir a sentença declaratória? Por quê?

Resposta: *Segundo sustentava J. C. Sampaio de Lacerda (Manual de Direito Falimentar, Rio de Janeiro, Freitas Bastos, 1978, p. 301): "São elementos constitutivos do crime falimentar: (1) a existência de um comerciante; (2) sentença declaratória de falência; (3) fatores culposos ou dolosos; (4) evento de perigo para o comércio". A inclusão da decisão (ou sentença, para alguns) que decreta a falência nessa categoria é objeto de divergência, uma vez que somente parte da doutrina a conceitua como tendo natureza jurídica de elemento do tipo penal falimentar. Para outros doutrinadores referida decisão seria condição de procedibilidade da ação penal falimentar. Outra corrente sustenta, ainda, que esta decisão se constituiria em condição objetiva de punibilidade, sendo esta última adotada no art. 180 da Lei 11.101/2005.*

56. MINISTÉRIO PÚBLICO/GO – CONCURSO PÚBLICO DE PROVAS E TÍTULOS – PROMOTOR DE JUSTIÇA –1986

Se o crime falimentar é praticado pelo promotor de justiça da comarca, a quem será transferida a titularidade da ação penal?

Resposta: *Neste caso, sendo acusado o promotor de justiça da prática de um crime falimentar, deve-se considerar que há competência por prerrogativa de função junto ao Tribunal de Justiça do Estado respectivo. Do mesmo modo, caberá ao procurador de justiça do Ministério Público Estadual correspondente a titularidade da ação penal. O mesmo ocorre se for acusado da prática de crime falimentar um magistrado de primeira instância.*

57. OAB/SP – EXAME DE ORDEM – 122º EXAME DE ORDEM/SP

O inquérito judicial é providência que, na ordem legal dos atos da falência, segue-se imediatamente:
(a) Às declarações de crédito.
(b) À apresentação do relatório do síndico.
(c) Ao início do pagamento aos credores.
(d) À nomeação do síndico.

Resposta: Alternativa "(b)".

A questão refere-se ao disposto na legislação falimentar anterior (Decreto-lei 7.661/1945). Nesse diploma o inquérito judicial se seguia à apresentação da exposição circunstanciada ou primeiro relatório do síndico (art. 103, § 2º).

58. MINISTÉRIO PÚBLICO – 86º CONCURSO DE INGRESSO NA CARREIRA – 2008

Considerando as disposições de natureza processual penal contidas na Lei 11.101, de 9.2.2005 (Lei de Falência e Recuperação Judicial e Extrajudicial), aplicáveis aos crimes nela descritos, é incorreto afirmar que:

(a) A ação penal pública será sempre incondicionada.

(b) A ação penal privada subsidiária pode ser ajuizada pelo administrador judicial e por qualquer credor habilitado.

(c) Embora prevista a competência do juiz criminal para o processo e julgamento da ação penal, admite-se que a prisão preventiva do falido e de seus administradores seja decretada na sentença de falência.

(d) A impossibilidade de gerir empresa por mandato ou por gestão de negócio é um dos efeitos automáticos da condenação.

(e) Os efeitos da condenação perdurarão até cinco anos após a extinção da punibilidade, salvo se antes concedida a reabilitação penal.

Resposta: Alternativa "(d)".

Os efeitos da condenação mencionados na alternativa "(d)" não são automáticos, devendo ser motivadamente declarados na sentença (art. 181, § 1º, da Lei 11.101/2005). As demais alternativas estão corretas e correspondem ao texto legal.

59. MINISTÉRIO PÚBLICO/ES – CONCURSO PÚBLICO DE PROVAS E TÍTULOS PARA INGRESSO NA CARREIRA – PROVA PREAMBULAR – 2005

(a) A prescrição extintiva da punibilidade nos crimes previstos na Lei 11.101/2005 opera-se em dois anos, começando a correr do dia da decretação da falência, da concessão da recuperação judicial ou da homologação do plano de recuperação extrajudicial.

(b) Nos crimes militares a prescrição da pretensão punitiva é regulada pelo dobro da pena privativa de liberdade cominada ao delito.

(c) A prescrição da pena de multa ocorrerá em dois anos quando a multa for alternativa ou cumulativamente cominada ou cumulativamente aplicada.

(d) A prescrição nos crimes definidos na Lei 5.250/1967 ocorrerá dois anos após a data da publicação ou transmissão incriminada, e a condenação, no triplo do prazo em que for fixada.

(e) No caso de evadir-se o condenado ou de revogar-se o livramento condicional, a prescrição é regulada pelo tempo que resta da pena.

Resposta: Alternativa "(c)".

Comentando apenas a alternativa "(a)", que se refere a crimes falimentares, verificamos que o prazo de prescrição de dois anos para referidos delitos era correto durante a vigência do Decreto-lei 7.661/1945. Nos termos da Lei 11.101/2005 o prazo de prescrição é regulado pelo Código Penal, e, portanto, variável conforme a pena máxima cominada ao delito falimentar. A alternativa "(a)", portanto, encontra-se incorreta.

60. MINISTÉRIO PÚBLICO/PE –PROCURADORIA-GERAL DE JUSTIÇA – CONCURSO PÚBLICO PARA PROVIMENTO DE CARGOS DE PROMOTOR DE JUSTIÇA E PROMOTOR DE JUSTIÇA SUBSTITUTO – 2002

O recebimento de denúncia por crime falimentar:

(a) Não obsta a qualquer concordata.
(b) Obsta à concordata preventiva.
(c) Obsta à concordata suspensiva.
(d) Obsta à concordata preventiva e à suspensiva.
(e) Pode obstar à concordata preventiva ou suspensiva se for acolhido pedido formulado pela acusação.

Resposta: Alternativa "(c)".

A questão diz respeito ao Decreto-lei 7.661/1945, em que o recebimento da denúncia obstava à concordata suspensiva. Perante a Lei 11.101/2005 o instituto da concordata suspensiva não mais existe.

61. MINISTÉRIO PÚBLICO/SC – PROCESSO SELETIVO PREAMBULAR – PRIMEIRA FASE – PERÍODO MATUTINO – 2005

I – Por disposição expressa contida no Estatuto do Desarmamento, a autorização de porte de arma de fogo de uso permitido será automaticamente suspensa caso o portador seja detido ou abordado em estado de embriagues ou sob o efeito de substância entorpecente.

II – No Código Eleitoral, sempre que não for indicado o mínimo da pena em abstrato para os crimes nele definidos, será de 15 dias para os delitos apenados com detenção e 1 ano para os de reclusão.

III – Constitui crime contra a Administração Pública, apenado com reclusão, efetuar o loteamento ou desmembramento do solo para fins urbanos sem autorização do órgão competente.

IV – Segundo a Lei 11.101/2005, os efeitos automáticos decorrentes da sentença condenatória por crime falimentar perdurarão pelo prazo de cinco anos após a extinção da punibilidade.

V – Em qualquer caso, o erro de tipo essencial, se invencível ou escusável, exclui o dolo e a culpa. Se vencível ou inescusável, exclui o dolo, subsistindo a culpa.

(a) Apenas I, II e III estão corretos.
(b) Apenas II e III estão corretos.
(c) Apenas III e IV estão corretos.
(d) Apenas I e V estão corretos.
(e) Apenas II e IV estão corretos.

Resposta: Alternativa "(b)".

Comentando apenas a afirmação IV, que se refere a crimes falimentares, verificamos que os efeitos da condenação não são automáticos (art. 181, § 1º, da Lei 11.101/2005), o que torna a afirmação incorreta.

62. MINISTÉRIO PÚBLICO/RJ – PROVA ESCRITA ESPECIALIZADA DA BANCA DE DIREITO PENAL, DIREITO PROCESSUAL PENAL E DIREITO ELEITORAL – DIREITO PROCESSUAL PENAL – 15.11.2009

Em sendo um delito falimentar, com pena menor de dois anos, qual o rito cabível para o julgamento? Como deve ser o procedimento?

Resposta: *A questão é divergente na doutrina. O problema está em se definir qual será a competência para julgamento dos crimes apenados com prisão de até dois anos (crimes de menor potencial ofensivo) e, conseqüentemente, o rito aplicável. Há quem entenda que a competência é do juízo criminal comum ou falimentar (nos Estados onde esta competência seja assim definida pela lei de organização judiciária), aplicando-se o rito sumário determinado pela Lei 11.101/2005. Outros entendem estar diante de competência do juizado especial criminal, perante o qual será aplicado o rito da Lei 9.099/1995. Em conflitos de competência já ocorridos na prática, o Tribunal de Justiça do Estado de São Paulo tem estabelecido a competência do juízo falimentar, em detrimento do juizado especial criminal, aplicando-se o rito sumário ao feito. Não obstante, entendemos que, ainda que aplicado este último procedimento, serão cabíveis os benefícios da Lei 9.099/1995, especialmente no tocante à suspensão condicional do processo e à transação penal.*

2. MODELOS DE PEÇAS PROCESSUAIS

1. MODELO DE ARQUIVAMENTO DE INQUÉRITO POLICIAL/JUDICIAL

Autos n. __/__

__ª Vara de Falências e Recuperações da comarca de __
Indiciado: __

MM. JUIZ:

Trata-se de inquérito judicial/policial instaurado após apresentação de exposição/relatório do administrador judicial (síndico/comissário), na falência/recuperação do empresário (sociedade empresária) supracitado(a), com o intuito de investigar eventual crime falimentar.

No relatório apontaram-se os seguintes fatos, passíveis de investigação: (1) *inexistência parcial de escrituração no período de __/__/__ a __/__/__*; (2) *desvio de bens*.

A falência/recuperação foi decretada/concedida em __/__/__, sendo o termo legal fixado em __/__/__ (fls. __). Houve habilitação de credores (cf. fls. __).

Laudo pericial a fls. __.

Foi ouvido o administrador judicial a fls. __, reiterando sua exposição ofertada nos autos da falência/recuperação, ressaltando ainda que: __.

Igualmente, foram ouvidos os credores A, B e C a fls. __, aduzindo que: __.

O representante legal da falida (sócio/empresário individual falido) foi ouvido a fls. __, informando que __.

Foi também ouvido o responsável pela contabilidade (fls. __), o qual explicou que: __.

É o relevante.

Não se vislumbra nos autos hipótese de crime falimentar.

Com efeito, verifica-se que o período citado nos autos, em que a escrituração não existiu, corresponde justamente à época em que houve inatividade empresarial, comprovada documentalmente pela declaração à Receita Federal juntada a fls. __.

Assim, está justificada a ausência parcial de escrituração, uma vez que no período não houve a realização de negócios inerentes à atividade empresarial, mas meramente destinados à manutenção da sobrevida da empresa.

Além disso, não há prova do delito de ocultação, apropriação ou desvio de bens, por ter sido entregue o único bem narrado pelo administrador judicial (cf. fls. __). Outrossim, não se pode presumir o desvio de bens por não terem sido outros bens arrecadados na falência, sendo mister a prova do intuito fraudulento do devedor, que, no caso, inexistiu.

Diante do exposto, requeiro o ARQUIVAMENTO/APENSAMENTO do inquérito policial/judicial, ressalvado o disposto no art. 18 do CPP.

(Local) __, __/__/__.

_____

Promotor de Justiça

2. MODELO DE DENÚNCIA DE CRIME FALIMENTAR

EXMO. SR. DR. JUIZ DE DIREITO DA __ VARA DE FALÊNCIAS E RECUPERAÇÕES (OU DA VARA CRIMINAL) DA COMARCA DE __, ESTADO DE __

Autos n. __

Consta do incluso inquérito policial/judicial que __, sediada na __, n. __, por meio de seus representantes, teve sua falência decretada em __/__/__ (teve recuperação judicial/extrajudicial concedida/homologada em __/__/__), com termo legal fixado em __/__/__ (fls. __).

Durante todo o tempo da atividade empresarial (ou durante o tempo compreendido entre __/__/__ e __/__/__), FULANO (qualificado a fls. __) e BELTRANO (qualificado a fls. __) foram representantes da falida/recuperanda, de direito (constando no contrato social de fls. __ como sócios-administradores) e de fato (cf. fls. __).

Com a quebra/recuperação, concorreram os seguintes crimes:

ART. 178 DA LEI 11.101/2005 – OMISSÃO DE DOCUMENTOS CONTÁBEIS OBRIGATÓRIOS

Operando normalmente até a decretação da falência/concessão da recuperação, a atividade empresarial exercida pelos denunciados demandava a devida escrituração de suas atividades através dos livros "Diário" e "Registro de Duplicatas", por força da legislação empresarial (art. 1.180 do Código Civil e art. 19 da Lei 5.474/1968), além da devida autenticação na Junta Comercial respectiva.

Ocorre que nenhuma escrituração, dentre as supracitadas, foi efetuada pelos acusados, na condição de representantes legais da falida/recuperanda.

Além disso, também não houve escrituração obrigatória por força da legislação tributária federal e estadual, deixando de serem elaborados os livros "Razão", "Caixa" e "Registros de Entradas e Saídas de ICMS".

Tal ausência de escrituração privou o juízo e os credores das informações necessárias à apuração da situação da falida/recuperanda, quanto à situação real de seu ativo, passivo, patrimônio líquido e resultado empresarial.

ART. 173 DA LEI 11.101/2005 – DESVIO DE BENS

Com a falência/recuperação foram arrecadados/apresentados/arrolados os bens descritos a fls. __.

Ocorre que, após a decretação/concessão da falência/recuperação, os denunciados vieram a ocultar e desviar os bens imóveis de ns. __ a __, componentes da relação de bens supracitada, que faziam parte de seu estabelecimento comercial e, portanto, de seu ativo permanente, alienando-os, sem qualquer anuência dos credores, à sociedade empresária denominada __, com o fim de impossibilitar que estes viessem futuramente a ser objeto de constrição do Juízo.

Diante do exposto, DENUNCIO a V. Exa. FULANO e BELTRANO, como incursos nos arts. 173 e 178 da Lei 11.101/2005, combinado com os arts. 29 (concurso de agentes) e 69 (concurso material de crimes), ambos do Código Penal. Recebida e autuada esta, requer-se seja instaurada ação penal falimentar, citando-os para todos os seus termos, ouvindo-se oportunamente as testemunhas abaixo arroladas, prosseguindo-se nos termos do disposto no art. 185 da Lei 11.101/2005 e arts. 531 a 540 do Código de Processo Penal, até condenação final, e aplicando-se a todos, como conseqüência da condenação, a interdição ao exercício de atividade empresarial até eventual reabilitação.

Rol (até cinco testemunhas):

(1) __ (fls. __).
(2) __ (fls. __).
(3) __ (fls. __).
(4) __ (fls. __).
(5) __ (fls. __).

(Local) __, __/__/__

Promotor de Justiça

3. MODELO DE DEFESA INICIAL/RESPOSTA À ACUSAÇÃO (ARTS. 396 E 396-A DO CPP)

EXMO. SR. DR. JUIZ DE DIREITO DA __ VARA DE FALÊNCIAS E RECUPERAÇÕES (OU DA VARA CRIMINAL) DA COMARCA DE __, ESTADO DE __

Autos n. __

FULANO, já qualificado nos autos, vem respeitosamente à presença de V. Exa., por meio de seu advogado constituído com poderes especiais, oferecer resposta à acusação, nos termos a seguir descritos.

DOS FATOS

Alega o representante do Ministério Público que o acusado teria, na condição de sócio/empresário individual, deixado de escriturar os livros comerciais e fiscais obrigatórios, no período de __/__/__ a __/__/__.

Aduz ainda que houve desvio de bens, através da alienação de parte de seu estabelecimento comercial, sem anuência de seus credores.

PRELIMINARMENTE

Ocorre que, após o oferecimento da denúncia, a decisão declaratória/concessiva da falência/recuperação foi reformada em segunda instância por efeito do Recurso n. __, julgado em __/__/__.

Assim, não há mais a necessária condição objetiva de punibilidade, elemento do tipo penal ou condição de procedibilidade para punição do delito falimentar, devendo a ação penal ser extinta.

NO MÉRITO

Se superada a preliminar acima descrita, o que se admite apenas para argumentar, também não merece melhor sorte a denúncia ministerial.

Com efeito, no período mencionado na exordial acusatória a atividade empresarial titularizada pelo acusado esteve inativa, razão pela qual a escrituração não era necessária nos termos mencionados na denúncia.

Outrossim, entende o acusado que faz jus à isenção de escrituração, nos termos dos arts. 970 e 1.179 do Código Civil e do art. 68 da Lei Complementar 123/2006, o que tornaria tal fato atípico.

Com relação ao desvio de bens, o acusado ressalta não foi o responsável pela venda dos bens apontados na denúncia, que foi feita à sua revelia, sendo sua assinatura no documento de fls. __ falsificada.

CONCLUSÃO

Assim sendo, requer seja acolhida a preliminar acima alegada para extinguir o feito, por falta de condição objetiva de punibilidade, elemento do tipo penal ou condição de procedibilidade para punição do delito falimentar, ou, subsidiariamente, seja ainda absolvido sumariamente, por serem os fatos atípicos.

Caso entenda este Juízo por absolver sumariamente o acusado somente do delito do art. 173 da Lei 11.101/2005, requer ainda sejam os autos remetidos ao Ministério Público para que este analise o cabimento de transação penal, uma vez que a pena máxima do delito do art. 178 da Lei 11.101/2005, em que também se encontra denunciado o réu, permite o benefício, por tratar-se de crime de menor potencial ofensivo.

Entendendo, porém, este Juízo por não extinguir o feito ou absolver sumariamente o acusado, requer a produção de prova pericial no documento de fls. __, instaurando-se o devido incidente em apartado nos termos do art. 145 do CPP (ou verificando este Magistrado a falsidade de ofício nos termos do art. 147 do CPP), com o fim de provar a adulteração da assinatura ali inserida, bem como a oitiva das testemunhas a seguir arroladas.

Rol (até cinco testemunhas):

(1) __ (fls. __).
(2) __ (fls. __).
(3) __ (fls. __).
(4) __ (fls. __).
(5) __ (fls. __).

(Local) __, __/__/__

_____

Advogado – OAB n. __

4. MODELO DE TERMO DE AUDIÊNCIA CONTENDO ALEGAÇÕES FINAIS DAS PARTES E SENTENÇA EM CRIME FALIMENTAR

JUÍZO DE DIREITO DA __ VARA DE FALÊNCIAS E RECUPERAÇÕES (OU VARA CRIMINAL) DA COMARCA DE __

Proc. n. __/__
Termo de Audiência
Autor: Ministério Público
Réu(s) – Fulano de Tal

No dia __/__/__, às __ horas, nesta cidade de __, na Sala de Audiências do Juízo da __ Vara __ da Comarca de __, Estado de __, sob a presidência do(a) MM. Juiz(a) de Direito, Dr.(a.) __, comigo escrevente ao final nomeado(a) e assinado(a), foi aberta a audiência nos autos da ação penal falimentar entre as partes supracitadas. Cumpridas as formalidades legais e apregoadas as partes, verificou-se estarem presentes o(a) representante do Ministério Público, Dr(a.). __, o(a) acusado(a) e o(a) defensor(a), Dr.(a.) __, OAB n. __. Iniciados os trabalhos, foram colhidos os depoimentos testemunhais de acusação e defesa e ouvido o acusado(a) em interrogatório, conforme termos de depoimento que ora se juntam nestes autos. Encerrada a instrução, foi aberta a palavra Às partes pelo(a) MM. Juiz(a) de Direito pelo prazo de 20 minutos para cada qual, nos termos do art. 534 do Código de Processo Penal, para alegações finais orais. Pela Promotoria de Justiça foi dito que: "MM. Juiz(a), trata-se de caso em que FULANO DE TAL é acusado dos crimes falimentares constantes dos arts. 178 e 173 da Lei 11.101/2005. É da denúncia que, no período ali mencionado, o réu, como representante legal da sociedade falida, não realizou a devida escrituração mercantil, impedindo os credores e o Juízo de terem informações precisas sobre sua situação econômica, além de alienar bens após a decretação de sua quebra, em prejuízo de seus credores. Citação regular a fls. __. Foi oferecida defesa inicial a fls. __. Nesta audiência foram ouvidas testemunhas e o acusado. O processo correu, portanto, regularmente em seus termos, não havendo nulidades a serem proclamadas. Passo à análise do mérito. A materialidade está provada. Com efeito, o laudo pericial contábil de fls. __ denota que no período citado na denúncia não houve escrituração ou esta foi lacunosa. Do mesmo modo, os documentos encartados a fls. __, entre eles o auto de arrecadação, que localizou bens da massa falida em posse de terceiros, comprovam a autoria do delito de desvio de bens. Também a autoria se encontra provada, uma vez que o próprio acusado nesta audiência confessou que era responsável pela escrituração, embora tenha se escusado, sem sucesso, em imputar a responsabilidade ao contador que o assessorava na época, dizendo que este lhe teria orientado sobre a desnecessidade da escrituração. Outrossim, o administrador judicial, que também depôs na presente audiência, ressaltou o enorme prejuízo que a ausência de escrituração causou ao direito de informação dos credores e deste Juízo. Por seu turno, os credores que depuseram na presente data afirmaram categoricamente que vieram a saber da alienação, feita às escondidas pelo devedor, dos bens componentes do seu estabelecimento comercial e de seu ativo permanente a terceiras pessoas. Assim, provadas autoria e materialidade, a condenação do acusado se impõe. Requer, pois, o Ministério Público a procedência da denúncia nos termos em que foi oferecida, aplicando-se a regra do concurso material de crimes. Requer ainda a fixação da pena no mínimo legal (dada a inexistência de causas de exasperação), a imposição do regime inicial de cumprimento nos termos do art. 33 do Código Penal e a aplicação da inabilitação ao exercício de atividade empresarial até eventual reabilitação, nos termos do art. 181, *caput*, e § 1º, da Lei 11.101/2005". Nada mais.

A seguir pelo(a) defensor(a) foi dito que: "MM. Juiz(a), reiterando inicialmente a preliminar sustentada em defesa inicial, com o devido respeito às ponderações do Ministério Público, verifica-se que, ainda que não acolhida a preliminar ora reiterada, tal caso é de absolvição. De fato, no período citado na denúncia a escrituração era desnecessária e impossível. Com efeito, a atividade empresarial durante o lapso temporal mencionado simplesmente não existiu, uma vez que a sociedade cuja administração o acusado titularizava se encontrava inativa. Não é verdadeiro também que tenha havido qualquer prejuízo aos credores ou a este Juízo da ausência de escrituração, uma vez que, se não existiu atividade empresarial, escrituração não poderia ter havido. Veja-se também que o acusado não é conhecedor da atividade técnico-contábil; não poderia, nem seria exigível, pois, que atuasse contrariamente ao parecer de seu contador, que lhe assegurou quanto à desnecessidade de escrituração. No que tange ao desvio de bens, embora tenha se tornado impossível a realização de exame pericial grafotécnico, as testemunhas de defesa ouvidas nesta data ressaltaram que o acusado não foi o responsável pela venda dos ativos da falida, a qual foi feita à sua completa revelia. Saliente-se que o acusado é primário e de bons antecedentes e cooperou, em tudo que lhe foi possível, com a boa solução deste processo. Faz jus, portanto, à conversão da pena privativa de liberdade em restritiva de direitos. Assim, requer o acolhimento da preliminar alegada em defesa inicial ou, subsidiariamente, a absolvição do réu, ou ainda a condenação unicamente em pena restritiva de direitos". Nada mais.

A seguir, pelo MM. Juiz foi dito: "Vistos. Trata-se de ação penal em que FULANO DE TAL é acusado dos crimes falimentares constantes dos arts. 173 e 178 da Lei 11.101/2005. É da denúncia que, sendo responsável pela administração da sociedade falida, o acusado deixou de providenciar a escrituração empresarial e fiscal obrigatória, além de alienar bens componentes de seu ativo permanente. Defesa encartada a fls. __, em que alega o acusado preliminar de ausência de condição necessária para a punibilidade do crime falimentar, dada a reforma da decisão de falência em segundo grau. Foram juntados documentos pelas partes a fls. __ e fls. __. Desmembrado o feito com relação ao réu BELTRANO a fls. __, dada sua citação por edital, e suspensão do feito nos termos do art. 366 do CPP. Na presente audiência foram ouvidas testemunhas das partes, além do acusado, em termos de oitiva separados. O Ministério Público requer a condenação nos termos da denúncia e a defesa requer o acolhimento da preliminar ou subsidiariamente a absolvição do réu ou a condenação unicamente em pena restritiva de direitos. É o relatório; passo a decidir.

Afasta-se a preliminar alegada pela defesa. Isto porque, embora tenha-se decidido em segunda instância por reformar a decisão de falência/recuperação, sobreveio decisão em recurso especial mantendo referido *decisum* (fls. __). Assim, subsiste a condição objetiva de punibilidade suficiente ao processo criminal inerente aos delitos falimentares. Superada a preliminar, deve-se examinar o mérito a seguir. Com relação ao delito do art. 178 da Lei 11.101/2005 verifica-se que a materialidade está provada pelo laudo pericial contábil de fls. __. Embora alegue o acusado que não exerceu atividade econômica durante o período citado, as testemunhas ouvidas na presente audiência foram categóricas em afirmar que o acusado permaneceu à frente da empresa e continuou a exercer referida atividade, apenas fazendo-o informalmente, sem emitir os documentos e escrituração exigidos pelo ordenamento jurídico aos empresários e sociedades empresárias. Ora, tendo continuado a exercer atividade empresarial, a obrigação do acusado era de escriturar e formalizar seus atos, o que não fez durante o período mencionado na denúncia. Do mesmo modo, o réu foi inequivocamente responsável ou, no mínimo, expressamente anuente com a venda de bens componentes de seu estabelecimento comercial. Isso é bem demonstrado pelo auto de arrecadação, que localizou alguns desses bens na posse de terceiros (fls. __), bem como pelas testemunhas ouvidas na presente audiência, que confirmam todo o proceder do acusado visando a ocultar e desviar seus bens. Não se pode acolher o argumento de que este não teve ciência da venda: primeiro por ter obrigação de administrar o negócio, segundo porque não se trata de venda de bens de pequeno valor, que pudesse passar imperceptível à vista daquele que estivesse à frente do negócio. Assim, sendo o caso de condenação, passo à dosimetria da pena.

Pelo crime do art. 173 fixo a pena-base em 2 anos de reclusão, que torno definitiva, por inexistirem causas de aumento aplicáveis na segunda e terceira fases da dosimetria. Acresce-se a pena de multa, a qual fixo no patamar de 50 dias-multa (pela gravidade do crime em prejuízo dos credores e da administração da justiça), cada qual no valor de 3 vezes o valor do salário mínimo nacionalmente vigente, atualizado devidamente (dada a condição econômica do acusado, demonstrada a fls. __). Como incurso no art. 178 da Lei 11.101/2005, fixo a pena-base em 1 ano de detenção, tornando-a igualmente definitiva por não haver causas de aumento nas fases posteriores da dosimetria, fixando a pena de multa, pelos mesmos motivos supracitados, em 40 dias-multa, no valor de 3 vezes o valor do salário mínimo nacionalmente vigente. Entendo que os crimes resultaram de ações distintas, separadas no tempo e sem nexo de continuidade, razão pela qual é aplicável o concurso material de delitos, somando-se as penalidades de cada crime nos termos do art. 69 do Código Penal, afastada a regra da unidade do crime falimentar. Converto a pena privativa de liberdade em restritiva de direitos, pelo mesmo prazo da primeira, nos termos do art. 44 do Código Penal, por fazer jus o acusado a tal conversão, consistindo a pena em prestação de serviços à comunidade, durante 8 horas semanais, em entidade a ser oportunamente designada pelo Juízo quando do cumprimento da pena ou audiência de advertência respectiva. Caso por qualquer motivo o acusado venha a descumprir injustificadamente a restrição de direitos imposta nesta sentença, deverá cumprir sua pena em regime inicial aberto, nos termos do que determina do art. 33 do Código Penal, devendo a pena de reclusão ser cumprida primeiramente.

Do exposto, CONDENO FULANO DE TAL, como incurso nos arts. 173 e 178 da Lei 11.101/2005, à pena restritiva de direitos consistente em prestação de serviços à comunidade durante 8 horas semanais, pelo período de 3 anos, além da pena de multa no total de 90 dias-multa, no valor individual de 3 vezes o valor do salário mínimo nacionalmente vigente. Tendo o acusado permanecido em liberdade durante o processo e não tendo este dado causa à decretação de sua prisão processual, permito a este o recurso em liberdade. Declaro a inabilitação do réu para o exercício de atividade empresarial bem como para o exercício de cargo ou função em conselho de administração, diretoria ou gerência das sociedades ou gerência de empresa por mandato ou por gestão de negócio, com duração nos termos do art. 181, § 1º, da Lei 11.101/2005. Transitada em julgado, inscreva-se o nome do réu no rol de culpados. Publicada esta em audiência, saem as partes intimadas. Nada mais.

(Local) __, __/__/__.
Eu, __ (__), Escrevente, digitei.

MM. Juiz(a): __
Ministério Público: __
Defensor (a): __
Acusado: __

5. MODELO DE RECURSO DE APELAÇÃO DE SENTENÇA EM CRIME FALIMENTAR (SEPARAÇÃO EM TERMO DE INTERPOSIÇÃO E RAZÕES)

EXMO. SR. DR. JUIZ DE DIREITO DA __ VARA DE FALÊNCIAS E RECUPERAÇÕES (OU DA VARA CRIMINAL) DA COMARCA DE __, ESTADO DE __

Autos: __/__
Acusado: FULANO DE TAL
Termo de Interposição de Recurso de Apelação

MM. Juiz,

FULANO DE TAL, por seu advogado devidamente representado nos autos, vem respeitosamente à presença de V. Exa. interpor recurso de APELAÇÃO, em face da r. sentença de fls. __.

Requer, após o recebimento do apelo, seja o recorrente intimado a apresentar as razões recursais nos termos do art. 600 do Código de Processo Penal, abrindo-se vista à parte contrária para contra-arrazoar o presente recurso, sendo finalmente os autos encaminhados ao egrégio Tribunal.

Termos em que

P. Deferimento.

(Local) __, __/__/__

_____
Advogado – OAB n. __

Autos: __/__
Acusado: FULANO DE TAL
Razões de Apelação

Egrégio Tribunal, colenda Câmara, ínclita Procuradoria,

Trata-se de processo criminal contra a pessoa de FULANO DE TAL, acusado do(s) delitos dos arts. 173 e 178 da Lei 11.101/2005.

O Juízo de primeiro grau, não obstante as provas trazidas pela defesa, entendeu que havia provas suficientes de referidos crimes e condenou o acusado à pena restritiva de direitos e de multa, nos termos da ata de audiência em que está contida a sentença proferida nestes autos.

Não obstante o saber jurídico do Juízo de primeiro grau, a quem se prestam homenagens, não se pode concordar com a tese adotada.

É o relatório do necessário. Passo à argumentação recursal.

PRELIMINARMENTE

Deve-se anular a sentença de primeiro grau, uma vez que esta acabou por afastar a preliminar alegada pela defesa, consistente na ausência de condição objetiva de punibilidade, elemento do tipo penal ou condição de procedibilidade para punição do delito falimentar.

Com efeito, embora a decisão de segunda instância tenha sido objeto de decisão em recurso especial, esta não é definitiva, tendo havido a interposição de recurso desta última decisão da instância extraordinária.

Assim, entende a defesa que o feito não poderia ter sido sentenciado, devendo ser mantido suspenso até decisão final, uma vez que a decisão quanto à falência/recuperação ainda se encontra *sub judice*.

Embora não se trate de questão que envolva o estado das pessoas (art. 92 do Código de Processo Penal), em que haveria prejudicial externa que determinaria necessariamente a suspensão do feito, é certo que o Magistrado, nos termos de sua conveniência, diante do exposto no art. 93 do Código de Processo Penal, poderá, desde que essa questão seja de difícil solução e não verse sobre direito cuja prova a lei civil limite, suspender o curso do processo, após a inquirição das testemunhas e realização das outras provas de natureza urgente, caso o reconhecimento da existência da infração penal depender de decisão da competência do Juízo Cível, e se neste houver sido proposta ação para resolvê-la.

E, mesmo que se admita haver conveniência do Magistrado em determinar a suspensão, é de se admitir também que a segunda instância poderá reexaminar se o exercício desta prerrogativa pelo Juiz de primeiro grau foi oportuno, reformando-a, se assim entender.

Diante do exposto, requer seja anulada a sentença, determinando a suspensão do feito até a decisão final do julgamento da questão inerente à subsistência da falência/recuperação.

DO MÉRITO DO RECURSO

Se superada a preliminar alegada, o que se admite somente para argumentar, não merece a sentença de primeiro grau subsistir no mérito.

Ficou comprovado que a atividade empresarial durante o lapso temporal mencionado simplesmente não existiu, uma vez que a sociedade cuja administração o acusado titularizava se encontrava inativa.

O testemunho usado pelo Juízo de primeira instância para salientar que o acusado exercia *de fato* atividade empresarial não pode ser aceito. Primeiramente por se tratar de credor com pendência pessoal com o acusado, cujo testemunho somente visou a prejudicá-lo, não tendo a isenção necessária para se constituir em prova idônea a uma condenação criminal. Ao depois, é de se verificar que a informação prestada por referido testemunho em Juízo é lacônica, genérica e sem qualquer detalhe informativo a respeito de como se dava a suposta atividade empresarial do requerido.

Como se salientou em alegações finais, não é verdadeiro também que tenha havido qualquer prejuízo aos credores ou a este Juízo da ausência de escrituração, uma vez que, se não existiu atividade empresarial, escrituração não poderia ter havido.

Veja-se também que o acusado não é conhecedor da atividade técnico-contábil; não poderia, nem seria exigível, pois, que atuasse contrariamente ao parecer de seu contador, que lhe assegurou quanto à desnecessidade de escrituração.

Não houve dolo, portanto. E, não sendo o crime falimentar punido a título de culpa, nenhuma responsabilidade criminal subsiste.

Nesse sentido, já se decidiu: TJSP, 1ª Câmara Criminal, ACr 212.620-3, Serra Negra, rel. Des. Andrade Cavalcanti, j. 23.9.1996, v.u.: "*Ementa:* Crime falimentar – Inexistência do livro 'Diário' – Pretendida absolvição – Admissibilidade – Réus que foram mal orientados pelo contador – Afirmação deste de que tratava-se de microempresa sob o sistema de lucro presumido – Ausência de dolo – Absolvição decretada – Recurso provido. Quanto mais anormais as circunstâncias concomitantes, mais tênue a culpabilidade; em certos casos esta anormalidade pode ser tão decisiva que ao agente já não lhe é possível, em termos gerais, adequar-se às prescrições do ordenamento; nestas hipóteses não lhe poderá ser feita nenhuma censura, posto que não cabe exigir-lhe uma conduta distinta".

No que tange ao desvio de bens, embora tenha se tornado impossível a realização de exame pericial grafotécnico, as testemunhas de defesa ouvidas em audiência ressaltaram que o acusado não foi o responsável pela venda dos ativos da falida, a qual foi feita à sua completa revelia, ao contrário do que entendeu o Juízo de primeiro grau na sentença, somente se baseando na prova testemunhal acusatória.

DO PREQUESTIONAMENTO

Prequestionam-se, desde já, e de modo explícito, os seguintes pontos: (1) negativa de vigência dos art. 173 e 178 da Lei 11.101/2005 e do art. 93 do Código de Processo Penal; (2) divergência jurisprudencial com relação à decisão de outro tribunal.

DO PEDIDO RECURSAL

Do exposto, espera o conhecimento e PROVIMENTO do presente recurso, reformando-se a decisão recorrida, para que seja acolhida a preliminar alegada, anulando-se a sentença proferida em primeira instância, ou, subsidiariamente, seja proclamada a absolvição do acusado, como medida de extrema justiça.

Termos em que
P. Deferimento.

(Local) __, __/__/__

_____

Advogado – OAB n. __